NÃO TENHO *fé* SUFICIENTE PARA SER **ateu**

NORMAN GEISLER & FRANK TUREK

NÃO TENHO *fé* SUFICIENTE PARA SER **ateu**

Vida
ACADÊMICA

EDITORA VIDA
Rua Conde de Sarzedas, 246 — Liberdade
CEP 01512-070 São Paulo, SP
Tel.: 0 xx 11 2618 7000
atendimento@editoravida.com.br
www.editoravida.com.br

©2004, de Norman L. Geisler e Frank Turek
Título do original:
I Don't Have Enough Faith to Be an Atheist
Edição publicada por CROSSWAY BOOKS
Uma divisão da GOOD NEWS PUBLISHERS
(Wheaton, Illinois, 60187, EUA)

■

Todos os direitos desta tradução em língua portuguesa reservados por Editora Vida.

PROIBIDA A REPRODUÇÃO POR QUAISQUER MEIOS, SALVO EM BREVES CITAÇÕES, COM INDICAÇÃO DA FONTE.

■

Coordenação editorial: Sônia Freire Lula Almeida
Tradução: Emirson Justino
Edição: Marcello Tolentino
Revisão: Josemar de Souza Pinto e Polyana Lima
Consultoria e revisão técnica: Luiz Sayão
Diagramação: Efanet Design
Capa: Marcelo Moscheta

Scripture quotations taken from Bíblia Sagrada, *Nova Versão Internacional, NVI*®.
Copyright © 1993, 2000 by International Bible Society®.
Used by permission IBS-STL U.S.
All rights reserved worldwide.
Edição publicada por Editora Vida, salvo indicação em contrário.

2. edição: 2006
1ª reimp.: jun. 2006
2ª reimp.: out. 2008
3ª reimp.: ago. 2011
4ª reimp.: dez. 2012
5ª reimp.: mar. 2013
6ª reimp.: ago. 2015
7ª reimp.: maio 2016
8ª reimp.: dez. 2017
9ª reimp.: dez. 2018
10ª reimp.: jan. 2020
11ª reimp.: out. 2020
12ª reimp.: mar. 2021
13ª reimp.: jan. 2022
14ª reimp.: set. 2022

Dados Internacionais de Catalogação na Publicação (CIP)
(Câmara Brasileira do Livro, SP, Brasil)

Geisler, Norman L.
    Não tenho fé suficiente para ser ateu / Normam L. Geisler, Frank Turek; prefácio de David Limbaugh; tradução Emirson Justino. — São Paulo: Editora Vida, 2006.

    Título original: *I Don't Have Enough Faith to Be an Atheist*
    ISBN 978-85-7367-928-1

    1. Apologética 2. Bíblia — Autoridade, testemunhos etc. 3. Fé I. Turek, Frank. II. Limbaugh, David. III. Título.

06-0065 CDD 239

Índices para catálogo sistemático:
    1. Apologética : Teologia cristã   239

Sumário

Prefácio David Limbaugh 7

Prefácio dos autores: De quanta fé você precisa para
acreditar neste livro? 13

Agradecimentos 15

Introdução: Encontrando a tampa da caixa do
quebra-cabeça da vida 17

1. Podemos suportar a verdade? 35

2. Por que alguém deve acreditar em alguma coisa? 51

3. No princípio SURGE o Universo 72

4. Projeto divino 96

5. A primeira vida: lei natural ou deslumbramento divino? 115

6. Novas formas de vida: do angu até tu, passando pelo zoológico 140

7. Madre Teresa *versus* Hitler 174

8. Milagres: sinais de Deus ou enganação? 202

9. Possuímos testemunho antigo sobre Jesus? 226

10. Temos depoimentos de testemunhas oculares sobre Jesus? 257

11. As dez principais razões pelas quais sabemos que os autores
do Novo Testamento disseram a verdade 282

12. Jesus realmente ressuscitou dos mortos? 306

13. Quem é Jesus: Deus? Ou apenas um grande professor de moral?........ 334

14. O que Jesus ensinou sobre a Bíblia?.. 364

15. Conclusão: o Juiz, o Rei-Servo e a tampa da caixa............................... 387

Apêndice 1: Se Deus existe, então por que existe o mal? 399

Apêndice 2: Isso não é apenas a sua interpretação? 411

Apêndice 3: Por que o "Seminário de Jesus" não defende Jesus 419

Prefácio

Na condição de uma pessoa que veio a Cristo depois de vários anos de ceticismo, tenho uma afeição particular pelos livros de apologética cristã. Eles são uma das minhas paixões. Existem muitas provas conclusivas que garantem a confiabilidade das Escrituras, a autoridade da Bíblia como Palavra de Deus inspirada e a perfeição do registro bíblico dos eventos históricos que retrata, incluindo a vida terrena de Jesus Cristo. Há provas incontestáveis e convincentes de que o cristianismo é a única religião verdadeira, que o Deus trino que se revela em suas páginas é o único Deus do Universo e que Cristo morreu pelos nossos pecados para que pudéssemos viver.

É claro que as provas não substituem a fé, que é essencial para nossa salvação e comunhão com Deus. O estudo apologético também não desrespeita a nossa fé. Em vez disso, a enfatiza, qualifica, reforça e renova. Se não fosse assim, a Bíblia não diria "Estejam sempre preparados para responder a qualquer pessoa que lhes pedir a razão da esperança que há em vocês" (1Pe 3.15).

Não tenho fé suficiente para ser ateu é o melhor livro que já vi capaz de preparar os crentes para darem as razões de sua fé e para os céticos que estão abertos à verdade. Este livro servirá como uma ferramenta indispensável de evangelização, especialmente quando se lida com não-cristãos que colocam obstáculos "intelectuais" diante da fé. Como sabemos, os obstáculos intelectuais normalmente são apenas uma desculpa para os não-cristãos, mas, quando se remove a essência de suas desculpas, ficam desprotegidos para confrontar seus obstáculos reais, seus verdadeiros demônios.

Creio que existe outra razão importante para o mandamento bíblico "estejam preparados para responder". Não é simplesmente para nos ajudar a comunicar de maneira eficiente o evangelho, mas para equipar-nos com as ferramentas adequadas para resistir a certas dúvidas persistentes que encontramos nos momentos de fraqueza. Isso fortificará a nossa fé porque reunirá provas a favor do cristianismo.

Sem dúvida, precisamos estar mais bem equipados com as evidências, seja para nos ajudar a evangelizar de maneira melhor, seja para fortalecer a nossa própria fé. Como se já não bastasse termos de lidar com as tentações da carne, também somos confrontados diariamente com influências externas negativas. Essas influências ficaram cada vez mais sinistras e insidiosas nos dias atuais, como a Bíblia advertiu que aconteceria.

No passado, a dúvida dos não-cristãos era se o cristianismo era a única religião verdadeira, se alguma das outras religiões era verdadeira ou se Deus existia. Mas, de maneira geral, eles não estavam sobrecarregados pelo fardo de determinar se havia a assim chamada verdade.

Nossa cultura pós-moderna apresenta uma série de idéias sobre a verdade. Ela ensina que a verdade e a moralidade são relativas, que não existe essa coisa de verdade absoluta. Para a elite intelectual que domina as nossas universidades e os principais meios de comunicação, essas idéias são consideradas sábias e progressistas, embora todos compreendamos intuitivamente que existe uma verdade absoluta e, mais importante, que todos conduzimos nossa vida baseados nesse reconhecimento.

Se você encontrar um desses gênios, tão certos de que a verdade é um constructo social definido pelos poderosos para que continuem no poder, pergunte se ele estaria disposto a testar sua teoria pulando do topo do edifício mais alto da vizinhança. Você também poderá fazer perguntas sobre a lei da não-contradição. Pergunte se ele acredita que duas coisas contraditórias podem ser verdadeiras ao mesmo tempo. Se ele tiver a desonestidade intelectual de dizer "sim", então pergunte sobre quão seguro está de que a verdade absoluta não existe. Estaria ele absolutamente certo?

Sim, a verdade é uma vítima de nossa cultura popular. Quando a verdade desaparece, a autoridade do evangelho diminui, porque o evangelho diz tudo sobre a Verdade. Podemos ver evidência disso em todos os lugares hoje. As noções atuais de "tolerância" e "pluralismo" são um resultado direto do ataque direto por parte da cultura à verdade.

Os secularistas liberais insistem que a tolerância é a mais elevada virtude. Mas não dizem o que realmente entendem por "tolerância". Para eles, a tolerância não envolve simplesmente tratar com respeito e civilidade aqueles que têm idéias diferentes. Significa afirmar que suas idéias são válidas, algo que os cristãos não podem fazer sem renunciar suas próprias crenças. Se, por exemplo, você defende a posição bíblica de que o comportamento homossexual é pecaminoso, então você não pode afirmar ao mesmo tempo que tal comportamento não é pecaminoso.

O secularista pós-moderno não aborda tais questões porque rejeita o conceito da verdade absoluta e da lei da não-contradição. Ele simplesmente segue seu caminho dando lições de moral a todos sobre tolerância e nunca explicando a contradição intrínseca de sua visão.

Os mercadores da tolerância são ainda mais expostos como fraudulentos quando verificamos que simplesmente não praticam aquilo que pregam — pelo menos com aqueles cristãos chatos e teimosos. Absolutamente não estão dispostos a "tolerar" a premissa cristã de que Jesus Cristo é o Caminho, a Verdade e a Vida. Para eles, reconhecer isso seria necessariamente refutar seu conceito de tolerância, o qual afirma que todas as idéias são do mesmo mérito. Em sua infinita criatividade, encontram uma exceção para sua exigência de tolerância universal quando a questão é lidar com cristãos.

Para eles, as prerrogativas da verdade exclusiva do cristianismo estão simplesmente fora dos limites, algo que chega a ponto de desqualificar os cristãos como pessoas dignas de receber a tolerância dos outros. Um administrador de uma universidade secular, por exemplo, disciplinou uma professora de posição conservadora por ter apresentado a literatura à sua classe em uma concepção cristã, o que incluiu um artigo sobre como os professores deveriam abordar a homossexualidade. O administrador afirmou: "Não podemos tolerar o intolerável". Como se vê, é muito fácil para esses tipos livrarem-se de suas posições indefensáveis. Eles simplesmente mudam de lugar os marcos de referência. Isso é que é definir a verdade por meio do poder!

Mas a crença que os cristãos têm de que a sua religião é a única verdadeira não os faz ser intoleráveis com as outras pessoas nem desrespeitosos ao direito que os outros têm de crer e adorar da maneira em que optaram por fazê-lo. Nossa cultura atual está tristemente confusa por causa dessa discriminação, e, assim, usam a confiança que os cristãos têm em seu próprio sistema de crenças para pichá-los como intolerantes para com aqueles que possuem um sistema de crenças distinto. Não existe nada mais falso do que isso. Além do mais, apenas para registrar, o cristianismo não é a única religião com afirmações exclusivas da verdade. Todas as grandes religiões fazem tais afirmações. Muitas das idéias centrais das principais religiões não podem ser reconciliadas, o que dá margem à última mentira da moda que diz que, em seu cerne, todas as religiões são iguais.

É comum ouvirmos ou lermos que todas os pessoas, em todos os lugares, adoram o mesmo Deus por meio de diferentes linguagens e culturas. Essa idéia, com o devido respeito, é absurda pelo que se apresenta. O islamismo, por exemplo, ensina que Cristo foi simplesmente um profeta, e não uma divindade. Como observou C. S. Lewis, se Cristo não é Deus, então não poderia ter sido um profeta exemplar ou um grande professor de moralidade, pois ele afirmava ser Deus. Se não era quem dizia ser, então ele era um mentiroso ou um lunático, e dificilmente um grande mestre de moral ou profeta.

Outro exemplo bastante óbvio é a afirmação de certas religiões orientais de que Deus está em tudo e que não existe uma distinção clara entre o Criador e a criação, o que é totalmente conflitante com o cristianismo. Os exemplos são infindáveis, mas a questão é que, embora as várias religiões possam compartilhar de valores semelhantes, muitas das crenças fundamentais não podem se ajustar. Fazer de conta que todas as religiões são essencialmente as mesmas pode levar as pessoas a se sentirem melhor, mas é muito fácil demonstrar que esse conceito é falso.

Mas o politicamente correto em nossa cultura acaba sendo vitorioso. Até mesmo muitas de nossas igrejas se corromperam com essas noções erradas de tolerância e pluralismo. Elas permitiram que sua teologia se diluísse e que a autoridade das Escrituras fosse denegrida em favor das idéias "evoluídas" que a sociedade tem sobre moralidade. Somente uma versão de cristianismo que prega que todas as religiões são iguais é tolerante e amorosa. Tradicionalmente, o cristianismo fundamentado na Bíblia é intolerante, insensível, exclusivo e não amoroso.

Portanto, até que ponto ser amoroso é tornar-se cúmplice da destruição da própria verdade, a ponto do esvaziamento do evangelho? Ser sensível é ajudar as pessoas a se afastarem do caminho da vida? Como cristão, de que maneira se pode explicar a decisão de Cristo voluntariamente se submeter à indignidade e à humilhação da forma humana, a experimentar a total separação do Pai, a fisicamente aceitar toda a ira real do Pai pelos pecados do passado, do presente e do futuro de toda a humanidade e sofrer o indescritível tormento e morte na cruz se todos os outros caminhos levam igualmente a Deus? Que imensurável afronta à obra completa de Cristo na cruz! Que ato de deliberada desobediência às orientações de Cristo para que levemos o evangelho a todos os cantos da Terra! Pois se todas as religiões são iguais, então tornamos Cristo mentiroso e consideramos sua Grande Comissão uma farsa inútil, porque removemos todo o incentivo para evangelizar.

Não estou sugerindo que os cristãos devam abordar a questão da evangelização de maneira vociferante e desrespeitosa. Certamente devemos honrar os princípios de que todas as pessoas são iguais diante de Deus e dignas de igual proteção da lei, assim como de tratamento justo, cortês e respeitoso. Mas não existe um imperativo moral que nos diga que devamos adotar a idéia de que todos os sistemas de crenças são igualmente verdadeiros. Existe um imperativo moral para que não façamos isso.

O texto bíblico ao qual me referi no início, que nos instrui para estarmos preparados a dar a razão de nossa fé, é imediatamente seguido por uma advertência: "Contudo, façam isso com mansidão e respeito, conservando boa consciência, de forma que os que falam maldosamente contra o bom procedimento de vocês, porque estão em Cristo, fiquem envergonhados de suas calúnias" (1Pe 3.16).

Devemos dar atenção também à seguinte declaração: "É melhor sofrer por fazer o bem, se for da vontade de Deus, do que por fazer o mal. Pois também Cristo sofreu pelos pecados uma vez por todas, o justo pelos injustos, para conduzir-nos a Deus" (1Pe 3.17,18). Devemos pregar a verdade, mesmo se isso custar a nossa popularidade, mesmo se isso nos levar a sermos considerados intolerantes ou insensíveis, mesmo se for para sofrermos perseguição e sofrimento. Sim, devemos evangelizar com mansidão e respeito, mas, acima de tudo, devemos evangelizar. Não podemos ficar calados diante da política de tolerância.

Costumo manter contato com pessoas que ou não acreditam no cristianismo ou que acreditam mas têm sérios problemas com algumas partes da Bíblia ou elementos da doutrina cristã. Certamente não sou um especialista em teologia. Então, o que vou fazer com essas pessoas? Muito além de sugerir a resposta simples de ler a Bíblia do começo ao fim, de que maneira posso ajudá-las a descobrir as verdades que eu tardiamente conheci?

Existem livros maravilhosos que podem ajudar, mas parece que há alguns obstáculos em cada um deles. São muito intelectuais, muito incompletos ou muito difíceis de ler. Para obter o pacote completo, normalmente preciso recomendar mais de um livro, o que diminui significativamente as chances de que alguma pessoa possa lê-los.

Recentemente um amigo me pediu informações sobre algum material apologético que pudesse compartilhar com seu irmão não-cristão. Sabia que essa era uma chance única num futuro próximo, de modo que precisava indicar o livro perfeito. Sendo muito franco, eu posterguei a decisão porque simplesmente não podia decidir entre três ou quatro dos meus recursos favoritos, os quais, na minha opinião, não seriam suficientes se fossem usados sozinhos.

Enquanto estava me preparando para dar uma desculpa e fazer uma recomendação de vários livros, em vez de apenas um, recebi um bilhete de Frank Turek pedindo-me que revisasse *Não tenho fé suficiente para ser ateu*. Depois de ler os primeiros capítulos do livro, fiquei convencido de que o contato com esta obra foi providencial.

Finalmente, pensei, *existe um livro que cobre o todo de uma maneira bastante fácil de ler*. Ao concluir sua leitura, disse a Frank que este era o livro pelo qual eu estava esperando como uma ferramenta de evangelização, uma que poderia explanar as idéias e revelar a verdade de uma maneira muito superior à média. Com a impressão deste livro, tenho uma fonte única que posso recomendar aos céticos, aos que têm dúvidas e aos cristãos que precisam de provas mais contundentes. Já fiz uma lista com os nomes de dez pessoas para quem vou mandar este livro. Certamente ele foi enviado por Deus.

Frank Turek, que descobri ser um grande cavalheiro e estudioso cristão, é autor deste livro juntamente com um gigante entre os gigantes no campo da apologética cristã, o dr. Norman Geisler. Possuo várias outras obras do dr. Geisler, dentre elas *Christian Apologetics* [Apologética cristã], *When Critics Ask* [*Manual popular de dúvidas, enigmas e "contradições" da Bíblia*][1] e *When Skeptics Ask* [Quando os céticos questionam]. Fui apresentado ao dr. Geisler por meio de meu amigo e ex-vizinho, dr. Steve Johnson, formado no Seminário Teológico de Dallas e um dos meus mentores espirituais. Steve emprestou-me (e não me lembro se devolvi!) uma fita de vídeo na qual o dr. Geisler explicava as verdades do cristianismo de uma maneira cativante e alegre. Foi naquele momento que decidi comprar e ler um grande número de seus excelentes livros sobre o assunto.

Posso recomendar todo e qualquer livro do dr. Geisler, mas *Não tenho fé suficiente para ser ateu* é exatamente aquilo que um médico receitaria como uma dose única para aqueles que possivelmente não estejam dispostos a ler uma grande quantidade de livros. Tenho de admitir que o título intrigou-me de maneira particular desde que o ouvi. Sempre acreditei que é preciso ter muito mais fé para ser ateu. Certamente é preciso mais fé para crer que os seres humanos evoluíram de uma interação aleatória de moléculas (que, de alguma maneira, passaram a existir) do que acreditar num Criador.

Este livro também me chamou a atenção porque, antes de tocar a questão da verdade do cristianismo, aborda a questão da própria verdade, provando de modo definitivo a existência da verdade absoluta. Ele destrói as tolices do relativismo moral e da pós-modernidade e, então, continua a marchar sistematicamente rumo à inescapável verdade da religião cristã. Este é um livro que precisava ser escrito e publicado. Existem muitas pessoas famintas esperando pelas verdades que são mostradas de maneira brilhante nesta obra.

DAVID LIMBAUGH

[1]Mundo Cristão, 2001.

Prefácio dos autores

De quanta fé você precisa para acreditar neste livro?

Os céticos à religião acreditam que livros como este não são confiáveis no que se refere a objetividade porque são escritos por pessoas religiosas que têm suas crenças. Na verdade, é desta maneira que os céticos vêem a Bíblia: ela é um livro tendencioso, escrito por pessoas tendenciosas. A avaliação dessas pessoas pode ser verdadeira para alguns livros sobre religiões, mas não é verdadeira para todos eles. Se fosse assim, não se poderia confiar em nada que se leia sobre religião, incluindo livros escritos por ateus ou céticos, porque todo escritor tem um ponto de vista sobre religião.

Portanto, o que isso significa para você, leitor? Você deveria desacreditar aquilo que um ateu escreve sobre o cristianismo simplesmente porque o autor é ateu? Não necessariamente, porque ele pode estar dizendo a verdade. Você deveria desacreditar o que um cristão escreve sobre ateísmo simplesmente porque ele é cristão? Mais uma vez, não necessariamente, pois ele também pode estar dizendo a verdade.

Mas e quanto às tendências do autor? Será que essa tendência fatalmente corromperá a sua objetividade? Se fosse assim, nenhum livro seria objetivo, incluindo aqueles escritos por ateus e céticos. Por quê? Porque *todos* os livros são escritos por uma razão; todos os autores têm uma tendência e eles (ou, pelo menos, a maioria deles) acreditam naquilo que escrevem! Contudo, isso não significa que aquilo que escrevem seja falso ou que não seja objetivo. Ainda que os autores muito raramente sejam neutros em relação aos seus objetos de pesquisa (motivações pessoais fazem-nos escrever), todavia podem apresentá-los de maneira objetiva.

13

Vejamos um exemplo. Os sobreviventes do Holocausto certamente não foram espectadores passivos. Acreditavam plenamente que os nazistas estavam errados e foram levados a relatar suas experiências de modo que o mundo jamais pudesse esquecer-se do Holocausto e, espera-se, que jamais o repita. Será que sua paixão ou suas intenções os fizeram torcer os fatos? Não necessariamente. O fato é que sua paixão pode ter produzido o efeito oposto. Enquanto a paixão pode induzir algumas pessoas a exagerar, também pode levar outras a serem ainda mais meticulosas e precisas, a ponto de não comprometerem a credibilidade da mensagem que desejam comunicar.

Como você verá, entendemos que os autores da Bíblia seguiram por este caminho, o da meticulosidade e precisão. Esse também é o caminho que estamos tentando seguir neste livro (ao terminar esta leitura, diga-nos se realmente achou que o trilhamos).

Enquanto isso, se você é cético, por favor, tenha em mente que deve acreditar ou não naquilo que dizemos em função das provas que apresentamos, e não porque defendemos determinado conjunto de crenças religiosas. Nós dois somos cristãos, mas não fomos sempre cristãos. Passamos a crer por meio das provas. Assim, o fato de que *somos* cristãos não é o mais importante; *por que* somos cristãos é o ponto central. Esse é o foco deste livro.

Norm Geisler e Frank Turek
janeiro de 2004

Agradecimentos

Existe um grande número de pessoas maravilhosas que tiveram fé suficiente para ver este livro pronto. Nossas esposas, Barbara Geisler e Stephanie Turek, estão no topo da lista. Sem o seu amor e apoio, este livro não existiria.

Vários estudiosos e amigos revisaram partes do manuscrito e ofereceram muitas sugestões úteis. Wayne Frair trabalhou sem nenhuma remuneração financeira, durante várias horas, para fazer a crítica dos capítulos que lidam com a evolução. Fred Heeren fez o mesmo no capítulo sobre a teoria do *big bang*. Jay Budziszewski deu-nos valiosas contribuições utilizadas no capítulo sobre a lei moral (ninguém entende mais desse assunto do que ele). Barry Leventhal ofereceu suas lembranças pessoais e perícia no capítulo sobre sua experiência de conversão e profecias messiânicas. Outras importantes sugestões vieram de Bill Dembski, Mark Pustaver, Stephanie Turek e Randi e Lucy Hough. Naturalmente, a plena e final responsabilidade pelo conteúdo deste livro recai sobre nós dois.

Somos gratos a Wes Yoder, da agência Ambassador Speaker Bureau, por seu incentivo e por ter-nos apresentado a Marvin Padgett, da Crossway Books. Marvin teve fé suficiente para levar este projeto avante e para aceitar o título incomum. Bill Deckard, da Crossway, também merece nossos agradecimentos por seu habilidoso trabalho na edição.

Finalmente, agradecemos a David Limbaugh, que não apenas escreveu o prefácio, mas o fez com grande zelo e criatividade. Seu entusiasmo por Cristo e seu desejo de defender a fé nos inspiram. Esperamos que, de alguma maneira, este livro ajude a produzir mais cristãos que compartilhem da mesma paixão.

Introdução

Encontrando a tampa da caixa do quebra-cabeça da vida

> *Aquele que afirma ser cético em relação a um conjunto específico de crenças é, na verdade, um verdadeiro crente em outro conjunto de crenças.*
> PHILLIP E. JOHNSON

O professor de religião da faculdade fez à sua classe de bacharéis, que o observava com olhos arregalados, uma clara advertência, logo no primeiro dia do semestre: "Por favor, deixem suas crenças religiosas em casa!". E acrescentou: "Quando estivermos analisando o Antigo Testamento (AT), é possível que eu faça algumas observações que contrariem o que vocês aprenderam na escola bíblica. Não é meu propósito ofender qualquer pessoa, mas *é* meu propósito ser o mais objetivo possível na análise do texto".

Aquilo pareceu fantástico para mim. Além do mais, eu [Frank] matriculei-me naquela classe porque estava no meio de uma busca espiritual. Não queria seguir alguma linha religiosa específica. Simplesmente desejava saber se Deus existia ou não. Que lugar melhor, pensava eu, para obter alguma informação objetiva sobre Deus e a Bíblia do que uma escola secular como a Universidade de Rochester?

Desde o início, o professor assumiu um ponto de vista bastante cético em relação ao AT. Ele lançou imediatamente a teoria de que Moisés não escreveu os cinco primeiros livros da Bíblia e de que muitas das supostas passagens proféticas da Bíblia foram escritas depois de os fatos terem ocorrido. Também sugeriu que os judeus originalmente acreditavam em muitos deuses (politeísmo), mas aquele Deus único finalmente venceu porque os editores finais do AT eram "fanáticos religiosos monoteístas".

A maioria dos alunos não tinha problema com a análise do professor, exceto um jovem que se sentava algumas fileiras na minha frente. Com o passar do semestre, aquele aluno ficou visivelmente mais irritado diante das teorias céticas do professor. Certo dia, quando o docente começou a criticar algumas partes do livro de Isaías, o aluno não conseguiu mais disfarçar seu desagrado.

— Isso não está certo! — disse ele. — Esta é a Palavra de Deus!

— Esse rapaz é muito religioso — sussurrei à pessoa sentada ao meu lado.

— Olhe — relembrou o professor a toda a classe —, eu disse a vocês no início das aulas que deveriam deixar suas crenças religiosas em casa. Não poderemos ser objetivos se vocês não fizerem isso.

— Mas o senhor não está sendo objetivo — desafiou o aluno, enquanto se colocava em pé. — Está sendo abertamente cético.

Algumas pessoas da classe começaram a resmungar com o aluno.

— Deixe o professor dar a aula!

— Sente-se!

— Isto aqui não é aula de escola bíblica!

O professor procurou abrandar a discussão, mas o agitado aluno saiu da sala batendo o pé e nunca mais voltou.

Embora eu tivesse alguma simpatia por aquele aluno e pudesse ver que o professor tinha realmente sua tendência religiosa, também queria ouvir mais sobre o que ele tinha a dizer em relação ao AT e, particularmente, sobre Deus. Quando o semestre terminou, eu estava razoavelmente convencido de que o professor tinha razão: o AT não deveria ser levado a sério. Contudo, ainda não contava com uma resposta para minha pergunta mais básica: Deus existe? Senti-me completamente insatisfeito no final da última aula. Não vi nenhuma conclusão, nenhuma resposta. Assim, aproximei-me do professor, que já estava cercado por vários alunos que faziam as últimas perguntas.

— Professor — disse eu, depois de esperar que quase todo mundo saísse —, obrigado pelas aulas. Acho que descobri uma nova perspectiva. Mas ainda tenho uma enorme dúvida.

— Por favor, prossiga — disse o professor.

— Inscrevi-me nesta disciplina para descobrir se Deus realmente existe ou não. Bom... Ele existe?

Sem hesitar, nem mesmo por um instante, o professor disse:

— Não sei.

— O senhor não sabe?

— Não, não tenho a mínima idéia.

Fiquei chocado. Senti vontade de repreendê-lo, dizendo: "Espere um minuto, você está ensinando que o AT é falso e nem mesmo sabe se Deus existe? O AT poderia ser verdade se Deus realmente existisse!". Mas, uma vez que as notas finais não estavam fechadas, resolvi pensar melhor. Em vez disso, simplesmente saí, frustrado em relação a todo aquele semestre. Ele poderia ter respondido com um "sim" ou um "não" sinceros, apresentando suas razões, mas não um "eu não sei". Essa resposta eu poderia ter obtido de qualquer homem desinformado que encontrasse no meio da rua. Esperava muito mais de um professor universitário de religião.

Mais tarde, descobri que as minhas expectativas eram muito elevadas em relação à universidade moderna. O termo "universidade" é, na verdade, uma composição das palavras "unidade" e "diversidade". Ao freqüentar uma universidade, espera-se que a pessoa seja guiada a encontrar a unidade na diversidade ou, mais precisamente, de que maneira todos os diversos campos do conhecimento (artes, filosofia, física, matemática etc.) se encaixam para fornecer um quadro uniforme da vida. É uma tarefa nobre, mas é algo que a universidade moderna não apenas abandonou, mas reverteu. Em vez de *uni*versidades, temos hoje as *pluri*versidades. São instituições que consideram todos os pontos de vista tão válidos como quaisquer outros, por mais ridículos que possam ser, com exceção do ponto de vista de que apenas uma religião ou visão de mundo possa ser verdadeira. Esse é o único ponto de vista considerado intolerante e fanático na maioria das universidades.

A despeito da corrente de negações de nossas universidades, acreditamos que *existe* uma maneira de descobrir a unidade na diversidade. Descobrir tal unidade seria como olhar para a tampa da caixa de um quebra-cabeça. Assim como é difícil juntar todas as peças de um quebra-cabeça sem ter a imagem impressa na tampa da caixa, as diversas partes da vida não fazem sentido se não tiverem algum tipo de quadro unificador. A pergunta é: Será que alguém tem a tampa da caixa deste quebra-cabeça que chamamos de vida? Muitas religiões mundiais afirmam que a possuem. Será que alguma delas está certa?

Figura 1.1

A RELIGIÃO E A TAMPA DA CAIXA

Geralmente as religiões mundiais são uma tentativa de fornecer a tampa da caixa que lhe permite ver as muitas peças do quebra-cabeça da vida formando um quadro completo e coeso. Normalmente — e por uma boa razão — esse quadro começa com algum tipo de afirmação sobre Deus. Aquilo que uma pessoa acredita sobre Deus afeta tudo o mais que ela acredita. Quando perguntaram a Mortimer Adler por que a seção "Deus" era a maior na série Grandes Livros do Mundo Ocidental (da qual ele foi o editor), ele sabiamente observou que isso se devia ao fato de mais implicações derivarem do assunto "Deus" do que de qualquer outro. Na verdade, as cinco perguntas mais importantes da vida são:

1. Origem: De onde viemos?
2. Identidade: Quem somos?
3. Propósito: Por que estamos aqui?
4. Moralidade: Como devemos viver?
5. Destino: Para onde vamos?

As respostas a cada uma dessas perguntas dependem da existência de Deus. Se Deus existe, então existe significado e propósito para a vida. Se existe um verdadeiro propósito para sua vida, então existe uma maneira certa e uma maneira errada de viver. As escolhas que fazemos hoje não apenas nos afetam aqui, mas também na eternidade. Por outro lado, se Deus não existe, então a conclusão é que a vida de alguém não significa nada. Uma vez que não existe um propósito duradouro para a vida, não existe uma maneira certa ou errada de viver. Não importa de que modo se vive ou naquilo em que se acredite, pois o destino de todos é o pó.

Portanto, que religião mundial é capaz de responder corretamente à pergunta sobre Deus? Será que alguma religião é capaz de oferecer a verdadeira tampa da caixa da vida? A sabedoria comum diz que não, por uma série de razões.

Em primeiro lugar, muitos dizem que não é racional acreditar que uma religião possa ser a única verdadeira. Se uma religião fosse realmente a única verdadeira, isso significaria que bilhões de pessoas religiosas de outras religiões estariam erradas hoje e que seus adeptos historicamente estiveram errados por vários séculos (isso é um grande problema se o cristianismo é a verdadeira religião, pois ele parece ensinar que todos os não-cristãos vão para o inferno!). Existe o medo — não infundado — de que aqueles que pensam possuir a verdade serão intolerantes com aqueles que não a aceitam.

Pessoas despreocupadas tendem a acreditar que nenhuma religião é *a* verdadeira. Esse sentimento é freqüentemente ilustrado pela parábola favorita de muitos professores universitários: a parábola dos seis homens cegos e o elefante. Ela fala sobre a maneira pela qual cada cego sente uma parte diferente do elefante e que, portanto, chega a uma conclusão diferente sobre o objeto que está diante dele. Um deles toca nas presas e diz: "É uma lança!". Outro segura a tromba e diz: "É uma cobra!". Aquele que está tocando as pernas diz: "É uma árvore!". O cego que está segurando a cauda pensa: "Estou segurando uma corda!". Aquele que segura as orelhas conclui: "É uma ventarola!". Por fim, aquele que está ao lado do elefante afirma: "É uma parede!". Diz-se que esses homens cegos representam as várias religiões mundiais, porque cada um apresenta uma diferente conclusão sobre aquilo que está sentindo. As pessoas dizem que, tal como cada um dos cegos, nenhuma religião detém *a* verdade. Nenhuma religião tem a tampa completa da caixa. As religiões são simplesmente caminhos diferentes que levam ao topo da mesma montanha. Assim, naturalmente, isso é um apelo fortíssimo à mente amplamente tolerante.

Nos Estados Unidos, a verdade na religião é considerada uma contradição. Diz-se que não existe verdade na religião. Tudo é uma questão de gosto ou opinião. Você gosta de chocolate, eu gosto de baunilha. Você gosta do cristianismo, eu gosto do islamismo. Se o budismo funciona para você, então ele é a verdade para você. Além do mais, você não me deve julgar por minhas crenças!

O segundo grande problema relativo à verdade na religião é que algumas peças da vida parecem desafiar a explicação: elas não se encaixam em nenhuma tampa religiosa. Nesta lista, podemos incluir a existência do mal e o silêncio de Deus diante desse mal. Essas são objeções particularmente significativas a qualquer pessoa que afirme a existência de um Deus todo-poderoso (teísmo). Muitos céticos e ateus argumentam que, se um Deus único e poderoso realmente existe, então ele deveria intervir para acabar com toda a confusão. Além do mais, se Deus realmente existe, então por que parece esconder-se? Por que simplesmente não aparece para desbancar as falsas religiões e pôr fim à controvérsia? Por que não intervém para eliminar todo o mal do mundo, sem deixar de fora todas as guerras religiosas que são uma mancha para seu próprio nome? E por que permite que todas essas coisas ruins aconteçam com pessoas boas? São perguntas difíceis para qualquer um que afirme que sua religião teísta é a verdade.

Por último, muitos intelectuais de hoje concluem que nenhuma tampa baseada na religião seria legítima. Por quê? Porque, dizem eles, somente a ciência pode descobrir a verdade. A evolução não apenas removeu a necessidade de Deus, dizem eles, mas apenas aquilo que é passível de teste de laboratório pode ser considerado verdadeiro. Em outras palavras, somente a ciência lida com os fatos, enquanto a religião permanece meramente no campo da fé. Desse modo, não há sentido em tentar reunir provas ou fatos para apoiar uma religião, porque isso seria como reunir fatos para provar que o sorvete de chocolate é melhor que o de baunilha. Você não pode provar preferências. Portanto, uma vez que eles insistem em que religião nunca é assunto de fatos objetivos, mas meramente de gosto, qualquer tampa de caixa que seja derivada de uma religião não poderia fornecer o quadro objetivo da vida que estamos procurando.

Mas aonde tudo isso nos leva? Será que a busca por Deus e pela tampa da caixa da vida é vã? Deveríamos pressupor que não existe sentido objetivo na vida e que cada um inventa sua própria tampa da caixa? Deveríamos contentar-nos com a resposta "eu não sei" do professor universitário?

Achamos que não. Cremos que existe uma resposta real. Apesar das fortes objeções que identificamos (as quais abordaremos nos capítulos seguintes), acreditamos que a resposta é bastante racional. Na verdade, acreditamos que essa resposta é a mais racional e a que exige menos fé do que qualquer outra resposta possível, incluindo a opção de ser ateu. Vamos começar a mostrar o que queremos dizer.

QUE TIPO DE DEUS?

Antes de seguirmos adiante, vamos nos certificar de que estamos usando a mesma terminologia. A maioria das principais religiões mundiais encaixa-se em uma dessas três categorias de visões religiosas: teísmo, panteísmo e ateísmo.

O *teísta* é a pessoa que acredita num Deus pessoal criador do Universo, mas que não é parte do Universo. Isso seria mais ou menos equivalente ao pintor e à pintura. Deus é o pintor, e sua criação é a pintura. Deus fez a pintura, e seus atributos estão expressos nela, mas Deus não é a pintura. As principais religiões teístas são o cristianismo, o judaísmo e o islamismo.

Em contraste, uma pessoa *panteísta* é alguém que acredita num Deus impessoal que literalmente *é* o Universo. Assim, em vez de *fazer* a pintura, os panteístas acreditam que Deus *é* a pintura. O fato é que os panteístas acreditam que Deus é tudo o que existe: Deus é a grama, Deus é o céu, Deus é a árvore, Deus é este livro, Deus é você, Deus sou eu etc. As principais religiões panteístas são orientais, tais como o hinduísmo, algumas formas de budismo e muitas formas da "Nova Era".

Um *ateu*, naturalmente, é alguém que não acredita em nenhum tipo de Deus. Seguindo nossa analogia, os ateus acreditam que aquilo que se parece com uma pintura sempre existiu e ninguém a pintou. Os humanistas encaixam-se nessa categoria.

Veja a seguir uma maneira fácil de memorizar essas três visões religiosas: teísmo — Deus *fez* tudo; panteísmo — Deus *é* tudo; ateísmo — *não há* Deus. (Na figura 1.2, o teísmo é representado pela mão que *segura* o mundo; o panteísmo, pela mão *no* mundo; e o ateísmo, como *nada* a não ser o mundo.)

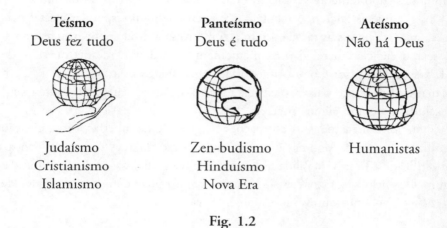

Fig. 1.2

Outro termo que vamos usar com freqüência é *agnóstico*. Esse termo refere-se à pessoa que não tem certeza sobre a questão de Deus.

Agora que já definimos os termos, vamos voltar à questão de fé e religião.

FÉ E RELIGIÃO

Apesar de sua aparente incapacidade de persuadir, a afirmação de que a religião é simplesmente uma questão de fé nada mais é do que um mito moderno — tal afirmação simplesmente não é verdadeira. Embora a religião realmente requeira fé, religião não é *apenas* fé. Os *fatos* também são muito importantes para todas as religiões porque todas as visões religiosas mundiais — incluindo o ateísmo — fazem afirmações verdadeiras, e muitas dessas afirmações podem ser avaliadas por meio de investigação científica e histórica.

Os teístas, por exemplo (e.g., cristãos, muçulmanos, judeus), dizem que o Universo teve um início, enquanto muitos ateus e panteístas (e.g., seguidores da Nova Era e do hinduísmo) dizem que não (o Universo é eterno). Essas são afirmações mutuamente excludentes. É impossível que as duas estejam certas. Ou o Universo teve um começo ou não teve. Ao investigar a natureza e a história do

Universo, podemos concluir por meio da razão que uma das visões está certa e a outra está errada.

A alegada ressurreição de Cristo é outro exemplo. Os cristãos afirmam que Jesus ressuscitou dos mortos, enquanto os muçulmanos dizem que Jesus nem mesmo morreu. Mais uma vez, uma dessas visões está certa e a outra está errada. Como podemos saber qual delas é a certa? Avaliando cada uma dessas afirmações conflitantes supostamente verdadeiras em relação à comprovação histórica.

Observe que as diferentes religiões não apenas tentam responder a essas perguntas, mas os cientistas também têm alguma coisa a dizer sobre esses assuntos. Ou seja, a ciência e a religião freqüentemente abordam a mesma questão: de onde veio o Universo? Como surgiu a vida? Os milagres são possíveis? E assim por diante. Em outras palavras, ciência e religião não são categorias mutuamente excludentes como alguns sugerem.

Certamente nem todas as afirmações religiosas estão abertas à investigação científica e histórica. Algumas dessas afirmações são dogmas impossíveis de serem verificados. Todavia, a validade de muitas crenças religiosas pode ser verificada. Algumas crenças são razoáveis — podem ser provadas com um alto grau de certeza —, enquanto outras são claramente não razoáveis.

OS PROBLEMAS DO CRISTIANISMO

O cristianismo é racional e legítimo? Acreditamos que sim. Contudo, crer no cristianismo pode parecer problemático se alguém não fizer uma ampla investigação das provas com a mente aberta. Em primeiro lugar, existem muitas objeções *intelectuais* como aquelas mencionadas anteriormente (o problema do mal e as objeções de muitos cientistas).

Em segundo lugar, existem obstáculos *emocionais* que às vezes impedem a aceitação do cristianismo. O exclusivismo cristão, a doutrina do inferno e a hipocrisia de cristãos são obstáculos emocionais para quase todo mundo (é fato que a hipocrisia da igreja provavelmente repele mais pessoas do que qualquer outro fator. Alguém já disse que o maior problema do cristianismo são os cristãos!).

Por fim, existem razões *volitivas* para rejeitar o cristianismo, a saber: a moralidade cristã, que parece restringir nossas escolhas na vida. Uma vez que a maioria de nós não quer responder a ninguém, ceder nossa liberdade para um Deus invisível não é algo que desejamos fazer naturalmente.

Contudo, a despeito dos obstáculos intelectuais, emocionais e volitivos, apresentamos a idéia de que não é a fé no cristianismo que é difícil, mas a fé no ateísmo ou em qualquer outra religião. *Ou seja, uma vez que alguém olha para as provas, pensamos que é necessário ter mais fé para ser um não-cristão do que um cristão.* Essa parece ser uma afirmação contrária à intuição, mas simplesmente está baseada no fato de que todas as visões religiosas mundiais requerem fé, até mesmo a visão mundial de que Deus não existe.

Por quê? Porque, como seres humanos limitados, não possuímos o tipo de conhecimento que vai nos dar uma prova absoluta da existência ou não de Deus. Fora do conhecimento de nossa própria existência (eu sei que existo porque preciso existir para ponderar sobre esse aspecto), lidamos no campo da probabilidade. Independentemente daquilo que concluímos sobre a existência de Deus, é sempre possível que a conclusão oposta seja verdadeira.

De fato, é possível que as conclusões lançadas neste livro estejam erradas. Não achamos que estejam, porque temos boas evidências para apoiá-las. Na realidade, achamos que nossas conclusões são verdadeiras ainda que passível de dúvida (dizem que esse tipo de certeza, de mais de 95%, é o melhor que os seres humanos finitos e falíveis podem obter para a maioria das perguntas e é mais do que suficiente até mesmo para as maiores decisões da vida). Todavia, é preciso ter alguma fé para superar a possibilidade de estarmos errados.

A FÉ DO ATEU

Enquanto é preciso ter alguma fé para chegar-se às nossas conclusões, normalmente se esquece que a fé também é exigida para acreditar-se em qualquer outra visão de mundo, incluindo o ateísmo e o panteísmo. Fomos lembrados disso recentemente quando nos encontramos com um ateu chamado Barry em um de nossos seminários. Barry não acreditava que um amigo comum, Steve, tivesse se tornado cristão. Ele disse:

— Não consigo entender Steve. Ele afirma ser intelectual, mas não pode responder a todas as objeções que eu lhe faço sobre o cristianismo. Diz que não tem todas as respostas porque é novo na fé e ainda está aprendendo.

Então, eu [Frank] disse:

— Barry, é praticamente impossível saber *tudo* sobre um tema em particular, e isso é certamente impossível quando o assunto é um Deus infinito. Portanto, chega-se a um ponto em que você percebe ter informação suficiente para chegar a uma conclusão, mesmo se algumas perguntas permanecerem sem resposta.

Barry concordou, mas ainda não tinha percebido que estava fazendo exatamente aquilo de que acusava Steve. Barry havia decidido que a sua visão — ateísmo — era correta, embora não tivesse informação suficiente para apoiá-la. Teria ele certeza de que Deus não existia? Teria ele investigado todos os argumentos e provas da existência de Deus? Será que possuía informação plena sobre a questão de Deus? Poderia ele responder a todas as objeções ao ateísmo? É claro que não. Na verdade, seria impossível fazer isso. Uma vez que, assim como Steve, Barry estava lidando com o campo da probabilidade, em vez de se basear na certeza absoluta, ele tinha certo grau de fé para acreditar que Deus *não* existe.

Apesar de afirmar ser agnóstico, Carl Sagan fez a derradeira afirmação de *fé no materialismo ateu* quando disse que "o cosmo é tudo o que é, ou já foi ou será".[1] Como podia *saber* isso com certeza? Ele não sabia. Como poderia? Ele foi uma mente humana limitada, com conhecimento limitado. Sagan estava lidando com o campo da probabilidade assim como os cristãos estão fazendo quando afirmam que Deus existe. A pergunta é: Quem tem mais provas de suas conclusões? Que conclusão é mais racional? Conforme veremos ao analisarmos as provas, o ateu precisa ter mais fé do que o cristão.

Você pode estar pensando: "O ateu precisa ter muito mais fé do que o cristão! O que será que Geisler e Turek estão querendo dizer com isso?". Queremos dizer que, quanto menos provas alguém tem para sua posição, mais fé precisa para acreditar nela (e vice-versa). A fé cobre lacunas no conhecimento. E acontece que os ateus têm maiores lacunas no conhecimento porque têm muito menos provas de suas crenças do que os cristãos. Em outras palavras, as provas empíricas, forenses e filosóficas apóiam claramente as conclusões compatíveis com o cristianismo e incompatíveis com o ateísmo. Veja a seguir alguns exemplos de evidências que vamos explorar com mais detalhes nos capítulos seguintes:

1. As evidências científicas confirmam claramente que o Universo passou a existir por meio de uma explosão surgida do nada. Ou alguém criou uma coisa do nada (a visão cristã) ou ninguém criou alguma coisa do nada (a visão ateísta). Qual visão é mais legítima? A visão cristã. Qual visão exige mais fé? A visão ateísta.

2. A forma de vida mais simples contém uma quantidade de informações equivalente a mil enciclopédias. Os cristãos acreditam que somente um ser inteligente pode criar uma forma de vida equivalente a mil enciclopédias. Os ateus acreditam que forças naturais não inteligentes podem fazê-lo. Os cristãos têm evidências que apóiam suas conclusões. Uma vez que os ateus não têm nenhuma evidência, sua crença exige muito mais fé.

3. Centenas de anos antes, escritos antigos predisseram a vinda de um homem que seria verdadeiramente Deus. Esse homem-Deus, conforme predito,

---

[1] *Cosmos.* New York: Random House, 1980, p. 4 [publicado em português pela Editora Francisco Alves, *Cosmos*].

nasceria numa cidade particular, de uma descendência específica, sofreria de uma maneira característica, morreria num tempo determinado e ressuscitaria dos mortos para expiar os pecados do mundo. Imediatamente depois do tempo predito, várias testemunhas proclamaram e mais tarde registraram que aqueles fatos preditos haviam realmente acontecido. Essas testemunhas oculares suportaram perseguição e morte, embora pudessem simplesmente negar os fatos e preservar a vida. Milhares de pessoas em Jerusalém converteram-se depois de ver ou ouvir esses fatos, e essa fé rapidamente se espalhou pelo mundo antigo. Historiadores e escritores antigos fazem alusão ou confirmam esses fatos, e a arqueologia corrobora todos eles. Tendo obtido evidências da própria criação de que Deus existe (item 1, mencionado anteriormente), os cristãos acreditam que essas várias linhas de comprovações mostram, sem sombra de dúvida, que Deus colocou sua mão nesses fatos. Os ateus precisam ter muito mais fé para invalidar as predições, as testemunhas oculares, a disposição das testemunhas de sofrer e morrer, a origem da igreja cristã e o testemunho de outros escritores, de achados arqueológicos e de outras evidências que corroboram essa posição, as quais investigaremos mais tarde.

É possível que esses três pontos tenham levantado alguns questionamentos e objeções em sua mente. Na verdade, eles deveriam realmente fazer isso porque estamos deixando de fora vários detalhes que vamos abordar por todo o livro. A questão principal por hora é que você veja o que significa a afirmação de que toda visão de mundo — até mesmo o ateísmo — exige algum grau de fé.

Até mesmo os céticos têm fé. Eles crêem que o ceticismo é verdadeiro. Do mesmo modo, os agnósticos crêem que o agnosticismo é verdadeiro. Não existe posição neutra quando o assunto é crenças. Como Phillip Johnson tão habilmente disse, "aquele que afirma ser cético em relação a determinado conjunto de crenças é, na verdade, um verdadeiro crente de outro conjunto de crenças".[2] Em outras palavras, os ateus, que são naturalmente céticos em relação ao cristianismo, revelam-se verdadeiros crentes no ateísmo. Como veremos mais à frente, se forem honestos diante das evidências, os ateus precisam de muito mais fé para sustentar suas crenças ateístas do que os cristãos precisam para sustentar as suas.

---

[2]Extraído da fita de áudio intitulada "Exposing Naturalistic Presuppositions of Evolution" da Conferência de Apologética de 1998 do Southern Evangelical Seminary. Fita AC9814. Disponível *online* em www.impactapologetics.com.

DESCOBRINDO A TAMPA DA CAIXA

Afirmamos que existem provas claras que apóiam o cristianismo. O que faremos com elas? Desde meados de 1996, viajamos pelo país promovendo um seminário chamado "Os 12 pontos que mostram que o cristianismo é verdadeiro". Nesse seminário, caminhamos de maneira lógica, partindo da questão da verdade e prosseguindo rumo à conclusão de que a Bíblia é a Palavra de Deus. De modo geral, este livro vai seguir a mesma lógica, fazendo uma progressão em 12 pontos:

1. A verdade sobre a realidade pode ser conhecida.

2. O oposto de verdadeiro é falso.

3. É verdade que o Deus teísta existe. Isso é comprovado pelos seguintes aspectos:
   a. O início do Universo (argumento cosmológico);
   b. O planejamento do Universo (argumento teleológico/princípio antrópico);
   c. O planejamento da vida (argumento teleológico);
   d. A lei moral (argumento moral).

4. Se Deus existe, os milagres são possíveis.

5. Os milagres podem ser usados para confirmar uma mensagem de Deus (i.e., como atos de Deus para confirmar uma palavra de Deus).

6. O Novo Testamento é historicamente confiável. Isso é comprovado por:
   a. Testemunhos antigos;
   b. Relatos de testemunhas oculares;
   c. Testemunhos não inventados (autênticos);
   d. Testemunhas oculares que não foram enganadas.

7. O Novo Testamento diz que Jesus afirmava ser Deus.

8. A afirmação de Jesus quanto a ser Deus foi miraculosamente confirmada por:
   a. Cumprimento de muitas profecias sobre si mesmo;
   b. Sua vida sem pecado e seus feitos miraculosos;
   c. A predição e a concretização de sua ressurreição.

9. Portanto, Jesus é Deus.

10. Todos os ensinamentos de Jesus (que é Deus) são verdadeiros.

11. Jesus ensinou que a Bíblia é a Palavra de Deus.

12. Portanto, é verdade que a Bíblia é a Palavra de Deus (e qualquer coisa que se opõe a ela é falsa).

Antes de começarmos a apresentar essa linha de raciocínio, preste atenção em cinco pontos.

Em primeiro lugar, não estamos sugerindo que os 12 pontos citados são verdadeiros por definição. A maioria deles é premissa que precisa ser comprovada. O item 3, por exemplo, afirma "É verdade que o Deus teísta existe". Essa afirmação não é verdadeira simplesmente porque estamos dizendo que é. Ela precisa ser amparada por boas provas, por boas razões. Mostraremos essas boas razões quando chegarmos a esse ponto no livro.

Em segundo lugar, note que estamos iniciando no ponto do completo ceticismo, ou seja, estamos começando com uma pessoa que diz nem mesmo acreditar na verdade. Precisamos começar ali porque, se a visão predominante da cultura está certa — que não existe verdade —, então não pode ser *verdade* que exista um Deus teísta e que exista uma palavra *verdadeira* vinda de Deus. Contudo, se existe verdade e se essa verdade pode ser conhecida, então podemos prosseguir investigando a verdade da existência de Deus e dos pontos que se seguem (e.g., milagres são possíveis; o NT [Novo Testamento] é historicamente confiável; e assim por diante).

Em terceiro lugar, *se* essa linha de raciocínio é segura (e existe um enorme "se" que este livro vai tentar mostrar), ela necessariamente contesta as outras religiões naquilo em que diferem da Bíblia (isso parece incrivelmente arrogante e presunçoso, mas vamos abordar esse assunto posteriormente). Isso *não* quer dizer que todas as outras religiões sejam completamente falsas ou que não possuem verdade. Praticamente todas as religiões têm alguma verdade. Estamos simplesmente dizendo que, *se a Bíblia é verdadeira*, então qualquer afirmação específica que contradiz a Bíblia deve ser falsa. Vejamos um exemplo. Se a Bíblia é verdadeira e ela diz existir um Deus acima do Universo que criou e que sustenta este Universo (teísmo), então qualquer afirmação que negue o teísmo (e.g., ateísmo) deve ser falsa. Do mesmo modo, se a Bíblia é verdadeira e se afirma que Jesus ressuscitou dos mortos, então a negação desse fato, feita no *Alcorão*, deve ser falsa (a propósito, o inverso também deveria ser verdadeiro. Se a comprovação nos mostrasse que o *Alcorão* é verdadeiro, então a Bíblia seria falsa em todos os pontos em que contradiz o *Alcorão*).

Em quarto lugar, damos evidência ao cristianismo porque precisamos viver a nossa vida baseados na verdade. Sócrates disse certa vez que uma vida sem ponderação não é digna de ser vivida.[3] Acreditamos que uma fé sem ponderação não merece crédito. Além do mais, indo na direção contrária da opinião popular, ser

---

[3]Citado em PLATÃO, *Apologia*, seção 38.

cristão não é "apenas ter fé". Os cristãos seguem o *mandamento* de se saber aquilo em que crêem e por que crêem naquilo. É pedido aos cristãos que dêem respostas àqueles que perguntam (1Pe 3.15) e que destruam argumentos contra a fé cristã (2Co 10.4,5). Uma vez que Deus é logicamente plausível (Is 1.18) e quer que usemos a nossa razão, os cristãos não ganham nada em serem tolos. De fato, usar a razão é parte de um mandamento maior que, de acordo com Jesus, é: "Ame o Senhor, o seu Deus de todo o seu coração, de toda a sua alma e de todo o seu *entendimento*" (Mt 22.37).

Por último, ouvimos com freqüência a seguinte pergunta: "Se o cristianismo tem tantas evidências que o apóiam, por que não existem mais pessoas acreditando nele?". Nossa resposta é: embora acreditemos que as evidências que estamos prestes a apresentar mostrem que a Bíblia é verdadeira acima de qualquer suspeita, nenhuma quantidade de evidências pode compelir qualquer pessoa a acreditar nela. A crença exige assentimento não apenas da mente, mas também da vontade. Enquanto muitos não-cristãos têm questionamentos intelectuais honestos, descobrimos que muito mais pessoas têm uma resistência volitiva ao cristianismo. Em outras palavras, não é que as pessoas não tenham evidências para acreditar; elas *não querem* acreditar. O grande ateu Friedrich Nietzsche exemplifica esse tipo de pessoa. Ele escreveu o seguinte: "Se fosse preciso nos provar a existência desse Deus dos cristãos, então devemos ser ainda menos capazes de acreditar nele"[4] e "é nossa preferência que decide contra o cristianismo, e não os argumentos".[5] Está claro, portanto, que a descrença de Nietzsche estava baseada em sua vontade, e não em seu intelecto.

Nesse ponto, um cético pode inverter o argumento afirmando que é o cristão que simplesmente *deseja* acreditar. É verdade; muitos cristãos acreditam simplesmente porque querem fazê-lo e não podem justificar sua crença com evidências. Eles simplesmente crêem que a Bíblia é verdadeira. O simples fato de querer que alguma coisa seja verdadeira não a torna verdadeira. Contudo, o que estamos dizendo é que muitos não-cristãos fazem a mesma coisa: por meio de um "salto de fé", assumem que suas crenças não cristãs são verdadeiras simplesmente porque eles *querem* que o sejam. Nos capítulos a seguir, analisaremos detalhadamente as evidências para ver quem realmente precisa dar um salto maior.

O cético pode então perguntar: "Então por que uma pessoa poderia *querer* que o cristianismo fosse falso? Por que alguém poderia não querer o dom gratuito

---

[4] *The Antichrist,* seção 47 [publicado em português pela Editora Centauro, *O Anticristo*], citado em Walter Kaufmann, *The Portable Nietzsche.* New York: Viking, 1968, p. 627.

[5] Apud Os Guinness, *Time for Truth.* Grand Rapids, Mich.: Baker, 2000, p. 114.

do perdão?". Boa pergunta, mas achamos que a resposta reside nos fatores volitivos dos quais falamos anteriormente, a saber: muitos acreditam que aceitar a verdade do cristianismo exige que mudem sua forma de pensar, amizades, prioridades, estilo de vida ou moral, e essas pessoas não estão muito dispostas a abdicar do controle sobre a sua vida com o objetivo de fazer essas mudanças. Elas acreditam que a vida seria mais fácil e mais alegre sem tantas mudanças. Talvez percebam que, embora o cristianismo esteja diretamente relacionado a perdão, ele também diz respeito a negar-se a si mesmo e carregar a cruz. Na verdade, o cristianismo é gratuito, mas ele pode custar-lhe a vida.

Existe uma diferença entre *provar* uma proposição e *aceitar* uma proposição. Precisamos ser capazes de provar que o cristianismo é verdadeiro ainda que passível de dúvida, mas só *você* pode optar por aceitá-lo. Por favor, considere esta questão para ver se você está aberto à aceitação: se alguém pudesse dar respostas razoáveis às mais importantes questões e objeções que você tem sobre o cristianismo — razoáveis a ponto de mostrar que o cristianismo parece ser verdadeiro acima de qualquer dúvida —, você se tornaria cristão? Pense nisso por um momento. Se a sua resposta *honesta* é não, então a sua resistência ao cristianismo é emocional ou volitiva, e não apenas intelectual. Nenhuma quantidade de evidências vai convencê-lo porque não é a evidência que está no meio do caminho — é *você* mesmo. No final de tudo, só você sabe se está verdadeiramente aberto às evidências favoráveis ao cristianismo.

Uma das coisas belas da criação de Deus é esta: se você não está disposto a aceitar o cristianismo, tem liberdade de rejeitá-lo. Essa liberdade de fazer escolhas — até mesmo a liberdade de rejeitar a verdade — é o que nos torna criaturas morais e que capacita cada um de nós a escolher nosso destino final. Isso realmente vai fundo no questionamento de por que afinal existimos e por que Deus não é tão explícito como gostaríamos ao se revelar a nós. Se a Bíblia é verdadeira, então Deus concedeu a cada um de nós a oportunidade de fazer uma escolha eterna no sentido de aceitá-lo ou rejeitá-lo. Com o objetivo de assegurar que a nossa escolha é totalmente livre, ele nos colocou num ambiente repleto de provas de sua existência, mas sem a sua presença *direta* — uma presença tão poderosa que poderia sobrepujar nossa liberdade e, assim, negar nossa possibilidade de rejeitá-la. Em outras palavras, *Deus forneceu provas suficientes nesta vida para convencer qualquer um que esteja disposto a acreditar, mas ele também deixou alguma ambigüidade, de modo a não compelir aquele que não estiver disposto.* Assim, Deus nos dá oportunidade tanto de amá-lo quanto de rejeitá-lo, sem violar nossa liberdade. De fato, o propósito desta vida é fazer essa escolha livremente, sem coação. Por definição, o amor deve ser dado livremente. Não pode ser forçado. É por isso que C. S. Lewis escreveu:

O Irresistível e o Indiscutível são as duas armas que a própria natureza [de Deus] o impede de usá-las. Simplesmente sobrepor-se à vontade humana (o que sua presença certamente faria, ainda que em seu grau mais ínfimo) seria inútil para ele. Ele não pode arrebatar. Pode apenas cortejar.[6]

Esperamos que as evidências que apresentamos neste livro venham, de alguma maneira, cativá-lo na direção de Deus. Tenha em mente que essas não são as nossas provas, mas as provas *de Deus*. Estamos simplesmente compilando-as numa ordem lógica. Nossa intenção ao usarmos histórias e ilustrações do mundo real tanto quanto possível é tornar este livro seja facilmente lido e seu raciocínio acessível.

RESUMO E CONCLUSÃO

Como já vimos, muitas afirmações de verdades religiosas podem ser investigadas e sua plausibilidade determinada. Uma vez que todas as conclusões sobre tais afirmações são baseadas na probabilidade, não na certeza absoluta, todas elas — até mesmo as afirmações ateístas — exigem certo grau de fé. Ao analisarmos as provas nos capítulos seguintes, veremos que conclusões como "Deus existe" e "a Bíblia é verdadeira" são verdadeiras ainda que passíveis de dúvida. *Portanto, é preciso ter muito mais fé para ser um não-cristão que para ser um cristão.*

Contudo, também reconhecemos que as provas sozinhas não podem convencer alguém a se tornar cristão. Alguns ateus e não-cristãos podem rejeitar o cristianismo não pelo fato de as provas serem inadequadas, mas porque *não querem* aceitá-lo. Algumas pessoas optam por suprimir a verdade em vez de viver por ela. *De fato, nós, seres humanos, temos uma tendência fatal de tentar ajustar a verdade para que se encaixe em nossos desejos, em vez de ajustar nossos desejos segundo o padrão da verdade.*

Mas, espere um pouco. Não existe uma terceira alternativa? E quanto a permanecer agnóstico como o professor de Antigo Testamento citado no início deste capítulo? Ele disse não saber se Deus existe. Alguns podem achar que uma pessoa com esse pensamento possui uma mente aberta. Talvez. Mas existe uma grande diferença entre ser uma pessoa de *mente aberta* e ser uma pessoa de *mente vazia*. À luz das provas, consideramos que o agnosticismo é a decisão de uma mente vazia. Além do mais, será que não deveríamos ter a mente aberta justamente para reconhecer a verdade quando a víssemos? Sim. Desse modo, o que

---

[6] *The Screwtape Letters*. Westwood, N. J.: Barbour, 1961, p. 46 [publicado em português pela Martins Fontes, *Cartas de um diabo a seu aprendiz*].

devemos fazer quando existem provas suficientes que nos apontam a verdade? Por exemplo, o que se deve fazer quando há provas, ainda que passíveis de dúvida, de que George Washington foi o primeiro presidente dos Estados Unidos? Deve-se permanecer com a "mente aberta" para tentar saber quem foi o primeiro presidente? Não, isso seria próprio de uma mente *vazia*. Algumas perguntas são fechadas. Como veremos, existem provas suficientes em relação ao cristianismo para nos levar a uma conclusão justificável.

Como observou Mortimer Adler, nossa conclusão sobre Deus causa impacto em todas as áreas de nossa vida. Ela é a chave para encontrarmos a unidade na diversidade e o verdadeiro sentido para a vida. Ela é, literalmente, a pergunta mais importante que o ser humano deve fazer. Felizmente, se o nosso raciocínio está correto, descobriremos a tampa da caixa do quebra-cabeça da vida no final de nossa jornada. Portanto, vamos dar o primeiro passo. Trataremos da questão da verdade.

Os capítulos 1 e 2 tratarão dos seguintes assuntos:

1. **A verdade sobre a realidade pode ser conhecida.**
2. **O oposto de verdadeiro é falso.**
3. É verdade que o Deus teísta existe. Isso é comprovado pelos seguintes aspectos:
   a. O início do Universo (argumento cosmológico);
   b. O planejamento do Universo (argumento teleológico/princípio antrópico);
   c. O planejamento da vida (argumento teleológico);
   d. A lei moral (argumento moral).
4. Se Deus existe, os milagres são possíveis.
5. Os milagres podem ser usados para confirmar uma mensagem de Deus (i.e., como atos de Deus para confirmar uma palavra de Deus).
6. O Novo Testamento é historicamente confiável. Isso é comprovado por:
   a. Testemunhos antigos;
   b. Relatos de testemunhas oculares;
   c. Testemunhos não inventados (autênticos);
   d. Testemunhas oculares que não foram enganadas.
7. O Novo Testamento diz que Jesus afirmava ser Deus.
8. A afirmação de Jesus quanto a ser Deus foi miraculosamente confirmada por:
   a. Cumprimento de muitas profecias sobre si mesmo;
   b. Sua vida sem pecado e seus feitos miraculosos;
   c. A predição e a concretização de sua ressurreição.
9. Portanto, Jesus é Deus.
10. Todos os ensinamentos de Jesus (que é Deus) são verdadeiros.
11. Jesus ensinou que a Bíblia é a Palavra de Deus.
12. Portanto, é verdade que a Bíblia é a Palavra de Deus (e qualquer coisa que se opõe a ela é falsa).

1
Podemos suportar a verdade?

> *De tempos em tempos, os homens tropeçam na verdade,*
> *mas a maioria deles se levanta e segue adiante*
> *como se nada tivesse acontecido.*
> WINSTON CHURCHILL

No filme *Questão de honra* [*A Few Good Men*], o ator Tom Cruise faz o papel de um advogado da Marinha norte-americana que questiona um coronel, representado por Jack Nicholson, sobre o assassinato de um de seus homens. A dramática cena do tribunal transforma-se num grande bate-boca no qual Cruise acusa Nicholson de ser cúmplice do assassinato:

Cruise: — Coronel, o senhor ordenou o Código Vermelho?

Juiz: — O senhor não precisa responder a essa pergunta!

Nicholson: — Eu responderei a essa pergunta... você quer respostas?

Cruise: — Acho que foi designado para isso.

Nicholson: — Você quer respostas!

Cruise: — Eu quero a verdade!

Nicholson: — Você não pode suportar a verdade!

Nicholson poderia muito bem estar gritando com os Estados Unidos, em vez de com Cruise, porque parece que muitas pessoas em nosso país não suportam a verdade. Por um lado, exigimos verdade em praticamente todas as áreas da vida. Exigimos, por exemplo, verdade de:

- entes queridos (ninguém quer ouvir uma mentira de um cônjuge ou de um filho);
- médicos (queremos ter a receita do remédio correto e que seja realizado o procedimento médico adequado);

- corretores de ações da bolsa de valores (exigimos que nos digam a verdade sobre as ações que estão nos recomendando);
- tribunais (queremos que condenem apenas os verdadeiramente culpados);
- empregadores (queremos que nos digam a verdade e que nos paguem de maneira justa);
- companhias aéreas (exigimos aviões verdadeiramente seguros e pilotos realmente sóbrios).

Também esperamos ouvir a verdade quando escolhemos um livro de referência, lemos um artigo ou assistimos ao noticiário. Queremos a verdade de anunciantes, professores e políticos. Pressupomos que a sinalização das estradas, as bulas dos remédios e os rótulos das comidas revelam a verdade. De fato, exigimos a verdade em praticamente todas as facetas da vida que afetam nosso dinheiro, nossos relacionamentos, nossa segurança ou nossa saúde.

No entanto, apesar das firmes demandas pela verdade nessas áreas, muitos de nós dizem que não estão interessados na verdade quando o assunto é moralidade ou religião. O fato é que muitos simplesmente rejeitam a idéia de que qualquer religião possa ser verdadeira.

Como temos certeza de que você já percebeu, existe uma grande contradição aqui. Por que exigimos verdade em tudo, exceto na moralidade e na religião? Por que dizemos "isso é verdade para você mas não para mim", quando estamos falando sobre a moralidade ou religião, mas nunca pensamos nessa falta de sentido quando estamos falando com um corretor de ações da bolsa de valores sobre o nosso dinheiro ou com o médico sobre a nossa saúde?

Embora poucos admitam, nossa rejeição à verdade religiosa e moral freqüentemente está baseada em fundamentos volitivos, e não intelectuais: simplesmente *não queremos* submetermo-nos a qualquer padrão moral ou doutrina religiosa. Desse modo, aceitamos cegamente as fracas afirmações dos intelectuais politicamente corretos que nos dizem que a verdade não existe; tudo é relativo; não existem absolutos; tudo é uma questão de opinião; você não deve julgar; religião está relacionada à fé, e não a fatos! Talvez Agostinho estivesse certo quando disse que nós amamos a verdade quando ela nos ilumina, mas a odiamos quando ela nos convence. Talvez não possamos suportar a verdade.

Com o objetivo de resolver nossa esquizofrenia cultural, precisamos abordar quatro questões relativas à verdade:

1. O que é a verdade?
2. A verdade pode ser conhecida?

3. As verdades sobre Deus podem ser conhecidas?

4. E daí? Quem se importa com a verdade?

Vamos abordar essas questões neste capítulo e no seguinte.

O QUE É A VERDADE? A VERDADE SOBRE A VERDADE

O que é a verdade? De maneira bem simples, verdade é "dizer aquilo que é". Quando o governador romano Pilatos perguntou a Jesus "Que é a verdade?" cerca de 2 mil anos atrás, ele não esperou a resposta de Jesus. Em vez disso, Pilatos imediatamente agiu como se conhecesse pelo menos alguma verdade. Em relação a Jesus, declarou: "Não acho nele motivo algum de acusação" (v. Jo 18.38). Ao dispensar Jesus, Pilatos estava "dizendo aquilo que é".

A verdade também pode ser definida como "propriedade de estar conforme com os fatos ou a realidade" ou "a fidelidade de uma representação em relação ao modelo ou original". O julgamento de Pilatos foi correto porque estava de acordo com a realidade. Ele representou com precisão o modelo ou o original. Jesus realmente era inocente.

Ao contrário do que está sendo ensinado em muitas escolas públicas dos Estados Unidos, a verdade não é relativa, mas absoluta. Se alguma coisa é verdadeira, ela é verdadeira para todas as pessoas, em todos os momentos, em todos os lugares. Toda verdade afirma ser absoluta, completa e exclusiva. Pense na afirmação "toda a verdade". Essa é uma afirmação absoluta, completa e exclusiva. Ela inclui o seu oposto (i.e., ela afirma que a declaração "Tudo não é verdadeiro" está errada). De fato, todas as verdades excluem seus opostos. Até mesmo as verdades religiosas.

Isso se tornou comicamente claro quando, há alguns anos, eu [Norm] debati com o humanista religioso Michael Constantine Kolenda. Dentre os vários ateus com os quais debati, ele foi um dos poucos que realmente leu meu livro *Apologética cristã* antes do debate.

Quando chegou sua vez de falar, Kolenda segurou meu livro e disse:

— Esses cristãos são pessoas de mente fechada. Eu li o livro do dr. Geisler. Você sabe no que ele acredita? Acredita que o cristianismo é verdadeiro e que tudo o que se oponha a ele é falso! Esses cristãos são pessoas de mente fechada!

Bem, Kolenda também escreveu um livro que eu li de antemão. O título do livro é *Religion Without God* [Religião sem Deus] (que é quase a mesma coisa que dizer "casamento sem cônjuge"!). Quando chegou minha vez de falar, segurei o livro de Kolenda e declarei:

— Esses humanistas são pessoas de mente fechada. Eu li o livro do dr. Kolenda. Você sabe no que ele acredita? Ele acredita que o humanismo é verdadeiro e que tudo o que se oponha a ele é falso! Esses humanistas são pessoas de mente fechada!

A platéia caiu na risada porque entendeu a questão. As afirmações de verdade dos humanistas são tão estreitas quanto as dos cristãos. Se H (humanismo) é verdadeiro, então tudo aquilo que se opõe a H é falso. Do mesmo modo, se C (cristianismo) é verdadeiro, então tudo o que se opõe a C é falso.

Existem muitas outras verdades sobre a verdade. Veja algumas delas:

- A verdade é descoberta, e não inventada. Ela existe independentemente do conhecimento que uma pessoa tenha dela (a lei da gravidade existia antes de Newton).

- A verdade é transcultural. Se alguma coisa é verdadeira, então ela é verdadeira para todas as pessoas, em todos os lugares, em todas as épocas (2 + 2 = 4 para todo o mundo, em todo lugar, o tempo todo).

- A verdade é imutável, embora as nossas *crenças* sobre a verdade possam mudar (quando começamos a acreditar que a Terra era redonda, em vez de plana, a *verdade* sobre a Terra não mudou; o que mudou foi nossa *crença* sobre a forma da Terra).

- As crenças não podem mudar um fato, não importa com que seriedade elas sejam esposadas (alguém pode sinceramente acreditar que o mundo é plano, mas isso faz apenas a pessoa estar sinceramente errada).

- A verdade não é afetada pela atitude de quem a professa (uma pessoa arrogante não torna falsa a verdade que ela professa. Uma pessoa humilde não faz o erro que ela professa transformar-se em verdade).

- Todas as verdades são verdades absolutas. Até mesmo as verdades que parecem ser relativas são realmente absolutas (e.g., a afirmação "Eu, Frank Turek, senti calor no dia 20 de novembro de 2003"[1] aparentemente é uma verdade relativa, mas é realmente absoluta para todo o mundo, em todos os lugares, que Frank Turek teve a sensação de calor naquele dia).

Em resumo, é possível haver *crenças* contrárias, mas *verdades* contrárias é uma coisa impossível de existir. Podemos *acreditar* que uma coisa é verdade, mas não podemos *fazer* tudo ser verdade.

Isso parece suficientemente óbvio. Mas como lidamos com a assertiva moderna de que não existe verdade? Algumas personagens de desenhos animados podem nos ajudar.

---

[1] Período de inverno nos EUA [N. do E.].

A tática do Papa-léguas

Se alguém lhe dissesse: "Tenho uma idéia que vai simplesmente revolucionar a sua capacidade de identificar de maneira rápida e segura as afirmações e filosofias falsas que permeiam a nossa cultura", você ficaria interessado? É isso o que estamos prestes a fazer aqui. De fato, se tivéssemos de eleger uma habilidade mental como a mais valiosa que tivéssemos aprendido em nossos muitos anos de comparecimento a seminários e cursos de pós-graduação, seria esta: como identificar e refutar afirmações que são falsas em si mesmas. Um incidente ocorrido recentemente num programa de entrevistas de rádio vai demonstrar o que queremos dizer com afirmações falsas em si mesmas.

Jerry, o liberal apresentador daquele programa, estava recebendo chamadas telefônicas sobre o assunto da moralidade. Depois de ouvir vários participantes pelo telefone afirmarem ousadamente que determinada posição moral era correta, um dos participantes interrompeu: "Jerry! Jerry! Não existe esse negócio de verdade!".

Eu [Frank] corri para o telefone e comecei a discar freneticamente. Ocupado. Ocupado. Ocupado. Queria entrar e dizer: "Jerry! E quanto àquele cara que disse 'Não existe esse negócio de verdade' — *isso* é verdade?".

Não consegui completar a ligação. É claro que Jerry concordou com o ouvinte, sem jamais perceber que sua afirmação não poderia ser verdadeira — porque era uma afirmação falsa em si mesma.

Uma afirmação falsa em si mesma é aquela que não satisfaz o seu próprio padrão. Como temos certeza que você sabe, a afirmação do ouvinte — "Não existe verdade" — pretende ser verdadeira e, portanto, derrota a si mesma. É como se um estrangeiro dissesse: "Eu não consigo falar uma palavra sequer em português". Se alguém dissesse isso, você obviamente responderia: "Espere um minuto! Sua afirmação é falsa porque você acabou de falar em português!".

Afirmações falsas em si mesmas são feitas rotineiramente em nossa cultura pós-moderna, e, uma vez que você tenha uma capacidade aguçada de detectá-las, se tornará um defensor absolutamente intrépido da verdade. Sem dúvida, você já ouviu pessoas dizerem coisas como "Toda verdade é relativa!" e "Não existem absolutos!". Agora você estará armado para refutar tais afirmações tolas simplesmente revelando que elas não satisfazem os seus próprios critérios. Em outras palavras, ao lançar uma afirmação falsa em si mesma contra ela própria, você pode expô-la pela falta de sentido que demonstra.

Ao processo de confrontar uma afirmação falsa em si mesma com ela própria, damos o nome de "tática do Papa-léguas", porque ela nos lembra as personagens de desenho animado Papa-léguas e Coiote. Como você deve se lembrar das sessões de desenhos animados da TV, o único objetivo do Coiote é caçar o veloz Papa-léguas para transformá-lo em sua refeição. Mas o Papa-léguas é simplesmente rápido e esperto demais. Quando o Coiote está prestes a agarrá-lo, o Papa-léguas simplesmente pára instantaneamente na beira do abismo, deixando que o Coiote passe de lado e fique temporariamente suspenso no ar, apoiado em nada. Tão logo o Coiote percebe que não tem um chão no qual se firmar, cai verticalmente rumo ao fundo do vale e arrebenta-se todo.

Bem, é exatamente isso o que a tática do Papa-léguas pode fazer com os relativistas e os pós-modernistas de nossos dias. Ela nos ajuda a perceber que seus argumentos não podem sustentar seu próprio peso. Conseqüentemente, eles se estatelam no chão. Isso faz você parecer um supergênio! Vamos levar a tática do Papa-léguas à universidade para mostrar-lhe o que queremos dizer com tudo isso.

O Papa-léguas vai à universidade

A tática do Papa-léguas é especialmente necessária aos estudantes universitários de hoje. Por quê? Porque muitos de nossos professores universitários vão dizer que não existe verdade. O que nos surpreende é que os pais ao redor do mundo estão literalmente pagando muito dinheiro em educação universitária para que seus filhos aprendam que *a "verdade" é que não existe verdade*, isso sem falar de outras afirmações pós-modernas falsas em si mesmas, como "Toda a verdade é relativa" (*essa* verdade é relativa?); "Não existem absolutos" (você está *absolutamente* certo disso?) e "É verdade para você, mas não é verdade para mim!" (essa afirmação é verdadeira apenas para você ou para todo o mundo?). "É verdade para você, mas não é para mim" pode ser o mantra de nossos dias, mas o mundo não funciona realmente assim. Tente dizer isso ao caixa do banco, à polícia ou à Receita Federal e você verá até onde vai!

Naturalmente esses mantras modernos são mentirosos porque são afirmações falsas em si mesmas. Mas temos algumas perguntas para aqueles que ainda acreditam cegamente neles: se realmente não existe verdade, então por que tentar aprender alguma coisa? Por que um aluno deveria dar ouvidos a um professor? Afinal, o professor não tem a verdade. Qual é o objetivo de ir à escola, quanto mais de pagar por ela? Qual é o objetivo de obedecer às proibições morais de um professor quanto a colar nas provas ou plagiar trabalhos de outras pessoas?

As idéias têm conseqüências. Boas idéias têm boas conseqüências e más idéias têm más conseqüências. O fato é que muitos alunos percebem as implicações dessas más idéias pós-modernas e comportam-se de acordo com elas. Se ensinarmos aos alunos que não existe certo ou errado, por que deveríamos nos surpreender com o fato de um grupo de alunos atirar em seus colegas de classe ou de ver uma mãe adolescente abandonando o filho numa lata de lixo? Por que eles deveriam agir da maneira "certa" quando nós ensinamos que não existe essa coisa de "certo"?

C. S. Lewis revelou o absurdo de se esperar virtude de pessoas a quem foi ensinado que não existe virtude:

> Num tipo de simplicidade assustadora, removemos o órgão e exigimos a função. Fazemos homens sem peito e esperamos deles virtude e iniciativa. Rimos da verdade e ficamos chocados ao encontrarmos traidores em nosso meio. Castramos e esperamos que o castrado seja reprodutor.[2]

A verdade disso tudo é a seguinte: idéias falsas sobre a verdade levam a falsas idéias sobre a vida. Em muitos casos, essas falsas idéias dão aparente justificativa para aquilo que é, na verdade, um comportamento imoral. Se você puder matar o conceito de verdade, então poderá matar o conceito de qualquer religião ou moralidade verdadeiras. Muitas pessoas de nossa cultura têm tentado fazer isso, e os últimos 40 anos de declínio moral e religioso demonstram seu sucesso. Infelizmente, as devastadoras conseqüências de seus esforços não são apenas verdade para eles, mas também para todos nós.

Portanto, a verdade existe. Ela não pode ser negada. Aqueles que negam a verdade fazem a afirmação falsa em si mesma de que não existe verdade. Nesse aspecto, eles são muito semelhantes ao Ursinho Puff: respondem a uma batida na porta dizendo "não há ninguém em casa!".

Vejamos agora de que maneira a tática do Papa-léguas pode nos ajudar a responder à afirmação cética de que "a verdade não pode ser conhecida"!

A VERDADE PODE SER CONHECIDA? TOC, TOC...

Os cristãos evangélicos acreditam que devem obedecer ao mandamento de Jesus que diz: " '... vão e façam discípulos de todas as nações' " (Mt 28.19). Com o objetivo de ajudar os cristãos a levarem adiante essa "grande comissão", D. James Kennedy criou uma técnica de evangelização de porta em porta chamada "Evangelismo Explosivo" (EE). Se você é cristão, a técnica do EE vai permitir que você avalie rapidamente onde uma pessoa está em termos espirituais. Depois de apresentar-se, você deve fazer perguntas como estas à pessoa que o está recebendo:

---

[2] *The Abolition of Man.* New York: Macmillan, 1947, p. 35 [publicado em português pela Martins Fontes, *A abolição do homem*].

1. Posso fazer-lhe uma pergunta de cunho espiritual?

2. Se você morresse esta noite e se apresentasse diante de Deus e ele lhe perguntasse: "Por que eu deveria deixar você entrar no meu céu?", o que você diria?

A maioria das pessoas fica suficientemente curiosa a ponto de dizer sim à pergunta número 1 (se elas disserem "o que você quer dizer com 'pergunta de cunho espiritual'?", vá adiante e faça a pergunta 2). Em relação à segunda pergunta, o manual do EE prevê que normalmente "boas obras" é a resposta mais freqüentemente citada pelos não-cristãos. Como você sabe, alguma coisa como "Deus vai me aceitar porque sou uma pessoa boa. Não matei ninguém; vou à igreja; dou esmolas aos pobres...". Nesse caso, o manual do EE diz que você deve responder com o evangelho (literalmente, as "boas-novas"), que diz que todos (incluindo você) deixaram de atingir o perfeito padrão de Deus e que nenhuma boa obra pode apagar o fato de que se é pecador; mas a boa notícia é que podemos ser salvos da punição ao confiar em Cristo, que foi punido em nosso lugar.

Embora essa técnica seja muito bem-sucedida, alguns não-cristãos não respondem às duas perguntas da maneira que se espera. Eu [Norm], por exemplo, decidi usar a técnica do EE nas ruas juntamente com um membro da minha igreja. Veja o que aconteceu.

Toc, toc.

— Quem está aí? — perguntou um homem que veio à porta. Estendi minha mão e disse:

— Olá! Meu nome é Norm Geisler. Este é meu amigo Ron. Somos de uma igreja que fica no fim desta rua.

— Meu nome é Don — respondeu o homem, passando rapidamente os olhos sobre nós. Parti imediatamente para a ação fazendo a pergunta número 1:

— Don, você se importa se lhe fizermos uma pergunta de cunho espiritual?

— Não, vá em frente — disse Don corajosamente, como se estivesse ansioso para ter um pregador do evangelho como sobremesa.

Joguei a pergunta número dois em cima dele.

— Don, se você morresse esta noite e se apresentasse diante de Deus e ele lhe perguntasse: "Por que eu deveria deixar você entrar no meu céu?", o que você diria?

— Eu diria a Deus: "Por que você *não me deixaria* entrar no seu céu?" — retrucou Don.

Glup!!... Ele não deveria dizer isso! Quer dizer, a resposta daquele homem não estava no manual!

Depois de um segundo de pânico, fiz uma breve oração e respondi:

— Don, se eu batesse na sua porta buscando entrar na sua casa e você dissesse: "Por que eu deixaria vocês entrarem em minha casa?", e nós respondêssemos: "Por que você não nos deixaria entrar?", o que você diria?

Don apontou o dedo para o meu peito e disse de maneira bem ríspida:

— Eu lhe diria para onde você deveria ir!

Respondi imediatamente:

— É exatamente isso o que Deus vai dizer a você!

Por um instante, Don pareceu surpreso, mas então apertou os olhos e disse:

— Para falar a verdade, não acredito em Deus. Sou ateu.

— Você é ateu?

— É isso mesmo!

— Bem, você tem certeza de que Deus não existe? — perguntei. Ele fez uma pausa e disse:

— Bom, não, não estou *absolutamente* certo. Acho que é possível que Deus exista.

— Então, você não é verdadeiramente ateu. Você é um agnóstico — disse eu —, pois um ateu diz: "Eu sei que Deus não existe", e o agnóstico diz: "Eu não sei se Deus existe".

— É... está certo; então acho que sou agnóstico — respondeu ele.

Agora estávamos realmente progredindo. Com apenas uma pergunta, saímos do ateísmo para o agnosticismo! Mas eu ainda precisava descobrir que tipo de agnóstico era Don. Então, perguntei:

— Don, que tipo de agnóstico é você?

Ele riu e perguntou:

— O que você quer dizer com isso? — (provavelmente ele estava pensando assim: "Um minuto atrás, eu era ateu — não faço a menor idéia do tipo de agnóstico que sou agora!").

— Bom, existem dois tipos de agnósticos — expliquei. — Existe o *agnóstico comum* que diz que *não se sabe* nada com certeza, e existe o *agnóstico decidido* que diz que *não se pode* saber nada com certeza.

Don estava tranqüilo com relação a isso. Ele disse:

— Eu sou do tipo decidido. Não se pode saber nada com certeza.

Reconhecendo a natureza de sua afirmação falsa em si mesma, joguei a tática do Papa-léguas sobre ele, perguntando:

— Don, se você diz que não é possível saber nada com certeza, então como você pode saber *isso* com certeza?

Aparentando estar confuso, ele disse:

— O que você quer dizer com isso?

Explicando tudo de outra maneira, eu disse:

— Como você *sabe* com certeza que não se pode *saber* nenhuma coisa com certeza?

Eu já podia ver uma lâmpada se acendendo sobre sua cabeça, mas decidi acrescentar mais uma coisa:

— Além do mais, Don, você não pode ser cético sobre tudo, porque isso é equivalente a dizer que você duvida do ceticismo. Mas quanto mais você duvida do ceticismo, mais seguro se torna.

Ele afrouxou um pouco e disse:

— Tudo bem, acho que realmente *é possível* saber algumas coisas com certeza. Devo ser um agnóstico *comum*.

Agora estávamos chegando a algum lugar. Com apenas algumas perguntas, Don saiu do ateísmo, passou para o agnosticismo *decidido* e depois para o agnosticismo *comum*.

Continuei:

— Uma vez que agora você admite que *pode* saber alguma coisa, por que não reconhece que Deus existe?

Encolhendo os ombros, ele disse:

— Porque ninguém me mostrou provas, eu acho.

Agora era a hora de fazer a pergunta que vale 1 milhão de dólares:

— Você gostaria de ver algumas provas?

— Certamente — respondeu ele.

Este é o melhor tipo de pessoa com a qual se conversar: alguém que está disposto a olhar honestamente para as provas. Estar disposto é essencial. As provas não podem convencer quem não está disposto.

Uma vez que Don estava disposto, demos a ele um livro de Frank Morison intitulado *Who Moved the Stone?* [Quem tirou a pedra?][3] Morison era um cético que se dispusera a escrever um livro refutando o cristianismo mas que, em vez disso, ficou convencido pelas provas de que o cristianismo era realmente verdadeiro (de fato, o primeiro capítulo do livro tem o título "O livro que se recusava a ser escrito").

Visitamos Don algum tempo depois. Ele descreveu a prova apresentada por Morison como "bastante convincente". Várias semanas depois, no meio de um estudo do evangelho de João, Don aceitou Jesus Cristo como seu Senhor e Salvador pessoal.

[3]Grand Rapids, Mich.: Zondervan, 1977.

Hoje, Don é diácono numa igreja batista de uma cidade próxima a St. Louis, no Estado norte-americano do Missouri. Há vários anos, todos os domingos pela manhã, ele dirige o ônibus da igreja que passa pela vizinhança local para pegar crianças cujos pais não vão à igreja. Seu ministério tem um significado especial para mim [Norm] porque dois homens como Don (sr. Costie e sr. Sweetland) levaram-me no ônibus da igreja mais de 400 vezes — todos os domingos, dos meus 9 aos 17 anos de idade. Eu estava a ponto de aceitar a Cristo aos 17 anos em grande parte por causa daquele ministério do ônibus. Acho que é verdade o que dizem: "Aquilo que rodeia termina vencendo", mesmo que seja apenas um ônibus da escola bíblica.

É POSSÍVEL QUE TODAS AS RELIGIÕES SEJAM VERDADEIRAS?

A moral da história do EE é que o agnosticismo e o ceticismo como um todo são afirmações falsas em si mesmas. Agnósticos e céticos fazem a afirmação verdadeira de que, na verdade, não se pode fazer afirmações verdadeiras. Dizem que a verdade não pode ser conhecida mas, então, afirmam que sua visão é verdadeira. Não é possível ter as duas coisas ao mesmo tempo.

Assim, estabelecemos que a verdade pode ser conhecida. De fato, ela é inegável. Mas e daí? Todas as religiões podem ser verdadeiras? Infelizmente não é apenas o mundo secular que está confuso sobre essa questão. Até mesmo alguns pastores de igrejas têm problemas com isso.

Ronald Nash, professor de seminário, ouviu um bom exemplo disso. Ele nos contou sobre um aluno dele que foi para casa na cidade de Bowling Green, Kentucky, Estados Unidos, no feriado de Natal há alguns anos. Durante aquele feriado, esse aluno, que acreditava na Bíblia, criou coragem e, num domingo, foi a uma igreja na qual nunca estivera. Mas tão logo o pastor pronunciou a primeira frase de seu sermão, o aluno percebeu que cometera um erro: o pastor estava contradizendo a Bíblia.

— O tema do meu sermão nesta manhã — disse o pastor — é que todas as crenças religiosas são verdadeiras!

O aluno se contorcia no banco à medida que o pastor prosseguia, assegurando a cada membro de sua congregação que todas as crenças religiosas que eles tinham eram "verdadeiras"!

Quando acabou o sermão, o aluno queria sair rapidamente sem ser notado, mas o pastor, todo empertigado, estava esperando à porta para abraçar todas as pessoas da congregação.

— Filho — disse o pastor com uma voz estrondosa, saudando aquele aluno —, de onde você é?

— Na verdade, sou daqui mesmo, senhor. Voltei para casa durante as férias do seminário.

— Seminário? Que bom! E então? Que crenças religiosas você tem, filho?

— Eu preferiria não dizer, senhor.

— Por que não, filho?

— Porque não quero ofendê-lo.

— Ah, meu filho, você não vai me ofender. Além do mais, não importa quais sejam as suas crenças, elas são verdadeiras. Então, no que você acredita?

— Tudo bem — relaxou o aluno. Ele se inclinou na direção do pastor, cobriu a boca com a mão e sussurrou:

— Senhor, creio que o senhor vai para o inferno!

O rosto do pastor ficou vermelho enquanto ele tentava responder.

— Bem, eu, ah, acho que cometi um erro! Não é possível que todas as crenças religiosas sejam verdadeiras, porque a sua certamente não é!

O fato é que o pastor percebeu não ser possível todas as crenças religiosas serem verdadeiras, porque muitas crenças religiosas são contraditórias: elas ensinam realidades opostas. Os cristãos conservadores, por exemplo, acreditam que aqueles que não aceitaram Cristo como Salvador optaram pelo inferno como seu destino final. Esse aspecto é muitas vezes desprezado, mas muitos muçulmanos acreditam o mesmo sobre os não-muçulmanos — ou seja, que as pessoas que professam uma fé diferente da deles irão para o inferno também. Os hindus geralmente acreditam que todo o mundo, independentemente de suas crenças, está preso a um ciclo infinito de reencarnação baseada nas obras. Essas crenças contraditórias não podem ser verdadeiras ao mesmo tempo.

O fato é que as religiões mundiais possuem mais crenças contraditórias do que complementares. A noção de que todas as religiões ensinam basicamente a mesma coisa — que devemos amar uns aos outros — demonstra um sério mal-entendido das religiões mundiais. Embora a maioria das religiões tenha algum tipo de código moral semelhante — porque Deus implantou o certo e o errado em nossa consciência (vamos discutir isso no capítulo 7) —, elas discordam em quase todas as questões principais, incluindo a natureza de Deus, a natureza do homem, pecado, salvação, céu, inferno e criação!

Pense nisto: *a natureza de Deus, a natureza do homem, pecado, salvação, céu, inferno e criação*. Essas são as maiores! Veja a seguir algumas dessas principais diferenças:

- Judeus, cristãos e muçulmanos acreditam em diferentes versões de um Deus teísta, enquanto a maioria dos hindus e dos adeptos da Nova Era acreditam que tudo o que existe é parte de uma força impessoal e panteísta que eles chamam de Deus.

- Muitos hindus acreditam que o mal é uma total ilusão, enquanto cristãos, muçulmanos e judeus acreditam que o mal é real.

- Os cristãos acreditam que as pessoas são salvas pela graça, enquanto todas as outras religiões, se é que acreditam em salvação, ensinam algum tipo de salvação por meio das boas obras (a definição de "boa" e daquilo do que se é salvo varia grandemente).

Essas são apenas algumas das muitas diferenças essenciais. Já é prova suficiente para refutar a idéia de que todas as religiões ensinam basicamente as mesmas coisas!

Verdade versus *tolerância*

Enquanto a maioria das *religiões* tem algumas crenças que são verdadeiras, nem todas as *crenças* religiosas podem ser verdadeiras porque elas são mutuamente excludentes, ou seja, ensinam coisas opostas. Em outras palavras, algumas crenças religiosas devem estar erradas. Mas não é conveniente dizer isso no mundo atual. Você deve ser "tolerante" com todas as crenças religiosas. Em nossa cultura atual, a tolerância não significa mais suportar alguma coisa que você acha que é falsa (além do mais, você não *tolera* coisas com as quais concorda). *Hoje em dia, tolerância significa aceitar que toda a crença é verdadeira!* Em um contexto religioso, isso é conhecido como pluralismo religioso — a crença de que todas as religiões são verdadeiras. Existe um grande número de problemas com essa nova definição de tolerância.

Em primeiro lugar, digamos que somos gratos por termos liberdade religiosa em nosso país e que não acreditamos na imposição legislativa de uma religião (consulte nosso livro *Legislating Morality* [Legislando sobre a moralidade]).[4] Estamos bastante conscientes dos perigos da intolerância religiosa e acreditamos que devemos aceitar e respeitar as pessoas que têm diferentes crenças. Mas isso não significa que devamos abraçar pessoalmente a impossível noção de que todas as crenças religiosas sejam verdadeiras. Uma vez que crenças religiosas mutuamente excludentes não podem ser verdadeiras, não faz sentido fingir que sejam. O fato é que, no nível individual, pode ser muito perigoso fazer isso. Se o cristianismo é verdadeiro, então não ser cristão é arriscar seu destino eterno. Do mesmo modo, se o islã é verdadeiro, então é perigoso não ser muçulmano se o assunto é o seu destino final.

Em segundo lugar, a afirmação de que "você não deve questionar as crenças religiosas de uma pessoa" é, ela própria, uma crença religiosa para o pluralista.

---

[4]Eugene, Ore.: Wipf & Stock, 2003 [publicado anteriormente pela Editora Bethany, 1998].

Mas essa crença é apenas tão exclusiva e "intolerante" como qualquer outra crença religiosa de um cristão ou de um muçulmano. Em outras palavras, os pluralistas acham que as crenças não pluralistas estão erradas. Desse modo, os pluralistas são tão dogmáticos e possuem uma mente fechada tanto quanto qualquer outra pessoa que faz declarações em praça pública. Eles querem que todo mundo que discorda deles veja as coisas *da maneira deles.*

Em terceiro lugar, a proibição contra o questionamento das crenças religiosas também é uma posição moral absoluta. Por que não devemos questionar as crenças religiosas? Seria imoral fazer isso? Se é, em quais padrões estamos nos baseando? Por acaso os moralistas têm alguma boa razão que apóie *sua crença* de que nós não devemos questionar *suas crenças religiosas,* ou é apenas sua opinião pessoal que querem impor sobre todos nós? A não ser que eles possam nos dar boas razões para tal padrão moral, por que deveríamos permitir que o impusessem sobre nós? E por que os pluralistas estão tentando impor essa posição moral sobre nós de qualquer maneira? Isso não é muito "tolerante" da parte deles.

Em quarto lugar, a Bíblia ordena aos cristãos que questionem as crenças religiosas (e.g., Dt 13.1-5; 1Jo 4.1; Gl 1.8; 2Co 11.13 etc.). Uma vez que os cristãos têm uma crença religiosa que diz que devem questionar as crenças religiosas, então os pluralistas — de acordo com seu próprio padrão — deveriam aceitar a crença cristã também. Mas, naturalmente, não fazem isso. Ironicamente, os pluralistas — defensores da nova tolerância — não são nem um pouco tolerantes. Eles apenas "toleram" aqueles com os quais já concordam, o que, por definição, não é tolerância.

Em quinto lugar, a afirmação dos pluralistas de que não devemos questionar as crenças religiosas é um derivativo da falsa proibição cultural em relação a se fazer julgamentos. A proibição contra julgamentos é falsa porque ela não satisfaz o seu próprio padrão: "Você não deve julgar" é, em si mesmo, um julgamento! (Os pluralistas interpretam erradamente a ordem de Jesus quanto a não julgar, conforme apresentada em Mateus 7.1-5. Jesus não proibiu um julgamento como esse, mas sim o julgamento hipócrita.) O fato é que todo mundo — pluralistas, cristãos, ateus, agnósticos — faz julgamentos. Portanto, a questão não é se fazemos ou não julgamentos, mas se fazemos ou não o julgamento *correto.*

Em último lugar, será que os pluralistas estão prontos para aceitar como verdadeiras as crenças religiosas dos terroristas muçulmanos, especialmente quando essas crenças dizem que todos os não-muçulmanos (incluindo os pluralistas) devem ser mortos? Estão prontos para aceitar como verdadeiras as crenças religiosas daqueles que acreditam no sacrifício de crianças ou na realização de outros atos hediondos? Esperamos que não.

Embora devamos respeitar os direitos que os outros têm de acreditarem naquilo que quiserem, seremos tolos e, talvez, até não amorosos, se aceitarmos tacitamente todas as crenças religiosas como verdadeiras. Por que isso não seria amoroso? Porque *se* o cristianismo é verdadeiro, então não seria amoroso sugerir a alguém que sua crença religiosa oposta também é verdadeira. Afirmar tal erro seria manter a outra pessoa no seu caminho rumo à destruição. Em vez disso, se o cristianismo é verdadeiro, devemos gentilmente lhes dizer a verdade, porque somente a verdade pode libertá-los.

Eu era cego e agora vejo

O que a enorme pluralidade das crenças religiosas nos diz sobre a verdade na religião? Num primeiro olhar, pode parecer que a existência de tantas crenças contraditórias simplesmente reforça a parábola do elefante que mencionamos na introdução — ou seja, que a verdade na religião não pode ser conhecida. Mas o que se mostra é exatamente o oposto.

Para refrescar a sua memória, nessa parábola um elefante está sendo examinado por seis homens cegos. Cada um sente uma parte diferente do elefante e assim chega a conclusões diferentes sobre o objeto que está diante de si. Um deles toca as presas e diz: "É uma lança!". Outro segura a tromba e diz: "É uma cobra!". Outro abraça a perna e diz: "É uma árvore!". O homem cego que está segurando a cauda pensa: "É uma corda!". Aquele que toca nas orelhas conclui: "É uma ventarola!". Por fim, aquele que está ao lado do elefante está certo de que "é uma parede"! Diz-se que esses homens representam as religiões mundiais porque cada um vem com uma diferente conclusão sobre aquilo que está sentindo. Tal como cada um desses homens cegos, dizem alguns, nenhuma religião tem *a* verdade. A verdade religiosa é relativa para cada indivíduo. Ela é subjetiva, e não objetiva.

Isso pode parecer bastante persuasivo até que você faça a si mesmo a seguinte pergunta: "Qual é a perspectiva daquele que está contando a parábola?". Hummm, vejamos, aquele que está contando a parábola... Ele parece ter uma perspectiva objetiva de todo o procedimento porque pode ver que os homens cegos estão errados. Exatamente! Na verdade, a pessoa não saberia que os homens cegos estavam errados a não ser que tivesse uma perspectiva objetiva daquilo que era certo!

Portanto, se a pessoa que está contando a parábola pode ter uma perspectiva objetiva, por que os homens cegos não podem tê-la? Eles podem — se os cegos repentinamente pudessem ver, eles também perceberiam que estavam originalmente errados. O que está diante deles é realmente um elefante, e não uma parede, uma ventarola ou uma corda.

Nós também podemos ver a verdade na religião. Infelizmente, muitos dos que negam existir verdade na religião não são *verdadeiramente* cegos, mas apenas *propositadamente* cegos. É possível que não queiram admitir existir uma verdade na religião porque essa verdade vai convencê-los. Mas se abrirem os olhos e pararem de esconder-se atrás do absurdo falso em si mesmo de que a verdade não pode ser conhecida, então também serão capazes de ver a verdade. Não apenas a verdade nas áreas em que a exigimos — finanças, relacionamentos, saúde, lei etc. — mas também a verdade da religião. Como disse o homem cego curado por Jesus, "eu era cego e agora vejo".

O cético pode dizer: "Espere um pouco! A parábola do elefante pode ser uma parábola ruim, mas isso ainda não prova que se pode conhecer a verdade na religião. Você provou que a verdade pode ser conhecida, mas não necessariamente a verdade na religião. Não é fato que David Hume e Immanuel Kant contestaram a idéia de verdade na religião?".

De modo algum, e vamos discutir por que no capítulo seguinte.

RESUMO

1. Apesar do relativismo que emana de nossa cultura, a verdade é absoluta, exclusiva e passível de conhecimento. Negar a verdade absoluta e sua cognoscibilidade é uma afirmação falsa em si mesma.

2. A "tática do Papa-léguas" estabelece o princípio da não-contradição e ajuda a expor uma afirmação falsa em si mesma, tão comum nos dias de hoje. Isso inclui afirmações como "Não existe verdade!" (*isso* é verdade?); "Toda verdade é relativa!" (*essa* verdade é relativa?) e "Você não pode conhecer a verdade!" (então como você sabe *isso*?). Basicamente, qualquer declaração que não possa ser afirmada (porque contradiz a si mesma) deve ser falsa. Os relativistas são derrotados por sua própria lógica.

3. A verdade não depende de nossos sentimentos ou preferências. Uma coisa é verdadeira quer gostemos dela quer não.

4. Ao contrário do que diz a opinião popular, as principais religiões mundiais não "ensinam as mesmas coisas". Elas possuem diferenças essenciais e concordância apenas superficial. Não é possível que todas as religiões sejam verdadeiras, porque ensinam coisas opostas.

5. Analisando logicamente, uma vez que não é possível todas as religiões serem verdadeiras, não podemos defender a nova definição de tolerância que exige aceitarmos a impossível idéia de que todas as crenças religiosas são verdadeiras. Devemos respeitar as crenças dos outros, mas amorosamente dizer a verdade. Além do mais, se você realmente ama e respeita as pessoas, sabiamente lhes dirá a verdade sobre informações que podem ter conseqüências eternas.

2
Por que alguém deve acreditar em alguma coisa?

Quase que invariavelmente as pessoas formam suas crenças não baseadas nas provas, mas naquilo que elas acham atraente.

BLAISE PASCAL

O escritor e orador James Sire lidera um impressionante seminário interativo para universitários dos Estados Unidos. O seminário chama-se *Por que alguém deve acreditar em alguma coisa?*

Com um título tão intrigante como esse, o evento normalmente atrai um grande público. Sire começa fazendo a seguinte pergunta ao público: "Por que as pessoas acreditam naquilo em que acreditam?". Apesar da grande variedade de respostas, Sire mostra que cada resposta obtida encaixa-se em uma dessas quatro categorias: sociológica, psicológica, religiosa e filosófica.[1]

Razões sociológicas	Razões psicológicas	Razões religiosas	Razões filosóficas
Pais	Conforto	Escrituras	Uniformidade
Amigos	Tranqüilidade	Pastor/padre	Coerência
Sociedade	Significado	Guru	Inteireza (melhor
Cultura	Propósito	Rabino	explicação de
	Esperança	Líder religioso	todas as provas)
	Identidade	Igreja	

Tabela 2.1

[1] V. James SIRE, "Why Should Anyone Believe Anything At All?", in: D. A. CARSON, ed. *Telling the Truth.* (Grand Rapids, Mich.: Zondervan, 2000), p. 93-101. V. tb. James SIRE, *Why Should Anyone Believe Anything At All.* Downers Grove, Ill.: InterVarsity Press, 1994.

Começando da coluna da esquerda, Sire aborda as razões de cada categoria, perguntando aos estudantes: "Essa é uma boa razão para acreditar em alguma coisa?". Se ele tiver à mão alunos bem afiados, o diálogo poderia seguir mais ou menos assim:

Sire: — Vejo que muitos de vocês citaram fatores sociológicos. Muitas pessoas, por exemplo, abraçam certas crenças porque seus pais tinham as mesmas crenças. Vocês acham que isso por si só é uma boa razão para acreditar-se em alguma coisa?

Alunos: — Não, os pais às vezes estão errados!

Sire: — Tudo bem. E quanto às influências culturais? Vocês acham que as pessoas devem acreditar em alguma coisa simplesmente porque aquilo é culturalmente aceitável?

Alunos: — Não, não necessariamente. Os nazistas tinham uma cultura que aceitava o assassinato de todos os judeus. Isso certamente não tornava sua posição correta!

Sire: — Bom. Agora, alguns de vocês mencionaram fatores psicológicos como conforto. Essa é uma razão boa o suficiente para se acreditar em alguma coisa?

Alunos: — Não, não estamos "confortáveis" com isso! Falando seriamente, o conforto não é um teste para a verdade. Podemos ser confortados pela crença de que existe um Deus em algum lugar lá fora que se importa conosco, mas isso não significa necessariamente que ele realmente exista. Do mesmo modo, um viciado pode ficar temporariamente confortado pelo uso de certo tipo de droga, mas, na verdade, aquela droga pode matá-lo.

Sire: — Então você está dizendo que a verdade é importante porque pode haver conseqüências quando você estiver errado?

Alunos: — Sim, se alguém estiver errado sobre uma droga, poderá tomar uma dose muito grande e morrer. Do mesmo modo, se alguém estiver errado sobre a espessura do gelo sobre um lago, pode cair e morrer congelado na água.

Sire: — Portanto, por motivos pragmáticos, faz sentido que acreditemos apenas naquilo que é verdadeiro.

Alunos: — Naturalmente. A longo prazo, a verdade protege, e o erro ameaça.

Sire: — Muito bem. Portanto, razões sociológicas e psicológicas sozinhas não são bases adequadas para se acreditar em alguma coisa. E quanto às razões religiosas? Alguns mencionaram a Bíblia; outros mencionaram o *Alcorão*; ainda outros obtiveram suas crenças de sacerdotes ou gurus. É possível acreditar em alguma coisa simplesmente porque alguma fonte religiosa ou um livro sagrado diz assim?

Alunos: — Não, porque se levanta a seguinte questão: "Devemos acreditar em qual escritura ou em qual fonte?". Além do mais, elas ensinam coisas contraditórias.

Sire: — Você poderia me dar um exemplo?

Alunos: — Bem, vamos tomar a Bíblia e o *Alcorão* como exemplos. Não é possível que os dois sejam verdadeiros porque contradizem um ao outro. A Bíblia diz que Jesus morreu na cruz e que ressuscitou três dias depois (1Co 15.1-8), enquanto o *Alcorão* diz que Jesus existiu, mas que não morreu na cruz (surata 4.157). Se um deles está certo, então o outro está errado. Se Jesus nunca existiu, então ambos estão errados.

Sire: — Então, como podemos julgar entre, digamos, a Bíblia e o *Alcorão*?

Alunos: — Precisamos de algumas provas exteriores a essas chamadas escrituras para que possamos descobrir qual é verdadeira, se é que alguma delas o é.

Sire: — De qual categoria devemos extrair tais provas?

Alunos: — Tudo o que nos resta é a categoria filosófica.

Sire: — Mas como é possível que a filosofia de alguém seja uma prova? Não seria apenas a opinião de uma pessoa?

Alunos: — Não, não estamos nos referindo à filosofia nesse sentido da palavra, mas em seu sentido clássico, no qual filosofia significa encontrar a verdade por meio da lógica, da evidência e da ciência.

Sire: — Excelente! Assim, com essa definição em mente, façamos a mesma pergunta à categoria filosófica. Vale a pena acreditar em alguma coisa se ela for racional, se for apoiada por comprovação e se melhor explicar todas as informações?

Alunos: — Isso certamente nos parece correto!

Ao expor justificativas inadequadas para as crenças, o caminho fica limpo para aquele que está buscando a verdade encontrar justificativas adequadas. É isso o que faz um apologista. Apologista é alguém que mostra de que maneira boas razões e evidências apóiam ou contradizem uma crença em particular. É isso que estamos tentando fazer neste livro e é isso o que Sire levanta em seu seminário.

A abordagem socrática de Sire ajuda os alunos a perceberem pelo menos três coisas. Em primeiro lugar, qualquer ensinamento — religioso ou não — só é digno de confiança se apontar para a verdade. A apatia em relação à verdade pode ser perigosa. De fato, acreditar num erro pode ter conseqüências mortais, tanto temporais — se determinado número de ensinamentos religiosos for verdadeiro — quanto eternas.

Em segundo lugar, muitas crenças que as pessoas possuem hoje não são apoiadas pela evidência, mas apenas pela preferência subjetiva daqueles que as professam. Como disse Pascal, as pessoas chegam às suas crenças quase que invariavelmente baseadas não numa prova, mas naquilo que elas acham atraente. Mas a verdade não é um assunto subjetivo, e sim bastante objetivo.

Por último, com o objetivo de encontrar a verdade, deve-se estar pronto a abdicar das preferências subjetivas em favor dos fatos objetivos. A melhor maneira de se descobrir os fatos é utilizar a lógica, a evidência e a ciência.

Embora a lógica, a evidência e a ciência pareçam ser o melhor caminho para se chegar à verdade, existem alguns que ainda possuem objeções. Essas objeções referem-se à própria lógica, ou seja, qual lógica devemos usar, a oriental ou a ocidental? Ravi Zacharias conta uma história muito engraçada que vai nos revelar a resposta.

LÓGICA OCIDENTAL *VERSUS* LÓGICA ORIENTAL?

Como apologista cristão, escritor e natural da Índia, Ravi Zacharias viaja pelo mundo apresentando provas da fé cristã. Ele possui um intelecto perspicaz e uma personalidade cativante, o que faz dele uma figura muito querida nos *campi* universitários.

Recentemente, logo depois de uma apresentação no *campus* de uma escola norte-americana, na qual apresentou a singularidade de Cristo, Ravi foi criticado por um dos professores universitários por não compreender a lógica oriental. Durante o período de perguntas e respostas, o professor o desafiou:

— Dr. Zacharias, sua apresentação, afirmando e provando que Cristo é o único caminho para a salvação, está errada para as pessoas na Índia porque o senhor está usando a lógica "apenas-ou". No Oriente, não se usa a lógica "apenas-ou" — isso é ocidental. No Oriente, usamos a lógica "tanto-quanto". Desse modo, a salvação não é *apenas* em Cristo *ou* em nada mais, mas sim *tanto* por Cristo *quanto* por outros caminhos.

Ravi achou isso bastante irônico porque, além do mais, ele cresceu na Índia. Contudo, ali estava um professor norte-americano, nascido no Ocidente, dizendo a Ravi que ele não entendia como as coisas realmente aconteciam na Índia! Aquilo foi tão intrigante que Ravi aceitou o convite do professor de almoçarem juntos, com o objetivo de discutir o assunto com mais profundidade.

Um dos colegas do professor juntou-se a eles no almoço e, enquanto ele e Ravi comiam, o professor usou todos os guardanapos e superfície da mesa para mostrar sua posição sobre os dois tipos de lógica: a ocidental e a oriental.

— Existem dois tipos de lógica — insistia o professor.

— Não, não é esse o sentido — insistia Ravi.

— É exatamente assim como estou dizendo! — sustentava o professor.

Isso continuou por mais de 30 minutos: o professor discursava, escrevia e diagramava. O professor estava tão absorvido em defender sua posição que se esqueceu de comer a sua comida, que estava aos poucos esfriando no prato.

Depois de terminar sua refeição, Ravi decidiu lançar a tática do Papa-léguas para refutar o confuso mas insistente professor. Ele interrompeu-o, dizendo:

— Professor, acho que podemos resolver esse debate muito rapidamente, com apenas uma pergunta.

Levantando os olhos de seus rabiscos, o professor fez uma pausa e disse:

— Tudo bem, vá em frente.

Ravi se inclinou para a frente, olhou diretamente para o professor e perguntou:

— Você está dizendo que quando estou na Índia devo usar *apenas* — e Ravi fez uma pausa para dar efeito — a lógica "tanto-quanto" *ou* — outra pausa — "nada mais"?

Mais tarde, Ravi comentou conosco que valeu a pena ouvir todas aquelas divagações para, então, poder ouvir as palavras que saíram da boca do professor naquele momento. Depois de olhar timidamente para seu colega, o professor olhou para baixo na direção de sua comida fria e murmurou:

— Realmente a lógica *apenas-ou* se sustenta, não é?

Ravi complementou:

— Sim, até mesmo na Índia nós olhamos para os dois lados antes de atravessar a rua porque sou *apenas* eu *ou* o ônibus, nunca os dois!

De fato, a abordagem *apenas-ou* destaca-se. O professor estava usando a lógica *apenas-ou* para tentar provar a lógica *tanto-quanto*, que é o mesmo problema que todos enfrentam quando tentam argumentar contra os primeiros princípios da lógica. Terminam serrando o próprio galho no qual estão sentados.

Imagine se o professor tivesse dito: "Ravi, seus cálculos matemáticos estão errados na Índia porque você está usando a matemática ocidental, em vez de a oriental". Ou suponha que tivesse declarado: "Ravi, suas fórmulas de física não se aplicam à Índia porque você está usando a gravidade ocidental, em vez de a gravidade oriental". Imediatamente veríamos a tolice do raciocínio do professor.

De fato, apesar daquilo em que os relativistas acreditam, as coisas funcionam no Oriente da mesma forma em qualquer outro lugar. Na Índia, assim como no Brasil, os ônibus machucam quando atingem você, 2 + 2 = 4 e a mesma gravidade mantém todo mundo no chão. Do mesmo modo, assassinato é algo errado tanto lá quanto aqui. A verdade é verdade independentemente de sua nacionalidade. A verdade é verdade a despeito daquilo em que você creia. Assim como a mesma gravidade mantém todas as pessoas no chão, quer elas acreditem quer não, a mesma lógica aplica-se a todas as pessoas, acreditem ou não.

Portanto, o que se quer levantar aqui? A questão é que existe apenas um tipo de lógica que nos ajuda a descobrir a verdade. É aquela construída sobre a natureza da realidade de que não podemos deixar de usá-la. Apesar disso, as pessoas tentarão lhe dizer que a lógica não se aplica à realidade, ou que a lógica não se aplica a Deus, ou que existem diferentes tipos de lógica e assim por diante.[2] Mas, ao dizerem tais coisas, usam a própria lógica que estão negando. Isso é o mesmo que usar as leis da aritmética para provar que a aritmética não é digna de confiança.

É importante notar que não estamos simplesmente fazendo um jogo de palavras aqui. A tática do Papa-léguas usa as inegáveis leis da lógica para expor que muito daquilo que a nossa cultura comum acredita sobre verdade, religião e moralidade são pontos inegavelmente falsos; que aquilo que é uma afirmação falsa em si mesma não pode ser verdadeira, mas que muitas pessoas acreditam nisso. Contradizemos a nós mesmos, colocando-nos em risco.

SER QUEIMADO OU NÃO SER QUEIMADO, EIS A QUESTÃO

A tática do Papa-léguas é muito eficiente porque utiliza a lei da não-contradição. A lei da não-contradição é um princípio fundamental de pensamento auto-evidente que diz que afirmações contraditórias não podem ser verdade ao mesmo tempo e no mesmo sentido. Em resumo, ela diz que o oposto de verdadeiro é falso. Todos nós conhecemos essa lei por intuição e a usamos todos os dias.

Suponha que você encontre, certo dia, um casal na rua — amigos seus. Você pergunta à esposa se é verdade que ela está esperando um bebê. Se ela disser "sim" e seu marido disser "não", você não diz: "Muito obrigado, isso realmente me ajudou!". Você pensa: "Talvez ela não tenha lhe contado, ou talvez eles tenham entendido a pergunta errado (ou talvez alguma coisa pior!)". Existe uma coisa que você sabe com certeza: é impossível que os dois estejam certos! A lei da não-contradição deixa isso bastante evidente para você.

Ao investigar uma questão de fato, incluindo a questão de Deus, aplica-se a mesma lei da não-contradição. Ou os teístas estão certos — Deus existe — ou os ateus estão certos — Deus não existe. É impossível que os dois estejam certos. Do mesmo modo, Jesus morreu e ressuscitou dos mortos como a Bíblia afirma, ou isso não aconteceu, como afirma o *Alcorão*. Um está certo, e o outro

---

[2]Certamente, existem a lógica indutiva, a lógica dedutiva e a lógica simbólica, mas todas elas estão baseadas nas mesmas leis fundamentais de pensamento.

está errado.

O fato é que um filósofo muçulmano medieval chamado Avicena sugeriu um método infalível de corrigir alguém que nega a lei da não-contradição. Ele disse que uma pessoa que negue a lei da não-contradição deveria ser espancada e queimada até que admitisse que ser espancado não é a mesma coisa que não ser espancado e que ser queimado não é a mesma coisa que não ser queimado! É um pouco extremo, mas você entendeu!

Enquanto pessoas razoáveis não têm problemas com a lei da não-contradição, alguns filósofos bastante influentes têm negado essa lei de maneira bastante implícita em seus ensinamentos. Talvez as duas personagens mais influentes desse grupo sejam David Hume e Immanuel Kant. Muitas pessoas nem sequer ouviram falar de Hume e Kant, mas seus ensinamentos afetaram profundamente a mentalidade moderna. Por isso é importante que analisemos brevemente cada um deles. Vamos começar por Hume.

O CETICISMO DE HUME: DEVEMOS SER CÉTICOS EM RELAÇÃO A ELE?

Talvez mais do que qualquer outra pessoa, David Hume é o responsável pelo ceticismo comum hoje. Como empirista, Hume acreditava que todas as idéias significativas ou eram verdadeiras por definição ou deveriam estar baseadas numa experiência sensorial. De acordo com Hume, não existe experiência sensorial para conceitos que estejam além do físico e não se deve acreditar em nenhuma afirmação metafísica (aqueles conceitos que estão além do físico, incluindo Deus), pois elas são sem sentido. De fato, Hume afirmou que as proposições só podem ter sentido se satisfizerem uma das duas condições a seguir:

- A afirmação verdadeira é um raciocínio abstrato como uma equação matemática ou uma definição (e.g., "2 + 2 = 4" ou "todos os triângulos têm três lados"); ou

- A afirmação verdadeira pode ser verificada empiricamente por meio de um ou mais dos cinco sentidos.

Embora afirmasse ser cético, David Hume certamente não era cético em relação a essas duas condições: ele estava absolutamente convencido de que possuía a verdade. De fato, concluiu sua obra *Inquiry Concerning Human Understanding* com esta afirmação enfática:

> Se tivermos em nossa mão, qualquer um livro — de divindade ou metafísica, por exemplo —, devemos perguntar: "ele contém algum raciocínio abstrato relativo a quantidade ou números?". Não. "Ele contém algum raciocínio ex-

perimental relativo à matéria e à existência?". Não. Então, jogue-o no fogo, pois contém apenas sofismas e ilusões.[3]

Você consegue ver as implicações das duas condições de Hume? Se ele estiver certo, então qualquer livro que fale sobre Deus não tem sentido. Você pode até mesmo usar todos os livros religiosos como fonte de aquecimento para sua casa!

Cerca de 200 anos depois, as duas condições de Hume foram convertidas por A. J. Ayer, filósofo do século XX, no "princípio da verificabilidade empírica". Esse princípio afirma que uma proposição pode ter sentido somente se for verdadeira por definição ou se puder ser verificada empiricamente.

Em meados da década de 1960, essa visão tornou-se a vedete dos departamentos de filosofia das universidades dos Estados Unidos, incluindo a Universidade de Detroit, onde eu [Norm] estudei. Eu mesmo cheguei a assistir a um curso de positivismo lógico, um outro nome para o ramo da filosofia exposto por Ayer. O professor, um positivista lógico, era um espécime raro. Embora afirmasse ser católico, recusava-se a acreditar que era importante falar sobre a existência da realidade além do físico (i.e., metafísica, Deus). Em outras palavras, ele era um ateu confesso que nos dizia querer converter toda a classe ao seu ramo de ateísmo semântico (certa vez eu lhe perguntei: "Como você pode ser tanto católico quanto ateu?". Ignorando dois milênios de ensinamento católico oficial, respondeu: "Você não precisa acreditar em Deus para ser católico — você simplesmente precisa cumprir as normas!").

No primeiro dia daquela aula, o professor deu à classe a tarefa de fazer apresentações baseadas nos capítulos do livro *Linguagem, verdade e lógica*, de Ayer. Eu me ofereci para falar sobre o capítulo que trata de "o princípio da verificabilidade empírica". Não se esqueça de que esse princípio era o próprio fundamento do positivismo lógico e, portanto, de todo o curso.

No começo da aula seguinte, o professor disse:

— Sr. Geisler, ouviremos o senhor em primeiro lugar. Concentre-se em falar no máximo 20 minutos, de modo que possamos ter tempo suficiente para discussão.

Bem, uma vez que eu estava usando a tática veloz do Papa-léguas, simplesmente não tinha problema algum com a restrição do tempo. Levantei-me e simplesmente disse:

— O princípio da verificabilidade empírica afirma que só existem dois tipos de proposições válidas: 1) aquelas que são verdadeiras por definição e 2) aquelas que são verificáveis empiricamente. Uma vez que o princípio da verificabilida-

---

[3] Xii, 3 [publicado em português pela Editora da UNESP, *Investigações sobre o entendimento humano e sobre os princípios da moral*].

de empírica em si mesmo não é verdadeiro por definição nem pode ser verificado empiricamente, ele não tem sentido.

Falei isso e me sentei.

Havia um silêncio mortal na sala. A maioria dos alunos conseguia ver o Coiote flutuando no ar. Reconheceram que o princípio da verificabilidade empírica não podia ter sentido baseado em seu próprio padrão. Ele autodestruiu-se no meio do ar! Era apenas a segunda aula daquele curso, e o fundamento de todo aquele programa fora destruído! O que mais o professor falaria nas 14 semanas seguintes?

Vou lhe dizer o que ele falou. Em vez de admitir que sua aula e toda a sua perspectiva filosófica eram falsas em si mesmas, o professor suprimiu essa verdade, tossiu, falou sem parar e passou a suspeitar que eu estava por trás de tudo o que dava errado para ele durante todo o semestre. Sua fidelidade ao princípio da verificabilidade empírica — apesar de sua falha óbvia — era claramente uma questão de disposição, e não de pensamento.

Existem muito mais coisas em relação a Hume, particularmente seus argumentos contra milagres, que vamos abordar quando chegarmos ao capítulo 8. Contudo, por ora, a questão é a seguinte: o empirismo de Hume e de seu devoto A. J. Ayer são falsos em si mesmos. A afirmação de que "alguma coisa só pode ter sentido se for empiricamente verificável ou verdadeira por definição" exclui a si mesma porque essa afirmação não pode ser verificada empiricamente e não é verdadeira por definição. Em outras palavras, Hume e Ayer tentam provar muita coisa porque o seu método de descobrir proposições significativas exclui muita coisa. Certamente afirmações que são empiricamente verificáveis ou verdadeiras por definição são significativas. Contudo, tais afirmações não englobam *todas* as afirmações significativas como Hume e Ayer sustentavam. Assim, em vez de lançar todos os livros sobre Deus "ao fogo" como sugere Hume, é possível que você queira considerar a idéia de usar os livros de Hume para acender a sua lareira.

O AGNOSTICISMO DE KANT: DEVEMOS SER AGNÓSTICOS EM RELAÇÃO A ELE?

Immanuel Kant causou um impacto ainda mais devastador à visão mundial cristã do que o impacto de David Hume. Se a filosofia de Kant está certa, então não existe meio de saber *nada* sobre o mundo real, nem mesmo as coisas verificáveis empiricamente! Por quê? Porque, de acordo com Kant, a estrutura dos seus sentidos e da sua mente formam todas as informações que vêm dos sentidos, de modo que você nunca pode conhecer a *coisa em si*. Você apenas conhece alguma coisa *para você*, depois que os seus sentidos formaram essa idéia.

Para vermos como é isso, olhe através de uma janela para uma árvore. Segundo Kant, a árvore que você acha estar vendo é do jeito que parece ser porque sua mente armazena as informações que você captou em relação à árvore. Você realmente não conhece a árvore em si; apenas conhece o fenômeno que a sua mente categoriza sobre a árvore. Em resumo, você não pode conhecer a árvore em si mesma, mas apenas a árvore apreendida pelos seus sentidos.

Uau! Por que é que as pessoas comuns na rua não duvidam daquilo que vêem com seus próprios olhos, mas que filósofos supostamente brilhantes duvidam? Quanto mais estudamos filosofia, mais nos convencemos do seguinte: se você quer fazer o óbvio parecer obscuro, simplesmente deixe a filosofia entrar em cena!

Todavia, não podemos deixar de estudar filosofia porque, como disse C. S. Lewis, "a boa filosofia deve existir; se não houver nenhuma outra razão, que exista para responder à má filosofia".[4] A filosofia de Kant é uma filosofia ruim, mas tem convencido muitas pessoas de que existe um espaço que não pode ser vencido entre elas e o mundo real; que não há maneira de obter algum conhecimento confiável sobre o que o mundo realmente é, muito menos sobre o que Deus realmente é. De acordo com Kant, estamos trancados num completo agnosticismo sobre o mundo real.

Felizmente, existe uma resposta simples para tudo isso: a tática do Papaléguas. Kant comete o mesmo erro de Hume: ele viola a lei da não-contradição. Ele contradiz a sua própria premissa ao dizer que *ninguém pode conhecer* o mundo real, enquanto *afirma conhecer* alguma coisa sobre ele, a saber: que o mundo real é impossível de ser conhecido! Com efeito, Kant diz que a *verdade* sobre o mundo real é que não existem *verdades* sobre o mundo real.

Uma vez que essas afirmações falsas em si mesmas podem desnortear até mesmo as mentes mais perspicazes, vamos olhar para o erro de Kant de outra maneira. Kant também está cometendo uma falácia lógica chamada "nada mais". Essa é uma falácia porque afirmações do tipo "nada mais" implicam o conhecimento "mais do que". Kant disse saber que as informações que chegam ao seu cérebro *nada mais* são do que fenômenos. Mas, com o objetivo de saber isso, precisaria ser capaz de ver *mais do que* simplesmente o fenômeno. Em outras palavras, com o objetivo de diferenciar uma coisa de outra, você precisa ser capaz de perceber onde termina uma e começa a outra. Por exemplo: se você coloca um pedaço de papel branco em cima de uma mesa preta, a única maneira de dizer onde o papel termina é ver um pouco da mesa que define a borda do papel. O

---

[4]"Learning in War-Time", in: *The Weight of Glory and Other Addresses*. Grand Rapids, Mich.: Eerdmans, 1965, p. 50 [publicado em português pela Editora Vida Nova, *Peso de glória*].

contraste entre o papel e a mesa permite que você veja os limites do papel. Do mesmo modo, com o objetivo de diferenciar a coisa do mundo real daquela que é somente percebida, Kant precisaria ser capaz de ver as duas. Mas é exatamente isso o que ele diz não poder ser feito! Ele diz que apenas o *fenômeno* da mente pode ser conhecido, e não o *númeno* (palavra usada por ele para referir-se ao mundo real).

Se não há maneira de distinguir entre o fenômeno e o númeno, então você não pode ver em que aspectos eles diferem. E se você não pode ver em que são diferentes, então faz muito mais sentido assumir que eles são a mesma coisa. Em outras palavras, que a idéia em nossa mente representa com precisão as coisas do mundo real.

O que estamos dizendo é que uma coisa pode ser *realmente conhecida* em si mesma. Você verdadeiramente *conhece* a árvore que está vendo porque ela está sendo impressa em sua mente por meio dos seus sentidos. Em outras palavras, Kant estava errado: a sua mente não modela a árvore, *mas a árvore modela sua mente* (pense em um selo de cera: não é a cera que grava o selo, mas é o selo que grava a cera). Não existe um vácuo entre a sua mente e o mundo real. O fato é que os nossos sentidos são nossas janelas para o mundo. Sentidos, assim como janelas, são aquilo *por meio do que* nós olhamos para o mundo exterior. Eles não são aquilo *para o que* estamos olhando.

Numa aula de filosofia que eu [Norm] estava lecionando, apontei as falhas da filosofia de Kant dessa maneira. Eu disse:

— Em primeiro lugar, se Kant afirma que não pode conhecer coisa alguma sobre o mundo real (a coisa em si), então como ele sabe que o mundo real existe? E, segundo, sua visão é falsa em si mesma porque ele afirma que *não se pode conhecer* nada sobre o mundo real, enquanto afirma que *ele sabe* que o mundo real não pode ser conhecido![5]

Um dos alunos interrompeu-me e disse:

— Não, dr. Geisler, as coisas não podem ser tão simples assim. Você não pode destruir o princípio central dos últimos 200 anos de pensamento filosófico usando apenas algumas frases!

Usando a minha fonte favorita — a revista *Seleções de Reader's Digest* — eu

---

[5]Naturalmente, de acordo com Kant, podemos saber coisas sobre este mundo fenomenológico pelos nossos sentidos, como as proposições científicas. Kant também afirmava que, embora não possamos *saber* alguma coisa sobre o mundo real (e.g., Deus), todavia podemos *postular* que existe um Deus e viver *como* se ele existisse, embora não possamos saber coisa alguma sobre como ele realmente é. A isso Kant chamava de razão "prática".

respondi:

— É isso o que acontece quando uma linda teoria encontra-se com uma violenta gangue de fatos. Além do mais, quem disse que uma refutação precisa ser complexa? Se alguém comete um erro simples, só é preciso uma simples correção para destruí-lo.

Não existe nada de complexo em relação ao Papa-léguas: ele é simplesmente rápido e eficiente.

HUME E KANT ESTÃO ERRADOS. E DAÍ?

Uma vez que Hume e Kant violam a lei da não-contradição, suas tentativas de destruir todas as verdades "religiosas" fracassam. Contudo, o simples fato de Hume e Kant estarem errados não significa necessariamente que temos provas positivas para, por exemplo, a existência de Deus. A tática do Papa-léguas simplesmente revela que uma proposição é falsa. Ela não dá provas positivas de que qualquer afirmação em particular seja verdadeira.

Portanto, é verdade que existe um Deus teísta? Existe alguma prova cognoscível capaz de nos dar uma certeza plausível quanto a uma opção ou outra? Existe essa coisa de prova cognoscível para um Deus que não pode ser visto? Para responder a essas perguntas, precisamos investigar de que maneira a própria verdade pode ser conhecida.

COMO A VERDADE É CONHECIDA?

Vamos recapitular aquilo que vimos até aqui: a verdade existe e ela é absoluta e inegável. Dizer que "a verdade não pode ser conhecida" é uma afirmação falsa em si mesma porque a própria afirmação afirma ser uma verdade *conhecida e absoluta*. De fato, todas as vezes que dizemos qualquer coisa estamos deixando implícito que conhecemos pelo menos alguma verdade, porque *qualquer* posição ou *qualquer* assunto implica algum grau de conhecimento. Se você disser que a posição de alguém está errada, então você deve saber o que é certo para poder dizer isso (você não pode saber o que está errado a não ser que saiba o que está certo). Até mesmo ao dizer "eu não sei", você está admitindo que sabe alguma coisa, ou seja, que você *sabe* que não sabe alguma coisa a mais sobre o tópico em questão, mas não que você não saiba nada *sobre nada*.

Como alguém pode conhecer a verdade? Em outras palavras, qual é o processo pelo qual descobrimos a verdade sobre o mundo? O processo de descoberta da verdade começa com as leis auto-evidentes da lógica chamadas primeiros princípios. São chamados de primeiros princípios porque não existe nada por trás deles. Eles não são aprovados por outros princípios; são simplesmente inerentes à natureza da realidade e, assim, são auto-evidentes. Portanto, você não aprende esses primeiros princípios: simplesmente sabe que existem. Qualquer pessoa conhece intuitivamente esses princípios, mesmo que não tenha parado para pensar explicitamente sobre eles.

Dois desses princípios são a lei da não-contradição e a lei da exclusão do meio-termo. Já vimos a realidade e o valor da lei da não-contradição. A lei da exclusão do meio-termo nos diz que uma coisa *é* ou *não é*. Exemplo: Deus existe ou não existe. Jesus ressuscitou dos mortos ou não ressuscitou. Não há uma terceira alternativa para cada uma dessas afirmações.

Esses primeiros princípios são as ferramentas que usamos para descobrir todas as outras verdades. De fato, sem eles você não poderia aprender nenhuma outra coisa. Os primeiros princípios são para o aprendizado aquilo que os nossos olhos são para a visão. Assim como os nossos olhos devem estar presentes em nosso corpo para que possamos ver, os primeiros princípios devem estar em nossa mente para que possamos aprender alguma coisa. Da concepção desses primeiros princípios é que podemos aprender sobre a realidade e, por fim, encontrar a tampa da caixa do quebra-cabeça que chamamos de vida.

Embora usemos esses primeiros princípios para nos ajudar a descobrir a verdade, sozinhos não podem nos dizer se uma proposição em particular é verdadeira. Para entender o que estamos dizendo, considere o seguinte argumento lógico:

1. Todos os homens são mortais.
2. João é um homem.
3. Portanto, João é mortal.

As leis auto-evidentes da lógica nos dizem que a conclusão — João é mortal — é uma conclusão válida. Em outras palavras, a conclusão necessariamente segue as premissas. *Se* todos os homens são mortais e *se* João é um homem, então João é mortal. No entanto, as leis da lógica não nos dizem se aquelas premissas e, portanto, a conclusão, são verdadeiras. Talvez *nem todos* os homens sejam mortais; talvez João não seja um homem. A lógica por si só não pode dizer nada disso.

Esse ponto é mais facilmente entendido ao olharmos para um argumento válido que não é verdadeiro. Considere o seguinte:

1. Todos os homens são répteis de quatro patas.
2. Antônio é um homem.
3. Portanto, Antônio é um réptil de quatro patas.

No aspecto lógico, esse argumento é válido, mas todos nós sabemos que ele não é verdadeiro. O argumento é válido porque a conclusão segue as premissas. Mas a conclusão é falsa porque a primeira premissa é falsa. Em outras palavras, um argumento pode ser logicamente correto, mas ainda assim ser falso, porque as premissas do argumento não correspondem à realidade. Assim, a lógica nos leva apenas até aqui. A lógica pode nos dizer que o argumento é falso, mas não pode dizer por si só quais premissas são verdadeiras. Como sabemos que João é um homem? Como sabemos que os homens são répteis de quatro patas? Precisamos de mais informação para descobrir essas verdades.

Obtemos as informações com base na observação do mundo ao nosso redor e, então, tiramos conclusões gerais dessas observações. Ao observar alguma coisa repetidas vezes, você pode concluir que algum princípio geral é verdadeiro. Por exemplo: quando você deixa cair um objeto da mesa repetidas vezes, naturalmente observa que o objeto sempre cai no chão. Se fizer isso uma quantidade suficiente de vezes, finalmente perceberá que existe algum princípio geral em ação, conhecido como gravidade.

Esse método de chegar a conclusões gerais a partir de observações específicas é chamado de indução (que é comumente equiparado ao método científico). Para sermos bem claros, precisamos distinguir a indução da dedução. O processo de dispor-se premissas em um argumento e chegar a uma conclusão válida é chamado dedução. Foi isso que fizemos nos argumentos acima. Mas o processo de descobrir se uma *premissa* em um argumento é válida geralmente exige a indução.

Muito daquilo que sabemos, o sabemos por meio da indução. De fato, você já usou indução intuitivamente para investigar a verdade das premissas nos argumentos acima, a saber: determinou que, uma vez que todo homem que você observou é um mamífero de duas pernas, então o homem Antônio não pode ser um réptil de quatro patas. Você fez a mesma coisa com a pergunta sobre a mortalidade de João. Uma vez que todos os homens que você viu ultimamente morrem, você adotou a conclusão geral de que todos os homens são mortais, incluindo um indivíduo específico chamado João. Essas conclusões — homens de duas pernas, gravidade e mortalidade humana — são conclusões indutivas.

A maioria das conclusões baseadas na indução não pode ser considerada absolutamente certa, mas apenas altamente provável. Por exemplo: você está absolutamente certo, tem 100% de certeza, de que a gravidade faz todos os objetos caírem? Não, porque você não observou todos os objetos caindo. Do mesmo modo, você está absolutamente certo de que todos os homens são mortais? Não, porque você não observou a morte de todos os homens. Talvez exista alguém em algum lugar que não tenha morrido ou que não vai morrer no futuro.

Desse modo, se as conclusões indutivas não são seguras, podemos confiar nelas? Sim, mas com graus variáveis de certeza. Como dissemos, uma vez que nenhum ser humano possui conhecimento infinito, a maioria das nossas conclusões indutivas pode estar errada (existe uma importante exceção. Ela é chamada de "indução perfeita", na qual todos os particulares são conhecidos. Por exemplo: "todas as letras desta página são pretas". Essa indução perfeita dá certeza sobre a conclusão porque você pode observar e verificar que todas as letras desta página realmente são pretas).

Mas mesmo quando não se tem informação completa ou perfeita é possível ter suficiente informação para chegar a algumas conclusões justificáveis na maioria das questões da vida. Por exemplo: uma vez que praticamente já se observou que todos morrem, sua conclusão de que todos os homens são mortais é considerada verdadeira ainda que passível de dúvida. Existe mais de 99% de certeza, mas ela não é absoluta. É preciso ter certo grau de fé — mesmo que pouca — para acreditar nisso.[6] O mesmo pode ser dito em relação à conclusão de que a gravidade afeta todos os objetos, e não apenas alguns. A conclusão é praticamente correta, mas não é absolutamente certa. Em outras palavras, podemos ter certeza com uma dúvida justificável, mas não certeza absoluta.

DE QUE MANEIRA PODEM SER CONHECIDAS AS VERDADES SOBRE DEUS?

Por que a observação e a indução interessam à descoberta da existência de Deus? O fato é que a observação e a indução ajudam a investigar a derradeira pergunta religiosa: "Deus existe?".

Você diz: "Espere um minuto! Como podemos usar a observação para investigar um ser não observável chamado Deus? Além do mais, se Deus é invisível e imaterial como a maioria dos cristãos, judeus e muçulmanos afirma, então de

---

[6]De fato, enfrentamos a maioria das situações da vida — variando do que comemos até quem escolhemos como amigos — por meio da observação e da indução. Por exemplo: não temos uma informação perfeita sobre o líquido que está dentro de uma lata de sopa da marca Campbell — imaginamos que é comestível e que não vai nos envenenar, mas não estamos 100% certos disso. Confiamos em nossa experiência anterior de que a sopa Campbell é confiável e presumimos que dentro daquela lata existe realmente sopa Campbell, em vez de veneno. Do mesmo modo, não possuímos informação perfeita sobre o caráter das pessoas com quem possamos nos encontrar. Mas, depois de passar algum tempo com elas, podemos concluir que são pessoas dignas de confiança. Estamos 100% certos? Não, porque estamos generalizando pelo nosso número limitado de experiências. Nossa conclusão pode ser altamente provável, mas não é certa. Esse é o caso de muitas decisões que tomamos na vida.

que maneira nossos sentidos podem nos ajudar a reunir informações sobre ele?".

A resposta é: nós usamos a indução para investigar Deus da mesma maneira que usamos a indução para investigar as outras coisas que não podemos ver, ou seja, observando seus efeitos. Por exemplo: não podemos observar a gravidade diretamente; podemos apenas observar os seus efeitos. Do mesmo modo, não podemos observar a mente humana diretamente, mas apenas os seus efeitos. Desses efeitos, fazemos uma inferência racional quanto à existência de uma causa.

De fato, o livro que você está lendo agora é um caso em questão. Por que assumimos que este livro é efeito de uma mente humana? Porque todas as nossas experiências de observação nos dizem que um livro é um efeito que resulta apenas de alguma inteligência preexistente (i.e., um escritor). Você nunca viu o vento, a chuva ou outras forças naturais produzirem um livro; você viu apenas pessoas fazendo isso. Assim, apesar do fato de você não ter visto ninguém escrevendo este livro, concluiu que ele deve ter pelo menos um autor.

Ao assumir que este livro tem um autor, você está naturalmente colocando juntas a observação, a indução e a dedução. Se fôssemos escrever seus pensamentos de maneira lógica, então se assemelhariam ao seguinte argumento dedutivo:

1. Todos os livros têm pelo menos um autor (premissa baseada na investigação indutiva).

2. *Não tenho fé suficiente para ser ateu* é um livro (premissa baseada na observação).

3. Portanto, *Não tenho fé suficiente para ser ateu* tem pelo menos um autor (conclusão).

Você sabe que o argumento é válido por causa da dedução e sabe que o argumento é verdadeiro porque as premissas são verdadeiras (pois foram verificadas por meio da observação e da indução).

Agora surge uma grande pergunta: assim como um livro exige uma inteligência humana preexistente, será que existem efeitos observáveis que parecem requerer algum tipo de inteligência sobrenatural preexistente? Em outras palavras, existem efeitos observáveis que apontam para Deus? A resposta é sim, e o primeiro efeito é o próprio Universo. Uma investigação de seu início é o próximo passo em nossa jornada para encontrar a tampa da caixa.

Mas antes de olharmos para as evidências do início do Universo, precisamos abordar mais uma objeção à verdade, que é: "E daí? Quem se importa com a verdade?".

E DAÍ? QUEM SE IMPORTA COM A VERDADE?

Às vezes perguntamos aos nossos alunos: "Qual é o maior problema nos Estados Unidos hoje? É a ignorância ou a apatia?". Certa vez um aluno respondeu: "Eu não sei, e não me importo com isso!".

Essa resposta resume o problema dos Estados Unidos hoje. Muitos de nós são ignorantes e apáticos em relação à verdade — mas não quando a questão se refere ao dinheiro, à saúde ou a qualquer outro tema tangível que já mencionamos. Nós nos importamos apaixonadamente com aquelas coisas. Mas muitas pessoas são ignorantes e apáticas sobre a verdade na moralidade e na religião (sabemos que você não é, pois está reservando um tempo para ler este livro). Será que as pessoas que adotaram a postura "E daí?" de nossa cultura estão certas ou será que a verdade na moralidade e na religião são realmente importantes?

A verdade é realmente importante. Como sabemos disso? Em primeiro lugar, embora as pessoas possam *afirmar* que a verdade na moralidade não é importante, elas realmente não acreditam nisso quando alguém as trata de maneira imoral. Afirmam, por exemplo, que mentir não é errado, mas veja só quão moralmente iradas ficam quando você mente para elas (especialmente se a questão estiver relacionada ao dinheiro delas!).

É comum ouvirmos "Isto é a economia, seu estúpido!". Mas simplesmente pense em como a economia seria melhor se todo mundo dissesse a verdade. Não haveria escândalos sobre malversação de verbas públicas e corrupção financeira. Não haveria pesadas regras governamentais. É claro que a economia é importante, mas ela é diretamente afetada pela moralidade! Está presente em quase tudo o que fazemos. Ela não apenas nos afeta financeiramente, mas, em certas circunstâncias, também nos afeta nos aspectos social, psicológico, espiritual e até mesmo físico.

A segunda razão pela qual a verdade na moralidade é importante é que o sucesso na vida normalmente depende de escolhas morais que uma pessoa faz. Isso inclui escolhas em relação à prática sexual, casamento, filhos, drogas, dinheiro, negócios e assim por diante. Algumas escolhas trazem prosperidade e outras resultam em ruína.

Terceiro, como destacamos em um livro anterior chamado *Legislating Morality* [Legislando sobre a moralidade][7] todas as leis são formadas na perspectiva da moralidade. A única pergunta é: "De quem é a moralidade que está sendo usada para legislar?". Pense sobre isso. Toda lei declara um comportamento como certo e seu oposto como errado — isso é moralidade. A moralidade de quem deveria

---

[7]Eugene, Ore.: Wipf & Stock, 2003 [publicado anteriormente pela Editora Bethany, 1998].

estar presente na lei nas questões como aborto ou eutanásia? Essas são questões que impactam diretamente a vida e a saúde de pessoas reais. Se é moralmente errado matar pessoas inocentes, será que essa verdade não deveria estar presente na lei? Do mesmo modo, a moralidade de quem deveria estar presente na lei nas questões de políticas públicas que podem afetar sua vida, sua saúde e suas finanças? As coisas que incluímos na lei podem afetar dramaticamente a vida, a liberdade e a busca pela felicidade de todos os cidadãos.

Não há dúvida de que aquilo que acreditamos ser verdade sobre a moralidade atinge diretamente vidas. Será que fez alguma diferença o fato de a Suprema Corte dos Estados Unidos ter acreditado que os negros não eram cidadãos (conforme expresso na decisão do julgamento *Dred Scott* de 1857), mas propriedade de seus feitores? Fez alguma diferença o fato de os nazistas terem acreditado que os judeus eram inferiores à raça ariana? Faz alguma diferença hoje o fato de pensarmos sobre a situação moral das pessoas em outras categorias raciais ou religiosas? É claro que sim! A verdade na moralidade é importante.

E quanto à verdade na religião? Essa verdade pode nos impactar mais profundamente do que a verdade na moralidade. Um amigo meu [Frank] que é oficial da Marinha percebeu isso lá em 1988, quando eu era recém-convertido.

Naquela época, fomos destacados juntamente com um grupo de aviação da Marinha norte-americana para um país do golfo Pérsico. A guerra entre o Irã e o Iraque estava quase no fim, mas tensões ainda eram altas. Quando se está num lugar estranho e perigoso, tendemos a ponderar sobre a vida e a sua moralidade mais seriamente e com mais freqüência.

Certo dia, estávamos fazendo exatamente isso: falando sobre Deus e sobre a vida após a morte. Durante a nossa conversa, meu amigo fez um comentário que ficou na minha mente naquele dia. Referindo-se à Bíblia, disse: "Eu não acredito na Bíblia. Mas, *se* ela é verdadeira, então eu estarei encrencado".

É claro que ele estava certo. Se a Bíblia é *verdadeira*, então meu amigo tinha *optado* por um destino eterno nada agradável. De fato, se a Bíblia é verdadeira, então o destino eterno de todo mundo pode ser lido em suas páginas. Por outro lado, se a Bíblia não é verdadeira, então muitos cristãos estão inconscientemente desperdiçando uma grande quantidade de tempo, dinheiro e, em alguns casos, até mesmo da sua vida pregando o cristianismo em ambientes hostis. Seja qual for o caso, a verdade na religião é importante.

Também é importante se outra religião estiver certa. Se, por exemplo, o *Alcorão* é verdadeiro, então estou em dificuldades eternas assim como meu amigo marinheiro não-cristão. Por outro lado, se os ateus estiverem certos, então nós também podemos mentir, trapacear e roubar para ter aquilo que queremos, porque esta vida acaba aqui e não há conseqüências na eternidade.

Mas esqueça a eternidade por alguns minutos. Considere as implicações temporais dos ensinamentos religiosos ao redor do mundo. Na Arábia Saudita, uma criança está sendo ensinada que judeus são porcos e que os não-muçulmanos (os infiéis) devem ser mortos (embora, felizmente, a maioria dos muçulmanos não acredita que os não-muçulmanos devam ser mortos, militantes muçulmanos ensinam esse tipo de *jihad* citando diretamente o *Alcorão*).[8] É realmente verdade que, em algum lugar, existe um Deus chamado Alá que deseja que os muçulmanos matem todos os não-muçulmanos (o que provavelmente inclui você)? Será que essa "verdade" religiosa é importante? Ela realmente o é quando essas crianças crescerem a ponto de poderem pilotar aviões que são jogados sobre prédios e detonarem bombas atadas ao corpo em áreas densamente povoadas. Não seria melhor ensinar-lhes a verdade religiosa que afirma que Deus quer que elas amem o próximo?

Os sauditas podem estar ensinando que os judeus são porcos, mas, em nosso país, por meio de um currículo unilateral de biologia, ensinamos as crianças que realmente não existe diferença alguma entre *qualquer* ser humano e um porco. Além do mais, se somos meramente o produto de forças cegas da natureza — se não fomos criados por nenhuma divindade, sem nenhum tipo de significado especial —, então não somos nada mais do que porcos com cérebro grande. Será que essa verdade religiosa (atéia) é importante? Ela o é quando as crianças levam a cabo suas implicações. Em vez de bons cidadãos, que vêem as pessoas como seres criados à imagem de Deus, estamos produzindo criminosos que não vêem nenhum sentido ou valor na vida humana. As idéias têm conseqüências.

No lado positivo, Madre Teresa de Calcutá ajudou a melhorar as condições na Índia ao desafiar as crenças religiosas de muitas pessoas na cultura hindu. A crença hindu no carma e na encarnação leva muitos hindus a simplesmente ignorar os clamores do sofrimento. Por quê? Porque acreditam que aqueles que estão sofrendo merecem seu castigo por terem feito coisas erradas numa vida anterior. Assim, ao ajudar as pessoas que estão sofrendo, você está interferindo em seu carma. Madre Teresa ensinou aos hindus na Índia os princípios cristãos de cuidar das pessoas pobres e sofridas. Será que essa idéia religiosa é importante? Pergunte aos milhões de vidas que ela tocou. Será que os ensinamentos religiosos do carma são importantes? Pergunte aos milhões que estão sofrendo.

O resumo é o seguinte: independentemente do que seja a real verdade em relação à religião e à moralidade, nossa vida é grandemente afetada por ela hoje

---

[8]Além do *Alcorão* (leia você mesmo as suratas 8 e 9), v. Norman GEISLER & Abdul SALEEB, *Answering Islam*, 2. ed. Grand Rapids, Mich.: Baker, 2002. O apêndice 5 apresenta 20 citações do *Alcorão* que ou ordenam ou permitem a violência contra os "infiéis".

e, talvez, até mesmo na eternidade. Aqueles que, de maneira arrogante, dizem "E daí? Quem se importa com a verdade na moralidade e na religião?" ignoram a realidade e estão esquiando cegamente sobre gelo fino. É nossa obrigação tanto para conosco quanto para com os outros descobrir a verdade real e, então, agir de acordo com ela. Portanto, vamos começar com a pergunta: "Deus existe?".

RESUMO

1. As pessoas normalmente obtêm suas crenças proveniente dos pais, dos amigos, da religião de infância ou da cultura. Às vezes, elas formulam suas crenças baseadas apenas nos sentimentos. Embora tais sentimentos possam ser verdadeiros, também é possível que não o sejam. A única maneira de estar razoavelmente certo é testar as crenças por meio das evidências. Isso é feito por meio da utilização de alguns princípios filosóficos sérios, incluin-do aqueles encontrados na lógica e na ciência.[9]

2. A lógica diz que os opostos não podem ser verdadeiros ao mesmo tempo e no mesmo sentido. A lógica é parte da própria realidade tanto nos Estados Unidos, na Índia, no Brasil ou em qualquer lugar do Universo.

3. Ao usarmos a tática do Papa-léguas, podemos ver que Hume não é cético em relação ao ceticismo nem Kant o é em relação ao agnosticismo. Portanto, suas visões são falhas em si mesmas. É possível conhecer a verdade sobre Deus.

4. Muitas verdades sobre Deus podem ser conhecidas por seus efeitos, os quais podem ser observados. Por meio de muitas observações (indução), podemos chegar a conclusões razoáveis (deduções) sobre a existência e a natureza de Deus (o que vamos fazer nos capítulos seguintes).

5. A verdade na moralidade e na religião tem conseqüências temporais e até mesmo eternas. A apatia e a ignorância podem ser fatais. Você pode não se importar com aquilo que não conhece, mas isso *pode* ferir você.

6. Então, por que uma pessoa deveria acreditar em alguma coisa? Porque existem evidências que apóiam suas crenças e porque as crenças têm conseqüências.

---

[9]Aqueles que discordam da necessidade da lógica para se descobrir a verdade estão derrotando a si mesmos e provando nossa idéia. Por quê? Porque eles tentam usar a lógica para negar a lógica. Isso é o mesmo que tentar usar a linguagem para comunicar que a linguagem não pode ser usada para comunicar!

Os capítulos 3—7 tratarão
dos seguintes assuntos:

1. A verdade sobre a realidade pode ser conhecida.

2. O oposto de verdadeiro é falso.

➤ 3. **É verdade que o Deus teísta existe. Isso é comprovado pelos seguintes aspectos:**
   a. **O início do Universo (argumento cosmológico);**
   b. **O planejamento do Universo (argumento teleológico/princípio antrópico);**
   c. **O planejamento da vida (argumento teleológico);**
   d. **A lei moral (argumento moral).**

4. Se Deus existe, os milagres são possíveis.

5. Os milagres podem ser usados para confirmar uma mensagem de Deus (i.e., como atos de Deus para confirmar uma palavra de Deus).

6. O Novo Testamento é historicamente confiável. Isso é comprovado por:
   a. Testemunhos antigos;
   b. Relatos de testemunhas oculares;
   c. Testemunhos não inventados (autênticos);
   d. Testemunhas oculares que não foram enganadas.

7. O Novo Testamento diz que Jesus afirmava ser Deus.

8. A afirmação de Jesus quanto a ser Deus foi miraculosamente confirmada por:
   a. Cumprimento de muitas profecias sobre si mesmo;
   b. Sua vida sem pecado e seus feitos miraculosos;
   c. A predição e a concretização de sua ressurreição.

9. Portanto, Jesus é Deus.

10. Todos os ensinamentos de Jesus (que é Deus) são verdadeiros.

11. Jesus ensinou que a Bíblia é a Palavra de Deus.

12. Portanto, é verdade que a Bíblia é a Palavra de Deus (e qualquer coisa que se opõe a ela é falsa).

3
No princípio SURGE o Universo

A ciência sem a religião é aleijada; a religião sem a ciência é cega.
ALBERT EINSTEIN

FATOS "IRRITANTES"

O ano era 1916, e Albert Einstein não estava gostando do rumo que seus cálculos estavam tomando. Se a sua teoria da relatividade geral estava correta, isso significava que o Universo não é eterno, mas que teve um início. Os cálculos de Einstein realmente estavam revelando um início definido de todo o tempo, de toda a matéria, de todo o espaço. Isso atacava frontalmente sua crença de que o Universo era estático e eterno.

Einstein disse mais tarde que sua descoberta foi "irritante". Queria que o Universo fosse auto-existente — que não estivesse baseado em nenhuma causa externa —, mas o Universo parecia ser um gigantesco efeito. Na verdade, Einstein desaprovou tanto as implicações da teoria da relatividade geral — uma teoria que hoje se prova precisa até a quinta casa decimal — que resolveu introduzir uma constante cosmológica (que alguns chamam, desde então, de "fator disfarce") em suas equações, visando com isso mostrar que o Universo é estático e evitar a idéia de um início absoluto.

Mas o fator disfarce de Einstein não ficou disfarçado por muito tempo. Em 1919, o cosmólogo britânico Arthur Eddington conduziu um experimento durante um eclipse solar que confirmou que a teoria da relatividade era realmente verdadeira — o Universo não é estático, mas teve um começo. Tal como Einstein, Eddington não estava feliz com aquelas implicações. Mais tarde, ele escreveu: "Filosoficamente, a noção de um início da ordem presente da natureza me é repugnante [...] eu preferiria ter encontrado um genuíno buraco".[1]

---

[1] Apud Hugh ROSS, *The Creator and The Cosmos*. Colorado Springs: NavPress, 1995, p. 57.

Em 1922, o matemático russo Alexander Friedmann expusera oficialmente que o fator disfarce de Einstein era um erro algébrico (por incrível que pareça, em sua tentativa de evitar a idéia do início do Universo, o grande Einstein fez uma divisão por zero, o que qualquer criança em idade escolar sabe que é proibido!). Enquanto isso, o astrônomo holandês Willem de Sitter descobriu que a teoria da relatividade exigia que o Universo estivesse em expansão. Em 1927, a expansão do Universo foi observada pelo astrônomo Edwin Hubble (que deu nome ao famoso telescópio orbital).

Olhando para o céu no telescópio de 100 polegadas do Observatório de monte Wilson, na Califórnia, Hubble descobriu um "desvio para o vermelho" na luz de todas as galáxias observáveis, o que significava que aquelas galáxias estavam afastando-se de nós. Em outras palavras, a teoria da relatividade confirmava-se mais uma vez: o Universo parecia estar em expansão de um único ponto no passado distante.[2]

Em 1929, Einstein foi até o monte Wilson para observar pessoalmente por aquele telescópio. O que viu foi irrefutável. A evidência *baseada na observação* mostrou que o Universo estava realmente em expansão, como havia predito a teoria da relatividade. Com sua constante cosmológica agora completamente esmagada pelo peso das evidências contra ela, Einstein não tinha mais como apoiar seu desejo de ver um Universo eterno. Mais tarde, descreveu a constante cosmológica como "o pior erro da minha vida" e redirecionou seus esforços para encontrar a tampa da caixa do quebra-cabeça da vida. Einstein disse que queria "saber como Deus havia criado o mundo. Não estou interessado neste ou naquele fenômeno, no espectro deste ou daquele elemento. Quero conhecer os pensamentos de Deus; o resto são detalhes".[3]

Apesar de Einstein ter dito que acreditava num Deus panteísta (um Deus que *está* no Universo), seus comentários admitindo a criação e o pensamento divino estavam mais para a descrição de um Deus teísta. E por mais "irritante" que possa ser, sua teoria da relatividade levanta-se hoje como uma das mais fortes linhas de comprovação de um Deus teísta. O fato é que a teoria da relatividade

---

[2]Todas as galáxias estão afastando-se de nós, mas isso não significa que estamos no centro do Universo. Para visualizar como isso acontece, imagine um balão com pontos negros pintados nele. Quando você enche o balão, todos os pontos se separam uns dos outros, quer estejam próximos do centro quer não. Os pontos nos lados opostos do balão (os mais distantes uns dos outros) separam-se mais rapidamente do que aqueles que estão próximos. Na verdade, Hubble descobriu uma relação linear entre distância e velocidade, o que mostrou que uma galáxia duas vezes mais longe de nós se move no dobro da velocidade. Isso ficou conhecido como a lei de Hubble.

[3]Apud Fred HEEREN, *Show Me God*. Wheeling, Ill.: Daystar, 2000, p. 135.

apóia um dos mais antigos e formais argumentos para a existência de um Deus teísta: o argumento cosmológico.

O ARGUMENTO COSMOLÓGICO: O COMEÇO DO FIM DO ATEÍSMO

Não se impressione com o imponente nome técnico: "cosmológico" vem da palavra grega *cosmos* e significa "mundo" ou "Universo". Ou seja, o argumento cosmológico é o argumento do início do Universo. Se o Universo teve um início, então teve uma causa. Na forma lógica, o argumento apresenta-se da seguinte maneira:

1. Tudo o que teve um começo teve uma causa.
2. O Universo teve um começo.
3. Portanto, o Universo teve uma causa.

Como mostramos no capítulo anterior, para que um argumento seja verdadeiro, ele precisa ser logicamente válido, e suas premissas precisam ser verdadeiras. Esse argumento é válido, mas será que as suas premissas são válidas? Vamos dar uma olhada nas premissas.

A premissa 1 — tudo o que teve um começo teve uma causa — é a lei da causalidade, que é *o* princípio fundamental da ciência. Sem a lei da causalidade, é impossível haver ciência. De fato, Francis Bacon (o pai da ciência moderna) disse: "O verdadeiro conhecimento só é conhecimento pelas causa".[4] Em outras palavras, a ciência era uma busca pelas causas. É isto que os cientistas fazem: tentam descobrir o que causou o quê.

Se existe alguma coisa que temos observado em relação ao Universo é que as coisas não acontecem sem uma causa. Quando um homem está dirigindo pela rua, outro veículo nunca aparece na frente de seu carro do nada, sem um motorista ou sem causa. Sabemos que muitos guardas de trânsito ouvem essa história, mas isso não é verdade. Sempre existe um motorista ou alguma outra causa por trás do aparecimento daquele carro. Nem mesmo o grande cético David Hume poderia negar a lei da causalidade. Ele escreveu: "Nunca fiz a tão absurda proposição de que alguma coisa possa surgir sem uma causa".[5]

---

[4] *The New Organon* (1620), reimpressão, Indianapolis: Bobbs Merrill, 1960, p. 121 [publicado em português pela Editora Nova Atlântida, *Novum organum*, ou, verdadeiras indicações acerca da interpretação da natureza].

[5] In: J. Y. T. GREIG, ed. *The Letters of David Hume,* 2 vol. New York: Garland, 1983, v. 1, p. 187.

De fato, negar a lei da causalidade é negar a racionalidade. O próprio processo de pensamento racional exige que reunamos nossos pensamentos (as causas) para que cheguemos às conclusões (os efeitos). Assim, se alguém lhe disser que não acredita na lei da causalidade, simplesmente faça a seguinte pergunta a essa pessoa: "O que a *fez* chegar a essa conclusão?".

Uma vez que a lei da causalidade está bem estabelecida e é inegável, a premissa 1 é verdadeira. E quanto à premissa 2? O Universo teve um começo? Se não teve, então não havia necessidade de haver uma causa. Se teve, então o Universo deve ter tido uma causa.

Até a época de Einstein, os ateus podiam confortar-se com a crença de que o Universo era eterno e, portanto, não precisava de uma causa. Mas, desde então, cinco linhas de evidências científicas foram descobertas, as quais provam, sem sombra de dúvida, que o Universo realmente teve um início. Aquele início foi algo que os cientistas chamam hoje de *Big Bang* (ou "grande explosão"). A evidência desse *Big Bang* pode ser facilmente lembrada pelo acrônimo SURGE.

NO PRINCÍPIO SURGE O UNIVERSO

De tempos em tempos, as principais revistas semanais — como as norte-americanas *Time, Newsweek* [à semelhança das nacionais *Veja, IstoÉ e Época*] — publicam uma reportagem de capa sobre a origem e o destino do Universo. "Quando começou o Universo?" e "Quando ele acabará?" são duas das perguntas examinadas nesses artigos. O fato de o Universo ter tido começo e que terá fim não é nem mesmo levantado no debate dessas reportagens. Por quê? Porque os cientistas modernos sabem que começo e fim são exigências de uma das mais comprovadas leis de toda a natureza: a segunda lei da termodinâmica.

S — A segunda lei da termodinâmica

A segunda lei da termodinâmica é o "S" do nosso acrônimo SURGE. A termodinâmica é o estudo da matéria e da energia, e, entre outras coisas, sua segunda lei afirma que o Universo está ficando sem energia utilizável. A cada momento que passa, a quantidade de energia utilizável está ficando menor, levando os cientistas à óbvia conclusão de que, um dia, toda a energia terá se esgotado e o Universo morrerá. Tal como um carro em movimento, um dia o Universo vai ficar sem combustível.

Então você pode dizer: "E daí? De que maneira isso prova que o Universo teve um começo?". Bem, vamos enxergar as coisas da seguinte maneira: a *primeira* lei da termodinâmica afirma que a quantidade de energia no Universo é constante.[6] Em outras palavras, o Universo possui apenas uma quantidade finita de energia (algo muito semelhante ao fato de o seu carro ter uma quantidade finita de combustível). Se o seu carro tem uma quantidade finita de combustível (a primeira lei) e ele está consumindo combustível durante todo o tempo em que está se movimentando (a segunda lei), seu carro estaria andando agora se você tivesse ligado a ignição há um tempo infinitamente distante? Não, é claro que não. Ele estaria sem combustível agora. Da mesma maneira, o Universo estaria sem energia agora se estivesse funcionando desde toda a eternidade passada. Mas aqui estamos nós: as luzes ainda estão acesas, o que significa dizer que o Universo deve ter começado em algum tempo no passado finito, ou seja, o Universo não é eterno — teve um começo.

Podemos comparar o Universo com uma lanterna. Se você deixar uma lanterna acesa durante toda a noite, qual será a intensidade da luz pela manhã? Será fraca, porque as baterias foram utilizadas até quase extinguir sua energia. Bem, o Universo é como uma lanterna quase descarregada. Possui só um pouco de energia a ser consumida. Mas, uma vez que o Universo ainda tem alguma carga na bateria (a energia ainda não acabou), ele não pode ser eterno — teve obrigatoriamente um início — pois, se fosse eterno, a bateria já teria acabado a essa altura.

A segunda lei da termodinâmica também é conhecida como lei da entropia, que nada mais é senão uma maneira simpática de dizer que a natureza tem a tendência de fazer as coisas se desordenarem. Em outras palavras, com o tempo, as coisas naturalmente se desfazem. Seu carro se acaba; sua casa se acaba; seu corpo se acaba. Mas se o Universo está ficando cada vez menos ordenado, então de onde veio a ordem original? O astrônomo Robert Jastrow compara o Universo a um relógio movido a corda.[7] Se um relógio movido a corda está começando a atrasar, então alguém precisa dar-lhe corda.

Esse aspecto da segunda lei também nos diz que o Universo teve um começo. Uma vez que ainda temos alguma ordem — assim como ainda temos alguma energia utilizável —, o Universo não pode ser eterno, porque, se fosse, teríamos alcançado a completa desordem (entropia) neste momento.

---

[6]Você pode ter ouvido a definição da primeira lei da termodinâmica da seguinte maneira: "A energia não pode ser criada nem destruída". Essa é uma asserção filosófica, não uma observação empírica. Como podemos saber que a energia não foi criada? Não havia observadores para verificar isso. Uma definição mais precisa da primeira lei, atestada pela observação, é que "a quantidade total de energia no Universo (i.e., energia utilizável e não utilizável) permanece constante". Desse modo, conforme a energia utilizável é consumida, ela é transformada em energia *não* utilizável, mas a soma das duas permanece a mesma. O que muda é a proporção da utilizável em relação à não utilizável.

[7]*God and the Astronomers*. New York: Norton, 1978, p. 48.

Alguns anos atrás, um estudante que participava de um ministério cristão entre universitários convidou-me [Norm] para falar em sua universidade sobre um tema relacionado à segunda lei. Durante a palestra, eu disse basicamente aos alunos aquilo que escrevemos aqui, mas de uma maneira mais detalhada. Depois da exposição, o aluno que havia me convidado pediu que eu almoçasse com ele e seu professor de física.

Assim que nos sentamos para comer, o professor deixou claro que era cético em relação ao meu argumento de que a segunda lei da termodinâmica exige a existência de um começo para o Universo. Ele me disse até mesmo ser materialista e acreditar que apenas as coisas materiais existiam e que existiram por toda a eternidade.

— Se a matéria é eterna, então o que você faz com a segunda lei? — perguntei a ele. Ele respondeu:

— Toda lei tem sua exceção. Essa é a minha exceção.

Eu poderia ter contra-atacado, perguntando-lhe se pressupor que toda lei tem uma exceção era fazer uma boa ciência. Isso não me parece muito científico e pode ser uma afirmação falsa em si mesma quando você pergunta: "A lei que diz que 'toda lei tem uma exceção' tem uma exceção?". Se tiver, talvez a segunda lei seja uma exceção à lei de que toda lei deve ter uma exceção.

A coisa não se encaminhou assim porque eu achei que ele iria protestar. Em vez disso, recuei um pouco com relação à segunda lei e decidi questioná-lo sobre o materialismo.

— Se tudo é material — perguntei —, então o que é a teoria científica? Além do mais, toda teoria sobre qualquer coisa material não é material; não é feita de moléculas.

Sem hesitar por um momento, ele disse com certo gracejo:

— A teoria é mágica.

— Mágica? — repeti, realmente não acreditando naquilo que estava ouvindo. — Qual é a base para você dizer isso?

— Fé — respondeu ele rapidamente.

"Fé na mágica?", pensei comigo mesmo. "Não posso acreditar no que estou ouvindo! Se a fé na mágica é a melhor coisa que os materialistas têm a oferecer, então *eu não tenho fé suficiente para ser materialista!*".

Pensando novamente naquele episódio, parece-me que aquele professor teve um momento de sinceridade. Ele sabia que não poderia responder à fortíssima comprovação que apóia a segunda lei e, então, admitiu que sua posição não tinha base na comprovação ou na razão. Ao fazer isso, deu outro exemplo da falta de disposição em acreditar naquilo que a mente sabe que é verdadeiro e de como a visão dos ateus é baseada apenas na fé.

O professor estava certo com relação a uma coisa: ter fé. Ele de fato precisava de um *salto de fé* para deliberadamente ignorar a mais estabelecida lei de toda a natureza. Foi assim que Arthur Eddington caracterizou a segunda lei há mais de 80 anos:

> A lei que afirma que a entropia cresce — a segunda lei da termodinâmica — tem, segundo o meu pensamento, a posição suprema entre as leis da natureza. Se alguém insistir que a sua teoria preferida do Universo está em desacordo com as equações de Maxwell — então tanto melhor para as equações de Maxwell. Se elas contradisserem a observação — bem, essas experiências às vezes dão errado. *Mas se a sua teoria está em oposição à segunda lei da termodinâmica, então não posso lhe dar esperança alguma: não há nada a esperar dela, senão cair na maior humilhação.*[8]

Uma vez que percebi que o professor não estava realmente interessado em aceitar a verdade, não lhe fiz nenhuma outra pergunta potencialmente humilhante. Mas, uma vez que nenhum de nós podia ignorar o poder da segunda lei em nossos próprio corpo, pedimos a sobremesa. Nenhum de nós estava disposto a negar que precisávamos repor a energia que havíamos acabado de usar!

U — O Universo está em expansão

As boas teorias científicas são aquelas capazes de predizer fenômenos que ainda não foram observados. Como vimos, a teoria da relatividade predisse um Universo em expansão. Mas foi somente uma década depois de o legendário astrônomo Edwin Hubble ter olhado em seu telescópio que os cientistas finalmente confirmaram que o Universo está em expansão e que se expande de um único ponto (o astrônomo Vesto Melvin Slipher estava muito próximo deste Universo em expansão já em 1913, mas foi Hubble quem reuniu todas as partes soltas da questão no final da década de 1920). Este Universo em expansão é a segunda linha de comprovação científica que afirma que o Universo teve um começo.

De que maneira podemos provar, por sua expansão, que o Universo teve um começo? Pense da seguinte maneira: se pudéssemos assistir a uma fita de vídeo da história do Universo ao contrário, veríamos toda matéria no Universo retornando para um único ponto. Esse ponto não teria o tamanho de uma bola de basquete, nem de uma bola de pingue-pongue, nem mesmo da cabeça de

---

[8]Apud Paul Davies, *The Cosmic Blueprint*. New York: Simon & Shuster, 1988, p. 20 (grifo do autor).

uma agulha, mas matemática e logicamente um ponto que é realmente nada (i.e., sem tempo, sem matéria). Em outras palavras, era uma vez um nada e, então, *bang!*, havia alguma coisa — o inverso passou a existir por meio de uma explosão! É por essa razão que conhecemos esse fenômeno como *Big Bang* ou "grande explosão".

É importante compreender que o Universo não está se expandindo para um lugar vazio, mas o próprio espaço está em expansão — não havia espaço antes do *Big Bang*. Também é importante compreender que o Universo não surgiu de material existente, mas sim do nada — não havia matéria antes do *Big Bang*. De fato, cronologicamente, não havia "antes" no período anterior ao *Big Bang*, porque não existe "antes" sem tempo, e não havia tempo antes do *Big Bang*.[9] Tempo, espaço e matéria passaram a existir no *Big Bang*.

Esses fatos dão muita dor de cabeça aos ateus, como aconteceu numa noite chuvosa no Estado norte-americano da Geórgia em abril de 1998. Naquela noite, eu [Frank] compareci a um debate na cidade de Atlanta sobre a questão "Deus existe?". William Lane Craig assumiu a posição afirmativa, e Peter Atkins assumiu a posição negativa. O debate estava bastante espirituoso e, em alguns momentos, até engraçado, parcialmente devido ao moderador, William F. Buckley Jr. (Buckley não escondia seu favoritismo pela posição de Craig, favorável à existência de Deus. Depois de apresentar Craig e suas impressionantes credenciais, Buckley apresentou Atkins da seguinte maneira: "E do lado do Diabo, temos o dr. Peter Atkins!").

Um dos cinco argumentos de Craig para a existência de Deus era o argumento cosmológico, apoiado pela evidência do *Big Bang*, que estamos discutindo aqui. Ele destacou que o Universo — todo o tempo, toda a matéria e todo o espaço — explodiu do nada, um fato que Atkins admitira em seu livro e que reafirmou mais tarde no debate daquela noite.

Uma vez que foi o primeiro a falar, Craig informou à platéia como Atkins tenta explicar o Universo de uma perspectiva ateísta: "Em seu livro *The Creation Revisited* [A Criação revisitada], o dr. Atkins luta ferozmente para explicar como o Universo poderia ter surgido, sem ter sido provocado por nada. Mas, no final, ele se vê preso, contradizendo a si mesmo. Ele escreve: 'Agora voltemos no tempo, além do momento da Criação, quando não havia tempo e onde não havia

---

[9]Palavras como "precede" e "antes" normalmente implicam tempo. Não as estamos usando nesse sentido, pois não havia tempo "antes" do *Big Bang*, pois não é possível existir tempo antes de o tempo ter começado. Então, o que poderia existir antes do tempo? De maneira bem simples, a resposta é: o Eterno! Ou seja, a Causa Eterna que trouxe à existência o tempo, o espaço e a matéria.

espaço'. Nesse tempo antes do tempo, ele imagina um redemoinho de pontos matemáticos que se recombinavam repetidas vezes e que, finalmente, por meio de tentativa e erro, vieram a formar nosso Universo de tempo e espaço".[10]

Craig continuou, destacando que a posição de Atkins não é uma teoria científica, mas, na verdade, uma metafísica popular que contradiz a si mesma. É metafísica popular porque é uma explicação inventada — não existe nenhuma comprovação científica que a apóie. É também contraditória porque trata de tempo e espaço antes de haver tempo e espaço.

Uma vez que Craig não teve oportunidade de dialogar diretamente com Atkins sobre esse ponto, Ravi Zacharias e eu ficamos na fila de perguntas, já no final do debate, para questionar Atkins sobre sua posição. Infelizmente, o tempo acabou antes que um de nós pudesse fazer uma pergunta, de modo que fomos falar com Atkins depois do debate, nos bastidores.

— Dr. Atkins — disse Ravi —, o senhor admite que o Universo explodiu do nada, mas a sua explicação para o começo não está clara com relação ao que seja "nada". Os pontos matemáticos num redemoinho não são nada. Até eles são alguma coisa. Como o senhor justifica isso?

Em vez de abordar a questão, Atkins se rendeu verbalmente à segunda lei da termodinâmica. Ele disse:

— Olha, senhores, estou muito cansado. Não posso responder a mais nenhuma pergunta agora.

Em outras palavras, o seu decréscimo de energia provou que a segunda lei da termodinâmica estava funcionando. Atkins literalmente não tinha nada a dizer!

De acordo com a comprovação cosmológica moderna, o Universo literalmente não tinha nada de onde surgir. Contudo, quando foi a hora de dar uma explicação ateísta a isso, Atkins não começou realmente do nada, mas de pontos matemáticos e do tempo. Naturalmente, não se pode imaginar como meros pontos matemáticos e tempo pudessem verdadeiramente criar o Universo. Todavia, ele queria impor o fato de que ateus como ele próprio precisam explicar como o Universo começou de absolutamente nada.

O que é nada? Aristóteles tinha uma boa definição: ele disse que *nada é aquilo com que as rochas sonham!* O nada do qual o Universo surgiu não são "pontos matemáticos", como sugeriu Atkins, nem "energia positiva e negativa", como escreveu o ateu Isaac Asimov.[11] "Nada" é literalmente *coisa alguma* — aquilo com que as rochas sonham.

O escritor inglês Anthony Kenny descreveu honestamente seu próprio apuro

---

[10]Todo o debate está disponível em vídeo no *site* www.rzirn.com.
[11]*Beginning and End.* New York: Doubleday, 1977, p. 148.

como ateu à luz da evidência do *Big Bang*. Ele escreveu: "De acordo com a teoria do *big bang*, toda a matéria do Universo começou a existir em um momento em particular no passado remoto. Um oponente de tal teoria deve acreditar, pelo menos se for ateu, que a matéria do Universo veio do nada e por meio de nada".[12]

R — *Radiação do* big bang

A terceira linha de comprovação científica de que o Universo teve um início foi descoberta por acidente em 1965. Foi naquele ano que Arno Penzias e Robert Wilson detectaram uma estranha radiação na antena do Laboratório Bell, em Holmdel, Nova Jersey, Estados Unidos. Aquela misteriosa radiação permanecia, não importava para onde apontassem sua antena. Inicialmente acharam que poderia ser o resultado de dejetos de pombos depositados na antena, muito comuns na costa de Nova Jersey, de modo que limparam a antena, e retornaram os pombos. Mas, quando voltaram para dentro, descobriram que a radiação ainda estava lá, e que vinha de todas as direções.

Aquilo que Penzias e Wilson tinham detectado transformou-se numa das mais incríveis descobertas do século passado, uma que chegou a ganhar o Prêmio Nobel. Esses dois cientistas do Laboratório Bell tinham descoberto o brilho avermelhado da explosão da bola de fogo do *big bang*!

Tecnicamente conhecida como radiação cósmica de fundo, esse brilho é realmente luz e calor emanados da explosão inicial. A luz não é mais visível porque o seu comprimento de onda foi esticado pela expansão do Universo para um tamanho pouco menor do que aquele que é produzido por um forno de microondas. Mas o calor ainda pode ser detectado.

Voltando a 1948, três cientistas predisseram que, se o *Big Bang* realmente tivesse acontecido, essa radiação estaria em algum lugar. Mas, por alguma razão, ninguém havia tentado detectá-la antes de Penzias e Wilson terem tropeçado nela por acaso há cerca de 30 anos. Ao ser confirmada, essa descoberta lançou por terra qualquer sugestão de que o Universo esteja num estado eterno de passividade. O astrônomo agnóstico Robert Jastrow expõe a questão da seguinte maneira:

> Não se encontrou nenhuma outra explicação para a radiação que não fosse o *Big Bang*. O argumento decisivo, capaz de convencer o mais cético dos cientistas, é que a radiação descoberta por Penzias e Wilson tem exatamente o padrão de comprimento de onda esperado para a luz e o calor produzidos numa gran-

[12] *The Five Ways: St. Thomas Aquinas' Proofs of God's Existence*. New York: Schocken, 1969, p. 66.

de explosão. Aqueles que apóiam a teoria de um estado estático tentaram desesperadamente encontrar uma explicação alternativa, mas fracassaram. Neste momento, a teoria do *big bang* não tem concorrentes.[13]

Com efeito, a descoberta da radiação da bola de fogo queimou qualquer esperança de existência do estado estático. Mas esse não foi o fim das descobertas. Mais evidências do *Big Bang* surgiriam. De fato, se a cosmologia fosse um jogo de futebol americano, aqueles que acreditam no *Big Bang* estariam sendo convidados a "pular em cima" com esta próxima descoberta.

G — Sementes de grandes galáxias

Depois de descobrirem o anunciado Universo em expansão e o brilho posterior de sua radiação, os cientistas voltaram a atenção para outra previsão que confirmaria o *Big Bang*. Se o *Big Bang* realmente aconteceu, os cientistas acreditavam que deveríamos ver pequenas oscilações (ou ondulações) na temperatura da radiação cósmica de fundo que Penzias e Wilson tinham descoberto. Essas ondulações de temperatura permitiriam que a matéria se reunisse em galáxias por meio da atração gravitacional. Se isso fosse descoberto, eles aceitariam a quarta linha da comprovação científica de que o Universo teve um início.

Em 1989, foi intensificada a busca por essas ondulações quando a NASA lançou um satélite de 200 milhões de dólares chamado COBE [*Cosmic Background Explorer* ou "explorador do fundo cósmico"]. Levando equipamentos extremamente sensíveis, o COBE foi capaz de ver se essas oscilações realmente existiam na radiação de fundo e quão precisas elas eram.

Quando George Smoot, o líder do projeto, anunciou as descobertas do COBE em 1992, sua chocante comparação foi citada em jornais do mundo inteiro. Ele disse: "Se você é religioso, então é como estar olhando para Deus". Michael Turner, astrofísico da Universidade de Chicago, não foi menos enfático, afirmando que "a evidência dessa descoberta não pode ser desprezada. Eles encontraram o Santo Graal da cosmologia". Stephen Hawking também concordou, chamando as descobertas de "as mais importantes descobertas do século, senão de todos os tempos".[14] O que fez o satélite COBE receber elogios tão grandiosos?

O satélite não apenas descobriu as oscilações, mas os cientistas ficaram maravilhados diante de sua precisão. As oscilações mostravam que a explosão e a expansão do Universo foram precisamente calculadas de modo não apenas a

---

[13] *God and the Astronomers*, p. 15-6.
[14] V. HEEREN, *Show Me God*, p. 163-8 e ROSS, *The Creator and the Cosmos*, p. 19.

fazer a matéria se reunir em galáxias, mas também a ponto de não fazer o próprio Universo desmoronar sobre si mesmo. Qualquer pequena variação para um lado ou para o outro, e nenhum de nós estaria aqui para contar a história. O fato é que as oscilações são tão exatas (com uma precisão de um sobre 100 mil) que Smoot as chamou de "marcas mecânicas da criação do Universo" e "impressões digitais do Criador".[15]

Mas essas oscilações de temperatura não são apenas pontos em um gráfico de um simples cientista. O COBE conseguiu tirar fotografias das oscilações com infravermelho. É preciso ter em mente que as observações espaciais são, na verdade, observações do passado, devido ao tempo que a luz leva para chegar até nós. Desse modo, os retratos desse satélite são retratos do passado, ou seja, as imagens em infravermelho tiradas pelo COBE apontam para a existência de matéria do início do Universo que viria a se juntar em galáxias e conjuntos de galáxias. Smoot chamou essa matéria de "sementes" das galáxias como elas existem hoje (essas imagens podem ser vistas pela Internet no *site* do COBE, no endereço http://Lambda.gsfc.nasa.gov). Tais "sementes" são as maiores estruturas já detectadas, e a maior estende-se por cerca de um terço do Universo conhecido. Estamos falando de 10 bilhões de anos-luz ou de 95 bilhões de trilhões de quilômetros (95 seguido de 21 zeros).[16]

Agora você pode entender por que tantos cientistas são tão eloqüentes na descrição de sua descoberta. Uma coisa predita pelo *Big Bang* foi novamente descoberta, e isso foi tão grandioso e tão preciso que provocou um *big bang* entre os cientistas!

E — A teoria da relatividade de Einstein

O "E" do nosso acrônimo vem do nome de Einstein. Sua teoria da relatividade é a quinta linha de comprovação científica de que o Universo teve um início e sua descoberta foi o começo do fim da idéia de que o Universo é eterno. A teoria em si, que foi comprovada até cinco casas decimais, exige um início absoluto para tempo, espaço e matéria. Ela mostra que tempo, espaço e matéria estão correlacionados, ou seja, são interdependentes — você nunca pode ter um sem os outros.

Com base na teoria da relatividade, os cientistas predisseram — e depois descobriram — a expansão do Universo, a radiação posterior à explosão e as grandes sementes de galáxias que foram precisamente criadas para permitir que o Universo se formasse e que tivesse o estado atual. Adicione a essas desco-

---

[15]Heeren, op. cit., p. 168.
[16]V. Michael D. Lemonick, "Echoes of the Big Bang", *Time,* May 4, 1992, p. 62.

bertas a segunda lei da termodinâmica, e temos cinco linhas de decisiva comprovação científica de que o Universo teve um início — algo que SURGE de um início grandioso.

DEUS E OS ASTRÔNOMOS

Portanto, o Universo teve um início. O que isso significa para a pergunta relativa à existência de Deus? O homem que hoje se assenta na cadeira de Edwin Hubble no Observatório de monte Wilson tem poucas coisas a dizer sobre isso. Seu nome é Robert Jastrow, astrônomo já citado neste capítulo. Além de trabalhar como diretor do Observatório de monte Wilson, Jastrow é fundador do Instituto Goddard para Estudos Espaciais, da NASA. É óbvio que suas credenciais como cientista são impecáveis. É por isso que seu livro *Deus e os astrônomos* causou tanto impacto entre aqueles que investigam as implicações do *Big Bang*, a saber: aqueles que fazem a pergunta: "O *Big Bang* aponta para Deus?".

Jastrow revela na primeira linha do capítulo 1 que não há nenhum interesse pessoal em suas observações. Ele escreve: "Quando um astrônomo escreve sobre Deus, seus colegas acham que ou ele está ficando velho ou maluco. No meu caso, deve-se entender desde o início que sou agnóstico em relação aos assuntos religiosos".[17]

À luz do agnosticismo pessoal de Jastrow, suas citações teístas são ainda mais motivadoras. Depois de explicar algumas das comprovações do *Big Bang* que acabamos de revisar, Jastrow escreve:

> Agora vemos como a evidência astronômica leva a uma visão bíblica da origem do mundo. Os detalhes divergem, mas os elementos essenciais presentes tanto nos relatos astronômicos quanto na narração do Gênesis são os mesmos: a cadeia de fatos que culminou com o homem começou repentinamente e num momento preciso no tempo, num *flash* de luz e energia.[18]

A comprovação de peso do *Big Bang* e sua compatibilidade com o relato bíblico do Gênesis levou Jastrow a fazer a seguinte observação numa entrevista:

> Os astrônomos percebem agora que se colocaram numa encruzilhada, porque provaram, por seus próprios métodos, que o mundo começou abruptamente, num ato de criação ao qual se pode rastrear as sementes de toda estrela, todo planeta, toda coisa viva no cosmo e na terra. Eles descobriram que tudo isso aconteceu como um produto de forças que não esperavam encontrar [...] *isso*

[17] *God and the Astronomers,* p. 11.
[18] Ibid., p. 14.

que eu e qualquer pessoa chamaria de força sobrenatural é, agora, penso eu, um fato cientificamente comprovado.[19]

Ao evocar o sobrenatural, Jastrow faz eco à conclusão de Arthur Eddington, contemporâneo de Einstein. Como já mencionamos, embora achasse "repugnante", Eddington admitiu que "o início parece apresentar dificuldades insuperáveis, a não ser que concordemos em olhar para ele como algo francamente sobrenatural".[20]

Por que Jastrow e Eddington admitiriam que existem forças "sobrenaturais" em ação? Por que as forças naturais não poderiam ter criado o inverso? Porque esses cientistas sabem, assim como qualquer outra pessoa, que as forças naturais — na verdade, a própria natureza — foram criadas no *Big Bang*. Em outras palavras, o *Big Bang* foi o início de todo o Universo físico. Tempo, espaço e matéria passaram a existir naquele momento. Não havia mundo natural ou leis naturais antes do *Big Bang*. Uma vez que uma causa não pode vir depois de seu efeito, as forças naturais não foram responsáveis pelo *Big Bang*. Portanto, deve haver alguma coisa *acima da natureza* para realizar o trabalho. É exatamente isso que significa a palavra *sobrenatural*.

Os descobridores da radiação pós-explosão, Robert Wilson e Arno Penzias, também não eram defensores da Bíblia. Ambos acreditavam inicialmente na teoria do estado estático. Mas, devido às fortes evidências, mudaram sua visão e reconheceram os fatos que são compatíveis com a Bíblia. Penzias admite: "A teoria do estado estático mostrou-se tão fraca que foi abandonada. A maneira mais fácil de encaixar as observações com os parâmetros recentes é admitir que o Universo tenha sido criado do nada, num instante, e que continua a se expandir".[21]

Wilson, que certa vez assistiu a uma aula de Fred Hoyle (o homem que popularizou a teoria do estado estático em 1948), disse: "Em termos filosóficos, eu gosto do estado estático. Mas ficou claro que eu precisava abandoná-lo".[22] Quando o escritor e cientista Fred Heeren perguntou-lhe se a evidência do *Big Bang* é indicativa de um Criador, Wilson respondeu: "Certamente houve alguma coisa que fez tudo funcionar. Se você é religioso, é certo que não posso pensar numa teoria melhor da origem do Universo do que aquela relatada no Gênesis".[23] George Smoot concordou com a avaliação de Wilson. Ele disse: "Não há dúvida

---

[19]"A Scientist Caught Between Two Faiths: Interview with Robert Jastrow", *Christianity Today,* August 6, 1982 (grifo do autor).

[20]*The Expanding Universe.* New York: Macmillan, 1933, p. 178.

[21]Apud HEEREN, *Show Me God,* p.156.

[22]Ibid., p. 157.

[23]Ibid.

de que existe um paralelo entre o *Big Bang* como um fato e a posição cristã da criação com base no nada".[24]

O IMPÉRIO CONTRA-ATACA (MAS FRACASSA)

O que os ateus têm a dizer sobre isso? Já vimos as fraquezas das explicações de Atkins e Asimov — eles começam com *alguma coisa*, em vez de partirem literalmente do nada. Existe alguma outra explicação ateísta que possa ser plausível? Não encontramos nenhuma. Os ateus trazem outras teorias, mas todas têm falhas fatais.[25] Vamos analisar brevemente algumas delas.

A teoria do ricochete cósmico — Sugere que o Universo está em expansão e contração contínuas. Isso ajuda seus proponentes a evitar a idéia de um início definido. Mas os problemas com essa teoria são imensos, e por essa razão tem sido reprovada.

Em primeiro lugar, e de maneira mais óbvia, não há evidência para um número infinito de explosões (não existe a teoria do *big bang*, bang, bang, bang...!). O que se vê é que o Universo explodiu uma vez do nada, e não repetidas vezes da matéria existente.

Em segundo lugar, não existe matéria suficiente no Universo para colocar tudo *junto* de novo. O Universo parece equilibrado para continuar expandindo-se indefinidamente.[26] Isso foi confirmado em 2003 por Charles Bennett, do Centro de Controle de Vôos Espaciais Goddard, da NASA. Depois de olhar para as leituras da mais recente sonda espacial da NASA, ele disse: "O Universo vai se expandir para sempre. Ele não se voltará sobre si mesmo nem entrará em colapso numa espécie de grande desabamento".[27] O fato é que os astrônomos estão descobrindo agora que a velocidade da expansão do Universo está acelerando, fazendo um colapso total ser ainda mais improvável.[28]

Em terceiro lugar, mesmo se existisse matéria suficiente para fazer o Universo

---

[24]Ibid., 139.

[25]Você poderá encontrar uma explicação detalhada e uma refutação das explicações ateístas para o início do Universo no artigo de William Lane Craig intitulado "The Ultimate Question of Origins: God and the Beginning of the Universe", disponível *on-line* em http://www.leaderu.com/offices/billcraig/docs/ultimatequestion.html; v. tb. Norman GEISLER, *Enciclopédia de apologética*. São Paulo: Vida, 2002.

[26]V. JASTROW, *God and the Astronomers*, p. 125.

[27]V. " 'Baby Pic' Shows Cosmos 13 Billion Years Ago", CNN.com, 11 de fevereiro de 2003, em http://www.cnn.com/2003/TECH/space/02/11/cosmic.portrait/.

[28]V. Kathy SAWYER, "Cosmic Driving Force? Scientists' Work on "Dark Energy" Mystery Could Yield a New View of the Universe". *Washington Post,* February 19, 2000, A1.

se contrair e "explodir" novamente, a teoria do ricochete cósmico contradiz a segunda lei da termodinâmica porque erroneamente pressupõe que nenhuma energia seria perdida em cada contração e explosão. Um Universo "explodindo" repetidamente terminaria desaparecendo do mesmo modo que uma bola que caiu no chão termina parando de pular. Assim, se o Universo está em expansão e contração contínua *para sempre*, ele já teria parado.

Por último, não há modo de imaginar que hoje estaríamos aqui se o Universo estivesse em expansão e contração contínuas. Um número infinito de grandes explosões é verdadeiramente impossível (vamos falar sobre isso algumas páginas à frente). E, se houve um número *finito* de explosões, a teoria não pode explicar o que causou a primeira. Não havia nada para "explodir" antes da primeira explosão!

Tempo imaginário — Outras tentativas ateístas de explicar como o Universo explodiu e passou a existir do nada são tão falhas quanto essa. Num esforço de evitar o início absoluto do Universo, Stephen Hawking, por exemplo, formulou uma teoria que utiliza o "tempo imaginário". Seguindo essa linha, poderíamos chamá-la de "teoria imaginária", pois o próprio S. Hawking admite que sua teoria é "apenas uma proposta [metafísica]" que não pode explicar o que aconteceu no tempo real. "No tempo real", reconhece ele, "o Universo tem um início..."[29] O fato é que, de acordo com Hawking, "praticamente todo mundo acredita hoje que o Universo e o próprio tempo tiveram seu começo no *Big Bang*".[30] Portanto, como ele mesmo admite, sua teoria imaginária fracassa quando aplicada ao mundo real. Tempo imaginário é simplesmente isto: pura imaginação.

Incerteza — Diante de tão decisiva comprovação do início do Universo, alguns ateus questionam a primeira premissa do argumento cosmológico: a lei da causalidade. Esse é um terreno perigoso para os ateus que tipicamente se orgulham de si mesmos por serem campeões da razão e da ciência. Como já destacamos, a lei da causalidade é o fundamento de toda a ciência. A ciência está à procura de causas. Se você destrói a lei da causalidade, então está destruindo a própria ciência.

Os ateus tentam lançar dúvidas acerca da lei da causalidade citando a física

---

[29]*A Brief History of Time.* New York: Bantam, 1988, p. 136-9 [publicado em português pela Editora A. Einstein, *Breve história do tempo ilustrada*]; v. tb. Norman Geisler & Peter Bocchino, *Fundamentos inabaláveis.* São Paulo: Vida, 2003.

[30]Apud Norman Geisler & Paul Hoffman, eds. *Why I am a Christian: Leading Thinkers Explain Why They Believe.* Grand Rapids, Mich.: Baker, 2001, p. 66.

quântica, especialmente o princípio da incerteza de Heisenberg. Esse princípio descreve a nossa incapacidade de simultaneamente predizer a posição e a velocidade de partículas subatômicas (i.e., elétrons). A contenda dos ateus é a seguinte: se a causalidade no reino subatômico não é necessária, então talvez a causalidade também não seja necessária no resto do Universo.

Felizmente para a ciência, essa tentativa dos ateus fracassa. Por quê? Porque ela confunde *causalidade* com *previsibilidade*. O princípio de incerteza de Heisenberg *não prova* que o movimento dos elétrons não tem uma causa: apenas descreve a nossa incapacidade de *predizer* sua posição e velocidade em determinado momento. O simples fato de não podermos predizer alguma coisa não significa que ela não tenha uma causa. De fato, os teóricos quânticos reconhecem que é possível que não sejamos capazes de predizer simultaneamente a velocidade e a posição de elétrons porque as nossas próprias tentativas de observá-los são a causa de seu movimento imprevisível! Agindo de maneira semelhante a um apicultor que coloca sua cabeça na colméia, devemos atiçar as abelhas para poder observá-las. Conseqüentemente, a perturbação pode ser o fato de um cientista estar vendo seus próprios cílios no microscópio.

Por fim, nenhuma teoria ateísta refuta adequadamente a premissa do argumento cosmológico. O Universo teve início e, portanto, precisa de uma causa.

A RELIGIÃO DA CIÊNCIA

Então por que todos os cientistas simplesmente não aceitam essa conclusão, em vez de tentarem evitar os fatos e suas implicações por meio de explicações exageradas e implausíveis? Os comentários de Jastrow são úteis mais uma vez (lembre-se: Jastrow é agnóstico). Ele faz a seguinte observação:

> Os teólogos geralmente ficam alegres com a *comprovação* de que o Universo teve um começo, mas os astrônomos ficam curiosamente perturbados. Suas reações dão uma interessante demonstração da resposta da mente científica, supostamente algo bastante objetivo — quando as provas reveladas pela ciência levam a um conflito com os *artigos da fé que professamos*. Resulta que os cientistas comportam-se como o resto de nós quando nossas crenças estão em conflito com as provas. Ficamos irritados, fingimos que o conflito não existe ou o descrevemos por meio de frases sem sentido.[31]

As frases que vimos Atkins e Asimov usar para explicar o começo do Universo

---

[31] *God and the Astronomers*, p. 16 (grifo do autor).

— "pontos matemáticos" e "energia positiva e negativa", respectivamente — certamente parecem sem sentido para nós. A verdade é que essas frases não explicam nada.

Com relação aos sentimentos "irritantes" de Einstein sobre a teoria da relatividade e a expansão do Universo, Jastrow escreve: "Essa é uma linguagem curiosamente emocional para uma discussão sobre algumas fórmulas matemáticas. Suponho que a idéia de um início do tempo perturbou Einstein por causa de suas implicações teológicas".[32]

Todo mundo sabe que os teístas têm crenças teológicas. Mas o que normalmente se despreza é que os cientistas ateus e panteístas também têm crenças teológicas. Como notado anteriormente, Jastrow chama alguma dessas crenças de "artigos da fé que professamos" e afirma que algumas dessas crenças abrangem a "religião na ciência". Ele escreve:

> Existe um tipo de religião na ciência [...] todo efeito deve ter sua causa; não existe uma Causa Primeira [...] essa fé religiosa do cientista é violada pela descoberta de que o mundo teve um começo sob condições nas quais as leis conhecidas da física não são válidas e como um produto de forças e circunstâncias que não podemos descobrir. Quando isso acontece, o cientista perde o controle. Se realmente examinou as implicações, ele vai ficar traumatizado. Como normalmente acontece quando nos vemos diante de um trauma, a mente reage ignorando as implicações — na ciência isso é conhecido como "recusa à especulação" — ou trivializa a origem do mundo chamando-a de *big bang*, como se o Universo fosse um tipo de fogo de artifício.[33]

Traumatizados ou não, os cientistas precisam lidar com as implicações da evidência do *Big Bang*. Podem não gostar das evidências de suas implicações, mas isso não vai mudar os fatos. Uma vez que a evidência mostra que tempo, espaço e matéria foram criados no *Big Bang*, a mais provável conclusão científica é que o Universo foi causado por alguma coisa *externa* ao tempo, ao espaço e à matéria (i.e., a Causa Eterna). Quando cientistas deparam-se com essas conclusões e as descrevem como "frases sem sentido" ou "recusa à especulação", parece que eles estão simplesmente se recusando a aceitar os fatos e as mais razoáveis conclusões que surgem deles. Isso é uma questão de vontade, e não de mente. A comprovação é objetiva; os cientistas descrentes é que não são.

[32]Ibid., p. 28.
[33]Ibid., p. 113-4.

E SE A TEORIA DO *BIG BANG* ESTIVER ERRADA?

Até aqui, demos sólidas comprovações científicas (o acrônimo SURGE) para o fato de que o Universo teve um início. Mas suponha que os cientistas acordem um dia e descubram que todos os seus cálculos estavam errados — que não houve um *Big Bang*. Dadas a grande abrangência das evidências e a capacidade da teoria de predizer adequadamente um fenômeno observável, um total abandono da teoria do *big bang* seria extremamente improvável.

Isso é admitido até mesmo pelos ateus. Victor Stenger, físico que lecionou na Universidade do Havaí, escreveu certa vez que "o Universo explodiu do nada".[34] Stenger reconheceu recentemente que a teoria do *big bang* parece mais provável do que nunca. "Devemos deixar em aberto a possibilidade de que [o *Big Bang*] possa estar errado", disse ele, "mas [...] a cada ano que passa, tendo cada vez mais informações astronômicas, tudo fica cada vez mais e mais compatível com o quadro geral de um *Big Bang*".[35]

O fato é que, em 2003, surgiram mais provas de que o *Big Bang* está correto. O satélite da NASA chamado WMAP [Wilkinson Microwave Anisotropy Probe — "sonda anisotrópica de microondas de Wilkinson] confirmou descobertas de seu antecessor, o COBE, e trouxe fotos 35 vezes mais nítidas da radiação de fundo do que aquelas tiradas pelo satélite COBE.[36] De fato, as observações espaciais estão se tornando apoios tão decisivos à visão mundial teísta que George Will fez a seguinte reflexão: "Em breve, a União Americana de Liberdade Civil ou a People for the American Way ou ainda alguma outra facção similar vão processar a NASA, acusando o telescópio espacial Hubble de inconstitucionalmente apoiar as pessoas com tendências religiosas".[37]

Todavia, vamos fazer o papel do advogado do cético por um segundo. Vamos supor que, em algum ponto no futuro, se comprove que a teoria do *big bang* está totalmente errada. Isso significaria que o Universo é eterno? Não, por um grande número de razões.

Em primeiro lugar, a segunda lei da termodinâmica (o "S" do acrônimo) apóia o *Big Bang*, mas não depende dele. O fato de o Universo estar ficando sem energia utilizável e caminhando para o caos é indiscutível. De acordo com as palavras de Eddington, a segunda lei tem "a posição suprema entre as leis da natureza". Ela é verdadeira mesmo se o *Big Bang* não o for.

---

[34]V. J. STENGER, "The Face of Chaos". *Free Inquiry* 13 (Winter 1992-1993): 13.

[35]V. Cliff WALKER, "An Interview with Particle Physicist Victor J. Stenger", em http://www.positiveatheism.com/crt/stenger1.htm. Data da entrevista: 6 de novembro de 1999.

[36]V. " 'Baby Pic' Shows Cosmos 13 Billion Years Ago".

[37]"The Gospel from Science", *Newsweek*, November 8, 1998.

Em segundo lugar, o mesmo pode ser dito com relação à teoria da relatividade de Einstein (o E do acrônimo). Essa teoria, verificada pela observação, exige um início do espaço, da matéria e do tempo tendo começado ou não com uma grande explosão.

Em terceiro lugar, também existe comprovação científica da geologia de que o Universo teve um começo. Como muitos de nós aprendemos nas aulas de química, elementos radioativos deterioram-se e transformam-se em outros elementos com o passar do tempo. O urânio radioativo, por exemplo, acaba se transformando em chumbo. Isso significa que, se todos os átomos de urânio fossem infinitamente antigos, todos eles seriam chumbo hoje, mas não são. Assim, a Terra não pode ser infinitamente antiga.

Por fim, existe uma linha filosófica de comprovação para o início do Universo. Essa linha é tão racionalmente precisa que alguns a consideram como o maior argumento de todos. Ela é chamada argumento cosmológico *kalam* (palavra árabe que quer dizer "eterno") e é mais ou menos assim:

1. Um número infinito de dias não tem fim.
2. Mas hoje é o dia final da história (a história como uma coleção de todos os dias).
3. Portanto, não houve um número infinito de dias antes de hoje (i.e., o tempo teve um início).

Para entender esse argumento, veja a linha de tempo a seguir, marcada em segmentos de dias (fig. 3.1). Quanto mais longe você vai, mais para trás na história caminha. Agora, pressuponha, por um momento, que essa linha estenda-se indefinidamente para a esquerda, de modo que você não possa ver onde ela começa, se é que ela começa. Ao olhar para a direita, porém, você pode ver o final da linha, porque o último segmento da linha representa o hoje. O amanhã não está aqui ainda, mas, quando ele chegar, vamos adicionar mais um segmento (i.e., um dia) à extremidade direita da linha.

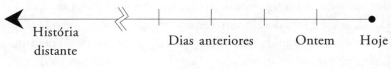

Fig. 3.1

Vejamos agora como isso prova que o tempo teve um início. Uma vez que a linha certamente acaba do lado direito, a linha do tempo não pode ser infinita, porque alguma coisa que é infinita não tem fim. Além do mais, não se pode adicionar qualquer coisa a algo que é infinito, mas amanhã nós vamos adicionar outro dia à nossa linha do tempo. Assim, é inegável que nossa linha do tempo é finita.

Vamos considerar esse argumento de um ângulo diferente. Se tivesse havido um número infinito de dias antes de hoje, então hoje nunca teria chegado. Mas estamos aqui! Portanto, deve ter havido apenas um número *finito* de dias antes de hoje. Em outras palavras, embora não sejamos capazes de ver onde começa a linha do tempo ao olhamos para o lado esquerdo, sabemos que ela teve um começo em algum ponto porque somente uma quantidade finita de tempo poderia se passar para que hoje chegasse. Você não pode atravessar um número infinito de dias. Esse tempo necessariamente teve um início.

Alguns podem dizer que, se existem números infinitos, então, por que não pode haver dias infinitos? Porque existe uma diferença entre uma série infinita abstrata e uma concreta. Uma é puramente teórica, e a outra é verdadeira. Matematicamente, podemos conceber um número infinito de dias, mas na realidade não podemos jamais contar ou viver um número infinito de dias. Você pode conceber um número infinito de pontos matemáticos entre as duas extremidades de uma prateleira de livros, mas não pode colocar um número infinito de livros entre essas duas extremidades. Essa é a diferença entre concreto e abstrato. Os números são abstratos; os dias são concretos (a propósito, isso amplia nossa resposta acima sobre o fato de não ser possível termos um número infinito de explosões na história cosmológica do Universo. É impossível existir um número infinito de eventos reais).

O que estamos dizendo aqui é que o Universo teve um início, quer tenha existido um *Big Bang* quer não, ou seja, o argumento cosmológico é verdadeiro porque ambas as suas premissas são verdadeiras: tudo o que passa a existir tem uma causa, e o Universo veio a existir. Portanto, o Universo teve um início, e ele deve ter tido um Iniciador.

QUEM CRIOU DEUS?

À luz de todas as comprovações para o início do Universo espaço-tempo, o Iniciador deve estar fora do Universo espaço-tempo. Quando se sugere que Deus é o Iniciador, os ateus rapidamente fazem a antiga pergunta: "Então quem criou Deus? Se tudo precisa de uma causa, então Deus também precisa de uma causa!".

Como já vimos, a lei da causalidade é o fundamento da ciência. A ciência é a busca pelas causas, e essa busca é baseada em nossas observações coerentes e uniformes de que tudo o que tem um começo teve uma causa. O fato é que a pergunta "Quem criou Deus?" destaca com que seriedade levamos a lei da causalidade. Toma-se como certo que praticamente tudo precisa de uma causa.

Então por que Deus não precisa de uma causa? Porque a posição dos ateus não compreende a lei da causalidade. A lei da causalidade não diz que *tudo* precisa de uma causa. Ela diz que tudo *o que venha a existir* precisa de uma causa. Deus não veio a existir, ninguém fez Deus. Ele não é feito. Como ser eterno, Deus não tem um começo e, assim, ele não precisou de uma causa.

"Mas, espere um pouco", vão protestar os ateus. "Se você pode ter um Deus eterno, então eu posso ter um Universo eterno! Além do mais, se o Universo é eterno, então ele não teve uma causa." Sim, é logicamente possível que o Universo seja eterno e que, portanto, não tenha tido uma causa. De fato, só existem duas possibilidades: ou o Universo é eterno, ou alguma coisa fora do Universo é eterna (uma vez que algo inegável existe hoje, então alguma coisa deve ter existido sempre. Só temos duas opções: o Universo ou algo que tenha causado o Universo). O problema para o ateu é que, enquanto é *logicamente* possível que o Universo seja eterno, isso parece não ser *realmente* possível. Todas as evidências científicas e filosóficas (SURGE, diminuição da radioatividade e o argumento cosmológico *kalam*) nos dizem que o Universo não pode ser eterno. Assim, descartando uma das duas opções, ficamos apenas com a outra: alguma coisa fora do Universo é eterna.

Ao chegar a esse ponto, existem apenas duas possibilidades para qualquer coisa que exista: 1) ou essa coisa sempre existiu e, portanto, não possui uma causa, ou 2) ela teve um início e foi causada por alguma outra coisa (ela não pode ser sua própria causa, porque teria de ter existido antes para poder causar alguma coisa). De acordo com essa comprovação decisiva, o Universo teve um início, e, portanto, isso deve ter sido causado por alguma outra coisa — algo fora de si mesmo. Note que essa conclusão é compatível com as religiões teístas, mas não está baseada nessas religiões: está baseada em razão e provas.

Então, qual é a Causa Primeira? Alguém pode pensar que você precisa confiar numa Bíblia ou em algum outro tipo de assim chamada revelação religiosa para responder a essa pergunta, mas, outra vez, não precisamos de nenhum livro sagrado para descobrir isso. Albert Einstein estava certo quando disse: "A ciência sem a religião é aleijada; a religião sem a ciência é cega".[38] A religião pode tanto ser informada quanto confirmada pela ciência, como acontece no caso do argumento cosmológico, ou seja, podemos descobrir algumas características da Causa Primeira simplesmente com base na evidência que discutimos neste capítulo. Dessa evidência, sabemos que a Causa Primeira deve ser:

---

[38]In: *Science, Philosophy, and Religion: A Symposium*. New York: The Conference on Science, Philosophy and Religion in Their Relation to the Democratic Way of Life, 1941. Disponível *on-line* em http://www.sacredtexts.com/aor/einstein/einsci.htm. Acesso em 15 de outubro de 2003.

- Auto-existente, atemporal, não espacial e imaterial (uma vez que a Causa Primeira criou o tempo, o espaço e a matéria, a Causa Primeira deve obrigatoriamente estar fora do tempo, do espaço e da matéria). Em outras palavras, não tem limites ou é infinita.
- Inimaginavelmente poderosa para criar todo o Universo do nada.
- Supremamente inteligente para planejar o Universo com precisão tão incrível (veremos mais sobre isso no capítulo seguinte).
- Pessoal, com o objetivo de optar por converter um estado de nulidade em um Universo tempo-espaço-matéria (uma força impessoal não tem capacidade de tomar decisões).

Essas características da Causa Primeira são exatamente as características teístas atribuídas a Deus. Mais uma vez, essas características não são baseadas na religião ou em experiências subjetivas de alguém. Foram tiradas da comprovação científica que acabamos de analisar e nos ajudam a ver uma seção importantíssima da tampa da caixa do quebra-cabeça que chamamos de vida.

CONCLUSÃO: SE DEUS NÃO EXISTE, ENTÃO POR QUE EXISTE ALGUMA COISA ALÉM DO NADA?

Alguns anos atrás, eu [Norm] debati com um ateu na Universidade de Miami sobre a pergunta "Deus existe?". Depois de eu ter apresentado muitas das comprovações que vimos aqui, tive a oportunidade de fazer algumas perguntas ao meu oponente. Disse-lhe o seguinte:

— Senhor, tenho algumas perguntas a lhe fazer. Primeira: "Se Deus não existe, então por que existe alguma coisa além do nada?".

Continuei fazendo outras perguntas, achando que ele iria responder na seqüência.

É preciso dizer que, normalmente ao debater com alguém, se tem como alvo persuadir a platéia. Você não fica esperando que o seu oponente admita que está errado. Ele investiu muito naquela posição, e a maioria dos debatedores tem um ego grande demais para admitir um erro. Mas foi diferente com aquele homem. Surpreendeu-me quando disse:

— Em relação à primeira pergunta, é realmente uma boa questão. Na verdade, é uma *ótima* questão.

Sem nenhum outro comentário, ele prosseguiu e respondeu à minha segunda pergunta.

Depois de ouvir a comprovação da existência de Deus, aquele debatedor foi levado a questionar suas próprias crenças. Ele chegou até mesmo a comparecer a uma reunião posterior e expressou que tinha dúvidas sobre o ateísmo. Sua fé no ateísmo estava desaparecendo. De verdade.

"Se não existe Deus, então por que existe algo diferente do nada?" é uma pergunta que todos nós temos de responder. À luz das evidências, somos deixados apenas com duas opções: ou *ninguém* criou uma coisa do nada ou *alguém* criou alguma coisa do nada. Que visão é mais plausível? Nada criou alguma coisa? Não. Até mesmo Julie Andrews sabia a resposta quando cantou "Nada vem do nada. Nada poderia ser assim!". Se você não consegue acreditar que nada fez alguma coisa, *então não tem fé suficiente para ser ateu!*

A idéia mais plausível é Deus. Robert Jastrow sugeriu isso quando terminou seu livro *Deus e os astrônomos* com esta clássica afirmação:

> Para o cientista que tem vivido pela fé no poder da razão, a história termina como um sonho ruim. Ele escalou as montanhas da ignorância; está prestes a conquistar o pico mais elevado e, quando se lança sobre a última rocha, é saudado por um grupo de teólogos que estão sentados ali há vários séculos.[39]

---

[39] *God and the Astronomers,* p. 116.

4
Projeto divino

Somente um principiante que não sabe nada sobre ciência diria que a ciência descarta a fé. Se você realmente estudar a ciência, ela certamente o levará para mais perto de Deus.

JAMES TOUR, NANOCIENTISTA

A evidência astronômica que comprova a existência de Deus *passa a ser muito forte* quando os físicos ateus admitem que "o Universo explodiu do nada" e os astrônomos agnósticos afirmam que "forças sobrenaturais" estavam de tal modo ativas no início de tudo que os cientistas se deparam com "um grupo de teólogos que estão sentados ali há vários séculos" (v. o cap. 3). Mas a comprovação científica que aponta para Deus não termina com o argumento cosmológico. Para muitos, a *precisão* com a qual o Universo explodiu e veio a existir nos dá provas ainda mais persuasivas sobre a existência de Deus.

Essa evidência, tecnicamente conhecida como argumento teleológico, tem seu nome derivado do termo grego *telos,* que significa "plano". O argumento teleológico apresenta-se da seguinte maneira:

1. Todo projeto tem um projetista.
2. O Universo possui um conceito bastante complexo.
3. Portanto, o Universo teve um Projetista.

Isaac Newton (1642-1727) confirmou de maneira implícita a validade do argumento teleológico quando se maravilhou diante do projeto de nosso sistema solar. Ele escreveu: "Este belíssimo sistema no qual estão o Sol, os planetas e os cometas somente poderia proceder do desígnio e do poder absoluto de um Ser inteligente e poderoso".[1] Contudo, foi William Paley (1743-1805) que tornou

---

[1]"General Scholium", in: *Mathematical Principles of Natural Philosophy* (1687). In: Robert M. HUTCHINS, ed. *Great Books of the Western World.* (Chicago: Encyclopedia Britannica, s.d.), p. 369.

famoso esse argumento por meio de sua declaração, de muito bom senso, de que todo relógio implica a existência de um relojoeiro. Imagine que você está caminhando por uma floresta e encontra um Rolex cravejado de diamantes jogado no chão. A que conclusão você chega em relação à causa do relógio? Ele foi criado pelo vento ou pela chuva? Pela erosão ou alguma combinação de forças naturais? É claro que por nenhuma dessas opções! Não haveria absolutamente nenhuma dúvida em sua mente de que algum ser inteligente fabricara o relógio e que alguma pessoa desafortunada o deixara cair ali acidentalmente.

Os cientistas estão agora descobrindo que o Universo no qual vivemos é como um Rolex cravejado de diamantes, embora tenha sido planejado com muito mais precisão do que aquele relógio. O fato é que o Universo é especialmente adaptado para permitir a existência da vida na Terra — um planeta com uma quantidade enorme de condições improváveis e interdependentes para dar suporte à vida que o transformam num pequenino oásis no meio de um Universo vasto e hostil.

Essas condições ambientais altamente precisas e interdependentes (às quais chamamos de "constantes antrópicas") formam o que é conhecido como o "princípio antrópico". "Antrópico" vem de uma palavra grega que significa "humano" ou "homem". O princípio antrópico é apenas um título bonito para a evidência básica na qual acreditam muitos cientistas, a saber: que o Universo é extremamente bem ajustado (planejado) para permitir a existência da vida humana aqui na Terra.

Neste Universo vasto e hostil, nós, os terráqueos, somos muito semelhantes a astronautas que só conseguem sobreviver no pequeno espaço em que estão confinados dentro de sua nave espacial. Tal como uma nave espacial, nossa Terra sustenta a vida enquanto viaja pelo espaço sem vida. No entanto, assim como numa nave espacial, uma pequena mudança ou um mal funcionamento em qualquer um dos fatores — presentes no Universo ou na própria Terra — pode alterar de maneira fatal as condições ambientais tão minuciosamente definidas para que possamos sobreviver.

A missão *Apollo 13*, uma das mais desafiadoras e famosas da história da NASA, vai nos ajudar a compreender esse ponto. Passaremos as próximas páginas a bordo da *Apollo 13*. Enquanto fazemos isso, vamos destacar algumas das constantes antrópicas que tornam a vida possível.

"HOUSTON, TEMOS UM PROBLEMA!"

São 13 de abril de 1970, dois dias depois que o comandante da missão Jim Lovell e dois outros astronautas saíram da atmosfera terrestre na *Apollo 13*. Eles estão agora voando no espaço a mais de 3 mil quilômetros por hora, ansiosamente esperando por uma caminhada que apenas alguns homens fizeram: andar na superfície da Lua. Tudo está saindo conforme o planejado em sua espaçonave tão magnificamente projetada. Nas palavras do próprio Lovell, ele e sua equipe estão "felizes da vida". Mas tudo isso está prestes a mudar.

Depois de 55 horas e 54 minutos do início da missão, logo depois de completar uma transmissão de televisão para a Terra, Lovell está arrumando alguns fios quando ouve um barulho muito forte. Num primeiro momento, acha que é apenas o piloto Jack Swigert fazendo uma brincadeira ao acionar secretamente uma válvula barulhenta. Mas, quando ele vê a expressão de preocupação no rosto de Swigert — aquela expressão que diz "Não fui eu!" —, Lovell rapidamente percebe que não é uma piada.

O diálogo entre os astronautas Lovell, Swigert, Fred Haise e Charlie Duke (Duke está na Terra, em Houston) é mais ou menos assim:

Swigert: — Houston, temos um problema.
Duke: — Aqui é Houston. Repita, por favor.
Lovell: — Houston, houve um problema. Tivemos uma queda de voltagem na linha B.
Duke: — Entendido. Queda de voltagem na linha B.
Haise: — O.k. Neste momento, Houston, a voltagem parece... estar boa. Ouvimos um barulho bastante forte, juntamente com sinais de alerta aqui no painel. Até onde me lembro, a linha B foi aquela que apresentou um pico algum tempo atrás.
Duke: — Entendido, Fred.
Haise: — Esse solavanco deve ter abalado o sensor de oxigênio número 2. Ele estava oscilando para baixo, em torno de 20 a 60%. Agora ele está no ponto máximo.

Nesse momento, os astronautas não estão totalmente cientes do que está acontecendo. Os sensores dos tanques de oxigênio parecem trabalhar de maneira errática. Estão mostrando que a quantidade de oxigênio nos tanques está variando de 20% até a impossível quantidade de 100%. Enquanto isso, a despeito da observação inicial de Haise de que "a voltagem parece estar boa", diversas luzes de advertência na categoria "Avisos Principais" do sistema elétrico da espaçonave estão dizendo o contrário.

Dentro de poucos minutos, a terrível natureza do problema torna-se aparente. A *Apollo 13* não tem apenas um problema nos sensores. Ela tem um problema real. A nave — localizada agora a mais de 200 mil milhas náuticas da Terra e afastando-se de casa — está rapidamente perdendo oxigênio e força. Duas das três células de combustível estão inativas e a terceira está deteriorando-se rapidamente. Haise notifica Houston sobre a situação da energia:

> Haise: — AC 2 está vazia... Temos agora uma queda na voltagem do circuito A... Está mostrando 25 e meio. O circuito B está zerado agora.

Então Lovell relata o problema do oxigênio:

> Lovell: — ... e a quantidade de O_2 no tanque 2 está marcando zero. Entenderam?
> Houston: — Quantidade de O_2 no tanque 2 é zero.

Então, quando olha por uma escotilha, Lovell vê aquilo que parece ser um gás escapando para o espaço pela parede lateral da espaçonave.

> Lovell: — Está me parecendo, ao olhar pela escotilha, que alguma coisa está escapando.
> Houston: — Entendido.
> Lovell: — Estamos... estamos perdendo alguma coisa, algo está vazando para o espaço.
> Houston: — Entendido. Copiamos, algo está vazando.
> Lovell: É algum tipo de gás.

Mais tarde, confirmou-se que o gás era oxigênio. Embora a tripulação não soubesse disso ainda, o tanque de oxigênio número 2 havia explodido e danificado o tanque 1 no processo. Lovell não podia ver o dano, apenas o gás escapando.

Constante antrópica 1: Nível de oxigênio. Aqui na Terra, o oxigênio responde por 21% da atmosfera. Esse número preciso é uma constante antrópica que torna possível a vida no planeta. Se o oxigênio estivesse numa concentração de 25%, poderia haver incêndios espontâneos; se fosse de 15%, os seres humanos ficariam sufocados. Lovell e sua equipe precisavam encontrar uma maneira de manter o nível correto de oxigênio dentro da espaçonave.

Mas o oxigênio não era o único problema. Do mesmo modo em que acontece na atmosfera da Terra, qualquer mudança em uma das constantes dentro da espaçonave pode afetar as várias outras que também são necessárias à vida. A explosão gerou um decréscimo não apenas no oxigênio, mas também na eletricidade e na água. Na *Apollo 13*, a água e a eletricidade são produzidas ao combinar-se oxigênio com hidrogênio em células de combustível. Sem oxigênio, não haveria maneira de produzir ar, água e energia. Uma vez que eles estão no vácuo do espaço, não existe nenhuma fonte de oxigênio do lado de fora.

A situação é tão inimaginável que Jack Swigert diria mais tarde: "Se alguém colocasse um acidente como esse no simulador", significando uma falha quádrupla das células de combustível 1 e 3 e dos tanques de oxigênio 1 e 2, "nós diríamos 'escute aqui, pessoal, vocês não estão sendo realistas' ".

Infelizmente não estavam no simulador, mas enfrentavam uma emergência real numa espaçonave a dois terços do caminho para a Lua. O que eles podem fazer? Felizmente existe um bote salva-vidas. O módulo lunar (ML) tem provisões que podem ser usadas numa emergência. O ML é a nave acoplada na parte superior do módulo de comando (MC) que, controlada por dois dos astronautas, descerá na Lua, enquanto o terceiro astronauta permanece em órbita. É óbvio que descer na Lua é uma atividade que está prestes a ser cancelada: salvar a vida dos astronautas é a nova missão da *Apollo 13*.

Num esforço de economizar energia para a reentrada, os astronautas rapidamente desligam o módulo de comando e sobem para o ML. Mas não é por estarem no ML que os astronautas estão fora de perigo. Eles ainda precisam circundar a Lua para conseguir voltar para a Terra. Isso vai levar tempo — um tempo que não têm. O ML tem condições de sustentar dois homens por cerca de 40 horas, mas precisa sustentar *três* homens por *quatro dias!*

Como resultado disso, todo esforço é feito para economizar água, oxigênio e eletricidade. Todos os sistemas não essenciais são desligados — incluindo o aquecimento —, e os astronautas diminuem o consumo de água para apenas um pequeno copo por dia. Sentindo-se mal, Haise logo começa a ter febre, e os outros astronautas lentamente ficam desidratados. Isso torna a concentração ainda mais difícil.

Infelizmente, pelo fato de todos os sistemas automáticos estarem desligados, a situação exige uma grande concentração por parte dos astronautas. Além de circundar a Lua, a tripulação precisa fazer várias correções de curso manuais para assegurar que atinjam o ângulo correto de reentrada e aumentem a velocidade de sua viagem de volta para casa. Para fazer isso, eles terão de navegar manualmente pelas estrelas. Uma vez que os escombros da explosão continuam em volta da espaçonave no vácuo do espaço, os astronautas não podem distinguir as estrelas da luz do Sol refletida nos escombros. Conseqüentemente, só lhes resta usar a Terra e o Sol como pontos de referência navegacionais observáveis pela escotilha da espaçonave.

Usando esse método bastante rudimentar, verificam seus cálculos repetidas vezes para assegurar-se de que estão certos. Há pouca margem para erro. O fato é que eles precisam colocar a espaçonave num ângulo de entrada que não pode ser menor que 5,5 graus e não maior que 7,3 graus abaixo da linha do horizonte da Terra (do ponto de vista da espaçonave). Qualquer desvio dessa faixa fará a nave ricochetear para o espaço, para fora da atmosfera terrestre, ou ser queimada durante a descida.

Constante antrópica 2: Transparência atmosférica. A pequena janela que os astronautas devem atingir reflete os padrões perfeitos pelos quais o Universo foi planejado. Enquanto a atmosfera apresenta-se como um problema de entrada para os astronautas, ela também mostra qualidades que são absolutamente essenciais para a vida aqui na Terra. O grau de transparência da atmosfera é uma constante antrópica. Se a atmosfera fosse menos transparente, não haveria radiação solar suficiente sobre a superfície da Terra. Se fosse mais transparente, seríamos bombardeados com muito mais radiação solar aqui embaixo (além da transparência atmosférica, a composição da atmosfera, com níveis precisos de nitrogênio, oxigênio, dióxido de carbono e ozônio, é, por si só, uma constante antrópica).

Constante antrópica 3: Interação gravitacional entre a Terra e a Lua. Enquanto começam a se preparar para circundar a Lua, os astronautas deparam-se com outra constante antrópica.[2] Essa constante está relacionada à interação gravitacional que a Terra tem com a Lua. Se essa interação fosse maior do que é atualmente, os efeitos sobre as marés dos oceanos, sobre a atmosfera e sobre o tempo de rotação seriam bastante severos. Se fosse menor, as mudanças orbitais provocariam instabilidades no clima. Em qualquer das situações, a vida na Terra seria impossível.

Após seu encontro com a Lua, os astronautas são finalmente direcionados para a Terra. Contudo, surge ainda outro problema. As delicadas condições de vida dentro da espaçonave estão ficando contaminadas. À medida que o oxigênio é consumido, os astronautas geram um novo problema simplesmente por exalar, ou seja, o dióxido de carbono está começando a alcançar níveis perigosos dentro da espaçonave. Se não conseguirem achar uma maneira de filtrar o dióxido de carbono no ML, os três astronautas serão envenenados por sua própria respiração!

O Controle da Missão pede que os astronautas desembalem filtros extras criados para o módulo de comando (a parte da espaçonave que foi evacuada e

---

[2]Como é o caso da maioria das constantes, essa constante depende de outras. A interação gravitacional, por exemplo, também é uma função do tamanho da Lua, que é maior que outras luas em relação ao seu planeta.

que teve sua energia desligada) para verificar se eles podem ser usados no ML. Contudo, em vez de receberem as tão esperadas boas notícias, os astronautas logo percebem que os filtros do MC são de tamanho e forma diferentes dos usados no ML! O fornecedor A aparentemente não estava de acordo com o fornecedor B! Frustrado, o diretor de vôo Gene Krantz — que pronunciou a famosa frase "O fracasso não é uma opção!" no Controle da Missão — vocifera: "Isso não pode ser um projeto do governo!".

Revirando-se em busca de uma solução, os engenheiros da NASA em terra começam a trabalhar freneticamente: procuram uma maneira de encaixar os filtros quadrados do MC nos buracos redondos do ML apenas com os materiais que podem ser encontrados na espaçonave. Eles descobrem uma maneira de fazê-lo e começam a explicar o processo de montagem para a tripulação. Esse processo engenhoso envolve o uso de papelão, pedaços da roupa dos astronautas, sacos para acondicionamento de materiais e fita crepe (sim, ela também conserta qualquer coisa no espaço — não deixe de ter uma em sua casa!).

Constante antrópica 4: Nível de dióxido de carbono. É claro que esse tipo de implementação não é necessária aqui na Terra porque a atmosfera terrestre mantém o nível correto de dióxido de carbono. Essa é outra constante antrópica. Se o nível de CO_2 fosse mais alto do que é agora, teríamos o desenvolvimento de um enorme efeito estufa (todos nós seríamos queimados). Se o nível fosse menor, as plantas não seriam capazes de manter uma fotossíntese eficiente (todos nós ficaríamos sufocados — o mesmo destino que os astronautas estavam tentando evitar).

Felizmente os filtros adaptados trabalham bem e dão à tripulação um tempo valioso (além de fornecer ar respirável). Logo chega o momento de se livrar do módulo de serviço danificado. Quando o módulo de serviço se afasta, a tripulação vê pela primeira vez a extensão dos danos: a explosão do tanque de oxigênio arrancou um pedaço da cobertura do módulo de serviço com uma área de cerca de 3,5 m por 2 m, atingiu as células de combustível e danificou uma antena. Se uma explosão *com a metade da intensidade* tivesse acontecido perto do escudo do módulo de comando, o resultado seria um problema catastrófico para a espaçonave e a perda da tripulação.

Ao se aproximarem da reentrada, a tripulação volta para o módulo de comando para tentar religá-lo. Essa é sua única esperança de chegar em casa (o ML não possui um escudo para proteção contra o calor). Mas com as três células de combustível inoperantes e tendo apenas a eletricidade fornecida por uma bateria, o procedimento normal de ligação do MC não funcionaria. Não é possível religar todos os sistemas simplesmente porque não existe força suficiente nas baterias! Como resultado, precisam confiar em um novo procedimento de ligação que os engenheiros e astronautas da NASA haviam acabado de desenvolver na Terra.

Para complicar, a água condensada está agora pingando dos painéis de controle do MC, onde a temperatura abaixou, atingindo 3,3º C. Será que os painéis poderiam entrar em curto-circuito? Os sistemas necessários entrariam em funcionamento? Esse é um ambiente perigoso para usar eletricidade, mas eles não têm escolha.

Apesar do perigo, a nova seqüência de ligação dos sistemas é bem-sucedida, e os astronautas colocam o cinto de segurança para a reentrada. De volta à Terra, o mundo está de olho no destino daqueles três homens. Novos boletins e coletivas de imprensa fornecem informações atualizadas. O Congresso emite uma resolução pedindo que o povo norte-americano ore, o papa pede ao mundo que faça o mesmo, enquanto a bordo de uma cápsula espacial danificada aqueles três bravos norte-americanos aceleram rumo à atmosfera terrestre com grande velocidade. Dentro de instantes, serão puxados pela gravidade da Terra para uma velocidade máxima de aproximadamente 40 mil quilômetros por hora. Isso equivale a pouco mais de 11 quilômetros *por segundo!*

Constante antrópica 5: Gravidade. A gravidade que está puxando os astronautas de volta para casa é outra constante antrópica. Sua força pode ser impressionante, mas não poderia ser em nada diferente para que a vida existisse aqui no planeta. Se a força gravitacional fosse alterada em 0,0000000000000000000000000000000000001 por cento, nosso Sol não existiria e, portanto, nós também não.[3] Isso é que é precisão!

Enquanto nossos astronautas se encaminham para a Terra em sua espaçonave avariada, ninguém tem certeza se sobreviveriam à violenta e intensamente quente reentrada. Muitas perguntas permaneciam sem resposta: O escudo térmico está intacto? A nave está realmente no ângulo de entrada correto? As baterias do MC funcionariam durante a reentrada? Os pára-quedas abririam corretamente? Para deixar as coisas ainda piores, havia um alerta de furacão na área de recuperação da cápsula.

À luz de todas essas incertezas, os astronautas elogiaram a equipe de terra pouco antes do silêncio de rádio de três minutos que acompanha a reentrada:

---

[3]Correspondência pessoal com Jeffrey A. Zweerink, físico pesquisador da UCLA, October 23, 2003.

Swigert: — Olha, quero dizer que vocês estão fazendo um ótimo trabalho.

Houston: — Vocês também, Jack.

Swigert: — Sei que todos nós aqui queremos agradecer a todos vocês aí embaixo o trabalho maravilhoso que fizeram.

Lovell: — É isso aí, Joe.

Houston: — Digo a vocês que foi muito bom fazer tudo isso.

Lovell: — É muito atencioso de sua parte.

Houston: — Essa é a coisa mais amável que alguém já me disse!

Houston: — O.k., perda de sinal em um minuto... Bem-vindos ao lar.

Swigert: — Obrigado.

Durante a reentrada, um avião militar C-135 está voando em círculos pela área de recuperação para prover o elo de comunicação necessário com o centro de controle da missão. Contudo, depois de três minutos, não há contato com os astronautas. A tensão cresce:

Houston: — A *Apollo 13* deveria sair do blecaute agora. Estamos esperando por algum relatório do ARIA (Apollo Range Instrumentation Aircraft).

Vôo: — Rede, nenhum contato do ARIA?

Rede: — Até agora nada, Vôo (longa pausa).

Já se passaram quatro minutos desde a reentrada — ainda não houve nenhum contato. Nenhuma reentrada durou tanto tempo.

Houston: — Aguardando um relatório sobre captação de sinal (pausa).

Finalmente o avião recebe um sinal da cápsula:

Houston: — Temos uma informação de que o ARIA 4 captou um sinal.

Mas ainda não há nenhuma confirmação de que alguém esteja vivo.

Houston: — Odyssey, aqui é Houston aguardando. Câmbio.

Para o alívio de todos, Swigert finalmente fala:

Swigert: — O.k., Joe.

Houston: — O.k., nós recebemos a transmissão, Jack!

Os astronautas estão vivos, mas ainda há um último obstáculo: os dois estágios dos pára-quedas, primeiramente o de desaceleração e depois o principal, precisam funcionar, ou tudo estará perdido. Sem a abertura correta dos pára-quedas, os astronautas serão esmagados quando a cápsula atingir o oceano a 480 quilômetros por hora.

Houston: — Menos de dois minutos para a abertura do pára-quedas.

Momento de espera...

Houston: — Relatório de que dois pára-quedas de desaceleração abriram corretamente. Vem agora a abertura dos pára-quedas principais (pausa). Aguardando confirmação da abertura dos pára-quedas principais.

Os pára-quedas principais abrem conforme planejado, e Houston obtém contato visual.

Houston: — Odyssey, Houston. Estamos vendo seus pára-quedas abertos. Isso é maravilhoso!

Finalmente, depois de quatro dias de um suspense de roer as unhas, os astronautas, o Controle da Missão e o resto do mundo dão um suspiro de alívio:

Houston: — Está todo mundo aplaudindo muito aqui no Controle da Missão!... muitos aplausos enquanto os pára-quedas principais da *Apollo 13* aparecem claramente nos monitores de televisão aqui.

A cápsula toca o oceano às 13h07 (fuso horário do leste dos EUA) de 17 de abril de 1970.

O PRINCÍPIO ANTRÓPICO: O PROJETO ESTÁ NOS DETALHES

Quando algumas pessoas do Controle da Missão *Apollo 13* começaram a expressar dúvidas de que os astronautas pudessem voltar vivos, o diretor de vôo Gene Krantz respondeu ao seu pessimismo com a seguinte frase: "Senhores, eu acho que este será nosso momento mais agradável". E realmente foi. A *Apollo 13* ficou conhecida como o "fracasso bem-sucedido". Os astronautas não puderam caminhar na Lua, mas voltaram com sucesso à Terra apesar das condições quase letais que enfrentaram.

Assim como a tripulação sobreviveu apesar de todas as dificuldades que enfrentou no meio dessas condições quase mortais, nós também sobrevivemos contra todas as dificuldades neste pequeno planeta chamado Terra. Tal como a nossa Terra, as espaçonaves da série *Apollo* foram projetadas para preservar a vida humana no meio do ambiente bastante hostil do espaço. Uma vez que os seres humanos só conseguem sobreviver dentro de um estreito espaço de condições ambientais, essas naves precisam ser planejadas com incrível precisão e milhares de componentes. Se apenas uma pequena coisa der errado, a vida humana correrá perigo.

Na *Apollo 13*, a pequena coisa que colocou a tripulação em risco parece insignificante demais para ser importante: o tanque de oxigênio número 2 caiu no chão de uma altura de 5 cm em algum momento antes de sua instalação. Esses pequenos 5 cm danificaram a fina parede do tanque e deram início a uma cascata de acontecimentos que culminaram com a sua explosão.[4] Devido à natural interdependente dos componentes, o problema no sistema de oxigênio levou à falha os outros sistemas e quase à perda da espaçonave e da tripulação. Pense nisto: aquela pequena queda de uma altura de 5 cm gerou todos os problemas que os astronautas precisaram vencer para que pudessem sobreviver. Isso resultou em pouco oxigênio, pouca água e eletricidade, em muito dióxido de carbono e em erro de navegação.

Tal como uma pequena mudança na espaçonave, uma pequena mudança no Universo resultaria em grandes problemas para todos nós também. Como já vimos, cientistas descobriram que o Universo — tal como uma nave espacial — foi projetado com precisão para criar o próprio ambiente que suporta as condições de vida em nosso planeta. Um pequeno desvio em qualquer um dos inúmeros fatores ambientais e físicos (que estamos chamando de "constantes") impediria, até mesmo, que existíssemos. Tal como os componentes da *Apollo 13*, essas constantes são interdependentes — uma pequena mudança em uma delas pode afetar as outras, chegando até mesmo a impedir ou destruir as condições necessárias à vida.

O alcance da precisão do Universo faz o princípio antrópico ser talvez o mais poderoso argumento para a existência de Deus. Não se trata de simplesmente haver algumas constantes definidas de maneira bem aberta que talvez tenham aparecido por acaso. Não. Existem mais de cem constantes definidas com bastante precisão que apontam definitivamente para um Projetista inteligente.[5] Já identificamos cinco delas. Vejamos outras dez:

---

[4]Você poderá encontrar o texto completo e mais informações sobre o acidente no relatório "Apollo 13 Review Board", disponível no *site* da NASA em http://spacelink.msfc.nasa.gov/ NASA.Projects/Human.Exploration.and.Development.of.Space/Human.Space.Flight/ Apollo.Missions/Apollo.Lunar/Apollo.13.Review.Board.Report/Apollo.13.Review.Board.Report.txt; v. tb. http://solarviews.com/eng/apo13.htm#bang. Você poderá encontrar uma transcrição da missão com comentários explicativos em http://209.145.176.7/~090/awh/as13.html.

[5]V. comentários adicionais em Hugh Ross, "Why I Believe in Divine Creation", in: Norman Geisler & Paul Hoffman, eds. *Why I Am a Christian: Leading Thinkers Explain Why They Believe.* Grand Rapids, Mich.: Baker, 2001, no cap. 8. Mais dessas constantes são descobertas a cada instante, tantas que Ross pretende atualizar a lista a cada trimestre. Verifique seu site em www.reasons.org. Você poderá ler mais sobre a razão de a vida animal ser rara no Universo em Peter Ward & Donald Brownlee, *Rare Earth: Why Complex Life Is Uncommon in the Universe.* New York: Copernicus, 2000 [publicado em português pela Editora Campus, *Sós no Universo?*: por que a vida inteligente é improvável fora do planeta Terra].

1. Se a força centrífuga do movimento planetário não equilibrasse precisamente as forças gravitacionais, nada poderia ser mantido numa órbita ao redor do Sol.

2. Se o Universo tivesse se expandido numa taxa um milionésimo mais lento do que o que aconteceu, a expansão teria parado, e o Universo desabaria sobre si mesmo antes que qualquer estrela pudesse ser formada. Se tivesse se expandido mais rapidamente, então as galáxias não teriam sido formadas.

3. Qualquer uma das leis da física pode ser descrita como uma função da velocidade da luz (agora definida em 299.792.458 m por segundo). Até mesmo uma pequena variação na velocidade da luz alteraria as outras constantes e impediria a possibilidade de vida no planeta Terra.

4. Se os níveis de vapor d'água na atmosfera fossem maiores do que são agora, um efeito estufa descontrolado faria as temperaturas subirem a níveis muito altos para a vida humana; se fossem menores, um efeito estufa insuficiente faria a Terra ficar fria demais para a existência da vida humana.

5. Se Júpiter não estivesse em sua rota atual, a Terra seria bombardeada com material espacial. O campo gravitacional de Júpiter age como um aspirador de pó cósmico, atraindo asteróides e cometas que, de outra maneira, atingiriam a Terra.

6. Se a espessura da crosta terrestre fosse maior, seria necessário transferir muito mais oxigênio para a crosta para permitir a existência de vida. Se fosse mais fina, as atividades vulcânica e tectônica tornariam a vida impossível.

7. Se a rotação da Terra durasse mais que 24 horas, as diferenças de temperatura seriam grandes demais entre a noite e o dia. Se o período de rotação fosse menor, a velocidade dos ventos atmosféricos seria grande demais.

8. A inclinação de 23° do eixo da Terra é exata. Se essa inclinação se alterasse levemente, a variação da temperatura da superfície da Terra seria muito extrema.

9. Se a taxa de descarga atmosférica (raios) fosse maior, haveria muita destruição pelo fogo; se fosse menor, haveria pouco nitrogênio se fixando no solo.

10. Se houvesse mais atividade sísmica, muito mais vidas seriam perdidas; se houvesse menos, os nutrientes do piso do oceano e do leito dos rios não seriam reciclados de volta para os continentes por meio da sublevação tectônica (sim, até mesmo os terremotos são necessários para sustentar a vida como a conhecemos!).

O astrofísico Hugh Ross calculou a probabilidade de que essas e outras constantes — 122 ao todo — pudessem existir hoje *em qualquer outro planeta no Universo* por acaso (i.e., sem um projeto divino). Partindo da idéia de que existem 10^{22} planetas no Universo (um número bastante grande, ou seja, o número 1 seguido de 22 zeros), sua resposta é chocante: uma chance em 10^{138} — isto é, uma chance em 1 seguido de 138 zeros![6] Existem apenas 10^{70} átomos em todo o Universo. Com efeito, existe uma chance *zero* de que qualquer planeta no Universo possa ter condições favoráveis à vida que temos, *a não ser* que exista um Projetista inteligente por trás de tudo.

O ganhador do Prêmio Nobel Arno Penzias, um dos descobridores da radiação posterior ao *Big Bang*, expõe as coisas da seguinte maneira:

> A astronomia nos leva a um acontecimento único, um Universo que foi criado do nada e cuidadosamente equilibrado para prover com exatidão as condições requeridas para a existência da vida. Na ausência de um acidente absurdamente improvável, as observações da ciência moderna parecem sugerir um plano por trás de tudo ou, como alguém poderia dizer, algo sobrenatural.[7]

O cosmologista Ed Harrison usa a palavra "prova" quando considera as implicações do princípio antrópico na questão de Deus. Ele escreve: "Aqui está a prova cosmológica da existência de Deus — o argumento do projeto de Paley — atualizado e reformado. O ajuste fino do Universo nos dá evidências *prima facie* do projeto deístico".[8]

PROVA PARA A EXISTÊNCIA DE DEUS! COMO RESPONDEM OS ATEUS?

De que maneira os ateus respondem a essa "prova a favor de Deus"? Alguns ateus admitem que não existe esse tipo de Projetista lá fora. O astrônomo Fred Hoyle teve seu ateísmo abalado pelo princípio antrópico e pela complexidade que observou na vida (que vamos abordar nos dois capítulos seguintes). Hoyle concluiu: "Uma interpretação de bom senso dos fatos sugere que um superintelecto intrometeu-se na física, na química e na biologia e que não há forças ocultas e dignas de menção na natureza".[9] Embora Hoyle tenha sido vago sobre

---

[6]"Why I Believe in Divine Creation", 138-41.

[7]Apud Walter BRADLEY, "The 'Just-so' Universe: The Fine-Tuning of Constants and Conditions in the Cosmos", in: William DEMBSKI & James KUSHINER, eds. *Signs of Intelligence.* Grand Rapids, Mich.: Baker, 2001, p. 168.

[8]Apud GEISLER & HOFFMAN, eds. *Why I am a Christian*, p. 142.

[9]"The Universe: Past and Present Reflections", *Engineering and Science* (November 1981): 12.

quem seja exatamente esse "superintelecto", ele reconheceu que o ajuste refinado do Universo exige inteligência.

Outros ateus admitem um projeto mas, então, afirmam que não existe um Projetista. Dizem que tudo aconteceu por acaso. Mas de que maneira podem sugerir cegamente o acaso quando existe uma probabilidade praticamente zero de que todas as mais de cem constantes pudessem ser como são na ausência de inteligência? Isso não é fácil. Os ateus precisam dar vazão a uma monstruosa especulação para que o acaso tenha uma chance. Sua especulação é chamada de teoria do universo múltiplo.

De acordo com a teoria do universo múltiplo, existe, na verdade, um número infinito de universos, e nós simplesmente tivemos sorte demais para estar num universo com as condições corretas. Dado um número infinito de universos, dizem esses ateus, qualquer conjunto de condições vai acontecer, incluindo as condições que dão suporte à vida em nosso Universo.

Existem múltiplos problemas com essa explicação do universo múltiplo. Primeiramente e de maneira mais significativa, *não existe evidência para isso!* A evidência mostra que tudo o que faz parte da realidade finita passou a existir com o *Big Bang*. A realidade finita é exatamente aquilo que chamamos de "o Universo". Se existe outra realidade finita, então ela está além de nossa capacidade de detectá-la. Ninguém jamais observou uma evidência sequer de que tais universos possam existir. É por isso que essa idéia de múltiplos universos nada mais é do que uma elaboração metafísica — um conto de fadas construído com base em uma fé cega — tão distante da realidade quanto o "tempo imaginário" de Stephen Hawking.

Em segundo lugar, como discutimos no último capítulo, um número infinito de coisas finitas — quer dias, livros, explosões quer universos — é uma verdadeira impossibilidade. Não é possível haver um número ilimitado de universos limitados.

Em terceiro lugar, mesmo que fosse possível haver outros universos, precisariam de um ajuste refinado para ter início, assim como o nosso Universo teve (lembre-se da extrema precisão do *Big Bang* que descrevemos no último capítulo). Assim, postular a idéia de múltiplos universos não elimina a necessidade de um Projetista — na verdade, isso *multiplica* a necessidade de ter um!

Em quarto lugar, a teoria do universo múltiplo é tão ampla que qualquer acontecimento pode ser explicado por ela. Por exemplo, se perguntarmos "Por que os aviões atingiram as torres do World Trade Center e o Pentágono?", não poderemos culpar os terroristas islâmicos: a teoria nos permite dizer que simplesmente aconteceu de nós estarmos *no* universo onde aqueles aviões — embora parecesse que estivessem voando deliberadamente na direção daqueles prédios — verdadeiramente atingiram os prédios por acidente. Com a teoria do universo múltiplo, podemos até mesmo tirar a responsabilidade dos atos de Hitler. Talvez tenha calhado de estarmos *no* universo onde o Holocausto parece ser assassinato, mas, na verdade, os judeus secretamente conspiraram com os alemães e entraram sozinhos nos fornos.

O fato é que a teoria do universo múltiplo é tão aberta que pode ser até mesmo usada como desculpa para os ateus que a criaram. Talvez estejamos por acaso *no* universo onde as pessoas são suficientemente irracionais para sugerir que tal falta de sentido é a verdade!

Por fim, a teoria do universo múltiplo é simplesmente uma tentativa desesperada de evitar as implicações do Projeto. Ela não multiplica as possibilidades, mas, sim, os absurdos. Ela é aparentada da idéia de que os astronautas da *Apollo 13* negaram o fato de que a NASA projetou e construiu sua espaçonave e é a favor de uma teoria não fundamentada de que existe um número infinito de espaçonaves criadas naturalmente lá fora e que os astronautas simplesmente tiveram a sorte de estar em uma que, por acaso, permite a existência de vida. Naturalmente, uma teoria assim não tem sentido, e seu óbvio absurdo revela quão forte é a evidência de um projeto. Evidências extremas pedem teorias extremas para contradizê-las.

DEUS? "OLHEM PARA AS ALTURAS"

Em 1º de fevereiro de 2003, o presidente George W. Bush olhou solenemente para uma câmera de televisão e dirigiu-se ao povo norte-americano: "Meus compatriotas norte-americanos, este dia traz notícias terríveis e grande tristeza ao nosso país. Às 9 horas da manhã de hoje, o Centro de Controle de Missões Espaciais em Houston perdeu contato com o ônibus espacial Columbia. Pouco tempo depois, destroços foram vistos caindo do céu sobre o Texas. A Columbia se perdeu; não há sobreviventes".[10]

Viajando a 20 mil quilômetros por hora, a Columbia desintegrou-se na tentativa de reentrada na atmosfera terrestre. A segunda grande tragédia com o ônibus espacial deixou a nação abalada mas não dissuadida. "A causa pela qual eles morreram continuará", jurou o presidente. "A humanidade é levada rumo às trevas além do nosso mundo pela inspiração da descoberta e pelo desejo de

---

[10]Você poderá encontrar o comentário completo do presidente em http://www.whitehouse.gov/news/releases/2003/02/20030201-2.html.

entender. Nossa jornada ao espaço prosseguirá."

Mesmo assim, qualquer jornada humana rumo ao espaço penetra tão-somente numa pequena fração dele. Existem 100 bilhões de estrelas em nossa galáxia, e a distância média entre essas estrelas é de 50 trilhões de quilômetros (a propósito, essa distância é outra constante antrópica. Se as estrelas estivessem mais perto ou mais longe umas das outras, as órbitas planetárias seriam afetadas).

Que distância é esta, de 50 trilhões de quilômetros? Vamos colocar as coisas da seguinte maneira: quando o ônibus espacial está em órbita, viaja a cerca de 27 mil quilômetros por hora — *quase 8 km por segundo*. Se você pudesse entrar no ônibus espacial e viajar pelo espaço na velocidade de cerca de 8 km por segundo, seriam necessários 201.450 *anos* para cobrir a distância de 50 trilhões de quilômetros! Em outras palavras, se você tivesse entrado no ônibus espacial na época de Cristo e começado a viajar do nosso Sol rumo à outra estrela que estivesse nessa distância média, provavelmente estaria a apenas *um centésimo* da distância total à frente do lugar onde começou. Incrível!

Agora, tenha em mente que essa é a distância entre apenas *duas* estrelas dos mais de 100 bilhões que estão presentes em *nossa galáxia*. Quantas estrelas existem em todo o Universo? *O número de estrelas no Universo é quase igual ao número de grãos de areia em todas as praias da Terra.* Viajando a 8 quilômetros por segundo, seriam necessários mais de 200 mil anos para ir de um grão de areia a outro! Os céus são *demais!*

A Bíblia recomenda "olhar para os céus" se quisermos ter uma idéia de como é Deus. Expressando o argumento teleológico muito antes de Newton e Paley, Davi escreveu o seguinte no salmo 19: "Os céus declaram a glória de Deus; o firmamento proclama a obra das suas mãos". Alguns séculos mais tarde, o profeta Isaías cita uma pergunta de Deus: "Com quem vocês me vão comparar? Quem se assemelha a mim?" (40.25). A resposta está no versículo seguinte: "Ergam os olhos e olhem para as alturas" (v. 26). Isaías prossegue dizendo que Deus conhece todas as estrelas do céu pelo nome!

Por que Deus nos diz para compará-lo com as alturas? Porque Deus não tem limites, e, da nossa perspectiva, os céus também não têm. Deus é outro limitador ilimitado — o Criador incriado — de todas as coisas. Ele é o Ser auto-existente e infinito que criou este vasto e maravilhoso Universo do nada e que mantém todas as coisas juntas hoje. Existe apenas uma entidade em nossa experiência que pode fornecer uma analogia à infinitude de Deus. Uma imagem que pretende representar Deus não o fará.[11] Ela simplesmente limita a sua majestade. So-

---

[11]O Segundo Mandamento proíbe "imagens" talvez por essa mesma razão. As imagens limitam a majestade de Deus. Ídolos são ídolos, quaisquer que sejam: de metal ou mentais.

mente as alturas dos céus representam a infinitude.

A infinitude é o que descreve cada um dos atributos de Deus, dentre eles o poder, o conhecimento, a justiça e o amor. É por isso que a Bíblia usa as alturas para nos ajudar a compreender a altura infinita do amor de Deus. Lemos o seguinte em Salmos 103.11: "Pois como os céus se elevam acima da terra, assim é grande o seu amor para com os que o temem". Quão altos estão elevados os céus acima da terra? Quando você considera que existem 50 trilhões de quilômetros entre as estrelas tão numerosas quanto os grãos de areia da praia, é levado a dizer que "os céus são infinitamente altos". Isso é verdadeiro, e assim é a altura do amor de Deus.

O infinito amor de Deus é talvez aquilo que levou o presidente Bush a citar Isaías no seu tributo à tripulação da Columbia:

> Hoje vemos nos céus apenas destruição e tragédia. Contudo, além daquilo que podemos ver, há conforto e esperança. Nas palavras do profeta Isaías: 'Ergam os olhos e olhem para as alturas. Quem criou tudo isso? Aquele que põe em marcha cada estrela do seu exército celestial, e a todas chama pelo nome. Tão grande é o seu poder e tão imensa a sua força, que nenhuma delas deixa de comparecer!' [Is 40.26]. O mesmo Criador que dá nome às estrelas também conhece os nomes dos sete tripulantes pelos quais choramos hoje. A tripulação do ônibus espacial Columbia não voltou em segurança à Terra, mas podemos ser gratos a Deus por estarem em segurança no lar celestial.[12]

CONCLUSÃO

Há aproximadamente 2 mil anos, Paulo escreveu o seguinte, logo no início de sua carta aos Romanos:

> Pois desde a criação do mundo os atributos invisíveis de Deus, seu eterno poder e sua natureza divina, têm sido vistos claramente, sendo compreendidos por meio das coisas criadas, de forma que tais homens são indesculpáveis" (1.20).

A evidência de um Projetista certamente está clara na Criação, mas freqüentemente não levamos isso em conta.

Em seu livro clássico *The Screwtape Letters,* C. S. Lewis dá um grande *insight* em relação à tendência que temos de desprezar o mundo maravilhoso que nos cerca. O demônio principal, Coisa-ruim, escreve alguns conselhos ao demônio aprendiz, Pé-de-cabra, sobre como evitar que uma pessoa se torne um cristão. Coisa-ruim escreve:

[12]V. http://www.whitehouse.gov/news/releases/2003/02/20030201-2.html.

Faça-o lembrar-se constantemente da *mediocridade* das coisas. Acima de tudo, não tente usar a ciência (quero dizer, as ciências verdadeiras) como uma defesa contra o cristianismo. Elas vão encorajá-lo a pensar positivamente sobre as realidades que não podemos tocar nem ver. Casos tristes têm acontecido entre os físicos modernos.[13]

Os "casos tristes" são, naturalmente, físicos que têm sido honestos com as evidências que vêem e se tornam cristãos.

Lewis atingiu em cheio a tendência que muitos de nós temos. Em nossa vida apressada, raramente paramos para observar o mundo ao redor e, portanto, temos a tendência de considerar toda faceta maravilhosa deste belíssimo Universo como uma coisa comum. Mas como temos visto, isso está longe de ser medíocre. Hoje em dia, como em nenhuma outra época da história, a ciência está nos mostrando que este é um Universo de incrível planejamento e complexidade. Ela está nos dando uma nova perspectiva de um mundo que nós também freqüentemente desprezamos.

Os astronautas têm uma nova perspectiva baseando-se em suas naves, a qual os ajuda a perceber que este Universo é qualquer coisa, menos medíocre. Quando os primeiros astronautas caminharam pela superfície lunar e viram a *Terra* nascer — algo que nenhum ser humano tinha visto antes — reverentemente leram o livro de Gênesis: "No princípio Deus criou os céus e a terra". O que seria mais apropriado para o momento? Uma recitação da teoria do universo múltiplo certamente não teria enfatizado a maravilha que os astronautas estavam experimentando. Testemunharam o projeto de um ângulo que ninguém vira antes e estavam maravilhados com a percepção de que uma criação maravilhosa exige um Criador maravilhoso. John Glenn fez eco às suas convicções quando, aos 77 anos de idade, olhou pela janela do ônibus espacial Discovery e comentou: "Olhar para este tipo de criação e não acreditar em Deus é algo impossível para mim".

O impacto brutal de suas experiências revela a natureza intuitiva do argumento teleológico. Não é preciso que ninguém me diga que alguma coisa maravilhosamente projetada exige um projetista. Isso é uma coisa evidente em si mesma. Contudo, vamos reafirmar o argumento, com ênfase naquilo que descobrimos neste capítulo:

1. Todo projeto tem um projetista.
2. Conforme verificado pelo princípio antrópico, sabemos *sem sombra de dúvida* que o Universo é projetado.
3. Portanto, o Universo teve um Projetista.

[13]P. 14. Ver nota na p. 32.

Não existe outra explicação plausível para o princípio antrópico que não seja a existência de um Projetista Cósmico. Os ateus precisam tomar medidas extremas para negar o óbvio. Quando eles sonham com teorias hipotéticas que não são apoiadas por nenhuma comprovação — e que, de fato, são impossíveis —, deixam o reino da razão e da racionalidade e entram no reino da fé cega. O físico Paul Davies escreve: "Alguém pode achar mais fácil acreditar numa matriz infinita de universos do que numa divindade infinita, mas tal crença deve basear-se na fé em vez de na observação".[14]

Acreditar sem observação é exatamente aquilo de que os ateus acusam as pessoas "religiosas" de fazerem. Mas, ironicamente, são os ateus que estão empurrando a religião da fé cega. Os cristãos têm boas razões baseadas na observação (como o *Big Bang* e o princípio antrópico) para acreditar no que acreditam. Os ateus não têm. *É por isso que não temos fé suficiente para sermos ateus.*

Essa fé cega dos ateus revela que a rejeição de um Projetista não é um problema de *cabeça* — não se trata de termos falta de provas ou de justificativa intelectual para a existência de um Projetista. Ao contrário, a evidência é impressionante. O que temos aqui é um problema de *vontade* — apesar das provas, algumas pessoas simplesmente *não querem* admitir que existe um Projetista. De fato, um crítico do princípio antrópico admitiu ao *New York Times* que sua verdadeira objeção era "totalmente emocional" porque "tem cheiro de religião e projeto inteligente".[15] Isso é demais para a objetividade científica.

No capítulo 6, trataremos mais dessas motivações de negar as provas decisivas da existência de Deus. Primeiramente, porém, no capítulo 5, vamos explorar mais provas convincentes da existência de um Projetista — a evidência encontrada na própria vida.

---

[14]Apud Fred HEEREN, *Show Me God*, vol. 1. Wheeling, Ill.: Daystar, 2000, p. 239.

[15]Dennis OVERBYE, "Zillions of Universes? Or Did Ours Get Lucky?", *The New York Times*, October 28, 2003, F1.

5

A primeira vida: lei natural ou deslumbramento divino?

Deus nunca fez um milagre para convencer um ateu
porque suas obras comuns já mostram provas suficientes.
Ariel Roth

LEVE O LIXO PARA FORA — MAMÃE

Johnny, com 16 anos de idade, desceu de seu quarto e correu para a cozinha atrás de uma tigela de seu cereal favorito: Alpha Bits, aqueles flocos de cereal com o formato de letras do alfabeto. Quando chegou à mesa, foi surpreendido por ver que a caixa do cereal estava aberta, o conteúdo fora derramado e as letras formavam a mensagem LEVE O LIXO PARA FORA — MAMÃE em sua tigela.

Lembrando-se de uma recente aula de biologia do ensino médio, Johnny não atribuiu a mensagem à sua mãe. Além do mais, ele aprendeu que a vida em si é meramente um produto do acaso, das leis naturais. Se era esse o caso, pensou Johnny, por que não seria possível que uma simples mensagem como "Leve o lixo para fora — Mamãe" não fosse o produto do acaso e das leis naturais também? Talvez o gato tivesse derrubado a caixa ou um terremoto tivesse chacoalhado a casa. Não fazia sentido chegar a qualquer conclusão. Johnny não queria levar o lixo para fora de jeito nenhum. Ele não tinha tempo para as tarefas da casa. Estava em suas férias de verão e queria ir para a praia. Mary estaria lá.

Uma vez que Mary era a garota de quem Scott também gostava, Johnny queria chegar à praia mais cedo para surpreender Scott. Mas quando Johnny chegou, viu Mary e Scott caminhando de mãos dadas pela praia. Enquanto os seguia a distância, olhou para baixo e viu um coração desenhado na areia com as palavras "Mary ama Scott" rabiscadas no meio. Por um momento, Johnny sentiu seu coração afundar. Mas as lembranças de sua aula de biologia o resgataram do desespero profundo. "Talvez este seja um outro caso das leis naturais em funcionamento!", pensou. "Talvez os caranguejos ou um padrão incomum de ondas tenha simplesmente produzido esta nota amorosa naturalmente." Não havia sentido em aceitar uma conclusão da qual ele não gostava! Johnny simplesmente teria de ignorar a comprovação inequívoca das mãos unidas.

Confortado pelo fato de que os princípios aprendidos na aula de biologia poderiam ajudá-lo a evitar as conclusões das quais não gostava, Johnny decidiu deitar-se por alguns instantes e pegar um pouco de sol. Ao colocar a cabeça sobre a toalha, notou uma mensagem nas nuvens: "Beba Coca-Cola", diziam letras brancas e fofas em contraste com o fundo azul do céu. "Seria uma formação incomum das nuvens?", pensou Johnny. "Turbulência dos ventos, talvez?"

Não, Johnny não poderia mais continuar jogando o jogo da negação. "Beba Coca-Cola" era uma coisa real. Uma mensagem como essa era um sinal seguro de inteligência. Não poderia ser o resultado de forças naturais porque jamais se observou forças naturais criando mensagens. Embora ele não tenha visto o avião, Johnny sabia que recentemente havia passado por ali alguém com capacidade de escrever aquelas letras no céu. Além do mais, queria acreditar nessa mensagem: o sol quente o havia deixado com sede, e ele queria tomar o refrigerante.

VIDA *SIMPLES*? ISSO NÃO EXISTE!

É desonestidade ou estar propositadamente cego para sugerir que mensagens como "Leve o lixo para fora — Mamãe" e "Mary ama Scott" são obra de leis naturais. Contudo, essas conclusões são perfeitamente compatíveis com os princípios ensinados na maioria das aulas de biologia do nível médio e das universidades hoje em dia. É nesses lugares que os biólogos naturalistas afirmam dogmaticamente que mensagens muito mais complicadas são os descuidados produtos de leis naturais. Eles fazem essa afirmação na tentativa de explicar a origem da vida.

Os biólogos naturalistas afirmam que a vida é gerada espontaneamente pelas leis naturais com base em elementos químicos inanimados, sem nenhuma interven-ção inteligente. Essa teoria pode ter parecido plausível para cientistas do século XIX que não tinham a tecnologia para investigar as células e descobrir sua tão impressionante complexidade. Mas, hoje em dia, essa teoria naturalista ataca frontalmente tudo o que sabemos sobre as leis naturais e os sistemas biológicos.

Desde a década de 1950, o avanço da tecnologia tem capacitado os cientistas a descobrirem um pequeno mundo de impressionante projeto e espantosa complexidade. Ao mesmo tempo que os nossos telescópios estão vendo muito mais longe no espaço, nossos microscópios estão olhando cada vez mais fundo nos componentes da vida. Enquanto as nossas observações espaciais estão se rendendo ao princípio antrópico da física (que discutimos no capítulo anterior), nossas observações da vida estão cedendo ao impressionante princípio antrópico da biologia.

Para demonstrar o que queremos dizer, vamos considerar a assim chamada vida "simples" — um animal unicelular conhecido como ameba. Os naturalistas evolucionistas afirmam que essa ameba unicelular (ou alguma coisa semelhante a ela) se formou por meio de geração espontânea (i.e., sem intervenção inteligente) num pequeno lago aquecido em algum lugar da Terra, quando ela ainda estava em seus primórdios. De acordo com sua teoria, toda a vida biológica evoluiu baseando-se nessa ameba inicial, sem nenhum tipo de orientação inteligente. Naturalmente, esta é a teoria da macroevolução: do infantil para o réptil e do réptil para o gentio; ou do angu até tu, passando pelo zoológico.

Aqueles que acreditam nessa teoria da origem da vida são chamados de muitos nomes: naturalistas, evolucionistas, materialistas, humanistas, ateus ou darwinistas (no restante deste capítulo e no seguinte, vamos nos referir àqueles que acreditam na teoria evolucionista atéia como darwinistas ou ateus. Isso não inclui aqueles que acreditam na evolução teísta — isto é, que a evolução foi criada por Deus). Independentemente da maneira pela qual chamamos aqueles que acreditam nessa teoria, o ponto principal para nós é este: "Sua teoria é verdadeira?". Parece-nos que não.

Esqueça as afirmações darwinistas de que os homens descendem dos macacos ou que os pássaros evoluíram dos répteis. O problema principal para os darwinistas não é explicar de que maneira todas as formas de vida estão relacionadas (embora, como veremos no capítulo seguinte, isso ainda é um grande problema). O problema principal para os darwinistas é explicar a origem da *primeira* vida. Para que a macroevolução naturalista seja verdade, a primeira vida precisa ter sido gerada espontaneamente com base em elementos químicos inanimados. Infelizmente, para os darwinistas, a primeira vida — na verdade, qualquer forma de vida — não é de forma alguma "simples". Isso ficou muitíssimo claro em 1953, quando James Watson e Francis Crick descobriram o DNA,[1] a química que codifica instruções para a construção e a replicação de todas as coisas vivas.

O DNA tem uma estrutura em forma de hélice que se parece como uma escada torcida. Os lados da escada são formados por desoxirribose e fosfato, e os

---

[1] Do inglês, *deoxyribonucleic acid*; em português, ADN [ácido desoxirribonucléico] [N. do E.].

degraus da escada consistem em ordens específicas de quatro bases de nitrogênio. Essas bases de nitrogênio recebem o nome de adenina, timina, citosina e guanina, comumente representadas respectivamente pelas letras A, T, C e G. Essas letras compõem o que é conhecido como o alfabeto genético de quatro letras. Esse alfabeto é idêntico ao alfabeto ocidental em termos de sua habilidade de comunicar uma mensagem, exceto pelo fato de que o alfabeto genético tem apenas quatro letras, em vez das 26 que conhecemos no alfabeto ocidental.[2] Assim como uma ordem específica das letras numa frase transmite uma mensagem singular, a ordem específica de A, T, C e G dentro de uma célula viva determina uma composição genética singular daquela entidade viva. Outro nome para essa mensagem ou informação, quer esteja numa frase quer no DNA, é "complexidade específica". Em outras palavras, ela não é apenas complexa, mas também contém uma mensagem específica.

A incrível complexidade específica da vida torna-se óbvia quando alguém considera a mensagem encontrada no DNA de uma pequena ameba unicelular (uma criatura tão pequena que centenas delas poderiam ser colocadas uma ao lado da outra num espaço de 1 centímetro). Richard Dawkins, cientista darwinista convicto e professor de zoologia na Universidade de Oxford, admite que a mensagem encontrada apenas no *núcleo* de uma pequena ameba é maior do que os 30 volumes combinados da Enciclopédia Britânica,[3] e a ameba inteira tem tanta informação em seu DNA quanto mil conjuntos completos da mesma enciclopédia! Em outras palavras, se você fosse ler todos os A, T, C e G na "injustamente chamada ameba 'primitiva' " (como Darwin a descreve), as letras encheriam mil conjuntos completos de uma enciclopédia!

Precisamos enfatizar que essas mil enciclopédias não consistem em letras aleatórias, mas em letras numa ordem muito específica — tal como as enciclopédias reais. Portanto, aqui está a principal pergunta para os darwinistas como Dawkins: mensagens simples como "Leve o lixo para fora — Mamãe", "Mary ama Scott" e "Beba Coca-Cola" exigem um ser inteligente, então por que a mensagem dessas mil enciclopédias não exigiria um também?

---

[2]Hubert Yockey, cientista da informação da Universidade da Califórnia em Berkeley, deixa claro que essa comparação entre o alfabeto ocidental (inglês, no original) e o alfabeto genético não é uma analogia, mas uma identificação matemática. Ele escreve: "É importante compreender que não estamos raciocinando por analogia. A hipótese de seqüências aplica-se diretamente à proteína e ao texto genético, bem como à linguagem escrita, e, portanto, o tratamento é matematicamente idêntico". V. Hubert P. YOCKEY, "Self Organization, Origin-of-life Scenarios and Information Theory", *Journal of Theoretical Biology* 91 (1981): 16.

[3]*The Blind Watchmaker*. New York: Norton, 1987, p. 17-8, 116.

Os darwinistas não podem responder a essa pergunta mostrando de que maneira as leis naturais poderiam fazer o trabalho. Em vez disso, definem as regras da ciência de maneira tão estreita que a inteligência é eliminada logo de início, deixando as leis naturais como o único fator a ser considerado. Antes de descrever de que maneira e por que os darwinistas fazem isso, vamos considerar os princípios científicos que precisam ser usados para se descobrir de que maneira começou a primeira vida.

INVESTIGANDO A ORIGEM DA PRIMEIRA VIDA

Existe um grande número de evolucionistas e de criacionistas que falam como se soubessem, ainda que com dúvidas justificáveis, de que maneira a primeira vida passou a existir. Naturalmente é impossível que ambos estejam certos. Se um está certo, o outro está errado. Assim, de que maneira podemos descobrir quem está certo?

O fato a seguir é óbvio, mas é freqüentemente desprezado: nenhum ser humano *observou* o surgimento da primeira vida. O surgimento da primeira vida na Terra foi um acontecimento histórico único, impossível de ser repetido. Ninguém estava presente para vê-lo — nem os evolucionistas nem os criacionistas estavam lá, e certamente não podemos viajar de volta no tempo para observar diretamente se a primeira vida foi criada por algum tipo de inteligência ou se surgiu em função das leis naturais agindo com base em uma matéria inorgânica.

Isso levanta uma importante questão: se não podemos observar diretamente o passado, então que princípios científicos podem nos ajudar a descobrir o que gerou a primeira vida? Usamos os mesmos princípios que são utilizados todos dias no nosso sistema judiciário: os princípios da criminalística. Em outras palavras, a origem da vida é uma questão criminalística que exige a reunião de evidências do mesmo modo que os detetives reúnem as provas de um assassinato. Os detetives não podem voltar no tempo e testemunhar o assassinato outra vez. Eles também não podem ressuscitar a vítima ou ir ao laboratório para conduzir algum tipo de experimento que permita observar ou repetir o crime diversas vezes. Em vez disso, devem utilizar os princípios da criminalística para descobrir o que realmente aconteceu.

O princípio central da criminalística é o princípio da uniformidade, que afirma que as causas do passado foram semelhantes às causas que observamos hoje. Em outras palavras, pelo princípio da uniformidade pressupomos que, no passado, o mundo funcionava do mesmo jeito que funciona hoje, especialmente no que se refere às causas. Se "Leve o lixo para fora — Mamãe" exige uma causa inteligente hoje, então qualquer mensagem similar no passado também deve ter exigido uma causa inteligente. Reciprocamente, se as leis naturais podem realizar o trabalho hoje, então o princípio da uniformidade nos levaria a concluir que as leis naturais poderiam fazer o trabalho no passado.

Considere o *Grand Canyon*. O que o gerou? Alguém o viu se formando? Não, mas, pelo princípio da uniformidade, podemos concluir que um processo natural — particularmente a erosão por meio da água — foi o responsável pelo surgimento do *Grand Canyon*. Podemos chegar a essa conclusão com total confiança, embora não estivéssemos ali para ver isso acontecendo, porque podemos observar esses processos naturais criando cânions hoje. Vemos isso na natureza quando observamos os efeitos da água sobre massas de terra. Podemos até mesmo ir ao laboratório e repetidamente derramar água no meio de um monte de areia, e sempre obteremos um cânion.

Considere agora outra formação geológica: o monte Rushmore, nos Estados Unidos. O que o gerou? O bom senso nos diz que jamais poderíamos sugerir que o rosto dos presidentes no monte Rushmore foram o resultado de leis naturais. A erosão não poderia ter feito aquilo. O nosso "bom senso" é, na verdade, o princípio da uniformidade. Uma vez que nunca observamos leis naturais cinzelando uma escultura com um alto nível de detalhes como os da cabeça dos presidentes numa pedra nos dias atuais, podemos concluir com certeza que as leis naturais também não poderiam ter feito isso no passado. Hoje vemos apenas seres inteligentes criando esculturas detalhadas. Como resultado, podemos concluir corretamente que, no passado, somente um ser inteligente (um escultor) poderia ter criado o rosto dos presidentes norte-americanos no monte Rushmore.

Da mesma forma, quando olhamos para a primeira vida unicelular, o princípio da uniformidade nos diz que somente uma causa inteligente poderia reunir o equivalente a mil enciclopédias. Nunca se observou as leis naturais criando uma mensagem simples como "Beba Coca-Cola", muito menos uma mensagem do tamanho de mil enciclopédias.

Por que então os darwinistas chegam à conclusão de que a primeira vida foi gerada espontaneamente com base em elementos químicos inanimados sem intervenção inteligente alguma? A geração espontânea da vida nunca foi observada. Desde que Pasteur esterilizou um frasco de vidro, uma das mais fundamentais observações em toda a ciência tem sido a de que a vida surge apenas com base em uma vida similar existente. Os cientistas foram incapazes de combinar elementos químicos num tubo de ensaio e chegar a uma molécula de DNA, quanto mais produzirem vida.[4] De fato, todos os experimentos *planeja-*

---

[4] Leia mais sobre os problemas com o experimento Urey-Miller e outras nove desacreditadas "evidências" favoráveis à evolução em Jonathan WELLS, *Icons of Evolution: Science or Myth? Why Much of What We Teach About Evolution Is Wrong*. Washington, D.C.: Regnery, 2000.

dos para gerar vida espontaneamente — incluindo o agora desacreditado experimento de Urey-Miller — não apenas fracassaram, como sofrem de aplicação inválida de inteligência.[5] Em outras palavras, cientistas planejaram experimentos com inteligência e, ainda assim, não conseguiram fazer aquilo que nos dizem que as leis naturais fizeram ao acaso. Por que deveríamos acreditar que um processo aleatório pode fazer aquilo que brilhantes cientistas não puderam? E mesmo que os cientistas terminassem criando vida em laboratório, isso provaria a criação. Por quê? Porque seus esforços mostrariam que é necessário haver muita inteligência para criar a vida.

Será que os darwinistas insistem na geração espontânea simplesmente porque eles não vêem evidências para o projeto? De forma alguma. De fato, exatamente o oposto é verdadeiro — eles vêm as evidências claramente! Richard Dawkins, por exemplo, deu ao seu livro o nome de *O relojoeiro cego* em resposta ao argumento do projeto de William Paley, citado no capítulo anterior deste livro. A aparência do projeto na vida é admitida na primeira página de *O relojoeiro cego*. Dawkins escreve: "A biologia é o estudo de coisas complicadas que dão a aparência de terem sido planejadas com um propósito".[6] Duas páginas adiante, apesar de reconhecer "a intrincada arquitetura e a engenharia de precisão" na vida humana em cada uma dos trilhões de células dentro do corpo humano, Dawkins nega de modo peremptório que a vida humana ou qualquer outra tenha sido projetada. Aparentemente Dawkins recusa-se a permitir que a observação interfira em suas conclusões. Isso é muito estranho para um homem que acredita na supremacia da ciência, a qual deve ser baseada na observação.

Francis Crick, o co-descobridor do DNA e apaixonado darwinista, concorda com Dawkins sobre a aparência do projeto. De fato, a aparência do projeto é tão clara que adverte que "os biólogos devem sempre ter em mente que aquilo que vêem não foi planejado, mas que evoluiu".[7] A pequena nota de Crick aos biólogos levou Phillip Johnson, escritor e líder do movimento chamado projeto

---

[5]Você poderá encontrar uma discussão dos evolucionistas sobre as diversas dificuldades ao sugerir que a vida é um produto da lei natural em Peter WARD & Donald BROWNLEE, *Rare Earth*. New York: Copernicus, 2000, cap. 4.

[6]*Blind Watchmaker*, p. 1.

[7]Apud Phillip E. JOHNSON. *The Wedge of Truth*. Downers Grove, Ill.: InterVarsity Press, 2000, p. 153 [publicado em português pela Editora Ultimato, *Ciência, intolerância e fé*: a cunha da verdade: rompendo os fundamentos do naturalismo].

inteligente [PI] a escrever: "Os biólogos darwinistas devem ficar repetindo esse lembrete a si mesmos porque, de outro modo, vão ter consciência da realidade que os está olhando bem nos olhos e tentando chamar sua atenção".[8]

A complexidade do DNA não é o único problema para os darwinistas. Sua origem também é um problema. Existe um dilema semelhante ao do ovo e da galinha porque o DNA depende de proteína para sua produção, mas as proteínas dependem do DNA para a *sua* produção. Assim, quem veio primeiro, as proteínas ou o DNA? Qual dos dois precisava existir para que o outro fosse formado?

Então, por que Crick, Dawkins e outros em seu campo ignoram as claras implicações da evidência que os está olhando bem nos olhos? Porque sua ideologia preconcebida — o naturalismo — os impede até mesmo de considerar uma causa inteligente. Como estamos prestes a ver, isso é ciência ruim e leva a conclusões erradas.

BOA CIÊNCIA *VERSUS* CIÊNCIA RUIM

É crença comum que o chamado debate criação-evolução (hoje em dia freqüentemente designado debate do projeto inteligente *versus* naturalismo) está vinculado a uma guerra entre religião e ciência, entre a Bíblia e a ciência, ou entre fé e razão. Essa percepção é perpetuada pela mídia, que, coerentemente, apresenta o debate nos termos do filme *O vento será tua herança* (*Inherit the Wind*), de 1960, uma ficção da "experiência do macaco" de John Scopes, de 1925. Você conhece essa descrição. Ela é basicamente assim: aí vêm aqueles religiosos fundamentalistas malucos outra vez, querendo impor sua religião dogmática e ignorando a ciência objetiva.

A verdade é que não existe nada mais distante da verdade. *O debate entre a criação e a evolução não é sobre religião* versus *ciência ou sobre a Bíblia* versus *a ciência — é sobre boa ciência e ciência ruim.* Do mesmo modo, não é sobre fé *versus* razão — é sobre fé *racional* em oposição a fé *irracional.* Você pode ficar surpreso ao descobrir quem está praticando ciência ruim, bem como uma fé irracional.

Como mencionamos, a ciência é uma busca pelas causas. Logicamente existem apenas dois tipos de causas: inteligente e não inteligente (i.e., natural). O *Grand Canyon* teve uma causa natural, e o monte Rushmore teve uma causa inteligente (v. fig. 5.1). Infelizmente, na questão da primeira vida, darwinistas como Dawkins e Crick descartam as causas inteligentes antes mesmo de olharem para as evidências. Em outras palavras, suas conclusões são influenciadas pelas suas pressuposições. A geração espontânea por meio das leis naturais *tem de ser* a causa da vida porque eles não consideram nenhuma outra opção.

[8]Ibid.

DOIS TIPOS DE CAUSAS

Inteligente   Natural

Monte Rushmore   *Grand Canyon*

Fig. 5.1

A geração espontânea é o que os críticos da evolução chamam história do "é porque é". Os evolucionistas não dão nenhuma evidência que apóie a geração espontânea. Ela não é apoiada pela observação empírica ou pelos princípios científicos da criminalística. É assim "porque é", porque a vida existe, e, uma vez que *as causas inteligentes são previamente eliminadas,* não pode haver nenhuma outra explicação possível.

Isso é um imenso problema para o darwinismo. O bioquímico Klaus Dose admite que mais de 30 anos de pesquisa sobre a origem da vida levaram "a uma melhor percepção da imensidão do problema da origem da vida na Terra, em vez da solução. Atualmente todas as discussões sobre teorias e experimentos de princípios nessa área terminam em impasse ou em uma confissão de ignorância".[9] Francis Crick lamenta: "Toda vez que escrevo um trabalho sobre a origem da vida, juro que nunca mais escreverei outro, porque existe um excesso de especulação correndo atrás de muito poucos fatos".[10]

A evidência em favor da inteligência e contra o naturalismo é tão forte que proeminentes evolucionistas chegaram até mesmo a sugerir que seres extraterrestres depositaram a primeira vida aqui. Fred Hoyle (o mesmo evolucionista que popularizou a teoria do estado estático que discutimos no cap. 3) inventou essa teoria incomum (chamada de panspermia, ou "sementes de todos os

---

[9]"The Origin of Life: More Questions than Answers", *Interdisciplinary Science Review* 13 (1998): 348; apud Lee STROBEL, *Em defesa da fé.* São Paulo: Vida, 2002, p. 148.
[10]Apud STROBEL, *Em defesa da fé,* p. 148.

lugares") depois de descobrir que a probabilidade de a vida ter surgido por geração espontânea era efetivamente zero (é claro que a panspermia não resolve o problema, mas simplesmente coloca outra questão: quem criou os extraterrestres inteligentes?).

Por mais louca que possa parecer essa teoria, pelo menos os defensores da panspermia reconhecem que algum tipo de inteligência deve estar por trás da fantástica maravilha que chamamos vida. Fica fácil entender a incrível complexidade da vida mais simples quando vemos os principais evolucionistas recorrendo a extraterrestres para explicar a origem da vida.

Chandra Wickramasinghe, outro defensor da panspermia, admite que os darwinistas estão agindo com fé cega no que se refere à geração espontânea. Ele observa:

> "O surgimento da vida tomando como base uma sopa primordial na Terra *é meramente um artigo de fé* que os cientistas estão tendo dificuldades de espalhar. Não existe comprovação experimental para apoiar isso atualmente. A verdade é que todas as tentativas de criar vida com base em algo não vivo, começando com Pasteur, não tiveram sucesso".[11]

O microbiologista Michael Denton, embora ateu, acrescenta: "A complexidade do tipo mais simples de célula é tão grande que é impossível aceitar que tal objeto possa ter sido reunido repentinamente por algum tipo de acontecimento caprichoso ou altamente improvável. Tal ocorrência seria indistinguível de um milagre".[12]

À luz das explicações do tipo "é porque é", tal como a geração espontânea e a panspermia, quem você acha que está praticando ciência ruim: as pessoas zombeteiramente chamadas de "religiosas" (os teístas/criacionistas) ou os "iluminados" (os ateus/darwinistas) que são, na verdade, tão religiosos quanto os "religiosos"? O físico e cientista da informação Hubert Yockey percebe que são os darwinistas. Ele escreve: "A crença de que a vida na Terra surgiu espontaneamente com base em uma matéria inanimada é simplesmente *uma questão de fé* num reducionismo profundo e está baseada inteiramente em ideologia".[13]

Yockey está certo. Os darwinistas acreditam falsamente que podem reduzir a vida a seus componentes químicos inanimados. Essa é a ideologia do reducionismo. Para darwinistas como Dawkins e Crick — que precisam acreditar que somente

---

[11]Chandra Wickramasinghe, entrevistado por Robert Roy Britt, 27 de outubro de 2000. Disponível *on-line* em http://www.space.com/searchforlife/chandra_sidebar_001027.html (grifo do autor).

[12]*Evolution: A Theory in Crisis*. Bethesda, Md.: Adler & Adler, 1985, p. 264.

[13]*Information Theory and Molecular Biology*. Cambridge, New York: Cambridge University Press, 1992, p. 284 (grifo do autor).

o material existe (e não o imaterial) —, a vida não pode ser nada mais do que elementos químicos. Mas a vida é claramente mais do que elementos químicos. A vida contém uma mensagem — o DNA — que é *expressa* por meio dos elementos químicos, mas esses elementos químicos não podem criar uma mensagem, do mesmo modo que os elementos químicos da tinta e do papel não podem fazer surgir as frases contidas nesta página. Uma mensagem aponta para alguma coisa além dos elementos químicos. A mensagem da vida, assim como a desta página, aponta para uma inteligência muito além dos elementos químicos (percebemos que a vida é certamente *mais* do que elementos químicos com uma mensagem, mas o ponto-chave é que ela certamente não é *menos* que isso).

Assim, mediante uma obediência cega à sua ideologia naturalista e reducionista — que vai contra toda observação e razão — os darwinistas afirmam dogmaticamente que a vida surgiu espontaneamente com base em elementos químicos inanimados. Ironicamente é exatamente disso que os darwinistas há muito tempo acusam os criacionistas de estarem fazendo: permitir que sua ideologia sobreponha-se à observação e à razão. Na verdade, são os darwinistas que estão permitindo que *sua fé* controle a observação e a razão. Os criacionistas e os defensores do projeto inteligente estão apenas fazendo uma inferência racional das evidências. Eles estão seguindo a evidência exatamente na direção para onde ela leva: de volta a uma causa inteligente.

Yockey não é o único que está enfatizando que os darwinistas têm um viés filosófico contra as causas inteligentes. Phillip E. Johnson serve como fio afiado de uma cunha metálica que agora está dividindo a madeira petrificada do naturalismo na comunidade científica. Ele destaca corretamente que "o darwinismo é baseado num comprometimento *a priori* com o materialismo, e não numa avaliação filosoficamente neutra da evidência. Separe a filosofia da ciência, e a torre soberba desabará".[14]

E não são apenas os críticos da evolução que vêem esse viés. Darwinistas de destaque também o admitem. O fato é que o próprio Dawkins reconheceu o viés ao responder a uma pergunta enviada por Phillip Johnson por *e-mail*: "[Nosso] comprometimento filosófico com o materialismo e o reducionismo é verdadeiro", escreveu Dawkins, "mas eu preferiria caracterizá-lo como um comprometimento filosófico com uma explicação real, em oposição a uma completa falta de explicação, que é aquilo a que você se apega".[15] (Dawkins pode achar que tem uma "explicação real", mas, como vimos, sua explicação vai contra todas as evi-

[14] "The Unraveling of Scientific Materialism", *First Things* (November 1997): 22-5.

[15] *E-mail* enviado em 10 de julho de 2001. Todas as mensagens trocadas naquela semana podem ser lidas em http://www.arn.org/docs/pjweekly/pj_weekly_010813.htm.

dências da observação e da criminalística).

Se Richard Dawkins torna pública a admissão de um viés, o darwinista Richard Lewontin, da Universidade de Harvard, derrama uma confissão completa por escrito. Veja de que maneira Lewontin reconhece que os darwinistas aceitam histórias absurdas do tipo "é porque é", que são contra o bom senso, em função de seu compromisso prévio com o materialismo:

> Nossa disposição de aceitar afirmações científicas que são contra o bom senso são a chave para uma compreensão da verdadeira luta entre a ciência e o sobrenatural. Assumimos o lado da ciência, a despeito do patente absurdo de alguns de seus constructos, a despeito de sua falha em cumprir muitas de suas promessas extravagantes de saúde e vida, a despeito da tolerância da comunidade científica pelas histórias do tipo "é porque é", *porque nos comprometemos previamente com o materialismo*. Não é que os métodos e as instituições científicas de alguma maneira tenham nos compelido a aceitar uma explicação materialista de um mundo fenomenal, mas, pelo contrário, nós é que somos forçados, por nossa própria aderência *a priori* às causas materiais, a criar um aparato de investigação e um conjunto de conceitos que produzam as explicações materialistas, independentemente de quão contra-intuitivas e mistificadoras possam ser para o não iniciado. Além do mais, esse materialismo é absoluto, pois *não podemos permitir a entrada de nada que seja divino.*[16]

Agora toda a verdade revela-se. *Não é* que as evidências apóiem o darwinismo. A verdade é que, de acordo com Lewontin e o nosso bom senso, as explicações darwinistas são "contra-intuitivas". A verdade real é que os darwinistas definiram ciência de tal maneira que a única resposta possível seja o darwinismo. Qualquer outra definição, seria permitir que Deus "passasse o pé pela porta"!

No capítulo seguinte, vamos investigar as possíveis motivações para manter Deus do lado de fora. Por ora, o resumo é o seguinte: o acontecimento exigido para fazer decolar a teoria ateísta da macroevolução — a geração espontânea da primeira vida — é crido por causa de falsas suposições filosóficas disfarçadas de ciência, e não porque haja legítimas observações científicas que apóiem a geração espontânea. Falsa ciência é ciência ruim, e são os darwinistas que a estão praticando. Sua crença na geração espontânea resulta de sua fé cega no naturalismo. É preciso uma enorme quantidade de fé para acreditar que a primeira criatura unicelular tenha se formado pelas leis naturais, porque isso é como acreditar que

---

[16]"Billions and Billions of Demons", *The New York Review of Books*, January 9, 1997, p. 31.

mil enciclopédias surgiram com base em uma explosão numa gráfica! Os ateus não podem nem mesmo explicar a origem da gráfica, quanto mais das mil enciclopédias. *Portanto, nós não temos fé suficiente para sermos ateus.*

DÊ UM TEMPO E UMA CHANCE PARA O ACASO!

"Não tão rápido!", dizem os darwinistas. "Você desprezou o tempo e o acaso como explicações plausíveis para a maneira pela qual a vida foi gerada espontaneamente."

Dê mais tempo ao tempo!

Os darwinistas desprezam a conclusão de que a inteligência é imprescindível para a existência da primeira vida, sugerindo que mais tempo permitiria que as leis naturais fizessem seu trabalho. Dê-lhes vários bilhões de anos, e, por fim, teremos vida. Isso é plausível?

Voltemos por um instante ao monte Rushmore. Os darwinistas afirmam que a ciência é baseada na observação e na repetição. Tudo bem. Suponhamos que vamos observar e repetir um experimento no qual permitimos que as leis naturais trabalhem nas pedras nos próximos dez anos. O resultado seria os rostos no monte Rushmore? Nunca.

Pode-se dizer que talvez as leis naturais conseguissem fazer isso se lhes déssemos alguns bilhões de anos. Não, elas não conseguiriam. Por quê? Porque, em vez de organizar, a natureza desordena as coisas (o fato de que a natureza leva as coisas à desordem é outro aspecto da segunda lei da termodinâmica). Mais tempo só vai fazer as coisas piorarem para os darwinistas, não melhorarem. Como assim?

Vamos supor que você jogue confete branco, vermelho e azul de um avião que esteja voando a 300 metros acima da sua casa. Quais são as chances de eles formarem a bandeira norte-americana no gramado da sua casa? Muito pequenas. Por quê? Porque as leis da natureza vão misturar ou escolher a esmo os confetes. Você diz: "Dê-lhe mais tempo". Tudo bem, vamos levar o avião a 3 mil metros e dar mais tempo às leis naturais para trabalharem no confete. Isso melhora a probabilidade de que uma bandeira seja formada no seu quintal? Não. Na verdade, um tempo maior faz a formação da bandeira ser ainda menos provável, porque as leis naturais terão mais tempo para fazer o que elas fazem: desorganizar e misturar.

Qual é a diferença em relação à origem da primeira vida? Os darwinistas podem dizer que a segunda lei da termodinâmica não se aplica continuamente aos sistemas vivos. Além do mais, coisas vivas crescem e ficam mais ordenadas.

Sim, elas crescem e ficam mais ordenadas, mas elas perdem energia no processo de crescimento. O alimento que entra num sistema vivo não é processado com 100% de eficiência. Assim, a segunda lei também se aplica aos sistemas vivos. Mas essa não é a questão. A questão é: não estamos falando sobre o que alguma coisa pode fazer uma vez que esteja viva; estamos falando *em primeiro lugar* sobre como *obter uma coisa viva*. Como a vida surgiu com base em elementos químicos inanimados, sem uma intervenção inteligente, uma vez que os elementos químicos inanimados são suscetíveis à segunda lei da termodinâmica? Os darwinistas não têm uma resposta, mas apenas fé.

Dê uma chance ao acaso!

Será possível explicar a incrível complexidade específica da vida por meio do acaso? De jeito algum! Tanto ateus quanto teístas calcularam a probabilidade de a vida ter surgido por acaso com base em elementos químicos inanimados. Os números calculados são astronomicamente pequenos — virtualmente zero. Michael Behe, por exemplo, disse que a probabilidade de se obter ao acaso *uma molécula de proteína* (que tem cerca de cem aminoácidos) seria semelhante a um homem de olhos vendados encontrar um grão de areia específico na areia do deserto do Saara por três vezes consecutivas. E uma molécula de proteína não é vida. Para obter vida, você precisaria colocar cerca de 200 dessas moléculas juntas![17]

Essa probabilidade é praticamente igual a zero. Mas acreditamos que a probabilidade é *verdadeiramente* zero. Por que zero? Porque "o acaso" não é uma causa. O acaso é uma *palavra* que usamos para descrever possibilidades matemáticas. Ele não tem poder em si próprio. O acaso *não é nada*. O acaso é aquilo com que as rochas sonham.

Se alguém gira uma moeda, qual é a chance de ela parar com a cara para cima? Nós dizemos que é de 50%. Sim, mas qual é a *causa* de ela parar com a cara para cima? É o acaso? Não, a causa principal é um ser inteligente que decidiu rodar aquela moeda e aplicar alguma força para fazer isso. As causas secundárias, como as forças físicas do vento e da gravidade, também causam impacto no resultado desse lance. Se conhecêssemos todas essas variáveis, poderíamos calcular antecipadamente qual seria a face que ficaria para o lado de cima. Mas uma vez que não conhecemos todas essas variáveis, usamos a palavra "acaso" para encobrir nossa ignorância.

Não deveríamos permitir que os ateus encobrissem sua ignorância com a

[17]V. Strobel, *Em defesa da fé*, p. 132-6.

palavra "acaso". Se eles não conhecem um mecanismo natural por meio do qual a primeira vida possa ter vindo a existir, então deveriam admitir que não sabem, em vez de sugerirem uma palavra sem poder que, naturalmente, não é de modo algum uma causa. "Acaso" é simplesmente outro exemplo da ciência ruim praticada pelos darwinistas.

A CIÊNCIA É ESCRAVA DA FILOSOFIA

Infelizmente os darwinistas têm sido bem-sucedidos em convencer o público de que ciência ruim é apenas aquela que discorda do darwinismo (e que, na verdade, não é ciência de modo algum, dizem eles — é apenas religião disfarçada de ciência). O fato é que o oposto é o verdadeiro. São os darwinistas que estão praticando ciência ruim, porque sua ciência está construída em cima de uma filosofia falsa. Com efeito, é a sua religião secular do naturalismo que os leva a ignorar a comprovação científica empiricamente detectável do projeto.

Que lições podem ser aprendidas da ciência ruim dos darwinistas? Para responder a isso, vamos dar uma olhada no debate que citamos no capítulo 3, entre William Lane Craig, cristão, e o darwinista Peter Atkins.[18] Lembre-se que o debate era sobre a existência de Deus. Em certo ponto, Atkins argumentou que Deus não era necessário, porque a ciência podia explicar tudo.

— Não há necessidade de Deus — declarou Atkins. — Qualquer coisa no mundo pode ser compreendida sem necessariamente se evocar um Deus. Você precisa aceitar que é possível ter uma visão assim em relação ao mundo.

— Certamente isso é possível — admitiu Craig. — Mas...

— [interrompendo] Você nega que a ciência pode ser responsável por todas as coisas? — desafiou Atkins.

— Sim, eu *realmente* nego que a ciência possa ser a responsável por todas as coisas — disse Craig.

— Então, por quais coisas ela não pode ser responsável? —Atkins exigiu saber.

Veterano de muitos debates, Craig estava pronto para dar uma resposta multifacetada.

— Creio que existe um grande número de coisas que não podem ser cientificamente provadas, mas que é racional aceitar — disse ele. Craig citou então aqueles cinco exemplos de crenças irracionais que não podem ser provadas pela ciência:

[18]Todo o debate está registrado em vídeo e pode ser visto *on-line* em http://www.leaderu.com/offices/billcraig/docs/craig-atkins.

1. matemática e lógica (a ciência não pode prová-las porque a ciência as toma como pressupostos);

2. verdades metafísicas (como, por exemplo, a existência de outras mentes além da minha própria);

3. julgamentos éticos (você não pode provar pela ciência que os nazistas eram maus porque a moralidade não está sujeita ao método científico);

4. julgamentos estéticos (o belo, assim como o bom, não pode ser cientificamente provado); e, ironicamente,

5. a própria ciência em si (a crença de que o método científico descobre a verdade não pode ser provada pelo próprio método científico; veremos mais sobre isso adiante).

(Logo após essa bateria de exemplos refutando a visão de Atkins, o moderador William F. Buckley Jr. não conseguiu esconder o prazer obtido pela resposta de Craig. Ele olhou para Atkins e jogou esta frase: "Agora coloque isso em seu cachimbo e fume!").

Craig estava certo. O método científico de procurar as causas pela observação e pela repetição nada mais é do que *um* meio de se encontrar a verdade. Ele não é o *único* meio de se encontrar a verdade. Como vimos no capítulo 1, as leis não científicas (filosóficas) — como as leis da lógica — também nos ajudam a descobrir a verdade. De fato, essas leis são usadas pelo método científico!

Além do mais, a afirmação de Atkins de que a ciência pode ser responsável por tudo não é falsa apenas por causa dos cinco contra-exemplos que Craig citou; ela também é falsa porque é falsa em si mesma. Com efeito, Atkins estava dizendo: "A ciência é a única fonte objetiva de verdade". Se testarmos essa afirmação usando a tática do Papa-léguas, citada no capítulo 1, veremos que ela é falsa em si mesma e, portanto, falsa. A afirmação "A ciência é a única fonte de verdade objetiva" coloca-se como uma verdade objetiva, mas não é uma verdade científica. A afirmação é filosófica em sua natureza — ela não pode ser provada pela ciência — e, assim, se autodestrói.

Isso provavelmente nos leva à maior lição que podemos aprender da ciência ruim dos darwinistas: *a ciência é construída em cima da filosofia. Na verdade, a ciência é uma escrava da filosofia.* A má filosofia resulta em má ciência, e a boa ciência exige uma boa filosofia. Por quê? Porque:

1. **Não se pode fazer ciência sem filosofia.** Pressupostos filosóficos são utilizados na busca pelas causas e, portanto, não podem ser o resultado delas. Por exemplo: os cientistas presumem "pela fé" que a razão e o método cientí-

fico permitem que compreendamos com precisão o mundo ao nosso redor. Isso não pode ser provado pela própria ciência. Você não pode provar as ferramentas da ciência — a lei da lógica, a lei da causalidade, o princípio da uniformidade ou a confiabilidade da observação — executando algum tipo de experimento. Você precisa pressupor que aquelas coisas são verdadeiras para poder *realizar* o experimento! Desse modo, a ciência está construída em cima da filosofia. Infelizmente muitos assim chamados cientistas são na verdade filósofos muito ruins.

2. **Pressuposições filosóficas podem impactar dramaticamente as conclusões científicas.** Se um cientista presume de antemão que apenas as causas naturais são possíveis, então provavelmente nenhuma quantidade de evidências vai convencê-lo de que a inteligência criou a primeira ameba unicelular ou qualquer outro tipo de entidade. Quando os darwinistas *pressupõem* que causas inteligentes são impossíveis, então só restam as leis naturais em cima da mesa. Do mesmo modo, se um criacionista exclui de antemão as causas naturais (e não conhecemos muitos que façam isso), ele também se arrisca a não encontrar a resposta correta. Mas um cientista de mente aberta tanto às causas naturais quanto às inteligentes pode seguir a evidência para onde ela o levar.

3. **Na verdade, a *ciência* não diz nada — os *cientistas* é que dizem.** Os dados são sempre interpretados pelos cientistas. Quando aqueles cientistas deixam suas preferências pessoais ou pressuposições filosóficas não provadas ditarem a sua interpretação da evidência, fazem exatamente aquilo de que as pessoas religiosas são acusadas: deixam sua ideologia ditar suas conclusões. Quando isso acontece, suas conclusões devem ser questionadas porque elas podem ser nada mais do que pressuposições filosóficas passadas adiante como se fossem fatos científicos.

O MATERIALISMO TORNA A RAZÃO IMPOSSÍVEL

Quando você chega à raiz do problema, descobre que a ciência ruim dos darwinistas resulta da filosofia falsa do naturalismo e do materialismo que está no fundamento de sua visão de mundo. Por que o materialismo é falso? Vejamos cinco razões pelas quais o materialismo não é plausível.

Em primeiro lugar, como já destacamos, existe uma mensagem residente na vida, tecnicamente chamada de complexidade específica, que não pode ser explicada materialmente. Essa mensagem não pode ser explicada por leis naturais não inteligentes, do mesmo modo que a mensagem deste livro não pode ser explicada por leis não inteligentes de tinta e papel.

Em segundo lugar, pensamentos e teorias humanos não são compostos apenas de coisas materiais. Os elementos químicos certamente estão envolvidos no processo do pensamento humano, mas eles não podem explicar todos os pensamentos humanos. A *teoria* do materialismo não é feita de moléculas. Do mesmo modo, os pensamentos de uma pessoa, de amor ou de ódio, não são elementos químicos. Quanto pesa o amor? Qual é a composição química do ódio? Essas são perguntas absurdas porque os pensamentos, as convicções e as emoções não são completamente baseadas no material. Uma vez que elas não são completamente baseadas no material, o materialismo é falso.

Em terceiro lugar, se a vida não fosse nada além de coisas materiais, então seríamos capazes de pegar todos os materiais da vida — que são os mesmos materiais encontrados no lixo — e criar um ser vivo. Não podemos fazer isso. Certamente existe na vida alguma coisa além do material. Que materialista pode explicar por que um corpo está vivo e o outro está morto? Ambos contêm os mesmos elementos químicos. Por que um corpo está vivo num minuto e morre no minuto seguinte? Que combinação de materiais pode ser responsável pela consciência? Até mesmo Atkins, em seu debate com Craig, admitiu que explicar a consciência é um grande problema para os ateus.

Em quarto lugar, se o materialismo fosse verdadeiro, então todas as pessoas, em toda a história da humanidade, que já tiveram algum tipo de experiência espiritual foram completamente mal interpretadas. Embora isso seja possível, em vista do grande número de experiências espirituais, não parece provável. É difícil acreditar que todo grande líder e pensador espiritual da história da humanidade — incluindo algumas das mentes mais racionais, científicas e críticas que já existiram — estava completamente errado sobre sua experiência espiritual. Isso inclui Abraão, Moisés, Isaías, Kepler, Newton, Pascal e o próprio Jesus Cristo. *Se apenas uma experiência espiritual em toda a história do mundo for verdadeira, então o materialismo é falso.*

Por último, se o materialismo é verdadeiro, então a própria razão é impossível. Se os processos mentais nada mais são do que reações químicas no cérebro, então não há razão para acreditar que *qualquer coisa* seja verdadeira (incluindo a teoria do materialismo). Os elementos químicos não podem avaliar se uma teoria é falsa ou não. Os elementos químicos não raciocinam, apenas reagem.

Isso é extremamente irônico, porque os darwinistas — que se colocam como defensores da verdade e da razão — tornaram a verdade e a razão coisas impossíveis por meio de sua teoria do materialismo. Assim, até mesmo quando os darwinistas estão certos sobre alguma coisa, sua visão de mundo não nos dá nenhuma razão para acreditar neles — a própria razão é impossível em um mundo governado pelos elementos químicos e pelas forças físicas.

Não apenas a razão é impossível num mundo darwinista, mas a afirmação darwinista de que deveríamos confiar apenas na razão não pode ser justificada. Por que não? Porque a razão exige *fé*. Jay Budziszewski assevera: "O mote 'apenas a razão!' é completamente sem sentido. A própria razão pressupõe fé. Por quê? Porque uma defesa da razão *pela* razão é circular e, portanto, sem valor. Nossa única garantia de que a razão humana funciona é Deus que a fez".[19]

Vamos apresentar o ponto levantado por Budziszewski por meio da consideração da fonte da razão. Nossa capacidade de raciocinar pode vir apenas de um de dois lugares possíveis: ou a nossa capacidade de raciocinar surgiu com base em uma inteligência preexistente ou surgiu baseando-se em uma matéria inanimada. Os ateus/darwinistas/materialistas crêem, *pela fé*, que nossa mente surgiu de matéria inanimada e sem nenhuma intervenção inteligente. Dizemos que isso é pela fé porque tal afirmação contradiz toda observação científica, a qual demonstra que o efeito não pode ser maior do que sua causa. Você não pode dar aquilo que não recebeu, mas os materialistas acreditam que matéria morta e não inteligente produziu vida inteligente. É como acreditar que a Biblioteca do Congresso norte-americano resultou de uma explosão numa gráfica!

Faz muito mais sentido acreditar que a mente humana é feita à imagem de uma Grande Mente — Deus. Em outras palavras, nossa mente pode aprender a verdade e pode raciocinar sobre a realidade porque ela foi criada pelo Arquiteto da verdade, da realidade e da própria razão. O materialismo não pode explicar a razão, assim como não pode explicar a vida. O materialismo simplesmente não é racional. *Portanto, não temos fé suficiente para sermos materialistas!*

O ATEU *VERSUS* O CONSULTOR DE PENSAMENTO CRÍTICO

O próprio fato de os darwinistas acharem que têm razões para seu ateísmo pressupõe a existência de Deus. Como assim? Porque as *razões* exigem que o Universo seja *razoável*, ou seja, que exige lógica, ordem, planejamento e verdade. Mas a ordem, a lógica, o planejamento e a verdade somente podem existir e serem conhecidos se existir uma fonte-padrão objetiva e imutável para tais coisas. Para dizer que uma coisa *não é* plausível, os darwinistas precisam conhecer alguma coisa que *seja* o oposto disso. Para dizer que uma coisa *não foi* planejada, os darwinistas precisam conhecer algo que *tenha sido* planejado. Para dizer que

---

[19] *Written on the Heart: The Case for Natural Law.* Downers Grove, Ill.: InterVarsity Press, 1997, p. 54.

uma coisa *não é* verdadeira, os darwinistas precisam conhecer *o que é* a verdade, e assim por diante. Tal como as visões de mundo não teístas, o darwinismo apropria-se da visão de mundo teísta com o objetivo de fazer sua própria visão ser inteligível.

Essa tendência de os ateus apropriarem-se não intencionalmente da visão de mundo teísta foi maravilhosamente exposta pelo escritor Pete Bocchino [20] durante uma reunião para a definição do currículo do Departamento de Educação do Estado norte-americano da Geórgia. Pete — que na época estava trabalhando para um ministério cristão conhecido internacionalmente — foi severamente criticado por estar numa subcomissão para revisar e melhorar o currículo da escola pública da sexta série até a última série do ensino médio em assuntos como o governo norte-americano, a lei, a ética e o treinamento do caráter.

A primeira de uma série de reuniões que se estenderam por uma semana aconteceu numa grande sala onde todos os membros da subcomissão tiveram a oportunidade de apresentar-se. Pete, que ficara preso no trânsito, chegou atrasado, perdeu as apresentações e foi dirigindo-se ao seu assento assim que chegou. Quando o presidente da subcomissão viu Pete caminhando, informou que eles já haviam se apresentado e pediu que Pete fizesse a mesma coisa, dizendo seu nome, sua experiência e sua ocupação. Pete falou seu nome e disse que era formado em engenharia mecânica. Pete pensou consigo mesmo: "Certamente não quero trazer o cristianismo para a mesa dizendo que estou trabalhando para um ministério cristão internacional". Assim, evasivamente, disse:

— Estou trabalhando atualmente para uma organização sem fins lucrativos como consultor de pensamento crítico.

O presidente disse:

— Um o quê?!

— Consultor de pensamento crítico — repetiu Pete.

— O que exatamente faz um consultor de pensamento crítico? — insistiu o presidente.

— Bem, já estamos atrasados e eu não desejo tomar o tempo do comitê — arrazoou Pete — mas você vai descobrir durante a semana.

Conforme a semana foi passando, o comitê debateu vários tópicos, tais como diversidade, tolerância, direitos humanos e outras questões controversas. Em um certo momento, quando estavam discutindo os padrões da psicologia, Pete verificou que os padrões não possuíam uma definição de pessoalidade. Isso era

---

[20]V. Norman L. Geisler & Peter Bocchino, *Fundamentos inabaláveis*. São Paulo: Vida, 2003. História tirada de uma conversa pessoal com Peter Bocchino em 3 de abril de 2003.

uma grande falha no currículo de psicologia. Desse modo, Pete apresentou o seguinte modelo, baseado numa seção do livro *Haves Without Have-nots* [Direitos e deveres], de Mortimer Adler.[21]

> Curso: Psicologia/Tópico: singularidade.
> Padrão: Avalia a singularidade da natureza humana e o conceito de pessoalidade.
> 1. Intelecto/pensamento conceitual;
> 2. Liberdade de escolher/livre-arbítrio;
> 3. Responsabilidade ética (padrões);
> 4. Responsabilidade moral (obrigações);
> 5. Direitos inalienáveis da pessoa.

Assim que esse modelo foi apresentado, uma educadora sentada ao lado de Pete — que deixou claro que era ateísta — estava prestes a desafiar o modelo. Antes que pudesse fazer isso, Pete interrompeu-a e disse ao grupo:

> Se alguém for discordar desse modelo, estará fazendo o seguinte:
> 1. Essa pessoa estaria me colocando numa discussão conceitual (como no nº 1 acima).
> 2. Essa pessoa estaria exercendo sua "liberdade" de fazer isso (como no nº 2).
> 3. Essa pessoa deve pensar que existe uma responsabilidade ética de ensinar aquilo que é certo/verdadeiro (como no nº 3).
> 4. Essa pessoa está procurando tornar-me moralmente condicionado a ensinar a verdade (como no nº 4).
> 5. Essa pessoa tem o direito de discordar da minha posição (como no nº 5).
>
> Portanto, se alguém quiser discordar desses critérios, esse alguém está, na verdade, confirmando a validade de cada ponto desse critério.

O grupo ficou calado por alguns instantes. Então, o presidente falou:
— Agora sabemos o que faz um consultor de pensamento crítico!

Juntamente com essa declaração, ele instruiu o secretário da subcomissão a incluir o padrão nas recomendações.

Com um pouco de pensamento crítico, nós vemos que a visão de mundo dos darwinistas desaba não apenas com base na falta de evidência, mas também porque os darwinistas precisam se apoiar na visão de mundo teísta quando tentam defender suas idéias. O intelecto, o livre-arbítrio, a moralidade objetiva e os direitos humanos, assim como a razão, a lógica, o projeto e a verdade só podem

---

[21] *Haves Without Have-Nots.* New York: Macmillan, 1991.

existir se Deus existir. Contudo, os darwinistas pressupõem algumas ou todas essas realidades quando defendem sua visão de mundo ateísta. Eles não podem ser as duas coisas.

OS DARWINISTAS POSSUEM A TAMPA ERRADA DA CAIXA

Na introdução, dissemos que uma visão de mundo é como a tampa de uma caixa que permite que você forme um quadro completo e coeso com as muitas partes do quebra-cabeça da vida. Se você tiver a tampa correta da caixa, então as peças farão sentido à luz do quadro completo.

Mas o que acontece na hipótese de haver peças que não se encaixam no desenho estampado na tampa da caixa que você tem? O bom senso lhe diria que você tem a tampa errada da caixa, de modo que precisa procurar pela certa. Infelizmente os darwinistas não farão isso. As evidências indicam claramente que eles têm a tampa errada, mas recusam-se a considerar até mesmo que isso seja possível (quanto menos sair procurando a tampa certa). A tampa preconcebida mostra uma figura sem causas inteligentes. Ainda assim, como eles próprios reconhecem, estão descobrindo muitos pedaços do quebra-cabeça que possuem a clara aparência de terem sido planejados com inteligência. Com efeito, estão tentando encaixar peças teístas em seu quebra-cabeça ateu/materialista. Como eles fazem isso?

Em vez de descartar a tampa errada e descobrir onde está a certa, os darwinistas simplesmente insistem em que as peças não são realmente aquilo que aparentam ser. Eles tentam encaixar todas as peças — desde o Universo projetado com precisão até a célula única repleta de informações — em um quebra-cabeça do qual essas peças não fazem parte. Ao fazerem isso, desconsideram a observação, que é a própria essência da ciência empírica que afirmam defender. Como eles mesmos admitem, os darwinistas são filosoficamente comprometidos com sua tampa da caixa, independentemente da aparência das peças daquele quebra-cabeça.

Como se encontra a tampa certa do quebra-cabeça da vida? Achar a tampa certa não é uma questão de preferência (você gosta do ateísmo, eu gosto do teísmo). Não, é uma questão de fatos objetivos. Ao usar os auto-evidentes primeiros princípios da lógica e os princípios corretos da investigação científica, descobrimos nos capítulos 3 e 4 que este é um Universo teísta. Se este é um Universo teísta, então o naturalismo é falso. Se o naturalismo é falso, então é possível que os darwinistas não estejam interpretando corretamente as evidências.

A tampa correta da caixa é importante porque ela dá o contexto adequado para interpretar as evidências. O contexto é o ambiente maior no qual aparecem as evidências. Se você tem o contexto errado, então poderá chegar a conclusões erradas sobre as evidências que está observando. Por exemplo: se eu lhe digo que acabei de testemunhar um homem introduzindo uma faca na barriga de uma mulher, você provavelmente presumiria que o homem fez alguma coisa errada. Mas veja o que acontece quando se revela o contexto — o ambiente — no qual esse incidente aconteceu: estamos na sala de parto de um hospital, o homem era um médico, e o coração do bebê tinha acabado de parar de bater. O que você pensa sobre o homem agora? Uma vez que se entende o ambiente, toda sua visão das evidências é transformada: você agora considera o homem um herói, em vez de um vilão, porque ele estava realmente tentando salvar a vida do bebê.

Do mesmo modo, as evidências da biologia devem ser interpretadas à luz de um ambiente conhecido mais amplo. Como já descobrimos, o ambiente conhecido mais amplo é este Universo teísta. Existe realmente um Ser imaterial, poderoso e inteligente além do mundo natural, que criou o Universo e o planejou com precisão de modo a permitir que a vida existisse neste planeta em que vivemos. Em outras palavras, já sabemos, ainda que passível de dúvida, que o Projetista faz parte da tampa da caixa, porque as evidências mostram que ele já planejou este Universo maravilhoso com incrível complexidade e precisão.

À luz do fato de que esse Projetista existe, quando vemos um sistema biológico que até mesmo darwinistas como Richard Dawkins reconhecem "ter aparência de ter sido planejado com um propósito", talvez devamos concluir que *tais sistemas foram realmente planejados com um propósito*. Como destaca William Dembski, "se uma criatura se parece com um cachorro, cheira como um cachorro, late como um cachorro, sente como um cachorro e respira como um cachorro, o peso das evidências cai sobre a pessoa que insiste que a criatura não é um cachorro". [22] Uma vez que o Universo é criado e planejado, então devemos esperar que a vida seja criada e planejada também (pelo menos é *possível* que a vida tenha sido criada por uma inteligência. Excluir essa possibilidade de antemão é um procedimento claramente ilegítimo).

Desse modo, a conclusão de que a vida é o produto de um Projetista inteligente faz sentido porque não se trata de uma peça solitária de evidência. Ela é compatível com outras descobertas científicas. Ou, para continuar com a nossa metáfora do quebra-cabeça, é uma peça que se encaixa perfeitamente com as outras peças do quebra-cabeça.

RESUMO E CONCLUSÃO

Uma vez que cobrimos vários assuntos neste capítulo, vamos resumi-los em alguns poucos pontos:

[22] *The Design Revolution: Answering the Toughest Questions About Intelligent Design.* Downers Grove, Ill.: InterVarsity Press, 2004.

1. A vida não consiste meramente em elementos químicos. Se esse fosse o caso, misturar os elementos químicos da vida num tubo de ensaio produziria vida. A vida consiste claramente em mais do que elementos químicos; ela também inclui a complexidade específica (que vem apenas de uma mente). Portanto, o materialismo é falso (existem inúmeras razões adicionais que provam que o materialismo é falso, incluindo o fato de que a própria razão seria impossível em um Universo materialista).

2. Não existem leis naturais conhecidas que criam a complexidade específica (informação). Observou-se que apenas a inteligência cria a complexidade específica (e.g., "Leve o lixo para fora — Mamãe", "Beba Coca-Cola", monte Rushmore etc.).

3. A vida mais simples consiste em uma maravilhosa complexidade específica — equivalente a mil conjuntos completos da *Enciclopédia Britânica*. Einstein disse: "Deus não joga dados com o Universo".[23] Ele estava certo. Como Phillip Gold disse, "Deus joga caça-palavras!".[24]

4. A ciência é uma busca pelas causas que está baseada na filosofia. Existem apenas dois tipos de causas, a inteligente e a natural, mas os darwinistas excluem filosoficamente as causas inteligentes antes mesmo de olharem para as evidências. É por isso que quando os darwinistas olham para aquelas mil enciclopédias — e apesar de observarem e reconhecerem seu óbvio projeto — afirmam que sua causa deve ser natural. Mas se "Leve o lixo para fora — Mamãe" exige uma causa inteligente, então o mesmo acontece com as mil enciclopédias.

5. A geração espontânea de vida, que o darwinismo exige para que sua teoria tenha início, nunca foi observada. Acredita-se nela pela fé. À luz das decisivas evidências cosmológicas e teleológicas de que este Universo é teísta (e por muitas outras razões), a crença darwinista no naturalismo (ou materialismo) também é um artigo de fé. Conseqüentemente, o darwinismo nada mais é do que uma religião secular disfarçada de ciência.

O cético pode dizer: "Espere um minuto! Você está indo rápido demais. O que o faz achar que o projeto inteligente é científico? Não seria o PI apenas mais um caso da falácia do 'Deus das lacunas' — trazendo Deus prematuramente para o centro do assunto porque você ainda não encontrou uma causa natural?

[23]Albert Einstein, numa carta a Max Born, 4 de dezembro de 1926, apud Elizabeth KNOWLES, ed. *The Oxford Dictionary of Quotations*. Oxford: Oxford University Press, 1999, p. 290.

[24]Apud William DEMBSKI & James KUSHINER, eds. *Signs of Intelligence*. Grand Rapids, Mich.: Baker, 2001, p. 102.

Por que deveríamos desistir de procurar uma causa natural? Na verdade, parece que o PI é simplesmente aquele imenso criacionismo bíblico sendo jogado no debate público com um outro nome. E quanto às evidências da evolução de novas formas de vida que ainda precisam ser mencionadas?".

Respostas a essas e outras afirmações darwinistas serão dadas no capítulo seguinte. Não apenas abordaremos essas afirmações como também daremos mais peças para o quebra-cabeça que confirmam que os defensores do projeto inteligente, e não os darwinistas, é que possuem a tampa correta da caixa.

6
Novas formas de vida: do angu até tu, passando pelo zoológico

No ensino básico, me ensinaram que um sapo transformando-se num príncipe era um conto de fadas. Na universidade, me ensinaram que um sapo transformando-se num príncipe era um fato!

RON CARLSON

No filme *Contato*, Jodie Foster desempenha o papel de uma cientista que faz parte do grupo de pesquisa chamado Busca por Vida Extraterrestre Inteligente, cuja sigla em inglês é SETI. A SETI — que é uma organização real — tem cientistas que varrem o espaço em busca de sinais claros de vida inteligente. O que é um sinal claro de vida inteligente? Uma mensagem. Isso mesmo, alguma coisa como "Leve o lixo para fora — Mamãe".

Foster fica extremamente animada quando sua antena capta ondas de rádio que parecem ter um padrão inteligente. "1, 2, 3, 5, 7, 11 [...] São os números primos!", diz ela. "Isso não pode ser um fenômeno natural!"

É fato que ondas de rádio aleatórias podem ser produzidas naturalmente, mas as que contêm uma mensagem sempre possuem uma fonte inteligente. Os números primos, de um até 101 em ordem, constituem uma mensagem que pode vir apenas de um ser inteligente.

Foster está tão confiante de que o ET foi encontrado que anuncia publicamente sua descoberta. Oficiais militares e governamentais vão até o seu laboratório. "Se isto é uma fonte inteligente, então por que eles não falam inglês?", pergunta um dos oficiais, com um tom de gozação.

"Porque a matemática é a única linguagem universal!", ataca Foster.

É claro que ela está certa. De fato, os alfabetos — e, portanto, a própria linguagem em si — podem ser reduzidos a números. É por isso que o alfabeto ocidental é matematicamente idêntico ao alfabeto genético no DNA, e é por isso que a comparação das informações das células com as enciclopédias é um relacionamento um para um, em vez de ser simplesmente uma analogia.

Embora Foster e seus colegas mais tarde descubram uma mensagem mais complicada embutida nas ondas de rádio, eles já estão absolutamente certos de que os números primos sozinhos provam que a mensagem veio de uma vida inteligente. Por que estão tão certos disso? Porque a observação repetida nos diz que apenas seres inteligentes criam mensagens e que as leis naturais nunca fazem isso. Ao vermos uma seqüência de números primos, percebemos que isso exige uma causa inteligente, assim como as mensagens "Leve o lixo para fora — Mamãe" e "Mary ama Scott" também a exigem.

Ironicamente, *Contato* foi baseado num romance do falecido Carl Sagan, um apaixonado evolucionista que acreditava na geração espontânea e que foi uma pessoa fundamental para o início do programa do SETI verdadeiro. A ironia reside no fato de que Sagan estava absolutamente convencido de que uma simples seqüência de números primos prova a existência de vida inteligente, mas o equivalente a mil enciclopédias na primeira vida unicelular não provava isso. *É preciso ter muita fé para não acreditar em Deus. Mais do que a fé que temos!*

Além disso, foi o próprio Carl Sagan que escreveu isto sobre o cérebro humano:

> A informação contida no cérebro humano expressa em bits é provavelmente comparável ao número total de conexões entre os neurônios — cerca de 100 trilhões de bits. Se fosse escrita em inglês, digamos, essa informação encheria 20 milhões de volumes, o equivalente em volumes ao acervo das maiores bibliotecas do mundo. A equivalência dos 20 milhões de livros está dentro da cabeça de todos nós. O cérebro é um lugar muito grande num espaço muito pequeno [...] A neuroquímica do cérebro é extremamente ativa. É o circuito de uma máquina mais maravilhosa do que qualquer uma que o ser humano já tenha visto.[1]

Na verdade, Sagan provavelmente *subestimou* o conteúdo de informações do cérebro em 20 milhões de livros. Ainda assim, os números são impressionantes. Para se ter uma idéia, imagine-se na quadra de um grande ginásio de esportes antes de um jogo. Você é a única pessoa naquele ginásio e está vendo cerca de 20 mil lugares vazios ao seu redor. Quantos livros você precisaria empilhar *em cada assento* para que houvesse 20 milhões de livros naquele estádio?

Você precisaria empilhar mil livros *em cada assento* para ter 20 milhões de livros dentro daquele estádio. Pense nisto: o teto não é alto o suficiente para

---

[1] *Cosmos*. New York: Random House, 1980, p. 278.

permitir a entrada de tantos livros; você precisaria demolir o teto e continuar empilhando! Essa é a quantidade de informação específica e complexa que está localizada entre os seus ouvidos. Sagan estava realmente certo quando disse que o cérebro é um lugar muito grande num espaço muito pequeno e algo imensamente mais sofisticado do que qualquer coisa que os humanos já tenham criado.

Agora, vamos rever os fatos: Sagan percebeu que o cérebro humano tem um conteúdo de informações equivalente a 20 milhões de livros. Também percebeu que ele é drasticamente mais específico e complexo do que uma seqüência de números primos. Então por que achou que a mensagem mais simples exigia a existência de um ser inteligente, mas que aquele volume de informações do tamanho de 20 milhões de livros não exigiria? Também podemos fazer a Sagan e a seus colegas darwinistas uma pergunta de peso similar: se seres humanos *inteligentes* não podem criar coisa alguma próxima do cérebro humano, por que deveríamos esperar que leis naturais *não inteligentes* o fizessem?

A resposta do darwinista normalmente envolve a "seleção natural". Seria isso suficiente para gerar novas formas de vida? Além do mais, existe um longo caminho entre uma célula e o cérebro humano.

O QUE DIZER SOBRE NOVAS FORMAS DE VIDA?

Antes de discutir a origem de novas formas de vida, precisamos voltar ao problema da origem da primeira vida. Certamente existe um longo caminho que vai de uma célula até o cérebro humano, mas a jornada pode ser ainda mais longa se partirmos de elementos químicos inanimados para tentar chegar até a primeira célula. Esse é o problema mais difícil para os darwinistas. De onde veio a *primeira* vida?

Você consegue enxergar a magnitude desse problema para os darwinistas? Se os darwinistas não têm uma explicação para a primeira vida, então qual a razão de se falar sobre novas formas de vida? O processo de macroevolução, se é que é possível, não pode nem mesmo ter início a não ser que haja uma vida preexistente.

Mas, como vimos nos últimos capítulos, isso não é impedimento para os darwinistas. Contra todas as evidências empíricas da criminalística, os darwinistas montam uma história do tipo "é porque é" — geração espontânea ou panspermia — que, de maneira mágica, dá-lhes a primeira vida de que precisam. Isso não é ciência — é uma piada. De fato, isso nos lembra uma piada. Steve Martin costumava dizer: "Eu sei como você pode tornar-se um milionário e nunca pagar impostos! Primeiro de tudo, consiga 1 milhão de dólares. O.k., depois...".

A posição dos darwinistas é ainda mais problemática quando se considera que nem mesmo têm uma explicação para a fonte dos elementos químicos inanimados, quanto mais uma explicação para a vida. Como vimos no capítulo 3, uma das mais profundas perguntas a serem feitas é: "Se não existe Deus, por que existe alguma coisa além de nada?". Vimos que os ateus não têm uma resposta plausível para essa pergunta. Sugerir uma possibilidade não é suficiente — eles precisam apresentar provas, se quiserem ser científicos. É óbvio que não sabem de onde veio o Universo. Uma boa tampa da caixa (visão de mundo) deveria ser capaz de explicar de maneira plausível todos os dados. Se ela não pode responder às perguntas fundamentais da origem do mundo ou da vida, não é uma tampa viável. É hora de procurar outra.

Embora vejamos que a tampa da caixa dos darwinistas seja essencialmente falha, precisamos observar algumas das afirmações que os darwinistas fazem em relação à origem de novas formas de vida. Sua teoria é chamada de macroevolução.

Microevolução versus *macroevolução*

Você se lembra da macroevolução — do angu até tu, passando pelo zoológico. É a crença de que todas as formas de vida descendem de um ancestral comum — a primeira criatura unicelular — e que tudo isso aconteceu por meio de um processo natural destituído de qualquer intervenção inteligente. Deus não foi envolvido. Foi um processo completamente cego.

Os darwinistas dizem que isso aconteceu por seleção natural. Mas a expressão "seleção natural" é incorreta. Uma vez que o processo de evolução é, por definição, feito sem inteligência, não existe "seleção" em tudo o que está acontecendo. É um processo cego. A expressão "seleção natural" simplesmente significa que as criaturas que sobrevivem são aquelas que melhor se adaptam. E daí? Isso é verdade por definição — o mais adaptado sobrevive (isso é tautologia — um argumento circular que não prova coisa alguma). Logicamente essas são as criaturas mais bem equipadas genética ou estruturalmente para lidar com condições ambientais mutáveis (é por isso que elas sobrevivem).

Como exemplo de "seleção natural", considere o que acontece com uma bactéria atacada por antibióticos. Quando a bactéria sobrevive a uma luta com os antibióticos e se multiplica, esse grupo sobrevivente de bactérias pode ser resistente àquele antibiótico. A bactéria sobrevivente é resistente àquele antibiótico porque a bactéria mãe possuía a capacidade genética de resistir ou uma rara mutação bioquímica de algum tipo a ajudou a sobreviver (dizemos "rara" porque mutações são quase sempre prejudiciais). Uma vez que a bactéria sensível morre, a bactéria sobrevivente multiplica-se e passa a ser dominante.

Os darwinistas afirmam que a bactéria sobrevivente evoluiu. Tendo se adaptado ao ambiente, a bactéria sobrevivente nos dá um exemplo de evolução. Muito bem, mas que tipo de evolução? A resposta que estamos prestes a dar é absolutamente crítica. De fato, fora das pressuposições filosóficas que já expusemos, definir "evolução" é talvez o ponto de maior confusão na controvérsia evolução-criação. É aqui que os erros e as falsas afirmações darwinistas começam a multiplicar-se tal como uma bactéria se não forem verificadas por aqueles que acreditam que a observação é importante para a ciência. É aqui que a observação nos diz: *a bactéria que sobreviveu continua sendo bactéria*. Ela não evoluiu para outro tipo de organismo. Isso seria macroevolução. Nunca se observou a seleção natural criando novos tipos.

Mas macroevolução é exatamente aquilo que os darwinistas afirmam dos dados. Eles dizem que essas *micro*transformações observáveis podem ser extrapoladas para provar que uma macroevolução não observável aconteceu. Não fazem nenhuma diferenciação entre *micro*evolução e *macro*evolução e, assim, usam a evidência da micro para provar a macro. Ao deixarem de fazer essa distinção fundamental, os darwinistas podem tapear o público em geral, fazendo as pessoas pensarem que qualquer mudança observável em um organismo prova que a vida desenvolveu-se com base em uma primeira criatura unicelular.

Por isso é essencial que se façam as distinções corretas e que todas as suposições ocultas sejam expostas quando se discute a controvérsia criação-evolução. Assim, se alguém um dia perguntar-lhe: "Você acredita na evolução?", você deve responder com a seguinte pergunta: "O que você quer dizer com evolução? Quer dizer micro ou macroevolução?". A microevolução já foi observada; mas não pode ser usada como prova da macroevolução, que nunca foi observada.

Os darwinistas são mestres em definir o termo "evolução" de uma maneira ampla o suficiente de modo que a prova de uma situação possa ser contada como prova de outra. Infelizmente para eles, o público está começando a perceber essa tática, em grande parte devido às obras populares do professor de Direito da Universidade de Berkeley, Phillip E. Johnson. Johnson foi o primeiro a expor o truque de manipulação dos darwinistas em seu livro arrasador intitulado *Darwin on Trial* [Darwin no tribunal]. É nessa obra que ele destaca que "nenhuma das 'provas' [para a seleção natural] nos dão uma razão persuasiva para acreditar que a seleção natural possa produzir novas espécies, novos órgãos ou quaisquer outras mudanças importantes, nem mesmo mudanças menores que sejam permanentes".[2] O biólogo Jonathan Wells concorda quando escreve que "mutações

[2]Downers Grove, Ill.: InterVarsity Press, 1993, p. 27.

bioquímicas não podem explicar as mudanças em larga escala nos organismos que vemos na história da vida".[3]

Por que a seleção natural não pode cumprir essa tarefa? Vejamos a seguir cinco razões para isso.

1. Limites genéticos. Os darwinistas dizem que a microevolução dentro dos tipos prova a ocorrência da macroevolução. Se essas pequenas mudanças podem ocorrer dentro de um pequeno período de tempo, pense no que a seleção natural pode fazer dentro de um longo período de tempo.

Infelizmente para os darwinistas, os limites genéticos parecem ter sido colocados nos tipos básicos. Por exemplo: criadores de cães sempre encontram limites genéticos quando inteligentemente tentam criar novas raças de cães. Os cães podem variar de tamanho, desde um chiuaua até um dinamarquês, mas, apesar das melhores tentativas dos criadores mais inteligentes, os cachorros sempre continuam sendo cachorros. Do mesmo modo, apesar dos melhores esforços dos cientistas inteligentes de manipular a mosca de fruta, seus experimentos nunca resultaram em qualquer outra coisa além de mosca de fruta (e normalmente espécimes defeituosos).[4] Isso é especialmente significativo porque a vida curta de uma mosca de fruta permite aos cientistas testarem muitos anos de variação genética em um pequeno período de tempo.

<table>
<tr><td align="center">MICROEVOLUÇÃO
DENTRO DE UM TIPO
SIM</td><td align="center">MACROEVOLUÇÃO
ENTRE TIPOS
NÃO</td></tr>
</table>

Fig. 6.1

[3] *Icons of Evolution: Science or Myth? Why Much of What We Teach About Evolution Is Wrong.* Washington, D.C.: Regnery, 2000, p. 178.

[4] V. Norman L. GEISLER & Peter BOCCHINO, *Fundamentos inabaláveis.* São Paulo: Vida, 2003, p. 153-4; v. tb. Jonathan WELLS, *Icons of Evolution*, cap. 9, p. 211; Lane P. LESTER & Raymond G. BOHLIN. *The Natural Limits of Biological Change.* Grand Rapids, Mich.: Zondervan, 1984, p. 88-9.

Mais importante ainda é destacar que a comparação entre seleção natural e seleção artificial de raças feita por pesquisadores é completamente inválida, como mostrado na tabela 6.1. A maior diferença está no fato de que a seleção artificial é guiada com inteligência, enquanto a seleção natural não é.

Diferenças cruciais	SELEÇÃO ARTIFICIAL	SELEÇÃO NATURAL
Meta	Tem um objetivo (fim) em vista	Não tem objetivo (fim) em vista
Processo	Processo guiado com inteligência	Processo cego
Opções	Escolha inteligente de raças	Não há escolha inteligente de raças
Proteção	As raças são protegidas de processos destrutivos	As raças não são protegidas de processos destrutivos
Anomalias	Preserva anomalias desejadas	Elimina a maioria das anomalias
Interrupções	Interrupções continuadas para alcançar o objetivo desejado	Não faz interrupções para alcançar qualquer tipo de objetivo
Sobrevivência	Sobrevivência preferencial	Não há sobrevivência preferencial

Tabela 6.1

Confundir processos inteligentes com processos não inteligentes é um erro comum dos darwinistas. Foi isso que aconteceu quando eu [Norm] debati com o humanista Paul Kurtz em 1986 sobre o assunto da evolução. Moderado pelo famoso apologista da TV norte-americana John Ankerberg, o debate produziu este diálogo em relação à macroevolução:

Geisler: — [Chandra] Wickramasinghe *[que é ateu]* disse: "Acreditar que a vida surgiu por acaso é como acreditar que um Boeing 747 surgiu depois de um tornado ter passado por um ferro-velho". Você precisa ter muita fé para acreditar nisso!

Kurtz: — Bem, o 747 evoluiu. Podemos voltar ao tempo dos irmãos Wright e ver o primeiro tipo de aeroplano que eles criaram...

Geisler: — Criaram?

Kurtz: — Sim, mas...

Ankerberg: — Por inteligência ou por acaso? [Risos.]

Kurtz: — Houve um período de tempo em que essas formas mudaram...

Ankerberg: — Mas eles não criaram aqueles aeroplanos usando a inteligência?

Kurtz: — Eu estava usando a analogia que o dr. Geisler estava usando.

Geisler: — Bem, você está ajudando o meu argumento! [Risos.] Você precisa deixar esse argumento e encontrar outro!

Kurtz: — Não, não, acho que a questão que estou levantando é boa porque houve mudanças do aeroplano mais simples para o mais complexo.

Geisler: — Sim, mas essas mudanças ocorreram por meio de intervenção inteligente!

O fato é que a mudança direcional nos aeroplanos *por meio de inteligência* não prova nada em relação à possibilidade de mudança direcional nos seres vivos *sem inteligência*. Como veremos na próxima sessão, não foram observadas mudanças direcionais em seres vivos por meio da seleção natural. E uma mudança direcional em coisas vivas realizada *por meio de inteligência* esbarra em limites genéticos. Assim, até mesmo quando é guiada por inteligência, a evolução encontra obstáculos. *Em outras palavras, até mesmo quando os cientistas inteligentemente manipulam criaturas tendo um fim em mente — que é a antítese do processo darwinista cego —, a macroevolução ainda não funciona!* Se cientistas inteligentes não podem romper as barreiras genéticas, por que deveríamos esperar que a seleção natural não inteligente pudesse fazer isso?

2. Mudança cíclica. Não apenas existem limites genéticos para as mudanças dentro dos tipos, como a própria mudança dentro dos tipos parece ser cíclica. Em outras palavras, as mudanças não são direcionais rumo ao desenvolvimento de uma nova forma de vida, como exigem as teorias macroevolucionistas, mas elas simplesmente vão para a frente e para trás dentro de uma faixa limitada. Os tentilhões de Darwin, por exemplo, apresentaram variação no tamanho do bico, fato que tinha relação com o clima.[5] O bico maior ajudava a quebrar sementes maiores e mais duras durante os períodos de seca, e o bico menor trabalhava bem quando o tempo mais úmido trouxe uma abundância de sementes menores e mais macias. Quando o tempo ficou mais seco, a proporção de tentilhões com bico maior cresceu em relação aos pássaros de bico menor. A proporção inverteu-se

---

[5]V. mais detalhes sobre os tentilhões de Darwin em WELLS, *Icons of Evolution*, p. 159-75.

logo depois de um período contínuo de tempo úmido. Perceba que nenhuma forma de vida passou a existir (eles continuaram sendo tentilhões); a única alteração deu-se na proporção relativa de animais com bico grande e bico pequeno. Perceba também que a seleção natural não pode explicar de que maneira surgiram os tentilhões. Em outras palavras, a seleção natural pode ser capaz de explicar a *sobrevivência* de uma espécie, mas não consegue explicar o *surgimento* de uma espécie.

3. Complexidade irredutível. Em 1859, Charles Darwin escreveu: "Se pudesse ser demonstrado que qualquer órgão complexo existente não tivesse sido formado por modificações numerosas, sucessivas e pequeninas, minha teoria estaria absolutamente acabada".[6] Hoje sabemos que existem muitos órgãos, sistemas e processos na vida que se encaixam nessa descrição.

Um deles é a célula. Nos dias de Darwin, a célula era uma "caixa-preta" — uma misteriosa e pequena parte da vida que ninguém podia observar. Mas agora que temos a capacidade de olhar dentro da célula, vemos que a vida em nível molecular é imensuravelmente mais complexa do que Darwin jamais sonhou. De fato, ela é irredutivelmente complexa. Um sistema irredutivelmente complexo é "composto de diversas partes bem casadas e interativas que contribuem para uma função básica, no qual a remoção de qualquer uma de suas partes faz com que ele pare de funcionar".[7]

Essas são as palavras de Michael Behe, professor de bioquímica na Universidade Lehigh, que escreveu o revolucionário livro intitulado *Darwin's Black Box: The Biochemical Challenge to Evolution*. A pesquisa de Behe verifica que coisas vivas são literalmente repletas de máquinas moleculares que executam as diversas funções da vida. Essas máquinas moleculares são irredutivelmente complexas, o que significa que todas as partes de cada uma dessas máquinas devem ser completamente formadas, estar nos lugares corretos, nos tamanhos corretos, operar na seqüência adequada e em sincronia para que a máquina funcione.

O motor de um carro é um exemplo de um sistema irredutivelmente complexo. Se acontecer uma mudança no tamanho dos pistões, então é necessário fazer uma mudança no comando de válvulas, no bloco, no sistema de

---

[6]*On the Origin of Species*. New York: Penguin, 1958, p. 171 [publicado em português pela Ediouro, *A origem das espécies*].

[7]Michael Behe. *Darwin's Black Box: The Biochemical Challenge to Evolution*. New York: Touchstone, 1996, p. 39 [publicado em português pela Editora Jorge Zahar, *A caixa preta de Darwin*: o desafio da bioquímica à teoria da evolução].

refrigeração, no compartimento do motor e em outros sistemas, ou o novo motor não vai funcionar.

Behe mostra que coisas vivas são irredutivelmente complexas, tal como o motor de um carro. Com meticulosos detalhes, ele mostra que inúmeras funções do corpo — coagulação do sangue, os cílios (o mecanismo de propulsão de alguns organismos), a visão — exigem sistemas irredutivelmente complexos que não poderiam ter se desenvolvido na forma gradual darwinista. Por quê? Porque os intermediários não seriam funcionais. Assim como acontece com o motor de um carro, todas as partes certas devem estar no lugar certo, no tamanho certo e ao mesmo tempo, para que possa existir alguma função. Você pode construir um motor parte por parte (isso exige inteligência), mas não pode sair dirigindo só com metade do motor debaixo do capô do carro. Também não seria possível sair dirigindo se uma parte essencial do motor fosse modificada e as outras não. Da mesma forma, os sistemas vivos se tornariam rapidamente não funcionais se fossem modificados peça por peça.

O grau de complexidade irredutível nos seres vivos é estonteante. Lembre-se de que o alfabeto genético do DNA é composto de quatro letras: A, T, C e G. Bem, *dentro de cada célula humana* existem cerca de 3 bilhões de pares dessas letras.[8] O seu corpo não apenas tem *trilhões* de células, mas produz milhões de novas células a cada segundo. Cada célula é irredutivelmente complexa e contém subsistemas irredutivelmente complexos!

As descobertas de Behe são fatais para o darwinismo. A complexidade irredutível significa que uma nova vida não pode vir a existir por meio do método darwinista de pequenas e sucessivas mudanças durante um longo período de tempo. O darwinismo é semelhante ao ato de forças naturais — sem nenhuma ajuda inteligente — produzindo o motor de um carro de corrida (i.e., uma ameba) e depois modificando o motor irredutivelmente complexo em sucessivos motores intermediários até que as forças naturais finalmente produzam o ônibus espacial (i.e., o ser humano). Os darwinistas não podem explicar a fonte dos materiais que compõem o motor, muito menos de que maneira o primeiro motor irredutivelmente complexo veio a existir. Também não podem demonstrar o processo *não inteligente* por meio do qual qualquer motor tenha evoluído até se transformar num ônibus espacial enquanto fornecia algum tipo de propulsão nos passos intermediários. Isso fica evidente com base na completa ausência de explicações darwinistas sobre a maneira pela qual um sistema irredutivelmente

---

[8]Ariel ROTH. *Origins*. Hagerstown, Md.: Herald, 1998, p. 66.

complexo possa ter surgido gradualmente. Michael Behe expõe as afirmações vazias dos darwinistas:

A idéia darwinista da evolução molecular não está baseada na ciência. Não há explicação na literatura científica — em periódicos ou em livros — que descreva a evolução molecular de qualquer sistema bioquímico real e complexo que tenha ocorrido ou que até mesmo possa vir a ocorrer. Existem afirmações de que tal evolução aconteceu, mas absolutamente nenhuma delas é apoiada por experimentos pertinentes ou por cálculos. Uma vez que não há autoridade na qual basear as afirmações de conhecimento, *pode-se verdadeiramente dizer que a afirmação da evolução molecular darwinista é simplesmente arrogância.*[9]

As débeis tentativas dos darwinistas de lidar com a complexidade irredutível revelam a magnitude do problema para sua teoria. O darwinista Ken Miller sugeriu que a complexidade irredutível não é verdadeira porque ele pode mostrar que o exemplo citado por Behe para a complexidade irredutível — uma ratoeira — não é na verdade um sistema irredutivelmente complexo. De acordo com Behe, todas as cinco partes de uma ratoeira tradicional precisam estar no lugar no mesmo tempo, em ordem correta, para que a ratoeira funcione. Você não pode pegar ratos simplesmente com uma plataforma e uma mola, por exemplo. Mas Miller acha que pode refutar a afirmação de Behe construindo uma ratoeira similar com apenas quatro partes (Miller realmente levantou isso durante um debate televisionado pela PBS no final da última década de 90).

A crítica de Miller erra o alvo. Primeiramente, tal como um típico darwinista, Miller ignora o fato de que sua ratoeira exige inteligência para ser construída. Segundo, Behe não está dizendo que é necessário cinco partes para construir *qualquer* ratoeira, mas apenas a ratoeira tradicional. Resulta que a ratoeira de Miller não é uma precursora física da ratoeira tradicional de Behe. Em outras palavras, transformar a ratoeira de Miller na de Behe exigiria mais do que um passo aleatório (i.e., darwinista) — a mudança exigiria a adição de uma outra parte muito específica e vários anos de ajustes bastante específicos para que pudesse se encaixar nas partes existentes (e isso requer inteligência). Terceiro, até mesmo que essas mudanças pudessem ser feitas de alguma maneira, por meio de algum processo que não envolvesse uma mente inteligente, a ratoeira não funcionaria durante o período de transição. Contudo, para que o darwinismo seja

---

[9]Intelligent Design Theory as a Tool for Analyzing Biochemical Systems, in: William DEMBSKI, ed. *Mere Creation: Science, Faith, and Intelligent Design.* Downers Grove, Ill.: InterVarsity Press, 1998, p. 183 (grifo do autor).

verdadeiro, a funcionalidade deve ser mantida durante todo o tempo, porque coisas vivas não podem sobreviver se, digamos, seus órgãos vitais não executarem suas funções normais durante as lentas transições baseadas em tentativa e erro dos darwinistas.[10] Por último, uma ratoeira é apenas uma ilustração. Sistemas vivos são imensuravelmente mais complexos que uma ratoeira. Assim, fica claro que a afirmação de Behe não foi refutada por Miller nem por qualquer outro darwinista.[11]

Durante uma conferência sobre o projeto inteligente em julho de 2002, na qual tanto Behe quanto eu [Frank] fomos palestrantes, um darwinista em particular estava bem ativo durante o período de perguntas e respostas das palestras. Eu queria virar a mesa e fazer-lhe algumas perguntas, de modo que dei um jeito de sentar-me perto dele durante o almoço.

— O que você faz com o argumento da complexidade irredutível de Behe? — perguntei entre pedaços de *pizza*. Ele virou os olhos e disse:

— Ah, isso não é problema. Existem andaimes químicos que são construídos em volta de um sistema para permitir que evolua gradualmente.

Quando vi Behe mais tarde naquele mesmo dia, contei-lhe sobre a explicação do darwinista. Ele corretamente destacou que: 1) não há evidência de tais "andaimes" e 2) na verdade ele complica as coisas para os darwinistas, a saber, se esses "andaimes" realmente existirem, então quem continua a construí-los exatamente nos lugares corretos? Isso exigiria inteligência.

Outros tentaram encontrar desvios darwinistas para a complexidade irredutível, mas todos falharam. Behe confirma isso quando diz categoricamente: "Não existe atualmente nenhuma evidência experimental que mostre que a seleção natural possa desviar-se da complexidade irredutível".[12]

Behe não subestima as implicações da complexidade irredutível e de outras descobertas relacionadas à complexidade da vida. Ele escreve:

O resultado desses esforços cumulativos de investigar a célula — investigar a vida ao nível molecular — é um clamor alto, claro e penetrante do 'projeto'! O

---

[10]Miller concorda com Behe que a seleção natural não pode favorecer a evolução de um sistema não funcional. Mas ele se desvia do argumento ao sugerir que uma ratoeira em transição — embora incapaz de pegar um rato — possa funcionar como um prendedor de gravata ou um chaveiro (v. http://www.millerandlevine.com/km/evol/DI/Mousetrap.html). Isso certamente se desvia da questão. Coisas vivas complexas não podem trocar aleatoriamente de função e ainda sobreviver. Uma coisa viva morreria se um de seus sistemas vitais deixasse de realizar sua função básica, mesmo se estivesse executando alguma outra função durante sua transição darwiniana. Em outras palavras, o importante é a perda da função vital, não o fato de que o sistema intermediário possa ser capaz de fazer alguma coisa no meio tempo!

[11]V. várias respostas de Behe aos críticos em http://www.trueorigin.org/behe05.asp.

[12]A Mousetrap Defended, 2000, http://www.trueorigin.org/behe05.asp.

resultado é tão inequívoco e tão significante que deve ser considerado como um dos maiores feitos na história da ciência. Essa descoberta rivaliza com as de Newton e Einstein.[13]

4. Não viabilidade das formas transicionais. Outro problema que afeta a possibilidade de a seleção natural criar novas formas de vida é o fato de que as formas transicionais não podem sobreviver. Considere, por exemplo, a afirmação darwinista de que os pássaros evoluíram gradualmente dos répteis durante um longo período de tempo. Isso certamente exigiria a transição de escamas para penas. De que maneira uma criatura poderia sobreviver não tendo mais escamas, mas ainda não tendo penas? As penas são irredutivelmente complexas. Uma criatura com a estrutura de meia pena não consegue voar. Seria uma presa fácil na terra, na água e no ar. Como um animal no meio do caminho entre um réptil e um pássaro, provavelmente não estaria adaptado a encontrar comida para si mesmo também. Assim, o problema dos darwinistas é duplo: primeiramente, eles não têm um mecanismo viável para transformar répteis em pássaros; segundo, mesmo que o mecanismo viável fosse descoberto, de qualquer maneira a forma transicional muito provavelmente não sobreviveria.

Fig. 6.2

5. Isolamento molecular. Os darwinistas freqüentemente dizem que a evidência do descendente comum reside no fato de que todas as coisas vivas contêm DNA. Richard Dawkins, por exemplo, afirma que "a razão que conhecemos como certa para o fato de todos estarmos relacionados, incluídas as bactérias, é a universalidade do código genético e de outros fundamentos bioquímicos".[14]

---

[13] *Darwin's Black Box*, p. 232, 233.
[14] *E-mail* enviado a Phillip Johnson em 10 de julho de 2001. Todas as mensagens trocadas naquela semana podem ser lidas em http://www.arn.org/docs/pjweekly/pj_weekly_010813.htm.

Os darwinistas acham que a similaridade do DNA entre homens e macacos, por exemplo, que varia de 85% a 95%,[15] implica claramente a existência de um relacionamento ancestral.

Mas essa é a evidência para um *ancestral* comum ou para um *criador* comum? Poderia ser interpretada das duas maneiras. Talvez os darwinistas estejam certos — é possível que tenhamos um código genético comum porque todos nós sejamos descendentes de um ancestral comum. Mas, do mesmo modo, eles poderiam facilmente estar errados — *talvez tenhamos um código genético comum porque um criador comum nos planejou para que vivêssemos na mesma biosfera*. Além do mais, se toda criatura viva fosse bioquimicamente diferente, provavelmente não existiria uma cadeia alimentar. Talvez não seja possível existir vida com diferentes formas bioquímicas. Mesmo que isso fosse possível, talvez ela não sobreviveria nessa biosfera.

Vamos considerar a figura 6.3. Será que a similaridade e a progressão provam que o caldeirão evoluiu da colher de chá? Não. Similaridade e progressão não implicam automaticamente a existência de uma ascendência comum. Nesse caso sabemos que existe um criador ou um projetista comum. Essa é a mesma situação que temos para as coisas vivas.

SIMILARIDADE E PROGRESSÃO

A similaridade de projeto prova a existência de um ancestral comum ou de um projetista comum?

Será que o caldeirão evoluiu da colher de chá?

Fig. 6.3

Como dissemos, a capacidade do alfabeto genético do DNA de conter uma mensagem é equivalente à capacidade do alfabeto ocidental de conter uma mensagem (a única diferença é que o alfabeto do DNA tem apenas quatro letras

---

[15]V. "Riken Finds Bigger Gap in Chimp, Human Genes", *Japan Times*, July 12, 2003. Disponível *on-line* em http://www.japantimes.co.jp/cgi-bin/getarticle.pl5?nn20030712b6.htm. Acesso em 17 de outubro de 2003.

contra as 26 do alfabeto ocidental). Uma vez que todos os seres vivos possuem DNA com a suas bases de nitrogênio (representadas pelas letras A, T, C e G), devemos esperar um alto grau de similaridade na informação entre as criaturas, quer elas se relacionem quer não por meio de um ancestral.

Vamos usar um exemplo:

Roma fica na Itália.
Amor fica na Itália.

Embora as letras das duas orações sejam idênticas e a ordem seja muito semelhante, uma alteração na seqüência delas geraria significados distintos. Do mesmo modo, uma única diferença na ordem das letras (A, T, C e G) nas coisas vivas pode gerar criaturas que estão muito longe de uma hipotética árvore evolucionista. Enquanto alguns estudos mostram, por exemplo, que a similaridade do DNA de humanos e de determinado macaco pode ser de cerca de 90%, outros estudos mostram que a similaridade do DNA dos humanos e dos *ratos* também é de cerca de 90%.[16] Tais comparações são controversas e não completamente entendidas. Mais pesquisa precisa ser realizada nesse campo. Mas, se os ratos são geneticamente próximos dos humanos e dos macacos, isso complicaria grandemente qualquer explicação darwinista.

Mas vamos supor que estudos mais avançados mostrem um dia que o DNA de um macaco seja verdadeiramente mais próximo do DNA de um humano do que o de qualquer outra criatura. Isso não seria uma prova da conclusão dos darwinistas de que existe um relacionamento ancestral. Mais uma vez, a razão para a similaridade poderia ser um criador comum, em vez de um ancestral comum. Devemos encontrar outras evidências no nível molecular que nos ajudem a descobrir se o código genético comum é uma evidência de um ancestral comum ou de um criador comum.

Essa outra evidência *foi* encontrada pela comparação da seqüência de proteínas. As proteínas são os tijolos da vida. Elas são compostas de longas cadeias de unidades químicas chamadas aminoácidos. A maioria das proteínas tem em sua estrutura mais de cem desses aminoácidos, os quais precisam estar numa ordem bastante específica. É o DNA que contém as instruções para ordenar os aminoácidos nas proteínas, e a ordem é essencial, pois qualquer variação normalmente faz a proteína ter uma disfunção.

É aqui que surge o problema para os darwinistas. Se todas as espécies compartilham de um ancestral comum, deveríamos esperar encontrar seqüências de

---

[16]Mouse Genome Sequencing Consortium, "Initial Sequencing and Comparative Analysis of the Mouse Genome", *Nature* 420 (December 5, 2002): 520-62.

proteínas que fossem formas transicionais, digamos, do peixe para um anfíbio ou do réptil para o mamífero. Mas não conseguimos encontrar isso de modo algum. Em vez disso, descobrimos que os tipos básicos são isolados uns dos outros em nível molecular, o que parece pôr fim a qualquer tipo de relacionamento ancestral. Michael Denton observa:

> Em um nível molecular, não existe traço de transição evolucionária de um peixe para um anfíbio, deste para um réptil e deste último para um mamífero. Sendo assim, os anfíbios, tradicionalmente considerados intermediários entre o peixe e outros vertebrados terrestres, estão, em termos moleculares, tão longe do peixe quanto qualquer outro grupo de répteis ou de mamíferos! Para aqueles que estão acostumados com o quadro tradicional da evolução vertebrada, o resultado é verdadeiramente espantoso.[17]

Assim, embora todos os organismos compartilhem do mesmo código genético com graus variáveis de proximidade, esse código ordenou os aminoácidos nas proteínas de uma tal maneira que os tipos básicos estão em isolamento molecular uns dos outros. Não existem transições darwinistas, apenas vazios moleculares distintos. Os darwinistas não podem explicar a presença desses vazios moleculares por meio da seleção natural, do mesmo modo que não conseguem explicar a presença de enormes espaços no registro dos fósseis (que vamos abordar a seguir).

E quanto ao registro dos fósseis?

Vamos revisar rapidamente aquilo que vimos até aqui. Estas são as cinco linhas de evidências que mostram que a seleção natural não pode ter produzido novas formas de vida:

1. limites genéticos;
2. mudança cíclica;
3. complexidade irredutível;
4. não viabilidade das formas transicionais;
5. isolamento molecular.

Mas o registro deixado pelos fósseis não apóia a teoria darwinista? Vamos dar uma olhada.

Sem o benefício da tecnologia de hoje, Charles Darwin não poderia reconhecer os problemas que sua teoria enfrentaria no nível celular. Contudo, ele realmente

---

[17] *Evolution: A Theory in Crisis.* Bethesda, Md.: Adler & Adler, 1985, p. 285.

reconheceu que os registros fósseis representavam um enorme problema para sua teoria porque não mostravam um gradualismo. É por isso que escreveu: "Então por que cada formação e extrato geológico não está cheio desses elos intermediários? É certo que a geologia não revela essa cadeia orgânica gradual, e essa talvez seja a mais óbvia e grave objeção que pode ser colocada em relação à minha teoria".[18]

Mas Darwin achava que uma quantidade maior de descoberta de fósseis revelaria que sua teoria era verdadeira. O tempo provou que ele estava errado. Ao contrário do que você possa ouvir na mídia em geral, os registros fósseis tornaram-se um completo embaraço para os darwinistas. Se o darwinismo fosse verdade, teríamos encontrado até agora milhares, senão milhões, de fósseis transicionais. Em vez disso, de acordo com o falecido paleontólogo de Harvard, Stephen Jay Gould (um evolucionista),

> A história da maioria das espécies fossilizadas inclui duas características particularmente incoerentes com o gradualismo: 1) Estase. A maioria dos espécimes não exibe mudança direcional durante seu período de vida na Terra. Eles aparecem nos fósseis de maneira muito semelhante à época na qual desapareceram; a mudança morfológica é normalmente limitada e sem direção clara. 2) Aparecimento repentino. Em qualquer área, uma espécie não aparece gradualmente mediante a constante transformação de seus ancestrais; ela aparece de uma vez e plenamente formada.[19]

Em outras palavras, Gould está admitindo que espécimes fósseis aparecem de repente, plenamente formados e permanecem os mesmos até a extinção, sem nenhuma mudança direcional — exatamente aquilo que esperaríamos encontrar se a criação fosse verdadeira.

Contudo, em vez de adotar o criacionismo, Gould rejeitou o gradualismo de Darwin e formulou uma teoria chamada de equilíbrio pontual (EP). O EP sugere que os espécimes evoluíram mais rapidamente durante um período de tempo mais curto, explicando assim as grandes lacunas dos fósseis. Gould não tinha nenhum mecanismo natural para explicar esse acontecimento, mas, uma vez que era ateu, tinha de explicar o registro fóssil de alguma maneira. Esse é um caso clássico de permitir que os seus preconceitos manchem as suas observações.

---

[18] *On the Origin of Species*, p. 280.

[19] "Evolution's Erratic Pace", *Natural History* 86 (1977): 13-4. Mais recentemente, Robert B. Carroll, curador de paleontologia de vertebrados do Museu Redpath da Universidade McGill, confirmou a avaliação de Gould quando escreveu: "O que falta são as diversas formas intermediárias afirmadas hipoteticamente por Darwin" (Towards a New Evolutionary Synthesis. *Trends in Ecology and Evolution* 15 [2000]: 27-32).

Mas nós divagamos. O ponto principal é que o registro fóssil na verdade se alinha melhor com a criação sobrenatural do que com a macroevolução. Na verdade, não existem elos perdidos — existe uma cadeia perdida!

Na verdade, não existe uma cadeia porque praticamente todos os grupos principais de animais conhecidos existentes aparecem no registro fóssil abruptamente e plenamente formados no extrato do período cambriano (que muitos cientistas afirmam ter ocorrido entre 600 a 500 milhões de anos atrás). Jonathan Wells escreve: "A evidência fóssil é tão forte e o evento tão dramático que ficou conhecido como 'a explosão cambriana' ou o '*Big Bang* biológico' ".[20]

Essa evidência é naturalmente incompatível com o darwinismo. Todos os grupos animais aparecem separadamente, plenamente formados e ao mesmo tempo. Não há evidência de evolução gradual, mas de uma criação instantânea. Assim, a árvore darwinista que estamos tão acostumados a ver não ilustra adequadamente o registro fóssil real. De fato, como observa Wells, "se qualquer analogia botânica fosse adequada, ela seria a de um *gramado*, em vez de uma árvore".[21] Esse gramado teria pedaços de diferentes tipos de grama ou plantas, separados por grandes áreas de nada além de terra.

Nesse ponto, você pode estar pensando: "Mas e quanto à progressão dos crânios que estamos tão acostumados a ver? Não parece que o homem realmente evoluiu dos macacos?".

Alguns anos atrás, eu [Norm] debati com um darwinista que colocou lado a lado vários crânios em cima de uma mesa para ilustrar que a evolução havia acontecido. "Senhoras e senhores, a prova da evolução está exatamente aqui", declarou ele.

Uau, como é possível ignorar os fósseis? Os crânios pareciam realmente estar numa progressão. Aparentemente tinham um relacionamento ancestral. Seria essa uma boa evidência para o darwinismo? Não, ela não é melhor do que a evidência de que um caldeirão evoluiu de uma colher de chá.

O problema para os darwinistas é que o registro fóssil não pode estabelecer relacionamentos ancestrais. Por que não? Porque, de acordo com Michael Denton, "99% da biologia de um organismo reside em sua anatomia mole, que é inacessível em um fóssil".[22] Em outras palavras, é extremamente difícil descobrir a cobertura biológica de uma criatura olhando para os seus restos fósseis. Jonathan Wells observa: "A prova dos fósseis é aberta a muitas interpretações porque

---

[20] *Icons of Evolution*, p. 37.
[21] Ibid., p. 42.
[22] *Evolution: A Theory in Crisis*, p. 286.

espécimes individuais podem ser reconstruídos de várias maneiras e porque o registro dos fósseis não pode estabelecer relacionamentos ancestral-descendente".[23]

Mas isso não pára os darwinistas. Uma vez que o darwinismo *tem de ser* verdadeiro por causa de seu comprometimento filosófico prévio, os darwinistas *precisam* encontrar evidências que o apóiem. Assim, em vez de admitir que os fósseis não podem estabelecer relacionamentos ancestrais, os darwinistas pegam o 1% que os fósseis lhes contam e usam os outros 99% de incertezas para descrever suas descobertas fósseis como algo que pode preencher todas as lacunas que desejam. Com esse enorme número de desvios e nenhum fato para contê-los, os darwinistas sentem-se livres para criativamente construir "elos perdidos" completos com base em restos fósseis comuns, tais como um único dente. É por isso que muitos dos assim chamados "elos perdidos" mais tarde foram expostos como fraudes ou erros.[24] Henry Gee, autor chefe da área de ciências da revista *Nature,* escreve:

> "Fazer uma fila de fósseis e afirmar que eles representam uma linhagem não é uma hipótese científica que possa ser testada, mas, sim, uma afirmação que tem a mesma validade de uma história para fazer uma criança dormir — agradável, talvez até mesmo instrutiva, mas não científica".[25]

O registro fóssil não é apenas inadequado para estabelecer um relacionamento ancestral. À luz do que sabemos hoje sobre a natureza irredutivelmente complexa dos sistemas biológicos, *o registro fóssil é irrelevante para a questão.* A similaridade de estrutura ou de anatomia entre tipos (algumas vezes chamada de homologia) também não nos diz nada sobre um ancestral comum. Michael Behe escreve:

> De maneira bem simples, a anatomia é irrelevante para a questão de se saber se a evolução possa ter ocorrido no nível molecular. O mesmo acontece com o registro dos fósseis. Não importa mais se existem enormes lacunas nos registros fósseis ou se o registro é algo tão contínuo como a seqüência de presidentes norte-americanos. Se existem lacunas, não é importante o fato de que elas não possam ser explicadas de maneira plausível. O registro fóssil não tem nada a nos dizer se a interação do 11-cts-retinol com a rodopsina, a transducina e a fosfodiesterase [sistemas irredutivelmente complexos] possa ter se desenvolvido passo a passo.[26]

---

[23] *Icons of Evolution*, p. 219.

[24] V. Norman GEISLER, *Enciclopédia de apologética*. São Paulo: Vida, 2002, p. 301-3. V. tb. WELLS, *Icons of Evolution*, p. 209-28.

[25] Citado em WELLS, *Icons of Evolution*, p. 221.

[26] *Darwin's Black Box*, p. 22.

Assim, de acordo com Behe, a biologia minimiza a anatomia na questão da plausibilidade da macroevolução. Assim como o conteúdo de um livro fornece muito mais informações do que a sua capa, a biologia de uma criatura nos dá muito mais informações do que sua estrutura estética. Todavia, há muito tempo os darwinistas argumentam que a similaridade de estrutura entre, digamos, macacos e humanos é evidência de um ancestral comum (ou de uma linhagem comum). *Será que nunca lhes ocorreu que a similaridade de estrutura pode ser evidência de um projetista comum, em vez de um ancestral comum?*[27] Além do mais, em um mundo governado por certas leis físicas e químicas, talvez apenas certa faixa de estruturas anatômicas seja viável para animais projetados para caminhar sobre duas pernas. Uma vez que todos precisamos viver na mesma biosfera, deveríamos esperar que algumas criaturas tivessem um projeto similar.

Além do mais, embora os macacos possam ter uma estrutura similar à dos humanos, é freqüentemente desprezado o fato de que macacos e humanos não têm nenhum tipo de semelhança com cobras, fungos e árvores. Contudo, de acordo com o darwinismo, todos os seres vivos evoluíram com base em um mesmo ancestral. Para postular o darwinismo é preciso ser capaz de explicar a enorme *dessemelhança* entre os seres vivos. Deve-se explicar de que maneira uma palmeira, um pavão, um polvo, um lagarto, um morcego, um hipopótamo, um porco-espinho, um cavalo-marinho, uma libélula, um ser humano e um fungo, por exemplo, são todos descendentes da primeira vida irredutivelmente complexa sem intervenção inteligente alguma. É também preciso explicar de que maneira a primeira vida e o Universo passaram a existir. Sem explicações viáveis, o que os darwinistas falharam em apresentar, é preciso ter muita fé para ser darwinista. *É por isso que não temos fé suficiente para sermos darwinistas!*

SERIA O PROJETO INTELIGENTE UMA ALTERNATIVA INTELIGENTE?

Muito mais poderia ser dito sobre a macroevolução, mas o espaço não nos permite ir além. Todavia, uma conclusão plausível pode ser extraída dos dados que investigamos neste capítulo. À luz de fatos como registros fósseis, isolamento molecular, dificuldades transicionais, complexidade irredutível, mudança cíclica e limites genéticos (e o fato de que eles não podem explicar a origem do Universo ou da primeira vida), pode-se concluir que os darwinistas devem finalmente admitir que sua teoria não se encaixa diante das evidências

---

[27]Como já vimos, o mesmo pode ser dito em relação à similaridade do DNA — ele também poderia ser simplesmente o resultado de um projetista comum, em vez de vir de um ancestral comum.

observáveis. Em vez disso, os darwinistas ainda estão criando histórias sem substância do tipo "é porque é" que realmente contradizem a observação científica. Eles continuam a insistir que a evolução é um fato, um fato, um fato!

Concordamos que a evolução é um fato, mas não no sentido dos darwinistas. Se você define evolução como "mudança", então certamente as coisas vivas evoluíram. Mas essa evolução se dá no nível micro, e não no nível macro. Como vimos, existe não apenas uma lacuna de evidências para a macroevolução, mas *existem evidências positivas de que ela não ocorreu.*

Se a macroevolução não é verdadeira, então o que é? Bem, se não existe a explicação natural para a origem de novas formas de vida, então deve haver uma explicação inteligente. É a única opção que nos resta. Não existe uma posição intermediária entre a inteligência e a não inteligência. Ou a inteligência está envolvida ou não está. Mas os darwinistas não gostam dessa opção. Assim, uma vez que eles exaurem a sua capacidade de defender adequadamente suas próprias posições com evidência científica não tendenciosa (o que acontece muito rapidamente), os darwinistas geralmente voltam suas armas para quem crê em um projeto inteligente — aqueles de nós que acreditam que existe uma inteligência por trás do Universo da vida. Aqui estão suas típicas objeções e as nossas respostas:[28]

Objeção: O projeto inteligente não é ciência.

Resposta: Como já vimos, a ciência é uma busca pelas causas e existem apenas dois tipos de causas: a inteligente e a não inteligente (natural). A afirmação dos darwinistas de que o projeto inteligente não é ciência está baseada em sua definição tendenciosa de ciência. Mas isso é fazer uma argumentação em círculos! Se a sua definição de ciência exclui as causas inteligentes de antemão, então você nunca considerará o projeto inteligente como ciência.

A ironia dos darwinistas é esta: se o projeto inteligente não é ciência, então o darwinismo também não é. Por quê? Porque tanto darwinistas quanto cientistas defensores do projeto inteligente estão tentando descobrir aquilo que aconteceu no passado. Perguntas com relação às origens são perguntas criminalísticas e, assim, exigem que usemos os princípios científicos da criminalística que já discutimos. De fato, para que os darwinistas possam excluir o projeto inteligente do campo da ciência, deveriam, além de excluírem a si mesmos, excluir também a arqueologia, a criptologia, as investigações criminalísticas de acidentes e a Busca por Vida Extraterrestre Inteligente (SETI). Essas são ciências criminalísticas

---

[28]V. uma ampla defesa do projeto inteligente em William DEMBSKI, *The Design Revolution: Answering the Toughest Questions About Intelligent Design.* Downers Grove, Ill.: InterVarsity Press, 2004.

legítimas que olham para o passado em busca de causas inteligentes. Alguma coisa deve estar errada com essa definição darwinista de ciência.

A tabela 6.2 mostra a diferença entre ciência empírica e ciência criminalística:

Ciência empírica (operação)	Ciência criminalística (origem)
Estuda o presente	Estuda o passado
Estuda regularidades	Estuda singularidades
Estuda o repetível	Estuda o não repetível
Recriação possível	Recriação impossível
Estuda como as coisas funcionam	Estuda como as coisas começaram
Testada pela repetição do experimento	Testada pela uniformidade
Pergunta como uma coisa funciona	Pergunta qual é a origem de algo
Exemplos: Como a água cai? Como a rocha se desgasta? Como funciona um motor? Como a tinta gruda no papel? Como funciona a vida? Como funciona o Universo?	Exemplos: Qual é a origem de uma usina hidrelétrica? Qual é a origem do monte Rushmore? Qual é a origem de um motor? Qual é a origem deste livro? Qual é a origem da vida? Qual é a origem do Universo?

Tabela 6.2

Objeção: O projeto inteligente comete a falácia do Deus das lacunas.

Resposta: A falácia do Deus das lacunas acontece quando alguém acredita erroneamente que Deus provocou o fato quando, na realidade, o fato foi causado por um fenômeno natural ainda não descoberto. As pessoas acreditavam, por exemplo, que os relâmpagos eram causados diretamente por Deus. Havia uma lacuna em nosso conhecimento sobre a natureza e, assim, atribuíamos os efeitos a Deus. Os darwinistas afirmam que os teístas estão fazendo a mesma coisa ao afirmar que Deus criou o Universo e a vida. Estariam eles corretos? Não, por diversas razões.

Em primeiro lugar, ao concluirmos que a inteligência criou a primeira célula ou o cérebro humano, não o fazemos simplesmente porque *carecemos* da comprovação de uma explicação natural. Também é porque temos uma evidência positiva e empiricamente detectável *que aponta* para uma causa inteligente. Uma mensagem (complexidade específica) é empiricamente detectável. Quando detectamos uma mensagem — tal como "Leve o lixo para fora — Mamãe" ou mil enciclopédias — sabemos que elas devem ter vindo de um ser inteligente porque todas as nossas experiências de observação dizem que as mensagens vêm apenas de seres inteligentes. Em todas as ocasiões que observamos uma mensagem, descobrimos que ela vem de um ser inteligente. Juntamos essa idéia com o fato de que nunca observamos leis naturais criando mensagens e entendemos que um ser inteligente deve ser a causa. Essa é uma conclusão científica válida, baseada na observação e na repetição. Não é um argumento baseado na ignorância nem está fundamentado em alguma "lacuna" do nosso conhecimento.

Em segundo lugar, os cientistas do projeto inteligente estão abertos a causas *tanto* naturais *quanto* inteligentes. Eles não se opõem à pesquisa contínua para uma explicação natural para a primeira vida. Estão simplesmente observando que todas as explicações naturais conhecidas fracassam e que todas as evidências empiricamente detectáveis apontam para um Projetista inteligente.

Mas alguém pode questionar se há sabedoria em continuar procurando uma causa natural para a vida. William Dembski, que já publicou uma extensa pesquisa sobre o projeto inteligente, pergunta:

> Em que momento a determinação [encontrar uma causa natural] se torna obstinação? [...]. Por quanto tempo devemos continuar uma busca antes que possamos ter o direito de desistir dessa procura e declarar não apenas que a pesquisa contínua é vã, mas também que o próprio objeto da pesquisa é inexistente?[29]

Considere as implicações da pergunta de Dembski. Deveríamos continuar procurando causas naturais para fenômenos como o monte Rushmore ou para mensagens como "Leve o lixo para fora — Mamãe"? Quando se pode considerar o caso encerrado?

Walter Bradley, autor de um trabalho seminal chamado *The Mystery of Life's Origin* [O mistério da origem da vida], acredita que "não há nada na ciência que garanta uma explicação natural" para a origem da vida. Ele complementa: "Acho que as pessoas que acreditam que a vida surgiu de modo natural precisam ter muito mais fé do que aquelas que concluem racionalmente que existe um [Projetista] inteligente".[30]

Independentemente de se pensar ou não que devamos continuar procurando uma explicação natural, o ponto principal é que os cientistas ligados ao PI estão

---

[29]*Intelligent Design: The Bridge Between Science and Theology*. Downers Grove, Ill.: InterVarsity Press, 1999, p. 244

[30]Walter Bradley, entrevistado por Lee STROBEL, *Em defesa da fé*. São Paulo: Vida, 2002, p. 149.

abertos tanto às causas naturais quanto às causas inteligentes. O que acontece é que uma causa inteligente combina melhor com as evidências.

Terceiro, a conclusão do projeto inteligente é passível de falsificação. Em outras palavras, o PI poderia ser refutado caso se descobrisse, um dia, leis naturais que pudessem ter criado a complexidade específica. Contudo, o mesmo *não pode* ser dito em relação à posição darwinista. Os darwinistas não permitem a falsificação de sua "história da criação" porque, como já descrevemos, não dão espaço para que qualquer outra história da criação seja considerada. Sua "ciência" não é aberta à tentativa ou à correção: ela é mais mente fechada do que a mais dogmática doutrina da igreja que os darwinistas pudessem criticar.

Por fim, o fato é que quem está cometendo a falácia do Deus das lacunas são os darwinistas. O próprio Darwin foi certa vez acusado de considerar a seleção natural como um "poder ativo ou Deidade" [v. cap. 4 da obra *A origem das espécies*]. Mas parece que, na verdade, a seleção natural *é* a deidade ou o "Deus das lacunas" para os darwinistas de hoje. Quando se vêem totalmente derrotados diante da definição de como sistemas biológicos repletos de informação e irredutivelmente complexos passaram a existir, simplesmente cobrem a lacuna do conhecimento afirmando que a seleção natural, o tempo e o acaso fizeram isso.

A habilidade de tal mecanismo de criar sistemas biológicos ricos em informação vai no sentido contrário ao da evidência da observação. As mutações são quase sempre danosas, e o tempo e o acaso não fazem bem aos darwinistas, como explicamos no capítulo 5. Na melhor das hipóteses, a seleção natural pode ser responsável por mudanças menores das espécies vivas, mas não pode explicar a origem das formas de vida básicas. Você precisa de uma coisa viva com a qual possa começar para que uma seleção natural aconteça. Contudo, a despeito dos problemas óbvios com seu mecanismo, os darwinistas insistem que ela cobre qualquer lacuna que exista em seu conhecimento. Além disso, decididamente ignoram as evidências positivas e empiricamente detectáveis de um ser inteligente. Isso não é ciência, mas o dogma de uma religião secular. Os darwinistas, tais quais os oponentes de Galileu, estão deixando que sua religião governe suas observações científicas!

Objeção: O projeto inteligente possui motivações religiosas.

Resposta: Existem dois aspectos nessa objeção. O primeiro é que algumas pessoas ligadas ao projeto inteligente podem estar motivadas pela religião. E daí? Isso faz o projeto inteligente ser falso? Será que a motivação religiosa de alguns darwinistas torna o darwinismo falso? Não, pois a verdade não reside na motivação dos cientistas, mas na qualidade das evidências. A motivação do cientista ou a sua tendência não necessariamente significam que esteja errado. Ele poderia ter um viés e ainda assim estar certo. O viés ou a motivação não é a questão principal — a verdade é que é.

Às vezes a objeção se inicia da seguinte maneira: "Você não pode acreditar em qualquer coisa que diga sobre as origens porque ele é criacionista!". Bem, espada boa é aquela que corta dos dois lados. Poderíamos facilmente dizer: "Você não pode acreditar em qualquer coisa que diga sobre as origens porque ele é darwinista!".

Por que as conclusões dos criacionistas são imediatamente consideradas tendenciosas, mas as conclusões dos darwinistas são automaticamente consideradas objetivas? Porque a maioria das pessoas não percebe que os ateus possuem uma visão de mundo, assim como os criacionistas. Como estamos vendo, a visão de mundo do ateu não é neutra e, na verdade, exige mais fé do que a do criacionista.

Como dissemos, se as tendências filosóficas ou religiosas impedem alguém de interpretar corretamente as evidências, então temos bases para questionar as conclusões dessa pessoa. No debate atual, esse problema parece afligir os darwinistas muito mais do que qualquer outra pessoa. Contudo, a questão principal é que, mesmo que alguém seja motivado pela religião ou pela filosofia, suas conclusões podem estar corretas ao avaliar-se as evidências de maneira honesta. Os cientistas de ambos os lados da cerca podem ter dificuldades para serem neutros, mas, se tiverem integridade, então poderão ser objetivos.

O segundo aspecto dessa objeção é a acusação de que os defensores do projeto inteligente não possuem evidência alguma para sua visão — estariam simplesmente repetindo aquilo que a Bíblia diz. Esse aspecto da objeção também não funciona. As crenças do projeto inteligente podem ser *compatíveis* com a Bíblia, mas não estão *baseadas* na Bíblia. Como vimos, o projeto inteligente é uma conclusão baseada em evidência empiricamente verificada, e não em textos sagrados. Como observa Michael Behe, "a vida na Terra, em seu nível mais fundamental, em seus componentes mais críticos, é produto de atividade inteligente. A conclusão do projeto inteligente surge naturalmente dos próprios dados, e não de livros sagrados ou de crenças sectárias".[31]

O projeto inteligente também não é a "ciência da criação". Os cientistas do PI não fazem afirmações que os assim chamados "cientistas da criação" fazem. Eles não dizem que os dados apóiam indubitavelmente a idéia dos seis dias de 24 horas do Gênesis ou um dilúvio mundial. Em vez disso, reconhecem que os dados favoráveis ao projeto inteligente não estão baseados numa era específica ou na história geológica da Terra. Os cientistas do PI estudam os mesmos objetos da natureza estudados pelos darwinistas — a vida e o próprio Universo em si

---

[31] *Darwin's Black Box*, p. 193.

— mas chegam a uma conclusão mais racional sobre a causa desses objetos. Em resumo, independentemente daquilo que a Bíblia possa dizer sobre esse assunto, *o darwinismo é rejeitado porque ele não se encaixa nos dados científicos,* e o projeto inteligente é aceito porque se encaixa.

Objeção: O projeto inteligente é falso porque o assim chamado projeto não é perfeito.

Resposta: Os darwinistas há muito argumentam que, se existisse um projetista, ele teria projetado suas criaturas de maneira melhor. Stephen Jay Gould destacou isso em seu livro *The Panda's Thumb* [publicado em português pela Martins Fontes, *O polegar do panda*], no qual cita o aparente projeto menos que ótimo de uma saliência óssea nos pandas que se assemelha a um polegar.

O problema dos darwinistas é que isso, na verdade, se mostra mais como um argumento *favorável* à existência de um projetista do que um argumento contrário a ele. Primeiramente, o fato de Gould poder identificar alguma coisa como um projeto menos que ótimo implica que sabe qual é o projeto ótimo. Você não pode saber se alguma coisa é imperfeita a não ser que saiba como é a coisa perfeita. Desse modo, até mesmo a observação de Gould de que existe um projeto menos que ótimo implica a admissão de que é possível perceber um projeto no polegar do panda (a propósito, essa é outra razão pela qual podemos dizer que os darwinistas estão errados quando afirmam que o projeto inteligente não é ciência. Quando afirmam que alguma coisa não foi planejada corretamente, a implicação é que eles poderiam dizer se determinada coisa *foi* projetada corretamente. Isso prova aquilo que os cientistas do PI estão dizendo há muito tempo: o PI é ciência porque o projeto é empiricamente detectável).

Em segundo lugar, o projeto menos que ótimo não significa que não existe um projeto. Em outras palavras, mesmo que você presuma que alguma coisa não foi projetada da melhor maneira, isso não significa que ela não tenha sido projetada de algum modo. O seu carro não foi projetado da melhor maneira, mas, ainda assim, ele foi projetado — certamente não foi montado pelas leis da natureza.

Em terceiro lugar, com o objetivo de poder dizer que alguma coisa é menos que ótima, você deve saber quais são os objetivos ou os propósitos do projetista. Se Gould não sabe o que o projetista desejava, então não pode dizer que o projeto não atingiu aquelas intenções. De que maneira Gould sabe que o polegar do panda não é exatamente aquilo que o projetista tinha em mente? Gould presume que o panda deveria ter polegares opositores tais quais os humanos. Mas talvez o projetista quisesse que os polegares dos pandas fossem exatamente como são. Além do mais, o polegar do panda funciona muito bem ao ajudá-lo a quebrar as varas de bambu e chegar até a parte comestível. Talvez os pandas não precisem de polegares opositores porque não precisam escrever livros como Gould: eles simplesmente precisam descascar o bambu. Gould não pode culpar o projetista pelo polegar se ele não tem outra função a não ser quebrar bambu.

Por último, em um mundo confinado pela realidade física, todo projeto exige concessões e ajustes. Computadores portáteis precisam ter equilíbrio entre tamanho, peso e desempenho. Carros maiores podem ser mais seguros e confortáveis, mas também são mais difíceis de manobrar e consomem mais combustível. O teto mais alto deixa a sala mais impressionante, mas também consome mais energia. Pelo fato de os ajustes não poderem ser evitados neste mundo, os engenheiros devem procurar uma posição que alcance da melhor maneira os objetivos planejados inicialmente. Você não pode colocar a culpa no projeto de um carro compacto porque, por exemplo, ele não carrega 15 passageiros. O objetivo é levar quatro passageiros, e não 15. O produtor do carro fez o ajuste entre tamanho e economia de combustível e alcançou o objetivo planejado. Do mesmo modo, é possível que o projeto do polegar do panda seja uma concessão que, ainda assim, atinge o objetivo inicial. O polegar é perfeito para descascar bambu. É possível que o polegar atrapalhasse o panda em alguma outra atividade se tivesse sido planejado de outra maneira. Sem saber os objetivos do projetista, nós simplesmente não sabemos explicar. O que realmente sabemos é que as críticas de Gould não podem ser bem-sucedidas sem se saber quais são esses objetivos.

ENTÃO, POR QUE AINDA EXISTEM DARWINISTAS?

Se a evidência favorável ao projeto inteligente é tão decisiva, então por que ainda existem darwinistas? Além do mais, essas pessoas não são tolas — seus nomes normalmente são seguidos pelas letras Ph.D.!

A primeira coisa a se notar é que essa não é uma questão puramente intelectual, na qual os darwinistas presumem um olhar desapaixonado diante das evicências e, então, chegam a uma conclusão racional. Richard Dawkins fez uma famosa declaração: "É absolutamente seguro dizer que, se você encontrar alguém que afirma não acreditar na evolução, essa pessoa é ignorante, estúpida ou doente (ou maldosa, mas prefiro não considerar isso)".[32] Está claro que o comentário de Dawkins é simplesmente falso. Existem pessoas brilhantes, com Ph.D., que acreditam no

---

[32]Originalmente de uma resenha de 1989 do *The New York Times*. Disponível *on-line* em http://members.tripod.com/doggo/doggdawkins.html. Acesso em 15 de maio de 2003.

projeto inteligente. A questão real é: por que as injúrias? Por que a emoção? Por que a hostilidade? Eu achava que isso era ciência. Deve haver alguma coisa mais em jogo aqui.

Realmente existe. Vamos voltar à citação de Richard Lewontin, feita no capítulo anterior. Lembre-se de sua afirmação de que os darwinistas acreditam em seus absurdos porque "esse materialismo é absoluto, pois não podemos permitir a entrada de nada que seja divino". Vejamos agora a verdadeira questão: manter Deus de fora. Mas por que os darwinistas não querem "a entrada de nada que seja divino"? Sugerimos quatro razões principais.

Em primeiro lugar, ao admitir Deus, os darwinistas estariam admitindo que eles não são a mais elevada autoridade no que se refere à verdade. Atualmente, neste mundo tecnologicamente avançado, os cientistas são vistos pelo público como figuras de autoridade das mais reverenciadas — eles são os novos sacerdotes que fazem a vida ser melhor e que abrangem a única fonte de verdade objetiva. Permitir a possibilidade de Deus seria abdicar de sua condição de autoridade superior.

Em segundo lugar, ao admitir Deus, os darwinistas estariam admitindo que eles não possuem autoridade absoluta quanto à explicação das causas. Em outras palavras, se Deus existisse, eles não poderiam explicar todos os fatos como o resultado de leis naturais previsíveis. Richard Lewontin impõe essa idéia da seguinte maneira: "Apelar para uma divindade onipotente é permitir que, a qualquer momento, a regularidade da natureza possa ser rompida, que milagres possam acontecer".[33] Como notou Jastrow, quando isso acontece, "o cientista perde o controle", certamente para Deus e, talvez, para o teólogo.[34]

Terceiro, ao admitir Deus, os darwinistas se arriscariam a perder a segurança financeira e a admiração profissional. Como assim? É que existe uma tremenda pressão na comunidade acadêmica para publicar alguma coisa que apóie a evolução. Encontre alguma coisa importante, e você poderá sair na capa da *Revista Geográfica Universal* ou ser assunto de um programa especial na televisão. Não encontre nada, e você poderá perder o emprego, um patrocínio financeiro ou, no mínimo, a ajuda de seus colegas materialistas. Desse modo, existe a motivação do dinheiro, da segurança no trabalho e do prestígio para fazer avançar a visão de mundo darwinista.

Por último — e talvez a mais significativa de todas as razões —, ao admitir Deus, os darwinistas estariam admitindo que eles não têm autoridade para

---

[33]Billions and Billions of Demons. *The New York Review of Books*, January 9, 1997, p. 150.

[34]*God and the Astronomers*. New York: Norton, 1978, p. 114.

definir por si mesmos o que é certo e errado. Ao excluir o sobrenatural, os darwinistas podem evitar a possibilidade de que qualquer coisa seja moralmente proibida. Se Deus não existe, tudo é permitido, como observou uma personagem de um romance de Fyodor Dostoievski[35] (vamos discutir a conexão entre Deus e a moralidade no capítulo seguinte).

De fato, o falecido Julian Huxley, um ex-líder darwinista, admitiu que a liberdade sexual é uma motivação popular por trás do dogma evolucionista. Quando lhe foi perguntado pelo apresentador Merv Griffin "Por que as pessoas acreditam na evolução?", Huxley respondeu honestamente: "A razão pela qual aceitamos o darwinismo, mesmo sem provas, é que não queríamos que Deus interferisse em nossos hábitos sexuais".[36] Perceba que ele não citou as evidências a favor da geração espontânea ou as evidências do registro dos fósseis. A motivação que ele observou como prevalente entre os evolucionistas estava baseada nas preferências morais, e não na evidência científica.

O ex-ateu Lee Strobel revela que tinha a mesma motivação quando acreditava no darwinismo. Ele escreve: "Estava mais do que feliz em agarrar-me ao darwinismo como desculpa para descartar a idéia de Deus, de modo que eu pudesse pôr em prática descaradamente a minha agenda de vida, sem restrições morais".[37]

O autor e conferencista Ron Carlson fez os darwinistas admitirem o mesmo a ele. Em determinada ocasião, depois de dar uma palestra numa grande universidade sobre os problemas do darwinismo e a evidência do projeto inteligente. Carlson jantou com um professor de biologia que havia assistido à sua apresentação.

— Então, o que você achou do meu discurso? — perguntou Carlson.

— Bem, Ron — começou o professor —, o que você diz é verdade e faz muito sentido. Mas eu vou continuar ensinando o darwinismo de qualquer maneira — disse. Carlson estava embasbacado.

— Mas por que você faria isso? — perguntou ele.

— Bem, para ser honesto com você, Ron, é porque o darwinismo é moralmente confortável.

— Moralmente confortável? O que você quer dizer com isso? — insistiu Carlson.

— Quero dizer que, se o darwinismo é verdadeiro, se não existe Deus e se todos nós evoluímos de uma pequena alga verde, então posso dormir com

---

[35] *Os irmãos Karamazov, São Paulo, Martins Claret, 2003.*
[36] Apud D. James KENNEDY. *Skeptics Answered.* Sisters, Ore.: Multnomah, 1997, p. 154.
[37] *Em defesa da fé,* p. 123.

quem eu quiser — observou o professor. — Não existe responsabilidade moral no darwinismo.[38]

Esse foi um momento de total franqueza. É claro que isso não quer dizer que todos os darwinistas pensem dessa maneira ou que todos os darwinistas sejam imorais — é fato que muitos deles têm um vida moralmente melhor do que muitos dos assim chamados cristãos. Isso simplesmente revela que alguns darwinistas são motivados não pelas evidências, mas, em vez disso, por um desejo de permanecer livres das perceptíveis restrições morais de Deus. Essa motivação pode levá-los a suprimir a evidência do Criador de modo que possam continuar a viver da maneira que desejam (nesse sentido, o darwinismo não é diferente de muitas outras religiões mundiais pelo fato de apresentar uma maneira de lidar com a culpa que resulta do comportamento imoral. A diferença é que alguns darwinistas, em vez de reconhecer a culpa e oferecer maneiras de expiá-la ou regras para evitá-la, tentam evitar qualquer implicação de culpa por meio da afirmação de que não existe coisa tal como o comportamento imoral ou culpa em relação a isso!).

Essas quatro motivações sugeridas não deveriam nos causar surpresa. Sexo e poder são os motivadores que subjazem a muitos de nossos mais intensos debates culturais, como aqueles sobre aborto e homossexualidade. Nesses debates, é muito comum as pessoas simplesmente assumirem posições que se alinham com seus desejos pessoais, em vez de levarem em conta as evidências.

Da mesma maneira, a crença no darwinismo é freqüentemente uma questão de disposição, em vez de uma questão da mente. Às vezes as pessoas recusam-se a aceitar aquilo que sabem ser verdadeiro por causa do impacto que terá em sua vida. Isso explica por que alguns darwinistas sugerem as absurdas explicações "contra-intuitivas" — explicações que vão "contra o bom senso". A despeito da clara evidência favorável ao projeto, esses darwinistas temem a intromissão de Deus em sua vida pessoal mais do que temem estarem errados sobre suas conclusões científicas.

Não estou dizendo que todos os darwinistas possuem tais motivações para suas crenças. Alguns podem verdadeiramente acreditar que a evidência científica apóia sua teoria. Achamos que eles possuem essa concepção errônea porque a maioria dos darwinistas raramente estuda a pesquisa de outros que trabalham em diferentes campos. Como resultado, poucos compreendem o assunto como um todo.

---

[38] Extraído da fita de áudio intitulada "Reaching Evolutionists" da Conferência de Apologética de 2001 do Southern Evangelical Seminary. Fita AC0108. Disponível *on-line* em www.impactapologetics.com.

Isso é especialmente verdadeiro com relação aos biólogos. Jonathan Wells, biólogo molecular e celular, observa: "Em sua maioria, os biólogos são cientistas honestos que trabalham duro e que insistem numa apresentação precisa das evidências, mas que raramente se aventuram para fora de seus próprios campos".[39] Em outras palavras, embora façam um trabalho honesto, eles vêem apenas sua própria peça do quebra-cabeça. Uma vez que foram ensinados que a tampa darwinista da caixa do quebra-cabeça é, de maneira geral, verdadeira (existem apenas alguns pequenos detalhes irritantes que não foram resolvidos), a maioria dos biólogos interpreta a sua peça do quebra-cabeça tendo a tampa da caixa em mente, dando à visão darwinista o benefício da dúvida e pressupondo que a evidência realmente decisiva em favor do darwinismo reside em outro campo da biologia. Assim, mesmo que eles não possam ver evidência da geração espontânea ou da macroevolução em sua peça do quebra-cabeça, a evidência deve estar em algum outro lugar na biologia, porque a tampa da caixa darwinista exige que essas coisas sejam verdadeiras. Essas circunstâncias fazem o paradigma evolucionista não ser desafiado pela maioria dos biólogos.

QUAL É A VERDADEIRA IMPORTÂNCIA DA IDADE DO UNIVERSO?

Não poderíamos sair da discussão sobre evolução e criação sem pelo menos mencionar a idade do Universo. Uma vez que existem várias perspectivas sobre o assunto, especialmente dentro dos círculos cristãos, não temos espaço para tratar de todas aqui (elas são discutidas em detalhe na *Enciclopédia de apologética* e na *Systematic Theology*, vol. 2).[40]

Contudo, realmente queremos destacar que, embora certamente a idade do Universo seja uma questão teológica interessante, a questão mais importante não é *quando* o Universo foi criado, mas *que* ele foi criado. Como vimos, o Universo explodiu e passou a existir do nada, tendo sido adaptado com precisão para suportar a vida na Terra. Uma vez que este Universo — incluindo o contínuo espaço-tempo — teve início, isso exige a existência de um Iniciador, independentemente de quanto tempo atrás esse início tenha acontecido. Do mesmo modo, uma vez que este Universo é planejado, ele exigiu a presença de um Projetista, independentemente de quanto tempo atrás tenha sido projetado.

Podemos debater quanto duraram os dias do Gênesis ou se as pressuposições que são feitas nas técnicas de datação são válidas. Contudo, quando o fizermos,

[39] *Icons of Evolution*, p. 230.
[40] São Paulo: Vida, 2002; e Minneapolis: Bethany, 2003.

precisamos ter certeza de não obscurecer a questão mais ampla que é o fato de essa criação exigir a presença de um Criador.[41]

RESUMO E CONCLUSÃO

Vamos agora ao resumo de tudo. O fato é que existem apenas duas possibilidades: ou Deus nos criou ou nós criamos Deus. Ou Deus realmente existe ou ele é apenas uma criação de nossa própria mente. Como vimos, o darwinismo — e não Deus — é uma criação da mente humana. Você precisa ter bastante fé para ser darwinista. Você precisa acreditar que, *sem qualquer intervenção inteligente*:

1. alguma coisa surgiu do nada (a origem do Universo);
2. a ordem surgiu do caos (o projeto do Universo);
3. a vida surgiu de matéria inorgânica (o que significa que a inteligência surgiu da não inteligência e a personalidade surgiu da não personalidade);
4. novas formas de vida surgiram com base em formas de vida já existentes, a despeito de evidências contrárias, como:
   1) limitações genéticas;
   2) mudanças cíclicas;
   3) complexidade irredutível;
   4) isolamento molecular;
   5) não viabilidade das formas tradicionais;
   6) o registro fóssil.

O.k., então as evidências não favorecem a macroevolução. Mas o que dizer sobre a macroevolução teísta? Talvez aquilo que não possa ser naturalmente explicado faça sentido se você acrescentar Deus ao quadro.

Por que sugerir isso? Se houvesse evidência favorável a Deus *e* à macroevolução, então poderia haver uma razão para se combinar as duas. Contudo, como vimos, não há evidência de que a macroevolução tenha acontecido. Não é provável que exista evidência contraditória: algumas evidências que apontam para a macroevolução e outras que a desaprovam. Se você tivesse, digamos, um registro fóssil com milhões de formas transicionais de um lado, mas criaturas de complexidade irredutível do outro, então talvez pudesse sugerir que Deus conduziu a evolução entre esses espaços não interligáveis. Contudo, uma vez que não é esse o caso,

---

[41]Alguns cristãos receiam que conceder um longo período de tempo aumenta a plausibilidade da macroevolução. Contudo, como vimos no cap. 5, isso não acontece.

parece que Deus não era necessário para criar a macroevolução porque não há evidência de que a macroevolução tenha acontecido!

Por último, vamos dar uma olhada nas evidências com outra questão em mente: como seria uma evidência favorável à criação (projeto inteligente) ser considerada verdadeira? Que tal essas alternativas?:

1. Um Universo que tenha explodido e passado a existir do nada;

2. Um Universo com cerca de cem constantes finalmente ajustadas e capacitadoras da vida neste pequeno e remoto planeta chamado Terra;

3. Vida que:
   • por meio de observação, surgiu apenas com base em vida existente (nunca se observou que ela tenha surgido de maneira espontânea);
   • consiste em milhares e até mesmo milhões de volumes de complexidades específicas empiricamente detectáveis (e é, portanto, mais do que simplesmente os elementos químicos inanimados que ela contém);
   • muda de maneira cíclica e somente dentro de um limite definido; não pode ser construída ou modificada gradualmente (i.e., é irredutivelmente complexa);
   • possui isolamento molecular entre tipos básicos (não existe progressão ancestral no nível molecular);
   • deixa um registro fóssil de criaturas plenamente formadas que aparecem repentinamente, não mudam e que, então, desaparecem repentinamente.

Uma olhada honesta para os fatos sugere que a criação — e não a macroevolução — é verdadeira. Como vimos, os ateus precisam trabalhar realmente duro para não chegar a essa conclusão óbvia. *É por isso que eles precisam ter muito mais fé do que nós.*

Por último, temos o propósito de ajudar a resolver o debate nos Estados Unidos, e em qualquer outro país, com relação àquilo que deveria ser ensinado nas escolas públicas no que se refere à criação e à evolução. O que haveria de errado em se ensinar às crianças aquilo que acabamos de abordar nos capítulos 3 a 6? Note que nem mesmo citamos versículos da Bíblia para declarar nossa posição. Citamos evidências científicas. Desse modo, isso não é uma batalha entre a ciência e a religião, mas uma batalha entre a *boa* ciência e a ciência *ruim*. Neste exato momento, a maioria de nossos filhos está aprendendo a ciência ruim porque estão aprendendo apenas a evolução. As coisas não precisam ser assim. O que haveria de inconstitucional sobre se ensinar a evidência SURGE, mostrando-lhes a complexidade da vida mais simples, fazendo as diferenças entre micro e macroevolução e entre ciência forense e empírica, expondo os problemas da macroevolução? Nada. Então, por que continuamos a doutrinar nossos filhos numa teoria falha e decadente que está baseada mais nas pressuposições filosóficas do que nas observações científicas? Por que não damos a nossos filhos todas as evidências científicas — favoráveis e contrárias — e deixamos que eles próprios tomem suas decisões? Além disso, não deveríamos ensina-lhes a pensar sozinhos e de maneira crítica? É claro que sim. Contudo, os darwinistas farão de tudo para garantir que isso não aconteça. Os darwinistas prefeririam suprimir as evidências a permitir que elas fossem apresentadas de maneira justa. Por quê? Porque essa é uma área na qual os darwinistas não têm fé — *eles não têm fé para acreditar que sua teoria ainda será aceita depois que nossos filhos virem todas as evidências.*

7
Madre Teresa *versus* Hitler

Consideramos que essas Verdades são auto-evidentes, que todos os Homens foram criados iguais, que receberam de seu Criador certos Direitos inalienáveis, dentre os quais a Vida, a Liberdade e a Busca pela Felicidade.

DECLARAÇÃO DE INDEPENDÊNCIA DOS ESTADOS UNIDOS DA AMÉRICA

EXISTE UM PADRÃO?

Estava terminando de jantar com meu amigo Dave em um restaurante perto das docas em Portland, Maine, quando a conversa voltou-se para a religião.

— Não creio que uma religião possa ser exclusivamente verdadeira — disse Dave —, mas, Frank, me parece que você encontrou um ponto central. Você achou alguma coisa que é verdadeira para você, e eu acho isso muito interessante.

Jogando um pouco com a premissa de que uma coisa pode ser verdadeira para uma pessoa mas não para outra, perguntei:

— Dave, o que é a verdade para você? O que faz a vida ter significado para você?

— Ganhar dinheiro e ajudar as pessoas! — respondeu ele. Dave é um homem de negócios bem-sucedido, e, desse modo, pressionei-o um pouco mais. Eu disse:

— Dave, conheço os presidentes de empresas que chegaram ao ápice do sucesso nos negócios. Eles planejaram e alcançaram grandes coisas em sua vida profissional, mas não planejaram nada e alcançaram muito pouco em sua vida pessoal. Estão se aposentando agora e perguntando a si mesmos "E agora?" — disse eu. Dave concordou e acrescentou:

— É, eu sei que a maioria desses executivos enfrentou divórcios atribulados, principalmente porque ignoraram a família na busca pela grana. Mas eu não sou assim. Não vou sacrificar minha família por dinheiro e, nos meus negócios, também quero ajudar as pessoas.

Eu o cumprimentei pela dedicação à família e por seu desejo de ajudar as pessoas, mas as perguntas ainda permaneciam. Por que deveríamos ser fiéis à nossa família? Quem disse que deveríamos "ajudar as pessoas"? Por acaso "ajudar as pessoas" é uma obrigação moral universal ou ela é simplesmente verdadeira para você, e não para mim? Em que aspectos deveríamos ajudá-las: financeiramente? Emocionalmente? Fisicamente? Espiritualmente? Eu disse:

— Dave, se não existe um padrão objetivo, então a vida nada mais é do que aquele jogo "Banco Imobiliário" glorificado. Você pode ganhar muito dinheiro e comprar várias propriedades, mas, quando o jogo acaba, tudo volta para a caixa. A vida é isso?

Desconfortável com o rumo da conversa, Dave rapidamente mudou de assunto. Mas sua percepção de que deveria "ajudar as pessoas" estava correta: simplesmente não tinha uma maneira de justificá-la. Por que ele pensou que deveria "ajudar as pessoas"? De onde tirou essa idéia? E por que você e eu, lá no fundo, concordamos com ele?

Pare um pouco e deixe essa idéia assentar por alguns minutos. Você não é exatamente como o Dave? Você não tem esta profunda noção de obrigação de que todos nós devemos "ajudar as pessoas"? Todos nós temos. Por quê? Por que a maioria dos seres humanos tem o mesmo senso intuitivo de que deve fazer o bem e afastar-se do mal?

Por trás das respostas a essas perguntas, existe mais evidência para o Deus teísta. Essa evidência não é científica — o aspecto que analisamos nos capítulos anteriores —, mas moral em sua natureza. Assim como as leis da lógica e da matemática, essa evidência é do tipo não material, mas ela é bastante real. A razão pela qual acreditamos que devemos fazer o bem, em vez de o mal — a razão pela qual nós, tal como Dave, acreditamos que devemos "ajudar as pessoas" —, deve-se ao fato de que existe uma lei moral que foi escrita em nosso coração. Em outras palavras, existe uma "receita", uma espécie de prescrição médica para se fazer o bem que foi dada a toda a humanidade.

Alguns chamam essa prescrição moral de "consciência"; outros a chamam de "lei natural"; ainda outros (como os fundadores da nação norte-americana) referem-se a ela como "a lei da natureza". Nós a tratamos como "a lei moral". Contudo, independentemente de como você a chame, o fato de que um padrão moral foi prescrito à mente de todos os seres humanos aponta para o Autor da lei moral. Toda lei tem um autor. Com a lei moral não é diferente. Alguém deve nos ter dado essas obrigações morais.

Essa lei moral é o nosso terceiro argumento favorável à existência de um Deus teísta (depois dos argumentos cosmológico e teleológico). Ele é mais ou menos assim:

1. Toda lei possui o criador da lei.
2. Existe uma lei moral.
3. Portanto, existe o Criador da lei moral.

Se a primeira e a segunda premissas são verdadeiras, então o que se segue é a conclusão. Naturalmente, toda lei tem um criador. Não existe legislação a não ser que exista um órgão legislativo. Além disso, se existem obrigações morais, deve haver alguém que esteja obrigado a elas.

Mas é realmente verdade que existe uma lei moral? Os fundadores de nosso país achavam que sim. Como Thomas Jefferson escreveu na declaração de independência, a "lei da natureza" é "auto-evidente". Você não usa a razão para descobri-la; você simplesmente sabe que ela existe. Talvez seja por isso que meu amigo Dave topou com um obstáculo em seu pensamento. Ele sabia que "ajudar as pessoas" era a coisa certa a ser feita, mas não sabia explicar por que sem apelar para um padrão fora de si mesmo. Sem um padrão objetivo de significado e moralidade, a vida é sem sentido e não há nada absolutamente certo ou errado. Tudo é simplesmente uma questão de opinião.

O que queremos dizer quando afirmamos que a lei moral existe é que todas as pessoas foram marcadas com um senso fundamental de certo e errado. Todo mundo sabe, por exemplo, que o amor é superior ao ódio e que a coragem é melhor do que a covardia. O professor Jay Budziszewski, da Universidade do Texas, em Austin, escreve o seguinte: "Todo mundo conhece certos princípios. Não existe uma terra onde o assassínio seja uma virtude e a gratidão seja um defeito".[1] C. S. Lewis, que escreveu com profundidade sobre esse assunto em sua obra clássica chamada *Mere Christianity*, expõe a questão da seguinte maneira:

> Pense em um país onde as pessoas fossem admiradas por fugirem da batalha, ou onde um homem se sentisse orgulhoso por trair todas as pessoas que tivessem sido bondosas para ele. Você também poderia tentar imaginar um país onde dois mais dois fosse igual a cinco.[2]

Em outras palavras, todo mundo sabe que existem obrigações morais absolutas. Uma obrigação moral absoluta é alguma coisa que é ordenada a todas as pessoas, em todos os momentos, em todos os lugares. Uma lei moral absoluta implica o Criador de uma lei moral absoluta.

---

[1] *Written on the Heart: The Case for Natural Law*. Downers Grove, Ill.: InterVarsity Press, 1997, p. 208-9.

[2] *Mere Christianity*. New York: Macmillan, 1952, p. 19 [publicado em português pela Martins Fontes, *Cristianismo puro e simples*].

Veja que isso *não* quer dizer que toda questão moral possua respostas rapidamente reconhecíveis ou que algumas pessoas não neguem que a moralidade absoluta exista. Existem problemas difíceis na moralidade, e as pessoas suprimem e negam a lei moral todos os dias. Isso simplesmente significa que existem princípios básicos de certo e errado que todo mundo conhece, quer as pessoas admitam sua existência quer não. Budziszewski chama este conhecimento básico de certo e errado de "aquilo que não podemos *não* saber", no livro do mesmo nome.[3]

Não podemos não saber, por exemplo, que é errado matar seres humanos inocentes sem uma razão. Algumas pessoas podem negar isso e cometer assassínio sem se importar, mas, lá no fundo do coração, elas sabem que matar é errado. Mesmo os assassinos em série *sabem* que matar é errado — eles podem simplesmente não *sentir* remorso.[4] Tal quais todas as leis morais absolutas, o homicídio é errado para todos, em todos os lugares: nos Estados Unidos, na Índia, no Zimbábue e em qualquer outro país, agora e para sempre. É isso o que a lei moral diz a todo coração humano.

COMO SABEMOS QUE A LEI MORAL EXISTE?

Há muitas razões por meio das quais podemos saber que a lei moral existe e vamos apresentar e discutir oito delas. Algumas dessas razões se sobrepõem umas às outras, mas vamos discuti-las nesta ordem:

1. A lei moral é inegável.
2. Sabemos isso por meio de nossas reações.
3. Ela é a base para os direitos humanos.
4. Ela é o imutável padrão de justiça.
5. Ela estabelece uma diferença real entre posições morais (e.g., Madre Teresa *versus* Hitler).
6. Uma vez que sabemos o que é absolutamente errado, deve haver um padrão absoluto de retidão.
7. A lei moral é a base para a discordância política e social.
8. Se não houvesse lei moral, então não precisaríamos nos desculpar por violá-la.

1. A lei moral é inegável. Os relativistas normalmente fazem duas declarações básicas sobre a verdade: 1) Não existe verdade absoluta e 2) Não existem

---

[3]V. Jay Budziszewski, *What We Can't Not Know.* Dallas: Spence, 2003, p. 39.
[4]V. ibid.

valores morais absolutos. A tática do Papa-léguas ajuda a neutralizar a primeira afirmação: se realmente não existe verdade absoluta, então sua própria declaração absoluta de que "não existe verdade absoluta" não pode ser verdadeira. A declaração do relativismo é irracional porque ela afirma exatamente aquilo que está tentando negar.

Até mesmo o pai da moderna ética da situação, Joseph Fletcher, caiu nessa armadilha. Em seu livro *Situation Ethics: The New Morality* [Ética da situação: a nova moralidade], Fletcher insistiu que "o situacionista evita palavras como 'nunca', 'perfeito' e 'sempre' [...] E, como gato escaldado que tem medo de água fria, ele evita a expressão 'totalmente' ".[5] É claro que isso é tão redundante quanto dizer "nunca se deve dizer 'nunca' " ou "devemos sempre evitar o uso da palavra 'sempre' ". Mas as próprias declarações não evitam aquilo que dizem que devemos evitar. Os relativistas estão *absolutamente* certos de que não existem absolutos.

Assim como uma verdade absoluta, os valores absolutos também são inegáveis. Embora a afirmação "Não existem valores absolutos" seja falsa em si mesma, a existência de valores absolutos é praticamente inegável, pois a pessoa que nega todos os valores valoriza o seu direito de negá-los. Além disso, quer que todo mundo a valorize como pessoa, embora negue que existam valores nas pessoas. Isso foi ilustrado claramente há alguns anos quando eu [Norm] estava falando para um grupo de ricos e instruídos moradores de condomínios de alto luxo da cidade de Chicago. Depois de ter sugerido que existem coisas como valores morais absolutos para com os quais todos nós temos uma obrigação, uma senhora se colocou em pé e protestou em voz alta:

— Não existem valores reais. Tudo é uma questão de gosto ou opinião!

Resisti à tentação de fazer minha defesa, dizendo "sente-se e cale-se, sua espertinha. Quem quer ouvir a sua opinião?!". É claro que, se eu tivesse sido tão rude e descortês, ela rapidamente reclamaria de que eu violara seu direito de ter uma opinião e de expressá-la. A isso eu poderia ter respondido: "Você não possui tal direito, pois acabou de dizer que os direitos não existem!".

Na verdade, sua reclamação teria provado que acreditava em um valor absoluto — ela valorizava o direito de dizer que não existem valores absolutos. Em outras palavras, aqueles que negam todos os *valores valorizam*, todavia, seu direito de fazer essa negação. E aqui está a incoerência. Na prática, os valores morais são inegáveis.

2. Nossas reações nos ajudam a descobrir a lei moral (certo e errado). No cenário mostrado anteriormente, a reação daquela senhora a teria feito lembrar-se

---

[5]Philadelphia: Westminster, 1966, p. 43-4.

de que existem valores morais absolutos. Um professor de uma grande universidade do Estado norte-americano de Indiana fez um de seus estudantes relativistas passar pela mesma experiência há não muito tempo. O professor, que estava lecionando um curso de ética, pediu um trabalho de final de semestre a seus alunos. Ele disse que os alunos deveriam escrever sobre qualquer aspecto ético de sua escolha, pedindo apenas que cada qual respaldasse adequadamente sua tese com justificativas e provas autênticas.

Um dos alunos, ateu, escreveu de maneira eloqüente sobre a questão do relativismo moral. Ele argumentou da seguinte maneira: "Toda moralidade é relativa; não existe um padrão absoluto de justiça ou retidão; tudo é uma questão de opinião: você gosta de chocolate, eu gosto de baunilha" e assim por diante. Seu trabalho apresentou tanto suas justificativas quanto as provas comprobatórias exigidas. Tinha o tamanho certo, foi concluído na data e entregue numa elegante capa azul.

Depois de ler todo o trabalho, o professor escreveu bem na capa: "Nota F; não gosto de capas azuis!". Quando recebeu seu trabalho de volta, o aluno ficou enraivecido. Foi correndo até a sala do professor e protestou:

— "Nota F; não gosto de capas azuis!". Isso não é justo! Isso não é certo! Você não avaliou o trabalho pelos seus méritos!

Levantando a mão para acalmar o irado aluno, o professor calmamente respondeu:

— Espere um minuto. Fique calmo. Eu leio muitos trabalhos. Deixe-me ver... seu trabalho não foi aquele que dizia que não existe essa coisa de justiça, retidão, correção?

— Sim — respondeu o aluno.

— Então que história é essa de você vir até aqui e dizer que isso não é *justo*, que não é *certo*? — perguntou o professor. — Seu trabalho não argumentou que tudo é uma questão de gosto? Você gosta de chocolate, eu gosto de baunilha?

— Sim, essa é a minha idéia.

— Então, está tudo certo — respondeu o professor. Eu não gosto de azul. Sua nota é F!

De repente, surgiu a lâmpada acima da cabeça do aluno. Ele percebeu que, na realidade, *acreditava* nos absolutos morais. Acreditava pelo menos na justiça. Além do mais, estava acusando seu professor de injustiça por dar-lhe uma nota F baseando-se apenas na cor da capa. Esse fato simples destruiu toda a sua defesa do relativismo.

A moral da história é que existem absolutos morais. Se você realmente quer que os relativistas admitam isso, tudo o que precisa fazer é tratá-los de maneira injusta. Suas reações vão revelar a lei moral escrita no coração e na mente deles. Aqui, o aluno percebeu a existência de um padrão absoluto de retidão por meio da maneira pela qual ele *reagiu* ao tratamento do professor. Da mesma maneira, posso não considerar que roubar é errado quando roubo de você. Mas veja quão moralmente ultrajado me sinto quando você me roubar.

Nossas reações também indicam que o relativismo é, por fim, impossível de ser vivido. As pessoas podem afirmar que são relativistas, mas não querem que seu cônjuge, por exemplo, viva como relativista sexual. Elas não querem que seu cônjuge seja apenas *relativamente* fiel. Praticamente todo macho relativista espera que sua esposa viva como se o adultério fosse *absolutamente* errado e *reagiria* de maneira bastante negativa se colocasse em prática o relativismo cometendo adultério. Mesmo existindo poucos relativistas que não colocam objeções ao adultério, você acha que aceitariam a moralidade do homicídio ou do estupro se alguém quisesse matá-los ou estuprá-los? Certamente que não. O relativismo contradiz nossas reações e nosso bom senso.

As reações nos ajudam até mesmo a identificar o certo e o errado como nação. Quando os terroristas muçulmanos pilotaram *nossos* aviões e os atiraram sobre *nossos* edifícios, matando *nossos* queridos inocentes que estavam dentro deles, *nossas* reações emocionais foram proporcionais à imensidão do crime. Nossa reação reforçou a verdade de que o ato foi absolutamente errado. Alguns podem dizer: "Mas Bin Laden e seus comparsas achavam que o ato era moralmente correto". Isso se deve parcialmente ao fato de que eles não estavam no lado daqueles que recebiam as conseqüências do crime. Como você acha que Bin Laden teria *reagido* se tivessem pilotado *seus* aviões, jogado as aeronaves nos *seus* edifícios e os *seus* inocentes tivessem sido mortos? Saberia imediatamente que tal ato fora inegavelmente errado.

Desse modo, a lei moral nem sempre é visível da perspectiva de nossas ações, como é evidenciado pelas coisas terríveis que os seres humanos fazem uns aos outros. Mas é claramente revelada em nossas *reações* — aquilo que fazemos quando somos pessoalmente tratados de maneira injusta. Em outras palavras, *a lei moral nem sempre é o padrão pelo qual tratamos os outros, mas praticamente em todas as situações ela é o padrão de acordo com o qual esperamos que os outros nos tratem.* Ela não descreve a maneira de *realmente* nos comportarmos, mas, em vez disso, prescreve a maneira pela qual *devemos* nos comportar.

3. Sem a lei moral, não existiriam direitos humanos. Os Estados Unidos foram estabelecidos tendo como base a crença na lei moral e os direitos humanos concedidos por Deus. Thomas Jefferson escreveu na declaração da independência:

Consideramos que essas Verdades são auto-evidentes, que todos os Homens foram criados iguais, que receberam de seu Criador certos *Direitos inalienáveis*, dentre os quais, a Vida, a Liberdade e a Busca pela Felicidade. Que, para garantir *esses direitos*, os Governos são instituídos entre os Homens, derivando seus *justos poderes* do consenso dos governados (grifo do autor).

Perceba a frase "[eles] receberam de seu Criador certos Direitos inalienáveis". Em outras palavras, os fundadores do país acreditavam que os direitos humanos foram dados por Deus e, nessa condição, são universais e absolutos — eles são direitos de todas as pessoas, em todos os lugares, em todos os momentos, independentemente de sua nacionalidade ou religião.

Jefferson e os outros fundadores reconheciam que havia uma autoridade superior — o "Criador" — a quem poderiam apelar para estabelecer bases morais objetivas para sua independência. Se tivessem começado a declaração com a frase "Consideramos essas *opiniões* como nossas..." (em vez de "verdades" "auto-evidentes"), não teriam expressado uma justificativa moral objetiva para sua declaração de independência. Aquilo teria sido simplesmente sua opinião, contrária à do rei George. Desse modo, os fundadores apelaram para o "Criador" porque acreditavam que sua lei moral era o padrão definitivo de certo e errado que justificaria a sua causa. Sua causa era pôr fim ao governo do rei George sobre as colônias americanas. Eles estavam convencidos de que o governo de George precisava terminar porque estava violando os direitos humanos básicos dos colonos.

Em certo sentido, os fundadores estavam na mesma posição dos países aliados depois da Segunda Guerra Mundial. Ao serem levados à corte em Nuremberg, os criminosos de guerra nazistas foram condenados por violar direitos humanos básicos conforme definidos pela lei moral (que é manifesta na lei internacional). Essa é a lei que todos os povos compreendem naturalmente e à qual todas as nações estão sujeitas. Se não houvesse essa moralidade internacional que transcendesse as leis do governo secular germânico, então os aliados não teriam bases para condenar os nazistas. Em outras palavras, não poderíamos ter dito que os nazistas estavam absolutamente errados a não ser que soubéssemos o que era absolutamente certo. Contudo, sabemos que eles estavam absolutamente errados, de modo que deve existir a lei moral.

4. Sem a lei moral, não poderíamos conhecer a justiça ou a injustiça. Talvez o argumento mais popular contra a existência de Deus seja a presença e a persistência do mal no mundo. Se realmente existe um Deus bom e justo, então por que ele permite que tantas coisas ruins aconteçam a pessoas boas? Os ateus há muito têm afirmado que seria mais lógico acreditar que esse Deus não existe do que tentar explicar de que maneira o mal e Deus podem coexistir.

C. S. Lewis foi um ateu assim. Ele acreditava que toda a injustiça do mundo confirmava o seu ateísmo. Mas isso acabou no momento em que parou para pensar de que modo ele sabia que o mundo era injusto. Escreveu:

> [Como ateu], meu argumento contra Deus era que o Universo parecia cruel e injusto demais. Mas de que modo eu tinha esta idéia de justo e injusto? Um homem não diz que uma linha está torta até que tenha alguma idéia do que seja uma linha reta. Com o que eu estava comparando este Universo quando o chamei de injusto?.[6]

Essa percepção levou Lewis a abandonar o ateísmo e, por fim, unir-se ao cristianismo.

Tal como você e eu, Lewis só é capaz de detectar a *in*justiça porque existe um padrão imutável de justiça escrito em nosso coração. O fato é que você não pode saber o que é o mal a não ser que saiba o que é o bem. E você não pode saber o que é bom a não ser que exista um padrão imutável de bem fora de você mesmo. Sem esse padrão objetivo, qualquer objeção ao mal nada mais é do que sua opinião pessoal.

Eu [Norm] adoro debater com judeus ateus. Por quê? Porque nunca encontrei um judeu que acredite que o Holocausto foi simplesmente uma questão de opinião. Todos eles acreditam que foi realmente errado, independentemente do que qualquer outra pessoa pense sobre ele. Durante um desses debates com um judeu ateu, fiz a seguinte pergunta ao meu oponente: "Baseado em que você diz que o Holocausto foi errado?". Ele disse: "Com base no meu próprio sentimento moral de benignidade".

O que mais ele poderia dizer? A não ser que admitisse haver uma lei moral objetiva — mas isso seria admitir a existência de Deus —, ele não tinha bases objetivas para opor-se ao Holocausto. Sua oposição não tinha mais peso do que sua própria opinião.

Mas todos nós sabemos que a situação moral do Holocausto não foi apenas uma questão de opinião. Sua reação a comentários sobre o Holocausto deveria dar-lhe uma indicação de que existe alguma coisa errada em matar pessoas inocentes. Além do mais, você não tem a mesma reação diante de alguém que diz "Esta refeição estava maravilhosa!" quando essa pessoa também diz "O Holocausto foi maravilhoso!". Você sabe intuitivamente que o gosto de uma pessoa por comida não é a mesma coisa que o gosto que ela nutre pelo mal. Existe uma diferença

[6]*Mere Christianity*, p. 45

moral autêntica entre uma refeição e o homicídio — um é mera preferência; outro, pura injustiça. Suas reações a esses comentários ajudam a perceber isso.

Vamos discutir mais sobre a coexistência do mal e de Deus no apêndice 1. Por ora, a questão principal é esta: se não houvesse lei moral, então não seríamos capazes de detectar o mal ou a injustiça de qualquer tipo. Sem justiça, a injustiça não tem sentido. Do mesmo modo, a não ser que exista um padrão imutável de bem, não existe essa coisa de mal objetivo. Contudo, uma vez que todos nós sabemos que o mal existe, então também existe a lei moral.

5. Sem a lei moral, não haveria como mensurar as diferenças morais. Considere os dois mapas da Escócia na figura 7.1. Qual dos dois é melhor? De que maneira você poderia dizer qual mapa é melhor? A única maneira de dizer é verificando como é a Escócia real. Em outras palavras, você precisaria comparar os dois mapas com um lugar real e imutável chamado Escócia. Se a Escócia não existe, então os mapas não fazem sentido. Contudo, uma vez que ela existe, podemos ver que o mapa A é o melhor mapa, pois está mais próximo do padrão imutável — a Escócia real.

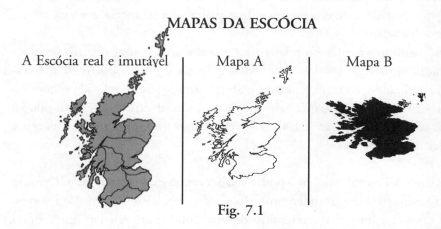

Fig. 7.1

É exatamente isso que fazemos quando comparamos o comportamento de Madre Teresa com o de Hitler. Apelamos para um padrão absoluto e imutável que está além dos dois. Esse padrão é a lei moral. C. S. Lewis expõe a questão da seguinte maneira:

> No momento em que você diz que um conjunto de idéias morais pode ser melhor que outro, na verdade você está mensurando ambos de acordo com um padrão, dizendo que um deles conforma-se melhor a esse padrão do que o outro. Contudo, o padrão que mede duas coisas é, de certo modo, diferente

de ambas. Você está, de fato, comparando ambos com alguma moralidade real, admitido que existe uma coisa chamada Certo real, independentemente daquilo que as pessoas pensam, e que as idéias de algumas pessoas aproximam-se mais desse Certo real do que outras. Pense da seguinte maneira: se as suas idéias morais podem ser mais verdadeiras e as dos nazistas menos verdadeiras, então deve haver alguma coisa — alguma moralidade real — para que elas sejam consideradas verdadeiras.[7]

Se a lei moral não existe, então não existe diferença moral entre o comportamento de Madre Teresa e o de Hitler. Do mesmo modo, afirmações como "Assassinar é um mal", "O racismo é errado" ou "Você não deve abusar de crianças" não possuem significado objetivo. São simplesmente as opiniões de alguém, expostas ao lado de declarações como "O gosto do chocolate é melhor que o da baunilha". De fato, sem a lei moral, termos simples carregados de valor como "bom", "mau", "melhor" e "pior" não teriam significado objetivo quando fossem usados no sentido moral. Mas nós sabemos que possuem significado. Quando dizemos, por exemplo, "A sociedade está melhorando" ou "A sociedade está piorando", estamos comparando a sociedade a algum padrão moral que está além de nós mesmos. Esse padrão é a lei moral que está escrita em nosso coração.

Em resumo, acreditar no relativismo moral é argumentar que não existem diferenças morais verdadeiras entre Madre Teresa e Hitler, liberdade e escravidão, igualdade e racismo, cuidado e abuso, amor e ódio, ou vida e homicídio. Todos nós sabemos que tais conclusões são absurdas. Desse modo, o relativismo moral deve ser falso. Se o relativismo moral é falso, então existe uma lei moral objetiva.

6. Sem a lei moral, você não poderia saber o que é certo ou errado. Quando Alan Dershowitz, um autodenominado agnóstico, debateu com Alan Keyes, que é católico romano, em setembro do ano 2000 sobre religião numa praça pública, Dershowitz foi perguntado por um membro da platéia:

— Nós sabemos o que é o mal. Já o vimos — disse a pessoa, citando exemplos óbvios de mal como o Holocausto e as Cruzadas. Então, Dershowitz olhou para a platéia, levantou sua voz e, de maneira enfática, declarou:

— EU NÃO SEI O QUE É CERTO! Eu sei o que é ERRADO!

Depois disso, ele começou quase a repreender a platéia:

[7]Ibid., p. 25.

— Mas tenho uma coisa a lhes dizer, pessoal. VOCÊS não sabem o que é certo! No momento em que você acha que sabe o que é certo, no momento em que você pensa que tem a resposta para aquilo que é certo, perdeu um aspecto muito precioso do crescimento e do desenvolvimento. Eu jamais esperaria saber precisamente o que é certo, mas espero dedicar o resto da minha vida tentando descobrir.[8]

Diante disso, algumas pessoas na audiência aplaudiram.

Keyes não teve oportunidade de fazer a réplica à resposta de Dershowitz. Se tivesse, ele poderia ter lançado a tática do Papa-léguas para expor a natureza de autoderrota do argumento de Dershowitz, a saber, perguntando a Dershowitz "Como você consegue saber o que é errado a não ser que saiba o que é certo?". O fato é que você não pode saber que 5 é a resposta errada para 2 + 2 a menos que tenha alguma idéia de qual seja a resposta certa! Da mesma maneira, Dershowitz não pode saber o que é moralmente errado a não ser que tenha alguma idéia do que seja moralmente certo.

Durante o debate, Dershowitz não teve problemas para insultar coisas que considerava moralmente erradas (i.e., leis anti-sodomia, leis antiaborto, racismo, escravidão, a fusão de Igreja e Estado etc). Contudo, ao afirmar que determinadas coisas estavam erradas, ele estava, por definição, afirmando que determinadas coisas eram certas. Toda negação implica uma afirmação. Para dizer que restringir o aborto é errado (a negação), Dershowitz precisa saber que as mulheres possuem um direito moral ao aborto (a afirmação). Contudo, sem a lei moral, Dershowitz não pode justificar essa ou qualquer outra posição moral. Tudo isso é simplesmente sua opinião.

Também é o cúmulo do erro e da ignorância afirmar que ninguém na platéia saiba o que é certo. Os cristãos são freqüentemente criticados por afirmarem que "possuem a verdade", mas aqui Dershowitz estava afirmando que ele tem *a verdade de que ninguém possui a verdade*. Com o objetivo de saber que ninguém possui a verdade, *Dershowitz precisaria conhecer a própria verdade*.

Alguns relativistas são famosos por esse tipo de arrogância que derrota a si mesma. Afirmam que não existe verdade, mas, então, eles mesmos fazem afirmações ditas verdadeiras sobre si mesmos. Declaram que não sabem o que é certo, mas, logo depois, afirmam que suas causas políticas são certas. Negam a lei moral em uma frase e a assumem em outra.

---

[8]Você poderá encontrar uma transcrição do debate em http://www.renewamerica.us/archives/speeches/00_09_27debate.htm. Acesso em 20 de maio de 2003.

7. Sem a lei moral, não existem bases morais para a oposição política ou social. Políticos liberais como Alan Dershowitz e muitos artistas de Hollywood são famosos por sua oposição moral à guerra, às leis antiaborto, às leis anti-sodomia, às reduções do imposto de renda e simplesmente a qualquer coisa que o "direito religioso" possa apoiar. O problema é que muitos deles são ateus e, por causa disso, não possuem bases morais objetivas para as posições que verbalmente apóiam. Se não existe lei moral, então nenhuma posição sobre qualquer questão moral é objetivamente certa ou errada, incluindo as posições assumidas pelos ateus.

Sem uma lei moral, não haveria nada objetivamente errado em relação ao fato de cristãos ou muçulmanos imporem sua religião à força sobre os ateus. Não haveria nada de errado em considerar o ateísmo uma prática ilegal, confiscando propriedades dos ateus e entregando-as a Pat Robertson e Jerry Falwell.[9] Não haveria nada de errado com coisas como espancamento de homossexuais, racismo ou guerras imperialistas. Também não haveria nada de errado quanto a proibir o aborto, fazer controle de natalidade e até mesmo sexo consensual entre adultos! Em outras palavras, sem a lei moral, os ateus não têm bases morais para argumentar em favor de suas causas políticas preferidas. Não existe *certo* em relação ao aborto, ao sexo homossexual ou a qualquer um de seus sacramentos políticos porque, em um mundo não teísta, o certo não existe. A não ser que os ateus afirmem que existe um Deus e que sua lei moral justifica ou ordena essas atividades, suas posições não são nada mais do que suas próprias preferências subjetivas. E ninguém está sujeito a qualquer obrigação moral de concordar com meras preferências ou permitir que os ateus as imponham ao resto de nós ainda que por meios legais.[10]

Desse modo, ao rebelarem-se contra a lei moral, os ateus, ironicamente, sabotaram suas bases para rebelarem-se contra qualquer coisa. De fato, sem a lei moral, ninguém tem uma base objetiva para ser favorável ou contrário a nada! Contudo, uma vez que todos nós sabemos que questões envolvendo vida e liberdade são mais do que simples preferências — elas envolvem direitos morais reais —, então a lei moral existe.

---

[9]Pat Robertson (1930-) Além de ativista político cristão, é apresentador do programa de TV americano The 700 Club. Robertson defende a dissolução da separação entre Igreja e Estado. Jerry Falwell (1933-) controvertido pastor americano que, em suas declarações, defende abertamente uma completa separação entre cristãos e ateístas. Ambos têm sido grandemente criticados por suas declarações a respeito das causas do atentado de 11 de setembro de 2001 [N. do E.].

[10]Ao contrário da opinião popular, os ateus, tais como qualquer outra pessoa na política, estão tentando legislar a moralidade. Nosso livro *Legislating Morality* trata desse assunto (Frank TUREK & Norman GEISLER, *Legislating Morality.* Eugene, Ore.: Wipf & Stock, 2003) [publicado anteriormente por Bethany, 1998].

8. **Se não houvesse lei moral, então não precisaríamos nos desculpar por violá-la.** Você já notou que as pessoas dão desculpas para comportamentos imorais? Dar desculpas é uma admissão tácita de que a lei moral existe. Por que dar desculpas se nenhum comportamento é verdadeiramente imoral?

Até mesmo a virtude número 1 de nossa cultura amplamente imoral — a tolerância — revela a lei moral, porque a tolerância em si é um princípio moral. Se não existisse lei moral, então por que alguém deveria ser tolerante? De fato, a lei moral pede que cheguemos mais longe, indo da tolerância ao amor. A tolerância é muito fraca — a tolerância diz "Agüente e tolere"; o amor diz "Vá até ele e o ajude". Tolerar o mal é falta de amor, mas é exatamente isso que muitos de nossa cultura querem que façamos.

Além disso, o apelo para ser tolerante é uma admissão tácita de que o comportamento a ser tolerado é errado. Por quê? Porque não é preciso implorar para as pessoas tolerarem um bom comportamento, mas apenas o mau comportamento. Ninguém precisa ser instruído a tolerar o comportamento de Madre Teresa, mas apenas o comportamento de alguns relativistas. Do mesmo modo, ninguém se desculpa por agir como Madre Teresa. Nós simplesmente pedimos desculpa quando agimos contra a lei moral. Não faríamos isso se ela não existisse.

ABSOLUTO *VERSUS* RELATIVO: POR QUE A CONFUSÃO?

Se realmente existe uma lei moral absoluta, como argumentamos, então por que tantos acreditam que a moralidade é relativa? Por que tantas pessoas parecem ter valores diferentes? De maneira racional, a razão é a responsável pelo fracasso de fazer-se distinções adequadas. Vamos analisar algumas dessas distinções para esclarecer as áreas de confusão.

Confusão número 1: *absolutos morais* versus *comportamento mutável*

Um erro comum dos relativistas é confundir comportamento e valor, ou seja, eles confundem aquilo que *é* com aquilo que *deveria ser*. O que as pessoas *fazem* está sujeito a mudanças, mas aquilo que *deveriam fazer*, não. Essa é a diferença entre sociologia e moralidade. A sociologia é *descritiva*; a moralidade é *prescritiva*.

Em outras palavras, os relativistas freqüentemente fazem confusão entre a situação comportamental mutável e a obrigação moral imutável. Por exemplo: quando se discute um tema moral como o sexo antes do casamento ou a coabitação, freqüentemente se ouve os defensores dessa idéia dizerem algo como "Vá em frente, estamos no século XXI!" como se os comportamentos atuais ditassem o que é certo ou errado. Para ilustrar o absurdo do raciocínio relativista, é só levar a discussão para uma questão moral mais séria, como o homicídio, que também ocorre muito mais freqüentemente hoje do que há 50 anos. Quantos relativistas falariam em apoio ao homicídio dizendo "Vá em frente, estamos no século XXI!"? É aqui que os relativistas são pegos por seu raciocínio, quando confundem o que as pessoas fazem com aquilo que elas deveriam fazer.

Outro aspecto dessa falácia do *é-deveria ser* manifesta-se quando se sugere que não existe lei moral porque as pessoas não obedecem a ela. Naturalmente todo mundo desobedece à lei moral em algum aspecto — desde contar mentiras brancas até cometer assassinato. Mas isso não significa que não exista uma lei moral imutável; simplesmente significa que todos nós a violamos. Todo mundo comete erros matemáticos também, mas isso não quer dizer que não existam regras imutáveis da matemática.

Confusão número 2: absolutos morais versus percepção mutável dos fatos

Outra confusão acontece entre a existência de um valor absoluto moral em si e a compreensão dos fatos usados na aplicação desse valor. Por exemplo: como C. S. Lewis notou, no final do século XVIII, as bruxas eram sentenciadas como assassinas, mas agora não o são mais.[11] Um relativista poderia argumentar, dizendo: "Veja! Nossos valores morais mudaram porque não matamos mais as bruxas. A moralidade é relativa ao tempo e à cultura".

Mas a afirmação dos relativistas é incorreta. O que mudou não foi o princípio moral de que o assassínio é errado, mas a percepção ou a compreensão factual de se as "bruxas" podem realmente matar as pessoas ou não por meio de suas maldições. As pessoas não acreditam mais que elas possam fazer isso. Conseqüentemente, não são mais consideradas como assassinas. Em outras palavras, *a percepção de uma situação moral é relativa* (se as bruxas são realmente assassinas), *mas os valores morais envolvidos na situação não são* (o homicídio sempre foi e sempre será errado).

A falha em fazer essa distinção também leva as pessoas a acreditarem que diferenças culturais refletem diferenças efetivas nos valores morais fundamentais. Por exemplo: alguns acreditam que, uma vez que os hindus reverenciam as vacas e os norte-americanos as comem, existe uma diferença essencial entre os valores morais de norte-americanos e hindus. Contudo, a razão de as pessoas na Índia considerarem as vacas sagradas não tem relação alguma com um valor moral fundamental, mas com suas crenças religiosas na reencarnação. Os indianos acreditam que as vacas podem possuir a alma de seres humanos falecidos, de modo que, por isso, não as comem. Nos Estados Unidos, os americanos não

---

[11] V. Lewis, *Mere Christianity*, p. 26

acreditam que a alma dos parentes falecidos possa estar numa vaca, de modo que comem livremente carne de vaca. Na análise final, o que parece ser uma diferença moral é, na verdade, uma concordância: ambos acreditam que é errado comer a vovó! O valor moral fundamental que afirma ser errado comer a vovó é considerado absoluto pelas pessoas de ambas as culturas. Elas discordam apenas se a alma da vovó está ou não na vaca![12] Essas pessoas possuem diferentes *percepções dos fatos* concernentes a um valor moral, mas fundamentalmente concordam que o valor moral deve ser defendido.

Confusão número 3: absolutos morais versus a aplicação deles a uma situação em particular

Como vimos, as pessoas sabem diferenciar melhor o certo do errado por meio de suas reações do que por suas ações. Ao serem vítimas de mau comportamento, as pessoas não têm problemas para compreender que o comportamento é absolutamente errado. Contudo, mesmo que duas vítimas discordassem em relação à moralidade de um ato em particular, isso não significaria que a moralidade é relativa. Uma lei moral absoluta pode existir mesmo que as pessoas não souberem qual é a coisa certa a fazer numa situação em particular.

Considere o dilema moral freqüentemente usado pelos professores universitários para fazer seus alunos acreditarem no relativismo. Existem cinco pessoas tentando sobreviver em um bote salva-vidas projetado para levar apenas quatro pessoas. Se uma pessoa não for jogada ao mar, todos morrerão. Os alunos discutem o dilema, propõem diferentes soluções e, então, concluem que seu desacordo prova que a moralidade deve ser relativa.

Mas, na verdade, o dilema prova o oposto — que a moralidade é absoluta. Como? Porque *não haveria dilema algum se a moralidade fosse relativa!* Se a moralidade fosse relativa e se não houvesse direito absoluto à vida, você diria: "Não importa o que vai acontecer! Jogue qualquer um fora do barco! Quem se importa?". A razão pela qual lutamos com o dilema é que conhecemos o valor da vida.

Embora as pessoas possam fazer confusão com a moralidade em situações complicadas, não erram nas básicas. Por exemplo: todo mundo sabe que o homicídio é errado. E Hitler sabia disso. É por isso que teve de desumanizar os judeus com o objetivo de racionalizar o assassínio deles. Até mesmo os canibais parecem saber que é errado matar seres humanos inocentes. Pode ser que os canibais não

---

[12]Agradecemos a nosso amigo Francis Beckwith esse exemplo. V. seu livro *Relativism: Feet Firmly Planted in Mid-Air*, em co-autoria com Greg Koukl (Grand Rapids, Mich.: Baker, 1998), no qual se pode encontrar uma formidável crítica ao relativismo.

pensem que as pessoas de outras tribos sejam humanas. Mas há uma possibilidade de que pensem que sim. Por outro lado, como Jay Budziszewski observa, por que os canibais "executam elaborados rituais de expiação antes de matarem as pessoas?".[13] Eles não realizariam esses rituais a não ser que achassem que houvesse alguma coisa errada com aquilo que estariam prestes a fazer.

Desse modo, os fundamentos são claros, mesmo que algum problema difícil não o seja. Além disso, o fato de existirem problemas difíceis na moralidade não desmente a existência de leis morais objetivas mais do que os problemas difíceis na ciência desmentem a existência de leis naturais objetivas. Os cientistas não negam que exista um mundo objetivo quando encontram um problema difícil no mundo natural (i.e., quando têm problemas para encontrar a resposta). Não deveríamos negar que a moralidade existe simplesmente porque temos dificuldades em saber a resposta em algumas poucas situações difíceis.

Existem problemas fáceis e difíceis na moralidade assim como na ciência. Responder a um simples problema científico como "Por que os objetos caem no chão?" prova que existe pelo menos uma lei natural ou uma força (i.e., gravidade). Do mesmo modo, responder sinceramente a uma simples questão moral como "Há como justificar o assassínio?" prova que existe pelo menos uma lei da moralidade (i.e., não mate). Se existe *apenas uma* obrigação moral (como não mate, não estupre ou não torture crianças), então a lei moral existe. Se a lei moral existe, então existe o Criador da lei moral.

Confusão número 4: uma ordem absoluta (o quê) versus uma cultura relativa (como)

Outra importante diferença, freqüentemente desprezada pelos relativistas morais, se dá entre a natureza absoluta da ordem moral e a maneira relativa pela qual essa ordem é manifestada em diferentes culturas. Todas as culturas, por exemplo, possuem alguma forma de saudação, que é uma expressão de amor e respeito. Contudo, as culturas diferem grandemente quanto à forma dessa saudação. Em algumas, é um beijo; em outras, é um abraço; em outras ainda, é um aperto de mão ou uma reverência ao curvar-se o corpo. *O que* deve ser feito é comum a todas as culturas, mas *como* deve ser feito varia. Deixar de fazer essa distinção leva muitos a acreditarem que, devido ao fato de as pessoas fazerem uso de práticas diferentes, possuem valores diferentes. O valor moral é absoluto, mas a forma como ele é praticado é relativa.

---

[13] *What We Can't Not Know*, p. 114.

Confusão número 5: absolutos morais versus desacordos morais

Os relativistas freqüentemente apontam para a controversa questão do aborto para demonstrar que a moralidade é relativa. Alguns acham que o aborto é aceitável, enquanto outros pensam que ele é homicídio. Contudo, o simples fato de existirem opiniões diferentes sobre o aborto não torna a moralidade relativa.

De fato, em vez de fornecer um exemplo de valores morais relativos, a controvérsia sobre o aborto existe porque cada lado defende o que acha ser um valor moral *absoluto*: proteger a vida e permitir a liberdade (i.e., permitir que uma mulher "controle seu próprio corpo"). A controvérsia dá-se em relação a *quais* valores se aplicam (ou assumem precedência) à questão do aborto.[14] Se os não nascidos não fossem seres humanos, então o valor pró-liberdade deveria ser aplicado na legislação. Contudo, uma vez que o não nascido *é* um ser humano, o valor pró-vida deveria ser aplicado na legislação, pois o direito de uma pessoa à vida sobrepõe-se ao direito de outra pessoa à liberdade individual (o bebê não é simplesmente uma parte do corpo da mulher; ele tem seu próprio corpo, com seu código genético único, seu próprio tipo sanguíneo e seu gênero). Mesmo que houvesse dúvidas quanto ao momento em que a vida se inicia, o benefício da dúvida deveria ser concedido à proteção da vida — pessoas racionais não atiram com uma arma a não ser que estejam *absolutamente* certas de que não vão matar um ser humano inocente.

Lembre-se de que nossa *reação* a uma prática em particular revela aquilo que realmente pensamos sobre sua moralidade. Ronald Reagan brincou certa vez: "Percebi que todos aqueles que são favoráveis ao aborto realmente nasceram". De fato, todos os favoráveis ao aborto se tornariam imediatamente a favor da vida caso se vissem de volta ao ventre materno. Sua *reação* à possibilidade de serem mortos serviria de alerta ao fato de que o aborto é realmente errado. Naturalmente, a maioria das pessoas, lá no fundo do coração, sabe que uma criança não nascida é um ser humano e, portanto, sabe que o aborto é errado. Mesmo alguns ativistas favoráveis ao aborto estão finalmente admitindo isso.[15] Desse modo, no final das contas, esse desacordo moral não se dá porque a moralidade é relativa

---

[14]Você poderá encontrar uma discussão completa sobre como resolver absolutos morais conflitantes em Norman GEISLER, *Ética cristã*: alternativas e questões contemporâneas. São Paulo: Vida Nova, 1984 (impressão 1991).

[15]A feminista Naomi Wolf é um exemplo notável. Ela admite que o mundo todo sabe que uma criança não nascida é um ser humano e que o aborto é um pecado real que exige expiação. Mas, em vez de pôr fim ao aborto, Wolf sugere às mulheres que praticam o aborto promoverem vigílias com velas diante de entidades que realizam abortos para mostrar sua tristeza! Isso se parece com um ritual expiatório similar — perdoe-me pelo exemplo — ao dos canibais.

ou porque a lei moral não seja clara. Esse desacordo moral existe porque algumas pessoas estão suprimindo a lei moral com o objetivo de justificar aquilo que elas querem fazer. Em outras palavras, o apoio ao aborto é mais uma questão da vontade do que da mente [se você quiser ler sobre uma discussão mais detalhada desse e de outros temas morais, veja nosso livro *Legislating Morality* (Legislando sobre a moralidade)].[16]

Confusão número 6: fins absolutos (valores) versus meios relativos

É comum os relativistas morais confundirem o fim (o valor em si) com os meios para alcançar tal fim. Várias disputas políticas são desse tipo. Em algumas questões (mas certamente não em todas), liberais e conservadores querem as mesmas coisas — os mesmos *fins*. Eles simplesmente discordam quanto ao melhor *meio* de obtê-las.

No que se refere aos pobres, por exemplo, os liberais acreditam que a melhor maneira de ajudá-los é a assistência governamental. Contudo, uma vez que os conservadores acham que tal assistência cria dependência, eles prefeririam estimular oportunidades econômicas, de modo que os pobres pudessem ajudar a si mesmos. Perceba que o fim é o mesmo (ajudar os pobres), mas os meios são diferentes. Do mesmo modo, tanto os militaristas quanto os pacifistas desejam a paz (o fim); simplesmente discordam quanto à questão de um grande poderio militar ser um meio para se alcançar a paz. Ambos concordam com o *fim* absoluto; eles simplesmente discordam quanto aos *meios* relativos de se alcançá-lo.

A LEI MORAL: O QUE DIZEM OS DARWINISTAS?

Portanto, a evidência favorável à lei moral é forte, e as objeções a ela são falhas. Então, de que maneira os darwinistas lidam com a questão da moralidade? Na verdade, a maioria dos darwinistas evita completamente o assunto. Por quê? Porque não é fácil explicar de que maneira é possível haver um certo e um errado objetivos (que até mesmo os darwinistas conhecem em seu coração) a não ser que exista um Criador da lei moral.

O darwinista Edward O. Wilson é uma notável exceção. Ele afirma que nosso senso de moralidade evoluiu da mesma maneira que nós mesmos evoluímos, ou seja, por meio da seleção natural. Embora admita que "pouco progresso tem sido feito na exploração biológica dos sentimentos morais", Wilson afirma que o processo biológico pelo qual as pessoas passaram seus genes adiante para os seus

---

[16]Eugene, Ore.: Wipf & Stock, 2003 [publicado anteriormente por Bethany, 1998].

descendentes "por meio de milhares de gerações inevitavelmente deu surgimento aos sentimentos morais".[17] Em outras palavras, a moralidade é determinada material e geneticamente. Ela está baseada nos sentimentos ou instintos herdados, e não num padrão objetivo de certo e errado. Já analisamos a imperfeição da seleção natural para explicar as novas formas de vida (capítulo 6). Como estamos prestes a ver, a seleção natural também é inadequada para explicar "sentimentos morais" dentro dessas novas formas de vida.

Em primeiro lugar, o darwinismo afirma que existe apenas o material, mas o material não possui moralidade. Quanto pesa o ódio? Existe um átomo para o amor? Qual é a composição química da molécula do homicídio? Essas perguntas não fazem sentido porque partículas físicas não são responsáveis pela moralidade. Se os elementos materiais fossem os únicos responsáveis pela moralidade, então Hitler não teve verdadeira responsabilidade moral por aquilo que fez — ele tinha apenas moléculas. Isso não faz sentido algum, e todo mundo sabe disso. Os pensamentos humanos e as leis morais transcendentes não são coisas materiais, assim como as leis da lógica e da matemática também não o são. Eles são entidades imateriais que não podem ser pesadas ou fisicamente mensuradas. Como resultado, não podem ser explicadas em termos materiais, por meio da seleção natural ou por qualquer outro meio ateísta.

Segundo, a moralidade não pode ser meramente um instinto, como sugere Wilson, porque: 1) temos instintos conflitantes e 2) alguma coisa mais nos diz freqüentemente que ignoremos o instinto mais forte com o objetivo de fazer alguma coisa mais nobre. Por exemplo: se você ouvir que alguém está sendo assaltado, seu instinto mais forte pode ser permanecer em segurança e "não se envolver". Seu instinto mais fraco (se é que podemos chamá-lo assim) pode ser o de ajudar. Como diz C. S. Lewis:

> Mas você vai encontrar dentro de você, juntamente com esses dois impulsos, uma terceira coisa que lhe diz que deve seguir o impulso de ajudar e suprimir o impulso de correr. Esta coisa que julga entre dois instintos, que decide qual deve ser encorajado, não pode ser, em si mesma, um deles. Se fosse, você também poderia dizer que uma partitura musical que, em dado momento, diz que você deve tocar uma nota no piano, e não outra nota, é em si mesma uma das notas do teclado. A lei moral nos diz qual melodia temos de tocar; nossos instintos são meramente as teclas.[18]

---

[17]The Biological Basis of Morality, *The Atlantic Monthly*, April 1998. Disponível *on-line* em http://www.theatlantic.com/issues/98apr/biomoral.htm. Acesso em 13 de maio de 2003.

[18]*Mere Christianity*, p. 22

Terceiro, Wilson diz que a moral social evoluiu porque aquelas morais "cooperativas" ajudaram os seres humanos a sobreviverem juntos. Mas isso presume um fim — a sobrevivência — para a evolução, enquanto o darwinismo, por definição, não tem fim, porque ele é um processo não inteligente. Mesmo que a sobrevivência seja considerada como final, os darwinistas não podem explicar por que as pessoas sabidamente se envolvem num comportamento autodestrutivo (i.e., fumar, beber, drogar-se, cometer suicídio etc.). Os darwinistas também não podem explicar por que as pessoas freqüentemente subvertem seus próprios instintos de sobrevivência para ajudar outros, às vezes até a ponto de isso causar sua própria morte.[19] Todos sabemos que não há fim mais nobre do que a simples sobrevivência: os soldados sacrificam-se por seu país, os pais por seus filhos e, se o cristianismo é verdadeiro, Deus sacrificou seu Filho por nós.

Quarto, Wilson e outros darwinistas presumem que a sobrevivência é uma coisa "boa", mas não há bem real sem a lei moral objetiva. De fato, este é o problema dos sistemas éticos pragmático e utilitarista que dizem "Faça o que funciona" ou "Faça aquilo que traz maior benefício". Fazer aquilo que funciona para alcançar um fim — o de Madre Teresa ou o de Hitler? Fazer aquilo que traz o maior benefício por qual definição de benefício — a de Madre Teresa ou a de Hitler? Tais sistemas éticos precisam buscar a lei moral às escondidas para definir por quais fins deveríamos trabalhar e qual é realmente o maior "benefício".

Quinto, os darwinistas fazem confusão entre a maneira pela qual alguém *conhece* a lei moral e a *existência* da lei moral. Mesmo que viéssemos a ter consciência de nossos "sentimentos morais" por causa da genética ou de fatores ambientais, isso não significa que não exista lei moral objetiva fora de nós mesmos.

Isso surgiu num debate entre Peter Atkins e William Lane Craig. Atkins afirmou que a moralidade evoluiu da genética e de nossos "grandes cérebros". Craig acertadamente respondeu: "Na melhor das hipóteses, isso mostraria de que maneira os valores morais são *descobertos*, mas não mostraria que esses valores são *inventados*". De fato, posso herdar uma queda para a matemática e aprender a tabuada com minha mãe, mas as leis da matemática existem independentemente de como eu venha a conhecê-las. Do mesmo modo, a moralidade existe independentemente de como venhamos a conhecê-la.

---

[19]Jeffrey Schloss, Ph.D. em ecologia e biologia evolucionista, argumenta que, embora certos comportamentos altruístas e auto-sacrificais talvez possam ser explicados em termos darwinistas, existem outros que não podem ser explicados dessa maneira. Schloss concentra-se especialmente naqueles que ajudaram a esconder vítimas potenciais do Holocausto. V. Jeffrey SCHLOSS, "Evolutionary Account of Altruism and the Problem of Goodness by Design", in: William DEMBSKI, ed. *Mere Creation*. Downers Grove, Ill.: InterVarsity Press, 1998, p. 236-61.

Por último, os darwinistas não podem explicar por que qualquer pessoa *deveria* obedecer a qualquer "sentimento moral" biologicamente derivado. Por que as pessoas *não deveriam* matar, estuprar e roubar para obter aquilo que desejam se não existe nada além deste mundo? Por que o poderoso *deveria* "cooperar" com o mais fraco quando o poderoso pode viver mais explorando o mais fraco? Afinal de contas, a história está repleta de criminosos e ditadores que estenderam sua própria sobrevivência exatamente porque *desobedeceram* a todos os "sentimentos morais" no processo de repreender e eliminar seus oponentes.

AS IDÉIAS TÊM CONSEQÜÊNCIAS

Se os darwinistas estão certos de que a moralidade possui uma fonte natural, então a moralidade não é objetiva nem absoluta, pois, se não existe Deus e os seres humanos evoluíram do limo, não possuímos uma situação moral mais elevada do que o próprio limo, por não existir nada além de nós que possa nos instruir moralidade objetiva ou dignidade.

As implicações disso não se perderam nos darwinistas nem em seus seguidores. De fato, Adolf Hitler usou a teoria de Darwin como justificativa filosófica para o Holocausto. Em seu livro *Mein Kampf*, de 1924, ele escreveu:

> Se a natureza não deseja que os indivíduos mais fracos se casem com os mais fortes, ela deseja muito menos que uma raça superior se mescle com uma inferior porque, nesses casos, todos os seus esforços para estabelecer um estágio de existência evolucionária superior, realizados durante centenas de milhares de anos, poderiam ter-se mostrado totalmente inúteis.
>
> Mas tal preservação anda ao lado da inexorável lei de que é o mais forte e o melhor que deve triunfar e que eles têm o direito de perdurar. Quem deseja viver precisa lutar. Aquele que não deseja lutar neste mundo, onde a luta permanente é a lei da vida, não tem o direito de existir.[20]

Tal como outros darwinistas, Hitler personifica a natureza, de maneira ilegítima, atribuindo-lhe vontade (i.e., "a natureza não *deseja*"). Mas seu ponto principal é que existem raças superiores e raças inferiores, e que os judeus, sendo uma raça inferior, não tinham o direito de existir caso não quisessem lutar. Em outras palavras, o racismo — e, em seguida, o genocídio — é o resultado lógico do darwinismo. Por outro lado, o amor e o auto-sacrifício é o resultado lógico do cristianismo. As idéias têm conseqüências.

---

[20]Quarta reimpressão. Londres: Hurst & Blackett, 1939, p. 239-40, 242 [publicado em português pela Editora Centauro, *Minha luta*].

O racismo associado à evolução foi exposto durante o famoso julgamento Scopes, de 1925. O livro de biologia do curso colegial que ocasionou o julgamento falava de cinco raças de homens e concluiu que os "caucasianos" eram "o tipo mais elevado de todos".[21] Obviamente isso contradiz diretamente o ensinamento bíblico (Gn 1.27; At 17.26,29; Gl 3.28). Também contradiz o que é afirmado pela declaração de independência dos Estados Unidos ("Todos os homens foram criados iguais").

Em épocas mais recentes, o darwinista Peter Singer, professor de Princeton, usou o darwinismo para afirmar que "a vida de um recém-nascido tem *menos* valor do que a vida de um porco, de um cachorro ou de um chimpanzé".[22] Sim, você leu corretamente.

Quais são as conseqüências das ultrajantes idéias darwinistas de Singer? Ele acredita que os pais deveriam poder matar seus filhos recém-nascidos até que tivessem 28 dias de vida! Essas crenças são perfeitamente coerentes com o darwinismo. Se todos viemos do limo, então não temos bases para dizer que os seres humanos são moralmente melhores, em qualquer medida, do que as outras espécies. A única questão é por que limitar o infanticídio a 28 dias ou, extrapolando, por que não a 28 meses ou a 28 anos? Se não existe um Criador da lei moral, então não existe nada de errado com o assassínio em qualquer idade! É claro que os darwinistas como Singer devem rejeitar essa conclusão, mas eles não têm bases objetivas para discordar a não ser que possam apelar para um padrão que esteja além deles mesmos — o Criador da lei moral.

James Rachels, autor do livro *Created From Animals: The Moral Implications of Darwinism* [Evolução dos animais: as implicações morais do darwinismo], defende a visão darwinista de que a espécie humana não tem valor inerente maior do que qualquer outra espécie. Falando de pessoas com retardamento mental, Rachels escreve:

---

[21]V. a seguir a citação completa: "As raças do homem. Atualmente existem sobre a Terra cinco raças ou variedades de homem, cada uma bem diferente da outra em instintos, costumes sociais e, até certo ponto, em estrutura. Existe o tipo etíope ou negro, originário da África; a raça malaia ou marrom, das ilhas do Pacífico; o índio americano; os mongóis ou raça amarela, incluindo os nativos da China, Japão e esquimós. Finalmente, *o tipo mais elevado de todos, os caucasianos*, representados pelos habitantes brancos e civilizados da Europa e Estados Unidos" (George William HUNTER. *Essentials of Biology: Presented in Problems*. New York, Cincinnati, Chicago: American Book, 1911, p. 320 [grifo do autor]).

[22]*Practical Ethics*, 1. ed. Cambridge: Cambridge University Press, 1979, p. 122-3 [publicado em português pela Editora Martins Fontes, *Ética prática*]; apud Scott KLUSENDORF, "Death with a Happy Face: Peter Singer's Bold Defense of Infanticide", *Christian Research Journal* 23, n. 1 (2001): 25. V. tb. Helga KUHSE & Peter SINGER, *Should the Baby Live?* Brookfield, Vt.: Ashgate, 1994, p. 154-7.

O que dizer sobre eles? A conclusão natural, de acordo com a doutrina que estamos considerando [darwinismo], seria que sua situação é de simples animais. Talvez devêssemos ir adiante e concluir que eles podem ser usados da mesma forma como animais não humanos são usados — talvez como animais de laboratório, ou até como comida?[23]

Por mais abominável que isso possa parecer — usar pessoas com problemas mentais como ratos de laboratório ou como comida —, os darwinistas não podem dar nenhuma razão moral que justifique o fato de não devermos usar *qualquer* ser humano dessa maneira. Experimentos como os dos nazistas não podem ser condenados pelos darwinistas, porque não existe um padrão moral objetivo no mundo darwinista.

Dois outros darwinistas escreveram recentemente um livro no qual afirmam que o estupro é uma conseqüência natural da evolução.[24] De acordo com os autores Randy Thornhill e Craig Palmer, o estupro é "um fenômeno natural e biológico que é produto da herança evolucionária humana", semelhante a coisas como "as manchas do leopardo e o pescoço comprido da girafa".[25]

Chocantes como realmente são, essas conclusões darwinistas sobre o homicídio e o estupro não deveriam causar surpresa a qualquer um que compreendesse as implicações morais do darwinismo. Por quê? Porque, de acordo com os darwinistas, *todos* os comportamentos são determinados geneticamente. Embora alguns darwinistas possam discordar da implicação de que o homicídio e o estupro não são errados (precisamente porque a lei moral lhes fala por meio de sua consciência), essas conclusões são o resultado inexorável de sua visão de mundo. Se existem apenas coisas materiais, então o homicídio e o estupro nada mais são do que os resultados de reações químicas no cérebro de um criminoso que afloraram por meio da seleção natural. Além disso, o homicídio e o estupro não podem estar objetivamente errados (i.e., contra a lei moral) porque não existem leis se só existem elementos químicos. As leis morais objetivas exigem um Criador transcendente dessa lei, mas a visão de mundo darwinista excluiu essa possibilidade desde o início. Desse modo, os darwinistas coerentes podem considerar o homicídio e o estupro apenas como aversões pessoais, não como coisas moralmente erradas.

Para compreender o que está por trás da explicação darwinista da moralidade, precisamos fazer uma distinção entre uma afirmação e um argumento. Uma

---

[23] *Created from Animals: The Moral Implications of Darwinism.* New York: Oxford University Press, 1990, p. 186.

[24] *A Natural History of Rape: Biological Bases of Sexual Coercion.* Cambridge, Mass.: MIT Press, 2001.

[25] Apud Nancy PEARCEY. Darwin's Dirty Secret, *World*, March 25, 2000.

afirmação simplesmente expressa uma conclusão; um argumento, por outro lado, expressa a conclusão *e, depois, a apóia com evidências.* Os darwinistas apresentam afirmações, não argumentos. Não existe evidência empírica ou forense de que a seleção natural possa ser a responsável por novas formas de vida, muito menos pela moralidade. Os darwinistas simplesmente afirmam que a moral evoluiu naturalmente porque acreditam que o homem evoluiu naturalmente. E eles acreditam que o homem evoluiu naturalmente não porque possuam evidência para tal crença, mas porque eliminaram as causas inteligentes logo no início. Desse modo, a explicação darwinista para a moralidade mostra-se simplesmente como uma outra história "é porque é", baseada num raciocínio cíclico e em falsas pressuposições filosóficas.

RESUMO E CONCLUSÃO

Sempre que realizamos nosso seminário intitulado "Os 12 pontos que mostram que o cristianismo é verdadeiro", as duas declarações a seguir sobre a moralidade imediatamente atraem a atenção da platéia:

> Se Deus não existe, então o que Hitler fez foi simplesmente uma questão de opinião!

> Se pelo menos uma coisa estiver realmente errada no aspecto moral — tal como é errado torturar bebês ou é errado jogar aviões intencionalmente sobre prédios com pessoas inocentes dentro deles —, então Deus existe.

Essas declarações ajudam as pessoas a perceber que, sem uma fonte objetiva de moralidade, todas as assim chamadas questões morais nada mais são do que preferências pessoais. Hitler gostava de matar pessoas, e Madre Teresa gostava de ajudá-las. A não ser que exista um padrão além de Hitler e de Madre Teresa, ninguém está realmente certo ou errado — é simplesmente a opinião de uma pessoa contra a de outra.

Felizmente, como vimos, *existe* um padrão moral real além dos seres humanos. C. S. Lewis escreveu:

> Os seres humanos, por toda a terra, possuem esta curiosa idéia de que devem comportar-se de certa maneira; eles realmente não podem se livrar disso. Em segundo lugar, que eles na verdade não se comportam dessa maneira. Eles conhecem a lei da natureza; eles a descumprem. Esses dois fatos são o fundamento de todo pensamento claro sobre nós mesmos e sobre o Universo no qual vivemos.[26]

---

[26] *Mere Christianity*, p. 21

Felizmente tivemos alguns pensamentos claros neste capítulo. Aqui está um resumo daquilo que abordamos:

1. Existe um padrão absoluto de certo e errado que está escrito no coração de todo ser humano. As pessoas podem negá-lo, podem suprimi-lo, suas ações podem contradizê-lo, mas suas *reações* revelam que elas o conhecem.

2. O relativismo é falso. Os seres humanos não *determinam* o que é certo e o que é errado; nós *descobrimos* o que é certo ou errado. Se os seres humanos determinassem o que é certo ou errado, então qualquer um poderia estar "certo" em afirmar que o estupro, o homicídio, o Holocausto ou qualquer outro mal não é realmente errado. Mas nós sabemos intuitivamente que esses atos são errados por meio de nossa consciência, que é manifestação da lei moral.

3. Essa lei moral deve ter uma fonte mais elevada que nós mesmos, porque ela é uma prescrição que está no coração de todas as pessoas. Uma vez que as prescrições sempre possuem um autor — elas não surgem do nada —, o Autor da lei moral (Deus) deve existir.

4. Essa lei moral é o padrão divino de retidão e nos ajuda a decidir entre as diferentes opiniões morais que as pessoas possam ter. Sem o padrão de Deus, somos deixados exatamente com isto: opiniões humanas. A lei moral é o padrão final por meio do qual tudo é medido (na teologia cristã, a lei moral é a própria natureza de Deus. Em outras palavras, a moralidade não é arbitrária — ela não diz "Faça isso e não faça aquilo porque eu sou Deus e estou dizendo isso". Não, Deus não faz regras com base em um capricho. O padrão de retidão *é* a própria natureza do próprio Deus — infinita justiça e infinito amor).

5. Embora se acredite amplamente que toda a moralidade é relativa, valores morais fundamentais são absolutos e transcendem culturas. A confusão sobre isso freqüentemente se baseia numa má interpretação ou má aplicação dos absolutos morais, não em uma verdadeira rejeição deles. Ou seja, os valores morais são absolutos, mesmo que a compreensão que temos deles ou de outras circunstâncias nas quais eles deveriam ser aplicados não seja absoluta.

6. Os ateus não têm uma base verdadeira para o certo ou o errado objetivos. Isso não quer dizer que os ateus não sejam seres morais ou que não compreendam o que é certo ou errado. Ao contrário, os ateus são capazes de realmente compreenderem o que é certo e errado porque a lei moral está escrita no coração deles, assim como em qualquer outro coração. Contudo,

embora eles possam *acreditar* em um certo ou errado objetivos, não têm maneira de *justificar* tal crença (a não ser que admitam o Criador da lei moral, deixando assim de ser ateus).

No final de tudo, o ateísmo não pode justificar por que algo é moralmente certo ou errado. Ele não pode garantir os direitos humanos ou a justiça final do Universo. Para ser ateu — um ateu coerente —, você tem de acreditar que não existe realmente nada de errado com homicídio, estupro, genocídio, tortura ou qualquer outro ato hediondo. Pela fé, você precisa acreditar que não existe diferença moral entre um assassino e um missionário, entre um professor e um terrorista, entre Madre Teresa e Hitler. Ou então, pela fé, você precisa acreditar que os princípios morais reais surgem do nada. Uma vez que tais crenças são claramente irracionais, *não temos fé suficiente para sermos ateus.*

O capítulo 8 tratará
dos seguintes assuntos:

1. A verdade sobre a realidade pode ser conhecida.
2. O oposto de verdadeiro é falso.
3. É verdade que o Deus teísta existe. Isso é comprovado pelos seguintes aspectos:
   a. O início do Universo (argumento cosmológico);
   b. O planejamento do Universo (argumento teleológico/princípio antrópico);
   c. O planejamento da vida (argumento teleológico);
   d. A lei moral (argumento moral).
4. **Se Deus existe, os milagres são possíveis.**
5. **Os milagres podem ser usados para confirmar uma mensagem de Deus (i.e., como atos de Deus para confirmar uma palavra de Deus).**
6. O Novo Testamento é historicamente confiável. Isso é comprovado por:
   a. Testemunhos antigos;
   b. Relatos de testemunhas oculares;
   c. Testemunhos não inventados (autênticos);
   d. Testemunhas oculares que não foram enganadas.
7. O Novo Testamento diz que Jesus afirmava ser Deus.
8. A afirmação de Jesus quanto a ser Deus foi miraculosamente confirmada por:
   a. Cumprimento de muitas profecias sobre si mesmo;
   b. Sua vida sem pecado e seus feitos miraculosos;
   c. A predição e a concretização de sua ressurreição.
9. Portanto, Jesus é Deus.
10. Todos os ensinamentos de Jesus (que é Deus) são verdadeiros.
11. Jesus ensinou que a Bíblia é a Palavra de Deus.
12. Portanto, é verdade que a Bíblia é a Palavra de Deus (e qualquer coisa que se opõe a ela é falsa).

8
Milagres: sinais de Deus ou enganação?

Se aceitamos Deus, devemos aceitar os milagres? No fundo, no fundo, você não tem certeza disso. Essa é a barganha.
C. S. Lewis

QUEM VENCEU?

Precisamos fazer uma pausa por um instante e reunir as peças do quebra-cabeça que encontramos até agora. Lembre-se: estamos procurando por unidade na diversidade. Estamos tentando juntar as peças da vida aparentemente diferentes em uma imagem coerente. Até aqui, nossa imagem coerente nos mostra que a verdade existe e que pode ser conhecida. Qualquer negação da verdade pressupõe a verdade, de modo que a existência da verdade é inevitável. Embora não possamos saber a maioria das verdades absolutas devido à limitação humana, podemos conhecer muitas verdades com um alto grau de certeza (i.e., "ainda que haja uma dúvida justificável"). Uma dessas verdades é a existência e a natureza de Deus. Com base nas linhas de evidências que revisamos — os argumentos cosmológico, teleológico e moral —, podemos saber, ainda que haja uma dúvida justificável, que existe um Deus teísta com determinadas características.

Com base no argumento cosmológico, sabemos que Deus é:

1. Auto-existente, atemporal, não espacial, imaterial (uma vez que ele[1] criou o tempo, o espaço e a matéria, então deve estar fora do

---

[1] Esse Ser é ele, não algo; é uma pessoa, não uma coisa. Sabemos que esse Ser possui personalidade porque fez algo que apenas as pessoas podem fazer: ele fez uma escolha, a saber: optou por criar.

tempo, do espaço e da matéria). Em outras palavras, ele não tem limites. Ou seja, ele é infinito.

2. Inimaginavelmente poderoso, uma vez que ele criou todo o Universo do nada.

3. Pessoal, uma vez que ele optou por converter um estado de nulidade em um Universo tempo-espaço-material (uma força impessoal não tem capacidade de tomar decisões).

Com base no argumento teleológico, sabemos que Deus é:

1. Supremamente inteligente, uma vez que planejou a vida e o Universo com incrível complexidade e precisão.

2. Determinado, uma vez que planejou as muitas formas de vida para viverem nesse ambiente específico e ordenado.

Com base no argumento moral, sabemos que Deus é:

Absolutamente puro no aspecto moral (ele é o padrão imutável de moralidade pelo qual todas as ações são medidas. Esse padrão inclui justiça e amor infinitos).

Teísmo é o termo adequado para descrever tal Deus. Aqui está a maravilhosa verdade sobre essas descobertas: *o Deus teísta que descobrimos é compatível com o Deus da Bíblia, mas nós o descobrimos sem usar a Bíblia.* Mostramos que, por meio de raciocínio, ciência e filosofia adequados, pode-se conhecer muitas coisas sobre o Deus da Bíblia. Na verdade, isso é o que a própria Bíblia diz (e.g. Sl 19; Rm 1.18-20; 2.14,15). Os teólogos chamam essa revelação de Deus de *natural* ou *revelação geral* (que é claramente vista independentemente de qualquer tipo de Escritura). A revelação das Escrituras é chamada de *revelação especial.*

Assim, sabemos por meio da revelação natural que o teísmo é verdadeiro. Essa descoberta nos ajuda a ver não apenas como é a verdadeira tampa da caixa, mas o que ela *não pode* ser. Uma vez que o oposto de verdadeiro é falso (cap. 2), sabemos que qualquer visão de mundo não teísta deve ser falsa. Ou, colocando de outra maneira, entre as maiores religiões mundiais, somente uma das religiões teístas — judaísmo, cristianismo ou islamismo — pode ser verdadeira. Todas as outras principais religiões mundiais não podem ser verdadeiras, porque elas são ateístas.

Pode ser verdadeira (teísta)	Não pode ser verdadeira (não teísta)
1. Judaísmo	1. Hinduísmo (panteísta ou politeísta)
2. Cristianismo	2. Budismo (panteísta ou ateísta)
3. Islamismo	3. Nova Era (panteísta)
	4. Humanismo secular (ateísta)
	5. Mormonismo (politeísta)
	6. Wicca (panteísta ou politeísta)
	7. Taoísmo (panteísta ou ateísta)
	8. Confucionismo (ateísta)
	9. Xintoísmo (politeísta)

Tabela 8.1

Isso pode parecer uma declaração muito imponente — negar a verdade de tantas religiões mundiais nesse estágio. Mas, por meio de lógica simples — usando a lei da não-contradição — religiões mutuamente excludentes não podem ser verdadeiras ao mesmo tempo. Tão certo quanto jogadores de futebol são cortados da escalação de um jogo porque carecem de certas habilidades, certas religiões mundiais são cortadas da escalação como possíveis religiões verdadeiras porque carecem das qualificações necessárias.

Desse modo, por meio da lógica, se o teísmo é verdadeiro, então todos os não teísmos são falsos. Isso não significa que todo o ensinamento de uma religião não teísta é falso ou que não existe nada de bom nessas religiões — certamente existe verdade e bondade na maioria das religiões mundiais. Isso simplesmente quer dizer que, como uma maneira de se olhar para o mundo (i.e., uma visão de mundo), qualquer religião não teísta está construída sobre um fundamento falso. Embora alguns detalhes possam ser verdadeiros, o cerne de qualquer sistema religioso não teísta é falso. Eles são sistemas de erro, embora tenham alguma verdade.

Os hindus, por exemplo, corretamente ensinam a verdade de que você colhe aquilo que planta, embora a visão de mundo do hinduísmo — a de que "você" não existe realmente porque tudo é parte de uma realidade indistinguível chamada *brahma* — seja falsa. O humanismo secular afirma corretamente a realidade do mal, embora a visão de mundo humanista — que nega um padrão objetivo pelo qual possamos detectar o mal — seja falsa. Os mórmons ensinam corretamente que existem padrões morais aos quais devemos obedecer, embora a visão de mundo mórmon — segundo a qual existem muitos deuses — seja falsa.[2]

Este último ponto sobre o mormonismo levanta uma questão, a saber: por que a existência de um Deus teísta refuta o politeísmo? Ela refuta o politeísmo porque Deus é infinito e não pode haver mais de um Ser infinito. Para distinguir-se um ser de outro, eles devem diferir em algum aspecto. Se diferem de alguma maneira, então um tem falta de uma coisa que o outro possui. Se um ser carece de alguma coisa que o outro possui, então o ser que tem falta não é infinito, porque, por definição, um ser infinito não carece de nada. Desse modo, só é possível existir um único Ser infinito.

Alguém poderia argumentar que existem seres finitos (ou "deuses") mais poderosos do que os seres humanos. De fato, o judaísmo, o cristianismo e o islamismo ensinam a existência de anjos e demônios. Mas isso não é politeísmo, que nega que existe um Ser supremo, infinito e eterno a quem todas as criaturas devem sua existência e em relação a quem todas as criaturas são, por fim, responsáveis. Uma vez que o teísmo é verdadeiro, o politeísmo é tão falso quanto o ateísmo, o panteísmo e todas as outras visões de mundo não teístas.

Mas estamos divagando. A questão principal é que a tampa correta da caixa do Universo mostra um Deus teísta. Isso significa que apenas uma das três maiores religiões mundiais vence no padrão da verdade: judaísmo, cristianismo ou islamismo. Logicamente, é fato que todas essas religiões mundiais teístas não podem ser verdadeiras, uma vez que elas fazem declarações mutuamente excludentes. Além do mais, é possível que nenhuma dessas três religiões mundiais seja completamente verdadeira. Talvez possuam o teísmo e pouca coisa mais. Isso é possível. Contudo, uma vez que sabemos, mesmo com uma pequena parcela de dúvida justificável, que Deus existe e que possui as características que enumeramos anteriormente — características que incluem projeto, propósito, justiça e amor —, então deveríamos esperar que ele revelasse mais de si mesmo e de seus propósitos para a nossa vida. Isso exigiria que ele se comunicasse conosco. É provavel que uma das três maiores religiões teístas contenha essa comunicação.

COMO DEUS SE COMUNICA?

Como vimos, Deus já se comunicou conosco por meio da criação e da consciência (revelação natural ou geral), o que nos dá idéias básicas sobre sua existência, seu poder e suas exigências morais. Mas como Deus poderia revelar a si mesmo de modo que pudéssemos ter uma compreensão mais detalhada de qual

---

[2]V. Francis BECKWITH et al. *The Counterfeit Gospel of Mormonism.* Eugene, Ore.: Harvest, 1998, cap. 2.

seja o seu propósito último para nós?

Por que não poderia ele aparecer a cada um de nós? Ele poderia, mas isso interferiria em nosso livre-arbítrio. C. S. Lewis tem alguns *insights* maravilhosos sobre esse assunto. Em seu livro *The Screwtape Letters*, Coisa-ruim, o demônio velho, escreve o seguinte a seu discípulo Pé-de-cabra:

> Você deve ter pensado por que o Inimigo [Deus] não faz mais uso de seu poder para ser sensivelmente presente às almas humanas em qualquer grau e em qualquer momento que ele escolha. Mas você vê agora que o Irresistível e o Indiscutível são as duas armas que a própria natureza de seus planos o impede de usá-las. Simplesmente sobrepor-se à vontade humana (o que sua presença certamente faria ainda que em seu grau mais ínfimo seria inútil para ele. Ele não pode arrebatar. Pode apenas cortejar.[3]

Se Deus não escolheu a poderosa opção de interagir face a face com todas as pessoas do planeta, então talvez tenha escolhido um método mais sutil de comunicação (de fato, a Bíblia diz que Deus nem sempre é tão aberto quanto nós gostaríamos que fosse [Is 45.15]). Talvez Deus tenha se manifestado de alguma maneira a algum grupo seleto de pessoas nesses tantos séculos e o tenha inspirado a escrever aquilo que testemunhou e ouviu dele. A linguagem escrita é um meio preciso de comunicação que pode facilmente ser duplicado e passado adiante, às gerações seguintes, mas ele também pode ser facilmente ignorado por aqueles que, por livre decisão, optam por não quererem ser incomodados por Deus.

Desse modo, um livro funcionaria como um meio de comunicação válido, mas não impositivo da parte de Deus. Mas qual livro? Deus se comunicou por meio do livro dos judeus, dos cristãos ou dos muçulmanos? Como podemos dizer qual livro — se é que existe algum — é realmente uma mensagem vinda de Deus?

O SELO DO REI

Nos dias anteriores à comunicação em massa — quando todas as mensagens endereçadas a locais distantes eram entregues em mão —, um rei colocaria seu selo sobre essa mensagem. Esse selo era um sinal ao destinatário de que a mensagem era autêntica — ela realmente viera do rei, e não de alguma outra pessoa fazendo-se passar pelo rei. É claro que para fazer esse sistema funcionar, o selo precisava ser incomum ou singular, facilmente reconhecível, e precisava ter algu-

---

[3] *The Screwtape Letters.* Westwood, N.J.: Barbour, 1961, p. 46 [a publicação pela Edições Loyola faz uso da designação aqui indicada: *As cartas do coisa-ruim* (N. do E.)].

ma coisa que só o rei possuísse.

Deus poderia usar um sistema parecido para autenticar suas mensagens — falando de maneira específica, poderia usar os milagres. Os milagres são incomuns e singulares, facilmente reconhecíveis e somente Deus pode realizá-los. Até mesmo os céticos, ao exigirem um sinal de Deus, estão implicitamente admitindo que os milagres provariam sua existência.

O que é um milagre? Um milagre é um ato especial de Deus que interrompe o curso normal dos fatos. O ateu Antony Flew definiu de maneira muito boa: "O milagre é alguma coisa que jamais teria acontecido caso a natureza, como é, fosse deixada por si só".[4] Desse modo, podemos dizer que as leis naturais descrevem o que acontece regularmente, por meio de causas naturais; os milagres, se é que ocorrem, descrevem o que acontece raramente, por meio de causas sobrenaturais.

Por meio dos milagres, Deus poderia dizer ao mundo qual livro ou qual pessoa fala por ele. Desse modo, se Deus quisesse mandar uma mensagem por meio de Moisés, Elias, Jesus, Paulo, Maomé ou qualquer outro, ele poderia realizar milagres por meio dessa pessoa.

Se Deus realmente trabalha dessa maneira, então um milagre confirma a mensagem, e o sinal confirma o sermão. Ou, colocando-se de outra maneira, um milagre é um ato de Deus para confirmar a palavra de Deus por meio de um mensageiro de Deus.

A pergunta é: Deus trabalha dessa maneira? O Rei do Universo usa tais sinais? Os milagres são até mesmo possíveis? Nosso mundo secular diz que não. Como estamos prestes a ver, o mundo está plenamente enganado.

A CAIXA ESTÁ ABERTA OU FECHADA?

Numa recente viagem à Rússia para falar com educadores daquele país, o professor de seminário Ronald Nash teve um grande desafio. Ele queria falar-lhes sobre Deus, mas sabia que não chegaria muito longe com eles a não ser que pudesse vencer a sua antiga oposição ao teísmo. Por mais de 70 anos, os russos foram instruídos numa visão de mundo que excluía Deus logo de início. A religião oficial do Estado era o ateísmo, e a visão de mundo ateísta afirma que existe apenas um mundo natural e material. De acordo com os ateus, os milagres são

---

[4]"Miracles", in: *The Encyclopedia of Philosophy*, Paul Edwards, ed., vol. 5. New York: Macmillan & Free Press, 1967, p. 346.

impossíveis porque não existe um mundo sobrenatural. Acreditar de outra maneira é acreditar em contos de fadas.

Nash começou mostrado-lhes duas pequenas caixas de papelão. Uma estava aberta, e a outra, fechada.

"Aqui está a diferença entre a sua visão de mundo e a minha" — começou ele. Apontando para a caixa fechada, disse: "Você acredita que o Universo físico está fechado. Crê que o Universo é tudo o que existe e que não há nada fora dele", explicou. Voltando-se para a caixa aberta, continuou: "Eu também acredito na existência do Universo físico, mas também acredito que o Universo está aberto, que existe alguma coisa fora do Universo, que chamamos Deus". Nash fez uma pausa e disse: "E que Deus criou a caixa!".

Ele colocou a mão dentro da caixa aberta e disse:

— Assim como posso colocar a mão nesta caixa para manipular o seu conteúdo, Deus pode colocar a mão em nosso Universo e executar aquilo que chamamos de milagres.[5]

Por alguma razão, essa foi uma ilustração muito tocante para os russos. Lâmpadas começaram a aparecer na mente dos educadores em toda a sala. Aqueles educadores haviam assumido que sua visão de mundo naturalista era correta e não consideravam alternativa. Nash ajudou-os a pensar que talvez alternativa como o teísmo tivesse melhores evidências.

Como vimos nos capítulos 3 a 7, o teísmo realmente tem as melhores evidências. Sabemos, ainda que com dúvidas justificáveis, que existe um Deus teísta. Uma vez que Deus existe, o Universo representado pela caixa fechada é falso. A caixa está aberta e foi criada por Deus. Assim, *é possível* para Deus intervir no mundo natural por meio da realização de milagres. *De fato, os milagres não são apenas possíveis; os milagres são reais, porque o maior milagre de todos — a criação do Universo do nada — já aconteceu. Assim, com relação à Bíblia, se Gênesis 1.1 é verdadeiro — "No princípio Deus criou os céus e a terra" —, então é fácil acreditar em qualquer outro milagre citado na Bíblia.*

O Deus que criou todo o Universo do nada pode abrir o mar Vermelho? Fazer descer fogo do céu? Manter um homem seguro dentro de um grande peixe por três dias?[6] Prever acontecimentos futuros com precisão? Transformar água em vinho? Curar doenças instantaneamente? Ressuscitar os mortos? Claro que

---

[5]Extraído da fita de áudio intitulada "Worldviews in Conflict", da Conferência de Apologética de 2002 do Southern Evangelical Seminary. Fita AC0213. Disponível *on-line* em http://www.impactapologetics.com.

sim. Todos esses fatos miraculosos são tarefa simples para um Ser infinitamente poderoso que criou o Universo em primeiro lugar.

Isso, porém, não significa que Deus *executou* todos esses milagres bíblicos. Isso ainda será abordado. Significa simplesmente que ele poderia tê-lo feito — que tais milagres são possíveis. À luz do fato de que vivemos em um Universo teísta, excluir os milagres de antemão (como muitos ateus fazem) é claramente ilegítimo. Como disse C. S. Lewis, "se aceitarmos Deus, devemos aceitar os milagres? No fundo, no fundo, você não tem certeza disso. Essa é a barganha".[7]

Então por que tantas pessoas dizem hoje que os milagres não são possíveis ou que não se deve acreditar neles? Como é possível que os céticos não acreditem em milagres quando todo o Universo parece ser um maravilhoso milagre? Precisamos abordar essas questões antes de começarmos a investigar se Deus confirmou a verdade do judaísmo, do cristianismo ou do islamismo por meio de milagres.

OBJEÇÕES AOS MILAGRES

Desde o final do século XVII, duas objeções principais aos milagres têm sido levantadas, as quais precisam ser investigadas. A primeira delas vem de Benedito Spinoza, e a segunda, de David Hume. Começaremos com a objeção de Spinoza.

As leis naturais são imutáveis. O argumento de que as leis naturais são imutáveis foi popularizado primeiramente na década de 1670 por Benedito Spinoza, um judeu panteísta. O argumento de Spinoza contra os milagres é mais ou menos assim:

1. Os milagres são violações das leis naturais.
2. As leis naturais são imutáveis.
3. É impossível violar leis imutáveis.

---

[6]É comum ouvirmos cristãos tentando explicar a história miraculosa de Jonas apelando para relatos supostamente verdadeiros de pescadores que sobreviveram dentro de baleias durante algum tempo. Mesmo se os eventos forem verdadeiros, eles são completamente irrelevantes. A história de Jonas tem o propósito de ser miraculosa, a saber: alguma coisa que somente Deus poderia fazer. Certamente um homem não sobreviveria dentro de um grande peixe durante três dias e seria vomitado numa determinada praia a não ser por um ato de Deus. Se isso parece incrível porque o mundo não funciona regularmente dessa maneira, então tudo *foi feito* para ter essa aparência! Um milagre não é um milagre se puder ser explicado por meios naturais. O resumo é que o Deus que realizou o maior milagre de todos — a criação do Universo, grandes peixes e seres humanos — não teria tido nenhum problema em orquestrar o milagre de Jonas.

[7]*Miracles*. New York: Macmillan, 1947, p. 106 [**no prelo pela Editora Vida**].

4. Portanto, os milagres são impossíveis.

Se Spinoza está certo — se não há maneira de as leis naturais serem vencidas, interrompidas ou sofrerem interferência —, então os milagres são impossíveis.

O problema com essa objeção é que ela é uma *petitio principii*, uma falácia lógica. Se as leis naturais são definidas como imutáveis, então, naturalmente, os milagres são impossíveis. Mas esta é a questão! Quem disse que as leis naturais são imutáveis?

Seguindo de acordo com sua visão de mundo panteísta, Spinoza excluiu ilegitimamente o Deus teísta e, assim, os milagres, logo de início. Mas, se Deus existe, os milagres são possíveis. Como já vimos, o maior milagre de todos, a criação do Universo do nada, já aconteceu.

A própria criação em si demonstra que as leis naturais não são imutáveis. Uma coisa não surge naturalmente do nada. Mas aqui estamos todos nós.

Também sabemos que as leis naturais não são imutáveis porque elas são *descrições* do que acontece, e não *prescrições* do que deve acontecer. As *leis* naturais não provocam realmente alguma coisa; elas apenas descrevem o que acontece regularmente na natureza. Descrevem os efeitos das quatro *forças* naturais conhecidas: gravidade, magnetismo e as forças nucleares forte e fraca. Quando se introduz seres inteligentes no cenário, as forças naturais podem ser vencidas. Sabemos que essas forças podem ser vencidas porque fazemos isso todos os dias.

Por exemplo, quando um jogador de futebol pega uma bola que está caindo, ele está vencendo a força da gravidade. Fazemos o mesmo todas as vezes que andamos de avião ou voamos rumo ao espaço. Em tais casos, a gravidade não é modificada, mas simplesmente vencida. Se seres finitos como nós podem vencer forças naturais, então certamente o Ser infinito que criou essas forças pode fazer o mesmo.[8]

É difícil acreditar nos milagres. Alguns anos atrás, eu [Norm] fui convidado para falar na Escola de Teologia da Universidade de Harvard, uma das mais liberais escolas de teologia dos Estados Unidos. Meu assunto era "a prematura batalha de Harvard com o evangelicalismo". Acredite se quiser, mas Harvard, tal qual a maioria das escolas de sua época, foi fundada por cristãos evangélicos com

---

[8]Diferentemente das leis morais, as leis naturais não estão baseadas na natureza de Deus e, sendo assim, são mutáveis. Embora Deus não possa violar leis morais — porque ele é o padrão imutável de moralidade —, pode mudar ou interromper leis naturais como quiser. De fato, Deus poderia ter criado a realidade física, incluindo as leis naturais, o ambiente natural e os seres vivos, com características completamente diferentes das que temos hoje.

o objetivo de treinar os alunos no conhecimento de Jesus Cristo. A carta de Harvard, de 1646, afirma claramente seu propósito:

> Que todo aluno seja plenamente instruído e corretamente levado a considerar bem qual seja o principal propósito de sua vida e de seus estudos: conhecer a Deus e Jesus Cristo, que é a vida eterna (Jo 17.3) e, portanto, lançar Cristo como o único fundamento de todo o conhecimento sadio e do aprendizado. Como o olhar para o Senhor só nos dá sabedoria, que todos se dediquem seriamente à oração em secreto para buscá-la nele (Pv 2.3).[9]

O que aconteceu para que Harvard se afastasse tanto de sua proposta original? Eles aceitaram um dos mais poderosos argumentos jamais formulados contra os milagres. Não era o argumento de Spinoza. Devido aos avanços da ciência moderna e de nossa melhor compreensão do mundo natural, poucos hoje realmente acreditam que as leis naturais são imutáveis. O argumento contra os milagres aceito hoje — e que foi aceito em Harvard — foi formulado pelo grande cético David Hume (1711-1776), cerca de um século depois de Spinoza.

Você se lembra de que falamos sobre Hume no capítulo 2. Foi ele quem disse que qualquer conversa sobre Deus é sem sentido porque tal conversa não envolve observação empírica ou verdades auto-evidentes. Vimos que sua afirmação derrota a si mesma.

Mas o argumento de Hume contra os milagres é um pouco mais sofisticado e não pode ser tão facilmente derrotado quanto seu argumento contra a conversa sobre Deus. Talvez seja por essa razão que ele é acreditado ainda hoje. De fato, o argumento de Hume contra os milagres é um dos pilares do assim chamado Iluminismo (é aquele no qual supostamente fomos dominados o suficiente para abandonar nossas crenças supersticiosas nos milagres e colocar nossa fé na razão e nas verdades empíricas encontradas pelo método científico). O argumento de Hume ajudou no avanço da visão de mundo naturalista que mais tarde se espalhou como metástase por causa da teoria da evolução de Darwin.

O que vemos a seguir é basicamente o material que apresentei à platéia de Harvard naquele dia. Comecei apresentando o argumento antimilagres de Hume e, depois, criticando-o. Aqui está o argumento de Hume na forma silogística:

1. A lei natural é, por definição, uma descrição de uma ocorrência regular.
2. O milagre é, por definição, uma ocorrência rara.
3. A evidência em favor do regular é sempre maior do que a evidência em

---

[9]Disponível *on-line* em http://hcs.harvard.edu/~gsascf/shield.html. Acesso em 1º de junho de 2003.

favor do raro.

4. Quem é sábio sempre baseia sua crença na evidência mais convincente.

5. Portanto, um sábio não deveria acreditar em milagres.

Se essas quatro premissas forem verdadeiras, então a conclusão necessariamente o é — o sábio não deveria acreditar em milagres. Infelizmente para Hume e para todos aqueles que acreditaram nele com o passar dos anos, o argumento tem uma premissa falsa: a premissa 3 não é necessariamente verdadeira. A evidência em favor do regular *nem sempre* é maior do que em favor do raro.

Num primeiro olhar, isso pode não parecer ser o caso. Na era do *replay* automático, a premissa 3 parece fazer sentido. Um juiz de futebol, por exemplo, vê o jogo da perspectiva de um ângulo em plena velocidade, enquanto nós, espectadores, podemos ver da perspectiva de vários ângulos e em câmera lenta. Temos maiores evidências vendo um jogo repetidas vezes (o regular) do que o juiz que o vê apenas uma vez (o raro).

Mas o que pode ser verdadeiro para um jogo de futebol gravado não é necessariamente verdadeiro para todo acontecimento na vida. Para anular a premissa 3, precisamos mostrar apenas um contra-exemplo. Na verdade, temos vários, e eles vêm da própria visão de mundo naturalista de Hume.

1. **A origem do Universo aconteceu apenas uma única vez.** Foi um fato raro e não repetível, embora praticamente todo naturalista acredite que a evidência do *Big Bang* prova que o Universo passou a existir com base em uma explosão.

2. **A origem da vida aconteceu apenas uma única vez.** Também foi um fato raro e não repetível, embora todo naturalista acredite que a vida surgiu espontaneamente da não-vida em algum lugar sobre a Terra ou em algum outro lugar do Universo.

3. **A origem das novas formas de vida também aconteceu apenas uma única vez.** Esses acontecimentos raros e não repetíveis são, todavia, dogmaticamente reconhecidos pela maioria dos naturalistas, que dizem que tudo aconteceu por meio de um processo macroevolucionário não observado (i.e., raro).

4. **De fato, toda a história do mundo é composta de acontecimentos raros e não repetíveis.** O próprio nascimento de David Hume, por exemplo, aconteceu uma única vez, mas ele não teve qualquer dificuldade em acre-

ditar que isso aconteceu!

Em cada um desses contra-exemplos, extraídos da própria visão de mundo naturalista de Hume, sua terceira premissa deve ser desconsiderada ou então considerada como falsa. Se Hume realmente acreditava nessa premissa, não deveria ter acreditado em seu próprio nascimento ou em sua própria visão de mundo naturalista!

Assim, descobrimos por alguns desses contra-exemplos que a terceira premissa de Hume e, desse modo, todo o seu argumento não podem ser verdadeiros. Mas quais são os problemas específicos com o modo de pensar naturalista?

Em primeiro lugar, ele confunde *credibilidade* com *possibilidade*. Mesmo que a premissa 3 fosse verdadeira, o argumento não excluiria a *possibilidade* de milagres, mas apenas questionaria sua *credibilidade*. Desse modo, mesmo que você tivesse testemunhado pessoalmente, digamos, Jesus Cristo ressuscitando dos mortos como ele havia predito — se você tivesse ido até a tumba, verificado que seu corpo estava morto e, depois, o visse em pé e caminhando para fora da tumba —, o argumento de Hume diz que você (uma pessoa "sábia") não deveria acreditar nisso. Existe algo errado com um argumento que diz que você não deve acreditar naquilo que se verificou ser verdadeiro.

Em segundo lugar, Hume confunde *probabilidade* com *evidência*. Ele não *examina* a evidência em favor de cada acontecimento raro; em vez disso, *acrescenta* a evidência em favor de todos os acontecimentos regulares e sugere que isso, de alguma maneira, faz todos os acontecimentos raros não serem dignos de crédito. Mas esse também é um raciocínio errado. Existem muitos fatos improváveis (raros) na vida nos quais acreditamos quando temos boas evidências que os comprovem. Fazer um gol de escanteio é um acontecimento raro, mas, quando testemunhamos um, não temos problema em acreditar nele. Certamente não dizemos isto ao jogador: "Uma vez que a evidência em favor do regular é sempre maior do que em favor do raro, não vou acreditar na sua jogada a não ser que você pegue a bola e faça a mesma coisa cinco vezes em seguida!". Do mesmo modo, certamente não dizemos a um jogador da loteria que ganhou um prêmio cuja probabilidade era uma em 76 milhões que ele não vai receber seu dinheiro até que possa acertar da mesma maneira cinco vezes em seguida! Não, nesses casos, a evidência em favor do raro é maior do que em favor do regular. Testemunhas oculares sóbrias e sadias trazem maior evidência em favor de uma jogada rara independentemente de quantas vezes aquele jogador possa ter errado a jogada no passado. Do mesmo modo, um bilhete ganhador dá maior evidência de que certa pessoa ganhou na loteria independentemente de quão regularmente aquela pessoa deixou de ganhar no passado.[10]

Desse modo, a questão não é se um acontecimento é regular ou raro — a questão é se temos boas evidências em favor do acontecimento. Devemos *examinar* a evidência de cada fato em questão, não *acrescentar* evidências a todos acontecimentos anteriores.

Em terceiro lugar, Hume na verdade está argumentando em círculos. Em vez de avaliar a veracidade da evidência para cada milagre declarado, ele exclui a crença nos milagres de início porque acredita que existe uma experiência uniforme contra eles. Como de costume, C. S. Lewis tem um grande *insight* sobre isso:

> Agora, naturalmente, devemos concordar com Hume em que, se existe "experiência absolutamente uniforme" contra os milagres, se, em outras palavras, eles nunca aconteceram, então por que eles nunca aconteceram? Infelizmente, sabemos que a experiência contra eles é uniforme somente se soubermos que todos os relatos sobre eles são falsos. E só podemos saber que todos os relatos são falsos se já soubermos que os milagres nunca aconteceram. De fato, estamos argumentando em círculos.[11]

Desse modo, Hume comete o mesmo erro dos darwinistas: ele esconde sua conclusão na premissa de seu argumento por meio de uma falsa pressuposição filosófica. Sua pressuposição falsa é que todas as experiências humanas têm sido contrárias aos milagres. Como ele pode saber isso? Não pode; ele pressupõe. Como vimos, os milagres são possíveis porque Deus existe. Portanto, seres humanos podem ter experimentado milagres verdadeiros. A única maneira de saber com certeza é investigar a evidência em favor de cada milagre declarado. Pressupor que todo e qualquer milagre declarado é falso, como faz Hume, é algo claramente ilegítimo.

Por último, embora Hume defina corretamente um milagre como um acontecimento raro, ele logo depois o pune por ser um fato raro! É como se Hume estivesse dizendo: "Se os milagres acontecessem com mais freqüência, então

---

[10]A maioria das pessoas acredita falsamente que, quanto mais vezes tenham jogado na loteria no passado, maiores são suas chances de ganhar desta vez. Não importa quantas vezes uma pessoa tenha jogado na loteria no passado, cada sorteio é um evento único que não é afetado pelas apostas anteriores. A probabilidade de acerto é uma em 76 milhões (ou quaisquer que sejam as probabilidades de um jogo em especial) a cada vez. Hume sugeriria que a repetida experiência passada de perder deveria fazer você não acreditar caso realmente ganhasse. Mas se um dia você ganhar, então realmente ganhou, a despeito do fato de que possa ter perdido milhares de vezes no passado. Do mesmo modo, um milagre pode acontecer independentemente de quantas vezes não tenha acontecido no passado.

[11]*Miracles*, p. 105.

poderíamos acreditar neles". Mas se os milagres acontecessem com mais freqüência, digamos, regularmente (para usar a tecnologia de Hume), então deixariam de ser milagres (acontecimentos raros) e poderíamos considerá-los como leis naturais ou parte de fenômenos naturais não explicados. Contudo, tão logo os consideremos naturais por princípio, então não mais chamariam nossa atenção como fatos especiais de Deus. Sua raridade é uma das características que distinguem um milagre de tudo o mais! Colocando de outra maneira, a razão de os milagres chamarem a nossa atenção deve-se ao fato de que sabemos que um acontecimento tal não pode ser produzido pelas leis naturais.

Desse modo, de acordo com a lógica de Hume, mesmo que exista um Deus que realiza milagres, não deveríamos acreditar nos milagres que ele realiza por não serem acontecimentos regulares. Mais uma vez, existe alguma coisa errada com um argumento que diz que você não deve acreditar naquilo que realmente aconteceu. Existe alguma coisa errada com um argumento que exige que os milagres não sejam milagres para que, então, se possa acreditar neles.

O resumo é que Hume, sem justificativa, simplesmente declara que os únicos fatos nos quais se pode crer são os acontecimentos regulares e, uma vez que o milagre não é um acontecimento regular, ele deixa de satisfazer esse critério artificial. Como já mencionamos, se não pudermos acreditar em fatos raros, então não podemos acreditar em nenhuma coisa da história, porque a história é composta de fatos sucessivos e não repetíveis. Essa posição é claramente injustificável.

Depois de apresentar essa informação na Universidade de Harvard, não recebi nenhum questionamento ou desafio à minha crítica feita a Hume, mas apenas um surpreendente silêncio. Durante essa mesma época (a década de 1980), fui desafiado por um professor de outra grande universidade norteamericana, a Universidade de Princeton, para debater sobre esse assunto. O professor pediu uma cópia de minha apresentação antes do debate, o que era bastante incomum. O elemento-surpresa de um debate é uma vantagem da qual a maioria dos debatedores não abre mão. Contudo, eu estava tão confiante de que minha crítica a Hume estava correta que enviei o material antecipadamente àquele professor. Depois de receber minha crítica de Hume, o professor entrou em contato comigo para dizer que preferiria que eu lesse o material à sua classe, em vez de debater com ele, mas que ele estaria ali para "liderar o ataque" durante o período de perguntas e respostas. Concordei.

Quando cheguei ao *campus* no dia e hora acertados, o professor não foi encontrado. Seu assistente disse que ele tivera uma "emergência pessoal" e que a reunião fora cancelada. Terminei apresentando minha crítica a um grupo de alunos que Ravi Zacharias trouxera da Faculdade Nyack. O professor nunca respondeu às minhas tentativas subseqüentes de contatá-lo.

Recebi uma resposta similar de Antony Flew, atualmente um dos mais destacados filósofos ateus. No final da década de 1980, pedi-lhe que comentasse meu livro *Miracles and Modern Thought* [Milagres e o pensamento moderno],[12] que criticava inúmeros argumentos contrários aos milagres, incluindo o seu próprio (que é bastante similar ao de Hume). Flew concordou em apresentar uma crítica por escrito na próxima edição de um grande jornal humanista. Contudo, naquele artigo, em vez de tentar refutar os argumentos que apresentei, Flew apresentou um elogio um pouco desajeitado ao sugerir que os ateus precisam criar melhores argumentos contra os milagres se desejassem responder aos teístas contemporâneos.

A relutância em lidar diretamente com as falhas do argumento de Hume nos diz que a descrença nos milagres é provavelmente mais uma questão da vontade do que da mente. É como se algumas pessoas se apegassem cegamente aos argumentos de David Hume simplesmente porque não querem admitir que Deus existe. *Contudo, uma vez que sabemos que Deus existe, os milagres são possíveis. Qualquer argumento que possa ser levantado contra os milagres, incluindo o de David Hume, é destruído por esse simples fato.* Se existe um Deus que pode agir, então é possível que existam atos de Deus (milagres).

Portanto, no final das contas, não é nos milagres que é difícil de acreditar; o difícil é acreditar no argumento de Hume! Podemos dizer que é um "milagre" o fato de tantas pessoas ainda acreditarem nele.

NEM TUDO O QUE RELUZ É *DEUS* — O QUE É E O QUE NÃO É MILAGRE?

Portanto, a caixa está aberta — os milagres podem acontecer. Mas como vamos reconhecer um milagre quando virmos um? Com o objetivo de responder a essa pergunta, é importante definir o que é um milagre e o que não é, de modo que saibamos o que estamos procurando.

Como mostrado na tabela 8.2, existem pelo menos seis diferentes tipos de fatos incomuns, dos quais apenas um deles é milagre.

---

[12]Revisado e publicado com o novo título *Miracles and the Modern Mind*. Grand Rapids, Mich.: Baker, 1992.

Existem pelo menos seis diferentes categorias de fatos INCOMUNS:					
	Anomalias	Mágica	Psicosso-mática	Sinais satânicos	Providência	Milagres
Descrição	Caprichos da natureza	Habilidade manual	Mente sobre a matéria	Poder maligno	Fatos pre-definidos	Atos divinos
Poder	Físico	Humano	Mental	Psíquico	Divino	Sobrenatural
Características	Evento natural com um padrão	Não-natural e controlado pelo homem	Exige fé; não funciona em determinadas doenças	Mal, falsidade, ocultismo, limitado	Naturalmente explicável; contexto espiritual	Nunca falha, imediato, duradouro, para a glória de Deus
Exemplo	Abelha (*Bombus Apidae*)	Coelho na cartola	Curas psicosso-máticas	Influência demoníaca	Nevoeiro na Normandia	Ressuscitar os mortos

Tabela 8.2

Vamos analisar brevemente cada um desses fatos incomuns. Começaremos com os milagres porque, se soubermos o que eles são, então poderemos compreender melhor por que outros fatos incomuns não são milagres.

Milagre. Para que um ato de Deus seja um sinal inequívoco de Deus, o ato precisa satisfazer certos critérios — critérios que vão distinguir os atos de Deus de qualquer outro fato incomum. Tal como o selo de um rei, o sinal de Deus deve ser singular, facilmente reconhecível e ser alguma coisa que somente Deus pode fazer. Em outras palavras, ele possui características que não podem ser explicadas pelas leis naturais, pelas forças da natureza ou por qualquer outra coisa no universo físico. Quais seriam esses critérios?

Como vimos nos argumentos cosmológico, teleológico e moral, somente Deus tem poder infinito (poder que está além do mundo natural), supremo projeto e propósito e pureza moral completa. Portanto, parece racional presumir que seus atos mostrariam ou conteriam elementos desses atributos. Desse modo, os critérios para os milagres verdadeiros são:

a) Um início instantâneo de um ato poderoso, conforme comprovado pelo argumento cosmológico (o início do Universo);

b) Projeto e propósito inteligentes, conforme comprovados pelo argumento teleológico (o projeto preciso do Universo com o propósito de permitir a existência de vida; o projeto específico e complexo da vida em si mesma);

c) A promoção de comportamento bom ou certo, conforme comprovado pelo argumento moral (a lei moral que se impõe sobre nós).

O componente de poder dos milagres (a) significa que o sinal não poderia ser explicado naturalmente, pois, se uma causa natural fosse possível, então o sinal não poderia ser identificado definitivamente como um milagre. O milagre tem uma causa sobrenatural inequívoca — uma causa que transcende a natureza.

O componente do projeto (b) significa que qualquer sinal feito sem um propósito óbvio — confirmar a verdade ou um mensageiro da verdade, ou glorificar a Deus — provavelmente não é um sinal de Deus. Em outras palavras, não há possibilidade de Deus fazer milagres simplesmente com o propósito de entretenimento. Assim como a maioria dos reis da terra não usaram seu selo para uma coisa qualquer, o Rei do Universo não usaria seu selo por motivos frívolos. Além do mais, se ele usasse os milagres para simples entretenimento, então teríamos menos probabilidade de reconhecer seus propósitos quando estivesse tentando confirmar uma nova verdade ou um novo mensageiro. Desse modo, para não "fazer alarde desnecessariamente", os milagres devem concentrar-se na promoção de uma declaração de verdade e devem ser relativamente raros para que possam ser eficientes.

O componente moral dos milagres (c) significa que qualquer sinal ligado a um erro ou imoralidade não pode ser um sinal vindo de Deus. O erro e a imoralidade são contrários à natureza de Deus porque ele é o padrão imutável de verdade e moralidade. Ele não pode confirmar o erro ou a imoralidade.

Com esses critérios — poder instantâneo, projeto inteligente e moralidade —, podemos identificar quais fatos incomuns são verdadeiros sinais vindos de Deus. Perceba que extraímos esses critérios daquilo que já aprendemos sobre Deus do mundo natural e aquilo que aprendemos sobre os limites da própria natureza. A Bíblia concorda com a nossa avaliação, chamando os fatos que satisfazem esses mesmos critérios de milagres.[13] Tanto a Bíblia quanto o *Alcorão* ensinam que os milagres têm sido usados para confirmar uma palavra vinda de Deus.[14]

Desse modo, um fato ligado a uma verdadeira declaração divina que tivesse essas características seria um milagre — um ato de Deus para confirmar uma palavra de Deus. Um milagre teria ocorrido, por exemplo, se Jesus — um ho-

---

[13]Você poderá encontrar uma discussão detalhada em Norman GEISLER, *Signs and Wonders*. Wheaton, Ill.: Tyndale, 1988, cap. 8. V. tb. Norman GEISLER, *Enciclopédia de apologética*. São Paulo: Vida, 2002.

[14]Na Bíblia: Êx 4.1-5; Nm 16.5s; 1Rs 18.21,22; Mt 12.38,39; Lc 7.20-22; Jo 3.1,2; At 2.22; Hb 2.3,4; 2Co 12.12. No *Alcorão*: surata 3.184, 17.102; cf. surata 23.45.

mem que predisse que ressuscitaria dos mortos — realmente ressuscitou dos mortos. Tal fato mostraria poder instantâneo além da capacidade natural, um projeto e uma antevisão inteligentes e um propósito moral ao confirmar que Jesus vem de Deus (e nós, portanto, devemos ouvir aquilo que ele tem a dizer!). Não existe força natural ou outra fonte de poder que possa explicar tal fato.

Além disso, se a ressurreição realmente aconteceu, ela não ocorreu "de maneira inesperada", mas dentro de um contexto. Em outras palavras, a ressurreição foi um acontecimento no contexto de um Universo teísta, no qual um homem afirmando ser de Deus e realizando milagres enquanto viveu predisse que sua ressurreição aconteceria. Tal contexto sugere que é um milagre, e não apenas um fato natural ainda por ser explicado. Em resumo, se a ressurreição realmente aconteceu (e nós vamos investigar esse aspecto mais adiante), ela tem as "impressões digitais" de Deus espalhadas sobre ela.

Providência. As pessoas religiosas, particularmente os cristãos, usam o termo "milagre" de maneira bastante livre. Com muita freqüência, identificam um acontecimento como um milagre quando seria mais correto descrevê-lo como providencial.

Fatos providenciais são aqueles provocados indiretamente por Deus, não diretamente. Ou seja, Deus usa as leis naturais para realizá-los. Uma oração respondida e acontecimentos improváveis mas benéficos podem ser exemplos disso. Eles podem ser bastante notáveis e motivar a fé, mas não são sobrenaturais. O nevoeiro sobre a Normandia, por exemplo, foi providencial porque ajudou a dissimular o ataque aliado contra o maligno regime nazista. Não foi um milagre — porque ele poderia ser explicado pelas leis naturais —, mas é possível que Deus estivesse por trás dele. Por outro lado, um milagre exigiria a ocorrência de alguma coisa como balas ricocheteando no peito dos jovens soldados à medida que invadiam a praia.

Sinais satânicos. Outra causa possível de um fato incomum poderiam ser outros seres espirituais. Uma vez que Deus existe, é possível que outros seres espirituais também existam. Mas, se Satanás e os demônios realmente existem, eles possuem poderes limitados. Por quê? Porque, como já mencionamos neste capítulo, é impossível que existam dois seres infinitos ao mesmo tempo. Uma vez que Deus é infinito, nenhum outro ser pode ser infinito.

Além disso, o dualismo puro — um poder infinito do mal *versus* um poder infinito do bem — é impossível. Não existe algo como o mal puro. O mal é uma privação de bem ou um parasita que habita no bem: ele não pode existir sozinho. O mal é como a ferrugem em um carro. Se você tirar toda a ferrugem, terá um carro melhor. Se você tirar todo o carro, não terá nada. Assim, Satanás não pode ser o equivalente maligno de Deus. É fato que Satanás tem bons atributos, como poder, livre-arbítrio e pensamento racional, mas ele os usa para propósitos malignos.

O resumo é que Deus não tem um igual. Ele é o Ser infinito que é supremo sobre toda a criação. Como resultado disso, os seres espirituais criados, se é que existem, são limitados por Deus e não podem realizar o tipo de ato sobrenatural que apenas Deus pode fazer.

Assim, apenas por meio da revelação natural — sem a revelação de qualquer livro religioso — sabemos que, se existem outros seres espirituais, eles são limitados em seu poder. Por acaso, é exatamente isso o que a Bíblia ensina.

De acordo com a Bíblia, somente Deus pode criar a vida e dar vida aos mortos (Gn 1.21; Dt 32.39). Os magos do faraó, que haviam imitado as duas primeiras pragas, não puderam imitar a terceira, que criou vida (na forma de piolhos). Os magos reconheceram que a terceira praga tinha o "dedo de Deus" (Êx 8.19).

Satanás pode realizar truques melhor que o melhor dos mágicos — e há muitos exemplos disso na Bíblia[15] —, mas esses truques não satisfazem as exigências de um verdadeiro milagre. Como vimos, milagres verdadeiros fazem alguém pensar mais concentradamente em Deus, falam a verdade e promovem o comportamento moral. Sinais falsificados vindos de Satanás não fazem isso. Eles tendem a glorificar ostensivamente a pessoa que realiza o sinal e estão freqüentemente associados ao erro e ao comportamento imoral. Eles também não podem ser imediatos, instantâneos ou permanentes.

Em resumo, somente Deus realiza milagres verdadeiros; Satanás realiza milagres falsos. É exatamente sobre isso que a Bíblia fala em 2Tessalonicenses 2.9, em que Paulo escreve que "a vinda desse perverso é segundo a ação de Satanás, com todo o poder, com sinais e com maravilhas *enganadoras*". Naturalmente, a não ser que haja discernimento, tais sinais podem ser enganadores e serem considerados milagres verdadeiros (Mt 24.24).

A tabela 8.3 resume as diferenças entre um milagre divino e um sinal satânico:[16]

---

[15]Você poderá encontrar uma discussão detalhada em GEISLER, *Signs and Wonders*, caps. 7 e 8. V. a lista nas p. 107-8 (esgotado).

[16]Você poderá encontrar mais detalhes sobre este assunto lendo o artigo de onde este quadro foi extraído: "Milagres Falsos", in: Norman GEISLER. *Enciclopédia de apologética*. São Paulo: Vida, 2002, p. 574-8.

Milagre Divino	Sinal Satânico
• Ato realmente sobrenatural	• Apenas um ato supranormal
• Sob o controle do Criador	• Sob o controle da criatura
• Nunca associado ao ocultismo	• Associado ao ocultismo
• Ligado a Deus	• Freqüentemente ligado a deuses panteístas ou politeístas
• Associado à verdade	• Associado ao erro
• Associado ao bem	• Associado ao mal
• Envolve profecias verídicas	• Envolve profecias mentirosas
• Glorifica o Criador	• Glorifica a criatura

Tabela 8.3

Psicossomático. Muitos anos atrás, eu [Norm] adquiri o que achava ser uma alergia a flores ou ao pólen. Comecei a tomar um remédio bastante forte na primavera daquele ano para aliviar os sintomas. Fui convidado a pregar em uma igreja num domingo de primavera e cheguei mais cedo para encontrar-me com os presbíteros. Quando aproximei-me do púlpito, havia algumas flores numa mesa próxima. Quase imediatamente comecei a espirrar, e meus olhos encheram-se de água. Então, disse a um dos presbíteros:

— Não vou conseguir pregar com essas flores aqui por causa da minha alergia. Vocês poderiam tirá-las daqui? — pedi. Ele olhou para mim e disse:

— Elas são de plástico!

Então, disse a mim mesmo: "Geisler, você está espirrando diante de flores de plástico. Esta alergia só pode estar em sua cabeça!". Assim, joguei fora a receita médica e, desde aquele dia, não senti mais nada.

É fato que, talvez, nem todas as alergias sejam puramente psicossomáticas. Contudo, certamente existem algumas doenças e curas que são psicossomáticas, e elas são muito bem documentadas. No livro *Anatomy of an Illness* [Anatomia de uma doença], Norman Cousins descreve em detalhes de que maneira ele literalmente riu muito de si mesmo por causa do câncer. É fato que o estresse mental pode ter um impacto negativo na saúde física, enquanto ter uma atitude mental positiva, fé ou felicidade podem provocar um efeito positivo e terapêutico (cf. Pv 17.22).

Contudo, existem algumas condições patológicas — como ferimentos na espinha dorsal ou membros amputados — que não podem ser curados pela força da mente sobre a matéria, porque não são doenças psicossomáticas. Seria preciso acontecer um verdadeiro milagre para que essas condições fossem curadas.

O resumo é que as curas psicossomáticas são, em sua natureza, psicológicas, e não sobrenaturais. Elas são provas de que a mente pode ter um impacto limitado mas significativo sobre o corpo. Não devem ser confundidas com milagres.

Mágica. Talvez o tipo mais familiar de fatos incomuns seja a mágica. A mágica está baseada na destreza das mãos ou na distração da mente. Um bom mágico pode fazer você pensar que ele cortou uma mulher ao meio, que tirou um coelho de uma cartola ou que fez um elefante desaparecer. Mas tudo é uma ilusão, um truque muito inteligente. Uma vez que se descobre como o truque é feito, você diz: "Puxa, por que não pensei nisso?". Sendo um truque executado pelo controle humano, a mágica não é um milagre. Só Deus pode realizar um milagre.

Anomalias. Uma anomalia é um capricho não explicado da natureza. Houve um tempo, por exemplo, em que os cientistas não podiam explicar de que maneira uma abelha do tipo *Bombus Apidae* podia voar. Suas asas eram pequenas demais para o tamanho do seu corpo. Os cientistas consideraram o vôo da abelha uma anomalia até que descobriram um tipo de "pacote de força" que compensava as asas pequenas. Eles sabiam que não era um milagre por causa do padrão observável: todas as abelhas voavam. Assim, continuaram procurando uma explicação natural e, por fim, a encontraram.

O cético poderia perguntar: "Então por que a ressurreição de Jesus Cristo não poderia ser considerada uma anomalia?". Porque ela foi predita. Havia um projeto inteligente por trás dela — as impressões digitais de Deus estavam em todo lugar. As anomalias não estão conectadas a afirmações verdadeiras e inteligentes e carecem de dimensões morais e teológicas. Se a ressurreição de Cristo realmente aconteceu, ela não foi uma anomalia.

POR QUE NÃO VEMOS MILAGRES BÍBLICOS NOS DIAS DE HOJE?

Atualmente muitas pessoas possuem uma visão provinciana da história e da experiência humana. "Se eu não vir certos fatos acontecendo hoje", pensam elas, "é porque eles provavelmente nunca aconteceram". É óbvia a implicação disso para os milagres, a saber: "Se não existem milagres públicos e da mesma qualidade dos milagres bíblicos acontecendo hoje (e que, se estivessem acontecendo, seriam mostrados no Jornal Nacional), então por que eu deveria acreditar que aconteceram no passado?". É um questionamento bastante justo.

Contudo, existe um conceito errado muito comum por trás dessa questão. É a crença de que a Bíblia está cheia de milagres que aconteceram continuamente por toda a história bíblica. Isso é apenas parcialmente verdadeiro. É verdade que a Bíblia está cheia de milagres, acontecidos em cerca de 250 ocasiões diferentes.[17] Mas a maioria desses milagres aconteceu em janelas históricas muito pequenas, durante três períodos distintos: durante a vida de Moisés, Elias e Eliseu, de Jesus e dos apóstolos. Por quê? Porque aqueles foram momentos quando Deus estava confirmando uma nova verdade (revelação) e novos mensageiros que portavam aquela verdade.[18]

Se a maioria dos milagres está concentrado ali, o que está acontecendo em termos de milagres durante os outros períodos que a Bíblia abrange? Nada. De fato, existem grandes espaços do período bíblico (até mesmo centenas de anos) em que não há registro de milagres vindos de Deus. Por quê? Porque não havia nenhuma palavra nova vinda de Deus, e a maioria dos milagres confirmava alguma nova palavra vinda de Deus.

Sendo assim, por que não vemos milagres bíblicos hoje? Porque se a Bíblia é verdadeira e completa, Deus não está confirmando nenhuma nova revelação e, assim, não tem o propósito principal de executar milagres hoje. Não há uma nova palavra vinda de Deus que precise ser confirmada por Deus.

Agora, não nos interprete mal aqui. Nós *não* estamos dizendo que Deus não pode realizar milagres hoje ou que ele nunca possa fazê-lo. Como soberano Criador e sustentador do Universo, ele pode realizar um milagre em qualquer momento que desejar. A questão é que simplesmente pode não ter uma razão para mostrar publicamente o seu poder como fazia durante os tempos bíblicos porque todas as verdades que ele queria revelar já foram reveladas e confirmadas. Tal como uma casa, a fundação só precisa ser construída uma única vez. Os milagres bíblicos foram atos especiais de Deus que lançaram o fundamento de sua revelação permanente para a humanidade.

---

[17]Em algumas dessas ocasiões, foram realizados múltiplos milagres. Lê-se, por exemplo, que Jesus curou "muitos" diversas vezes, normalmente pessoas da cidade que estavam à volta (e.g., Mc 1.34; 3.10; 6.56; Lc 5.15; 6.18; 9.11). Os apóstolos realizaram vários milagres em uma única ocasião também (At 5.16; 8.7; 19.11,12).

[18]Teologicamente, os três grandes períodos de milagres tiveram certas coisas em comum. Moisés precisou de milagres para libertar Israel e sustentar um grande número de pessoas no deserto (Êx 4.8). Elias e Eliseu realizaram milagres para libertar Israel da idolatria (v. 1Rs 18). Jesus e os apóstolos fizeram milagres para confirmar o estabelecimento da nova aliança e sua oferta de libertação do pecado (Hb 2.3,4).

RESUMO E CONCLUSÃO

1. As características essenciais do Deus bíblico podem ser descobertas sem a Bíblia, por meio da revelação natural — conforme manifestada nos argumentos cosmológico, teleológico e moral. Esses argumentos, que são apoiados por evidências bastante fortes, mostram que este é um Universo teísta. Uma vez que este é um Universo teísta, apenas as religiões teístas — judaísmo, cristianismo e islamismo — passaram "na prova" da verdade até este momento. Todos os não teísmos são construídos sobre um fundamento falso porque estão errados quanto à existência e à natureza de Deus.

2. Uma vez que Deus existe, os milagres são possíveis. De fato, o maior milagre de todos — a criação do Universo do nada — já aconteceu, o que significa dizer que Gênesis 1.1 e todos os outros milagres na Bíblia são dignos de crédito. Argumentos contra os milagres fracassam porque estão baseados em pressuposições filosóficas falsas, em vez de basear-se na evidência da observação. O resultado é que eles fracassam na desaprovação dos milagres. Deus pode intervir no Universo que criou a despeito do que David Hume diz.

3. Um milagre verdadeiro seria um ato que somente Deus poderia realizar, significando que ele incluiria características divinas como poder sobrenatural, projeto inteligente e a promoção do comportamento moral. Por meio dessas características, os milagres podem ser diferenciados de outros tipos de fatos incomuns como providência, sinais satânicos, curas psicossomáticas, mágica e anomalias.

4. Devido à sua natureza moral, é de esperar que Deus comunique seus propósitos específicos a nós em mais detalhes (i.e., além da revelação natural, indo para a revelação especial). Deus poderia usar milagres como seu sinal para confirmar essa revelação especial feita a nós. Usado dessa maneira, um milagre é um ato de Deus para confirmar uma mensagem de Deus.

Nossa única pergunta neste momento é: "Deus usou milagres para confirmar o judaísmo, o cristianismo ou o islamismo?". Essa é a pergunta que vamos começar a responder no capítulo seguinte.

Os capítulos 9—12 tratarão
dos seguintes assuntos:

1. A verdade sobre a realidade pode ser conhecida.
2. O oposto de verdadeiro é falso.
3. É verdade que o Deus teísta existe. Isso é comprovado pelos seguintes aspectos:
   a. O início do Universo (argumento cosmológico);
   b. O planejamento do Universo (argumento teleológico/princípio antrópico);
   c. O planejamento da vida (argumento teleológico);
   d. A lei moral (argumento moral).
4. Se Deus existe, os milagres são possíveis.
5. Os milagres podem ser usados para confirmar uma mensagem de Deus (i.e., como atos de Deus para confirmar uma palavra de Deus).
6. **O Novo Testamento é historicamente confiável. Isso é comprovado por:**
   a. **Testemunhos antigos;**
   b. **Relatos de testemunhas oculares;**
   c. **Testemunhos não inventados (autênticos);**
   d. **Testemunhas oculares que não foram enganadas.**
7. O Novo Testamento diz que Jesus afirmava ser Deus.
8. A afirmação de Jesus quanto a ser Deus foi miraculosamente confirmada por:
   a. Cumprimento de muitas profecias sobre si mesmo;
   b. Sua vida sem pecado e seus feitos miraculosos;
   c. A predição e a concretização de sua ressurreição.
9. Portanto, Jesus é Deus.
10. Todos os ensinamentos de Jesus (que é Deus) são verdadeiros.
11. Jesus ensinou que a Bíblia é a Palavra de Deus.
12. Portanto, é verdade que a Bíblia é a Palavra de Deus (e qualquer coisa que se opõe a ela é falsa).

9
Possuímos testemunho antigo sobre Jesus?

A comprovação histórica leva-nos por uma longa jornada rumo à demonstração de nossa crença. Como resultado, a fé, que é necessária para preencher os espaços restantes, é logicamente plausível.
CRAIG BLOMBERG

O EVANGELHO DE ACORDO COM OS NÃO-CRISTÃOS

No ano 66 d.C., os judeus da Palestina iniciaram uma revolta contra o governo romano que, para dizer o mínimo, não agradou aos romanos. O imperador enviou tropas lideradas pelo general Vespasiano para conter a rebelião e retomar o controle das áreas rebeldes. Em 67, Vespasiano liderou um cerco à cidade rebelde de Jotapata, na Galiléia. No 47º dia daquele cerco, um jovem revolucionário judeu optou por entregar-se ao exército romano, muito superior, em vez de cometer suicídio — um destino que muitos de seus compatriotas haviam escolhido. Aquele jovem recebeu o favor de Vespasiano e, depois, foi levado a Roma pelo general Tito, filho de Vespasiano; mais tarde, Tito destruiu Jerusalém e o templo judeu no ano 70 d.C.

Aquele jovem era Flávio Josefo (c. 37-100 d.C.) que, por fim, tornou-se o maior historiador judeu de sua época. Josefo começou a escrever documentos históricos em Roma, enquanto trabalhava como historiador do imperador romano Domiciano. Foi ali que escreveu sua autobiografia e duas obras históricas importantes. Uma dessas obras é sua atualmente famosa *Antiguidades dos judeus* [publicada em português pela CPAD], concluída por volta do ano 93. No livro 18, capítulo 3, seção 3 dessa obra, Josefo, que não era cristão, escreveu estas palavras:

> Nessa época [a época de Pilatos], havia um homem sábio chamado Jesus. Sua conduta era boa e [ele] era conhecido por ser virtuoso. Muitos judeus e de

outras nações tornaram-se seus discípulos. Pilatos condenou-o à crucificação e à morte. Mas aqueles que se tornaram seus discípulos não abandonaram seu discipulado, antes relataram que Jesus havia reaparecido três dias depois de sua crucificação e que estava vivo; por causa disso, ele talvez fosse o Messias, sobre quem os profetas contaram maravilhas.[1]

Essa não foi a única menção feita a Jesus por Josefo.[2] Em outra passagem das *Antiguidades dos judeus*, Josefo revelou de que maneira o novo sumo sacerdote dos judeus (Ananus, o jovem) valeu-se de um hiato no governo romano para matar Tiago, o irmão de Jesus. Isso aconteceu no ano 62, quando o imperador romano Festo morreu repentinamente durante seu ofício. Três meses se passaram até que seu sucessor, Albino, pudesse chegar à Judéia, abrindo um grande espaço de tempo para que Ananus realizasse seu trabalho sujo. Josefo descreve o incidente da seguinte maneira:

> Festo está morto, e Albino está a caminho. Assim, ele [Ananus, o sumo sacerdote] reuniu o Sinédrio dos juízes e trouxe diante deles o irmão de Jesus, que era chamado Cristo, cujo nome era Tiago, e alguns outros [ou alguns de seus companheiros] e, quando havia formulado uma acusação contra eles como transgressores da lei, ele os entregou para que fossem apedrejados.[3]

Temos aqui não apenas outra referência do século I feita a Jesus, mas a confirmação de que tinha um irmão chamado Tiago que, obviamente, não era benquisto pelas autoridades judaicas. Poderia ser o caso de Tiago ter sido martirizado por ser ele o líder da igreja de Jerusalém, como o NT deixa implícito?[4]

Quantas fontes não-cristãs fazem menção a Jesus? Incluindo Josefo, existem dez outros escritores não-cristãos conhecidos que mencionam Jesus num período

---

[1]Existe uma versão dessa citação na qual Josefo afirma que Jesus era o Messias, mas a maioria dos estudiosos acredita que os cristãos mudaram a citação para que fosse lida dessa maneira. De acordo com Orígenes, um dos pais da Igreja, nascido no século II, Josefo não era cristão. Desse modo, é improvável que ele pudesse afirmar que Jesus era o Messias. A versão que citamos aqui vem de um texto árabe que, acredita-se, não foi corrompido.

[2]Por que Josefo não fez mais referências a Jesus? Podemos conjecturar que, como historiador do imperador, Josefo tinha de escolher os temas e as palavras com muito cuidado. De modo mais patente, Domiciano suspeitava de tudo o que pudesse ser associado a sedição. Esta nova seita chamada cristianismo poderia ter sido considerada sediciosa porque os cristãos tinham esse novo e estranho sistema de crenças e recusavam-se a adorar César e os deuses romanos. Como resultado disso, Josefo certamente não queria alarmar ou irritar seu chefe ao escrever um grande número de comentários favoráveis sobre o cristianismo. Todavia, essas duas referências confirmam a existência de Jesus e de Tiago e corrobora os relatos do Novo Testamento.

[3]*Antiguidades*, 20.9.1.

[4]V. At 21.17,18; cf. 15.13.

de até 150 anos depois de sua morte.[5] Por outro lado, nesses mesmos 150 anos, existem nove fontes não-cristãs que mencionam Tibério César, o *imperador* romano dos tempos de Jesus.[6] Assim, descontando todas as fontes cristãs, em relação ao imperador romano existe uma fonte a mais que menciona Jesus. Se você incluir as fontes cristãs, os autores que mencionam Jesus superam aqueles que mencionam Tibério numa proporção de 43 para 10![7]

Algumas dessas fontes não-cristãs — como Celso, Tácito e o *Talmude* judaico — poderiam ser consideradas como fontes *anticristãs*. Embora essas obras não tenham uma testemunha ocular sequer que contradiga os fatos descritos nos documentos do NT, foram escritas por autores claramente anticristãcs. O que podemos aprender nos baseando neles e nas fontes não-cristãs mais neutras? Aprendemos que admitem certos fatos sobre o cristianismo primitivc que nos ajudam a formar uma narrativa que é surpreendentemente congruente com o NT. Reunindo todas as dez referências não-cristãs, vemos que:

1. Jesus viveu durante o tempo de Tibério César.
2. Ele viveu uma vida virtuosa.
3. Realizou maravilhas.
4. Teve um irmão chamado Tiago.
5. Foi aclamado como Messias.
6. Foi crucificado a mando de Pôncio Pilatos.
7. Foi crucificado na véspera da Páscoa judaica.
8. Trevas e um terremoto aconteceram quando ele morreu.
9. Seus discípulos acreditavam que ele ressuscitara dos mortos.
10. Seus discípulos estavam dispostos a morrer por sua crença.
11. O cristianismo espalhou-se rapidamente, chegando até Roma.
12. Seus discípulos negavam os deuses romanos e adoravam Jesus como Deus.

---

[5]As dez fontes não-cristãs são: Josefo; Tácito, historiador romano; Plínio, o Jovem, político romano; Flegon, escravo liberto que escrevia histórias; Talo, historiador do século I; Suet3nio, historiador romano; Luciano, satirista grego; Celso, filósofo romano; Mara bar Serapion, cidadão reservado que escrevia para seu filho; e o *Talmude*. Você poderá encontrar uma lista completa das menções a Cristo feitas por essas fontes em Norman L. GEISLER, *Enciclopédia de apologética*. São Faulo: Vida, 2002, p. 447-52; v. tb. Gary HABERMAS, *The Historical Jesus*. Joplin, Mo.: College Press, 1996, cap. 9.

[6]Gary HABERMAS & Michael LICONA. *The Case for the Resurrection of Jesus*. Grand Rapids, Mich.: Kregel Publications, 2004.

[7]Uma vez que Lucas menciona Tibério, o número total de autores que menciona Tibério é dez. V. HABERMAS & LICONA, *The Case for the Resurrection of Jesus*. Adicionamos o *Talmude* à lista montada por Habermas e Licona porque é provável que ele tenha sido composto no início do século II, dentro do período de 150 anos após a morte de Jesus. Conseqüentemente, nossa contagem é 43 a 10, em vez de 42 a 9, conforme sugerido por Habermas e Licona.

À luz dessas referências não-cristãs, a teoria de que Jesus nunca existiu é claramente injustificável. De que maneira escritores não-cristãos poderiam juntos revelar uma narrativa congruente com o NT se Jesus nunca tivesse existido?

Mas as implicações vão muito além disso. O que isso nos fala sobre o NT? Diante de tal fato, as fontes não-cristãs confirmam o NT. Embora os autores não-cristãos não digam que acreditam na ressurreição de Jesus, eles relatam que os discípulos certamente acreditavam nela.

Uma vez que a existência de Deus e a possibilidade de milagres são firmemente estabelecidas por meio da revelação natural — como já demonstramos — e a história geral de Cristo e da igreja primitiva é confirmada por meio de fontes não-cristãs, será que os milagres de Cristo realmente aconteceram como os discípulos afirmam? Os documentos do NT registram a história real? Poderia ser o caso de esses documentos não serem textos religiosos puramente tendenciosos, cheios de mitos e fábulas — como muitos em nosso mundo moderno afirmam — mas, em vez disso, documentos que descrevem eventos que realmente aconteceram cerca de 2 mil anos atrás? Se é assim, estaremos na direção certa na nossa busca para saber qual religião teísta é verdadeira.

Para verificar se o NT é um registro fidedigno da história, precisamos responder a duas perguntas em relação aos documentos que compõem o NT:

1. Temos cópias precisas dos documentos originais que foram escritos no século I?
2. Esses documentos falam a verdade?

Para que se possa acreditar na mensagem do NT, essas duas perguntas precisam ser respondidas de maneira afirmativa. Não basta simplesmente apresentar evidências de que possuímos cópias precisas dos documentos originais do século I (pergunta 1), porque tais documentos poderiam contar mentiras. Devemos ter uma cópia precisa dos documentos *e* termos razões para acreditar que esses documentos descrevem aquilo que realmente aconteceu cerca de 2 mil anos atrás (pergunta 2). Vamos começar com a pergunta número 1.

PERGUNTA 1: TEMOS CÓPIAS PRECISAS?

Temos certeza de que você se lembra da brincadeira infantil chamada "telefone sem fio". Era uma brincadeira na qual uma criança recebe uma mensagem verbal para passar à próxima criança, que passa aquilo que ouviu à criança seguinte, e assim por diante. Quando a mensagem chega à última criança na seqüência, ela é uma péssima representação daquilo que a primeira criança ouviu. Para o observador comum, esse parece ser o mesmo tipo de distorção que poderia ter infectado documentos que foram transmitidos de geração a geração num espaço de 2 mil anos.

Felizmente o NT não foi transmitido dessa maneira. Uma vez que não foi contado a uma pessoa, que o contou a outra, e assim por diante, a brincadeira do telefone não se aplica. Várias pessoas testemunharam acontecimentos do NT de modo independente, muitas das quais os registraram em sua memória, e nove dessas testemunhas oculares/contemporâneas registraram suas observações por escrito.

Neste momento, precisamos esclarecer um conceito errado muito comum sobre o NT. Quando falamos dos documentos do NT, não estamos falando de um único texto, mas de 27 textos. Os documentos do NT são 27 documentos diferentes, escritos em 27 rolos diferentes, por nove autores, num período de 20 a 50 anos. Esses textos específicos desde então foram reunidos em um único livro que hoje chamamos Bíblia. Desse modo, o NT não é uma fonte única, mas uma coleção de fontes.

Existe apenas um problema: até agora, *nenhum* dos documentos escritos originais do NT foi descoberto. Temos apenas *cópias* dos textos originais, chamados manuscritos. Isso pode nos impedir de saber o que diziam os originais?

De modo algum. De fato, toda literatura significativa do mundo antigo é reconstituída à sua forma original ao se comparar os manuscritos que sobreviveram. Para reconstruir-se o original, é muito útil termos um grande número de manuscritos produzidos não muito tempo depois do original. Maior quantidade de manuscritos e manuscritos antigos normalmente nos dão um testemunho mais confiável e geram condições para uma reconstrução mais precisa.

Como os documentos do NT se saem nesse aspecto? Muito bem, melhor do que qualquer outro material do mundo antigo. De fato, os documentos do NT possuem mais manuscritos, manuscritos mais antigos e manuscritos mais abundantemente apoiados do que as dez melhores peças da literatura clássica *combinadas*. Veja a seguir o que queremos dizer com isso.

Mais manuscritos. De acordo com a última contagem, existem cerca de 5.700 manuscritos gregos do NT escritos à mão. Além disso, existem mais de 9 mil manuscritos em outras línguas (e.g., siríaco, copta, latim, árabe). Alguns desses quase 15 mil manuscritos são bíblias completas, outros são livros ou páginas, e somente alguns são apenas fragmentos. Como mostrado na figura 9.1, não existe nada no mundo antigo que sequer se aproxime disso em termos de apoio a manuscritos. A obra mais próxima é a *Ilíada*, de Homero, com 643 manuscritos. A maioria das outras obras antigas sobrevive com pouco mais de uma dúzia de manuscritos.[8] Contudo, poucos historiadores questionam a historicidade dos eventos que essas obras registram.

---

[8]Norman GEISLER. *Enciclopédia de apologética*. São Paulo: Vida, 2002, p. 644.

Manuscritos mais antigos. O NT não apenas desfruta de um amplo apoio dos manuscritos, como também possui manuscritos que foram escritos logo depois dos originais. O mais antigo e incontestável manuscrito é um segmento de João 18.31-33,37,38, conhecido como fragmento John Rylands (porque está na Biblioteca John Rylands, em Manchester, Inglaterra). Os estudiosos datam esse documento como tendo sido escrito entre 117 e 138 d.C., mas alguns dizem que ele é ainda mais antigo. O fragmento foi encontrado no Egito — próximo ao mar Mediterrâneo, e seu provável local de composição foi a Ásia Menor — demonstrando que o evangelho de João foi copiado e levado a lugares distantes logo no início do século II.

Existem nove fragmentos *discutíveis*, ainda mais antigos que o fragmento John Rylands, que datam do período que vai do ano 50 ao 70 d.C., encontrados com os Manuscritos do mar Morto.[9] Alguns estudiosos acreditam que esses fragmentos são parte de seis livros do NT, incluindo Marcos, Atos, Romanos, 1Timóteo, 2Pedro e Tiago. Embora outros estudiosos resistam a essa conclusão (talvez porque admitir isso seria uma afronta à sua inclinação liberal de que o NT foi escrito posteriormente), eles não encontraram nenhum outro texto que não fosse do NT ao qual esses fragmentos pudessem pertencer.[10]

CONFIABILIDADE DO NOVO TESTAMENTO QUANDO COMPARADO COM OUTROS DOCUMENTOS ANTIGOS

Espaço de tempo (*em anos*) entre o original e as primeiras cópias remanescentes

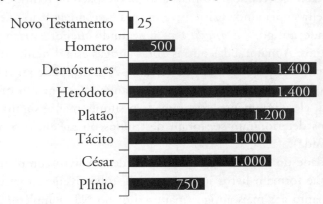

Novo Testamento	25
Homero	500
Demóstenes	1.400
Heródoto	1.400
Platão	1.200
Tácito	1.000
César	1.000
Plínio	750

[9]Ibid., p. 644, 645.
[10]Alguns poucos críticos apresentaram possíveis alternativas fora do Novo Testamento. Para serem bem-sucedidos, eles precisaram mudar o número de letras de uma linha de 20 para 60 em alguns casos. Essa quantidade de letras numa linha seria bastante incomum. V. GEISLER, *Enciclopédia de apologética*, p. 645.

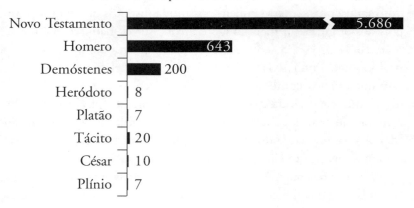

Fig. 9.1

Os fragmentos foram encontrados numa caverna que, anteriormente, fora identificada como uma que possuía material cuja datação variava de 50 a.C. a 50 d.C. O primeiro estudioso a identificar esses fragmentos antigos como livros do NT foi José O'Callahan, um destacado paleógrafo espanhol. O *New York Times* reconheceu as implicações da teoria de O'Callahan ao admitir que, se eles fossem verdadeiros, "então provariam que pelo menos um dos evangelhos — o de S. Marcos — foi escrito apenas alguns anos depois da morte de Jesus".[11]

Mas mesmo que não fossem fragmentos verdadeiros do NT e se o fragmento John Rylands fosse realmente o mais antigo, o espaço de tempo entre o original e a primeira cópia ainda existente é muitas vezes menor do que qualquer outro do mundo antigo.[12] A *Ilíada* tem o segundo menor espaço, que é de cerca de 500 anos. A maioria das outras obras antigas está distante mil anos ou mais do original. O espaço do NT, de cerca de 25 anos, pode ser menor (isso *não* significa que não tenha havido outros manuscritos entre o original e a primeira cópia; eles certamente existiram. Isso simplesmente significa que esses manuscritos deterioraram-se, foram destruídos ou até mesmo não foram descobertos ainda).

Qual é a idade do mais antigo manuscrito de um livro completo do NT? Manuscritos que formam livros inteiros do NT sobreviveram a partir do ano 200 d.C. E quanto aos mais antigos manuscritos do NT completo? A maioria

---

[11]Apud David ESTRADA & William WHITE JR. *The First New Testament*. Nashville: Nelson, 1978, p. 137.

[12]Tenha em mente que isso *não é* um espaço entre os eventos e os textos originais. Esse espaço é ainda menor, como veremos adiante neste capítulo.

dos manuscritos do NT, incluindo os quatro evangelhos, sobrevive desde o ano 250, e um manuscrito do NT (incluindo um Antigo Testamento em grego), chamado Códice Vaticano, sobrevive desde o ano 325. Vários outros manuscritos completos sobrevivem desde aquele século. Esses manuscritos possuem ortografia e pontuação características que sugerem ser parte de uma família de manuscritos que pode ter sua origem entre 100 e 150 d.C.

Se esses numerosos e antigos manuscritos fossem tudo o que os estudiosos possuíssem, poderiam reconstruir o NT original com grande precisão. Mas eles também possuem abundantes evidências de apoio do mundo antigo que fazem a reconstituição do NT ser ainda mais precisa. Vamos analisar isso a seguir.

Grande quantidade de manuscritos de apoio. Começando em fevereiro do ano 303 d.C., o imperador romano Diocleciano promulgou três editos de perseguição aos cristãos porque acreditava que a existência do cristianismo estava rompendo a aliança entre Roma e seus deuses. Os editos pediam a destruição das igrejas, dos manuscritos e de livros, assim como a morte dos cristãos.[13]

Centenas, se não milhares, de manuscritos foram destruídos por todo o Império Romano durante essa perseguição, que durou até o ano 311. Mas mesmo que Diocleciano tivesse sido bem-sucedido em varrer da face da Terra todos os manuscritos bíblicos, ele não poderia ter destruído nossa capacidade de reconstruir o NT. Por quê? Porque os pais da igreja primitiva — homens dos séculos II e III como Justino Mártir, Ireneu, Clemente de Alexandria, Orígenes, Tertuliano e outros — fizeram tantas citações do NT (36.289 vezes, para ser exato) que todos os versículos do NT, com exceção de apenas 11, poderiam ser reconstituídos simplesmente de suas citações.[14] Em outras palavras, você poderia ir até a biblioteca pública, analisar as obras dos pais da igreja primitiva e ler praticamente todo o NT simplesmente com base nas citações que eles fizeram! Desse modo, nós não apenas temos milhares de manuscritos, mas milhares de citações desses manuscritos. Isso torna a reconstrução do texto original praticamente precisa.

Mas quão precisa? Como os originais são reconstruídos e quão preciso é este NT reconstruído?

---

[13]V. Williston WALKER et al. *A History of the Christian Church*, 4. ed. New York: Scribner, 1985, p. 123, 124 [publicado em português por JUERP/ASTE, *História da Igreja Cristã*].

[14]Você poderá encontrar uma análise dessas citações em Norman GEISLER & William NIX, *General Introduction to the Bible*. Chicago: Moody, 1986, p. 431.

Como o original é reconstruído?

Esses três fatos — manuscritos em quantidade, antigos e de apoio — ajudam os estudiosos a reconstruírem os manuscritos originais do NT de maneira bem fácil. O processo de comparar muitas cópias e citações fornece uma reconstrução extremamente precisa do original, mesmo que erros fossem cometidos durante a cópia. Como isso funciona? Considere o exemplo a seguir. Suponha que tenhamos quatro diferentes manuscritos, os quais possuem quatro erros diferentes no mesmo versículo, como Filipenses 4.13 ("Tudo posso naquele que me fortalece"). Vejamos as quatro cópias hipotéticas:

1. Tudo p#sso naquele que me fortalece
2. Tudo po#so naquele que me fortalece
3. Tudo pos#o naquele que me fortalece
4. Tudo poss# naquele que me fortalece

Há algum mistério em relação àquilo que o original dizia? De modo algum. Pelo processo de comparação e de verificação cruzada, o NT original pode ser reconstruído com grande precisão. A reconstrução do NT é ainda mais fácil que isso, porque existem muito menos erros nos manuscritos verdadeiros do NT do que os que foram representados nesse exemplo.

Vamos presumir por um instante que o NT seja realmente a palavra de Deus. Os céticos podem perguntar: "Bem, se o NT é realmente a palavra de Deus, então por que Deus não preservou o original?". Só podemos especular aqui, mas uma possibilidade é porque sua palavra pode ser melhor protegida por meio de cópias do que por meio de documentos originais. Como assim? Porque, se o original estivesse de posse de alguma pessoa, essa pessoa poderia alterá-lo. Mas, se houvesse cópias espalhadas por todo o mundo antigo, não haveria maneira de um escriba ou sacerdote alterar a palavra de Deus. Como vimos, o processo de reconstrução permite que variantes e alterações nas cópias sejam identificadas e corrigidas de maneira bastante simples. Desse modo, ironicamente, o fato de *não* existirem originais pode preservar a palavra de Deus de uma maneira melhor do que se eles existissem.

Quão precisa é esta reconstrução?

Com o objetivo de abordar a questão da precisão, temos de esclarecer alguns mal-entendidos de muitos críticos em relação a "erros" nos manuscritos bíblicos. Alguns já chegaram a estimar que existem cerca de 200 mil erros nos manuscritos do NT. Primeiro de tudo, eles não são "erros", mas leituras variantes, a maioria das quais de natureza estritamente gramatical (i.e., pontuação e ortografia). Segundo, essas leituras estão espalhadas por cerca de 5.700 manuscritos, de modo que a variação na ortografia de *uma* letra de *uma* palavra em *um* versículo em 2 mil manuscritos é considerada 2 mil "erros".

Os especialistas em texto Westcott e Hort estimam que apenas *uma em cada 60* dessas variantes tem significância. Isso levaria a um texto com grau de pureza de 98,33%.[15] Philip Schaff calculou que, das 150 mil variantes conhecidas em seus dias, somente 400 mudaram o significado da passagem, apenas 50 foram de real importância e *nem mesmo uma sequer* afetou "um artigo de fé ou um preceito de obrigação que não seja abundantemente apoiado por outras passagens indubitáveis ou pelo sentido geral do ensinamento das Escrituras".[16]

Nenhum outro livro antigo é tão bem autenticado. O grande estudioso do NT e professor da Universidade de Princeton, Bruce Metzger, estimou que o *Mahabharata*, do hinduísmo, foi copiado com apenas 90% de precisão e que a *Ilíada* de Homero, com cerca de 95%. Por comparação, ele estimou que o NT é cerca de 99,5% preciso.[17] Mais uma vez, o 0,5% em questão não afeta uma única doutrina da fé cristã.

Fredric Kenyon, autoridade em manuscritos antigos, resumiu muito bem a situação do NT quando escreveu:

> Não se pode afirmar com plena firmeza que, em substância, o texto da Bíblia seja inquestionável. Em especial, essa é a situação do Novo Testamento. O número de manuscritos do NT, de traduções antigas dele e de suas citações pelos antigos autores da igreja é tão grande que é praticamente certo que a verdadeira leitura de toda passagem dúbia esteja preservada em uma ou outra dessas autoridades antigas. Não se pode dizer isso em relação a nenhum outro livro antigo do mundo.[18]

Desse modo, sabemos que possuímos o mesmo NT que foi escrito 2 mil anos atrás. Mas a pergunta seguinte é ainda mais importante: Temos uma cópia precisa da verdade — ou uma mentira? Em outras palavras, o NT é historicamente confiável?

---

[15]V. mais detalhes sobre as fontes em GEISLER, *Enciclopédia de apologética,* p. 641.

[16]*A Companion to the Greek Testament and the English Version*, 3. ed. New York: Hamper, 1883, p. 177.

[17]V. mais detalhes sobre as fontes em GEISLER, *Enciclopédia de apologética,* p. 641.

[18]*Our Bible and the Ancient Manuscripts*, 4. ed., rev. A. W. Adams. New York: Harper, 1958, p. 23.

PERGUNTA 2: O NT É HISTORICAMENTE CONFIÁVEL?

Quando fazemos a pergunta "O NT é historicamente confiável?", estamos procurando descobrir se os principais fatos descritos nos documentos do NT realmente aconteceram. Especificamente, houve realmente um homem judeu, há cerca de 2 mil anos, chamado Jesus que ensinou profundas verdades, realizou milagres, foi crucificado pelas autoridades romanas e judaicas por se dizer Deus, que apareceu a muitas testemunhas depois de ter ressuscitado três dias após sua morte?

É importante manter em mente que, nesse ponto, *não* estamos buscando saber se o NT não possui erros ou se ele é a "palavra de Deus". Estamos simplesmente tentando descobrir se a narrativa básica é fato, e não ficção. Com o objetivo de descobrir isso, precisamos averiguar que tipos de registros compreendem o NT. Eles são documentos escritos por testemunhas oculares (ou por aqueles que entrevistaram testemunhas oculares) logo depois dos acontecimentos, ou são documentos escritos muito depois, por seguidores tendenciosos que simplesmente embelezaram detalhes sobre a vida de uma personagem histórica real?

Com o objetivo de descobrir isso, nos capítulos seguintes vamos testar os documentos do NT pelo critério que os historiadores freqüentemente usam para determinar se devemos acreditar ou não em determinado documento histórico. Vamos nos referir a esse critério como "testes históricos". São eles:

1. **Temos um testemunho antigo?** De modo geral, quanto mais antigas as fontes, mais preciso é o seu testemunho.

2. **Temos o depoimento de testemunhas oculares?** O depoimento das testemunhas oculares normalmente é o melhor meio de estabelecer o que realmente aconteceu.

3. **Temos o depoimento de testemunhas oculares múltiplas e independentes?** Testemunhas oculares múltiplas e independentes confirmam que os fatos realmente aconteceram (eles não são ficção) e dão detalhes adicionais que uma única fonte poderia perder (fontes verdadeiramente independentes normalmente contam a mesma história básica, mas com detalhes diferentes. Os historiadores às vezes chamam isso de "coerência com dissimilaridade").

4. **As testemunhas oculares são dignas de confiança?** Devemos acreditar nelas? O caráter é muito importante.

5. **Temos evidências corroborantes da arqueologia ou de outros autores?** Isso traz confirmação adicional.

6. **Temos algum testemunho de algum oponente?** Se os oponentes das testemunhas oculares admitem certos fatos que as testemunhas afirmam ser verdadeiros, então tais fatos provavelmente são verdadeiros (se a sua mãe diz, por exemplo, que você é corajoso, isso pode ser verdadeiro; contudo, é provavelmente mais digno de crédito se o seu arquiinimigo disser a mesma coisa).

7. **O testemunho contém fatos ou detalhes que são embaraçosos para os autores?** Uma vez que a maioria das pessoas não gosta de registrar informação negativa sobre si mesmas, qualquer testemunho que faça o autor parecer ruim é provavelmente verdadeiro.

Na maioria dos casos, os documentos que satisfazem a maioria ou todos esses testes históricos são considerados confiáveis ainda que com pequena margem de dúvida. Como se saem os documentos do NT? Vamos descobrir neste capítulo e nos três seguintes. Contudo, antes de começarmos o teste histórico número 1 (testemunho antigo), precisamos esclarecer algumas objeções que impedem muitos céticos de até mesmo considerarem a confiabilidade do NT.

Objeções comuns à confiabilidade

A história não pode ser conhecida. O mais recente argumento gerado contra a possibilidade de se considerar a confiabilidade dos documentos do NT é a afirmação de que a história não pode ser conhecida. Ironicamente, essa objeção normalmente vem das mesmas pessoas que dizem *saber* que a primeira vida foi gerada espontaneamente com base em elementos químicos inorgânicos e que toda a vida subseqüente evoluiu daquela primeira vida, sem nenhuma intervenção inteligente. Eles estão absolutamente seguros sobre *essa história* a despeito do fato de que não existem testemunhas oculares ou dados corroborantes desses acontecimentos. Contudo, afirmam que a ressurreição de Jesus Cristo — um acontecimento do qual existem testemunhas oculares e dados corroborantes — não pode ser conhecida!

A afirmação de que a história não pode ser conhecida vai na direção contrária do bom senso. Não temos certeza de que George Washington foi o primeiro presidente dos Estados Unidos? Que Lincoln foi o 16º? Que o Japão atacou Pearl Harbor em 7 de dezembro de 1941? Que o New York Mets venceu a série mundial de beisebol em 1969? É claro que sim. O cético está errado. Nós podemos conhecer e realmente conhecemos a história. De fato, se não pudéssemos conhecer a história, então não poderíamos detectar o revisionismo histórico ou a propaganda histórica, linhas que assumem existir uma história objetiva que pode ser conhecida.

Por que alguém não poderia ter conhecimento de um fato passado? O cético pode dizer: "Porque você não tem acesso a todos os fatos!". A isso, responderemos: "Então os cientistas não podem saber coisa alguma, porque não têm acesso a todos os fatos". Isso é obviamente absurdo. Embora não possamos ter acesso a todos os fatos, podemos ser capazes de reunir uma quantidade suficiente deles para estarmos razoavelmente certos daquilo que aconteceu.

Parte da confusão envolve uma falha em definir aquilo que significa "conhecer". Uma vez que não podemos voltar no tempo e testemunhar os fatos históricos outra vez, nosso conhecimento histórico está baseado na probabilidade. Em outras palavras, usamos o mesmo padrão que um júri usa para determinar se um acusado cometeu um crime: o de dúvidas justificáveis. Se a história não pode ser conhecida, então nenhum júri poderia chegar a um veredicto! Além do mais, um júri faz um julgamento sobre a culpa ou a inocência de alguém baseado no *conhecimento* de algum fato *passado*. Os historiadores precisam descobrir fatos passados do mesmo modo que a polícia ou a equipe de criminalística faz: reunindo evidências e entrevistando testemunhas. Quando fazem isso, freqüentemente usam os sete testes históricos que acabamos de identificar.

Por último, se não podemos conhecer a história, então os céticos não podem afirmar que o cristianismo não seja verdadeiro. Para dizer que o cristianismo não é verdadeiro, o cético precisa conhecer a história. Por quê? Porque toda negativa implica uma afirmação. Para dizer que Jesus não ressuscitou dos mortos (a negação), o cético precisa saber o que realmente aconteceu a ele (a afirmação).

No fim de tudo, os céticos são pegos num dilema. Se disserem que a história não pode ser conhecida, então não podem dizer que a evolução é verdadeira e que o cristianismo é falso. Se admitirem que a história pode ser conhecida, então precisam enfrentar as múltiplas linhas de evidência histórica favorável à criação e ao cristianismo.

Os documentos do Novo Testamento contêm milagres. Os céticos normalmente fazem a seguinte acusação: "O NT contém milagres; portanto, uma grande parte dele *só pode* ser lenda!". Já respondemos a essa objeção. Uma vez que Deus existe, os milagres são possíveis. Como veremos no capítulo 13, os eventos do NT estão num contexto em que os milagres não são apenas possíveis, mas foram preditos. Desse modo, a inclusão de milagres não nega a historicidade dos documentos do NT, mas, na verdade, a fortalece (porque registram fatos que foram preditos).

Os autores do Novo Testamento eram tendenciosos. O grande cético David Hume disse que, se vamos considerar as testemunhas dignas de crédito, então elas não devem ser tendenciosas. Desse modo, quando os céticos olham para os documentos do NT, freqüentemente perguntam: "Como você pode dizer que eram confiáveis, uma vez que foram escritos pelos convertidos? Esses são relatos tendenciosos escritos por pessoas tendenciosas".

É verdade que os autores do NT *eram* tendenciosos e convertidos. Mas isso não significa que mentiram ou que exageraram. Na verdade, sua conversão e seu viés podem realmente tê-los levado a serem *mais* precisos. Vamos ver por quê.

Alguns anos atrás, o assim chamado documentário sobre Jesus, transmitido por um canal de televisão, começava com o seguinte comentário do narrador: "A maior parte daquilo que pensamos saber sobre Jesus vem dos evangelhos do NT: Mateus, Marcos, Lucas e João. Mas não podemos confiar que esses livros apresentem uma informação precisa, porque foram escritos pelos convertidos".

Bem, o que há de errado com essa lógica? O que há de errado com a lógica é que deixa de fazer a pergunta mais importante: *Por que eles se converteram?* De fato, a primeira e mais importante pergunta não é "Qual era a crença dos autores do NT?". A primeira e mais importante pergunta é: "Por que eles se converteram a essas novas crenças?". Em outras palavras, por que os autores do NT repentinamente abandonaram seu meio de ganhar a vida e suas valiosas tradições religiosas em favor dessas novas crenças?

Eu [Frank] fiz essa pergunta a um casal de negros muçulmanos[19] durante um debate no rádio há não muito tempo. Tal como os muçulmanos tradicionais, os negros muçulmanos não acreditam que Jesus tenha sido crucificado, e, assim, não há maneira de ele ter ressuscitado. Tendo isso em mente, perguntei:

— Por que os autores do NT repentinamente se converteram do judaísmo para acreditar que Jesus ressuscitara dos mortos?

— Porque eles queriam ter poder sobre as pessoas! — disse um deles.

— Que poder os autores do NT ganharam ao afirmar que Jesus ressuscitara dos mortos? — perguntei. — A resposta é "nenhum". De fato, em vez de ganhar poder, eles receberam exatamente o oposto: submissão, servidão, perseguição,

---

[19]Essa é a designação dos norte-americanos afrodescendentes adeptos do islamismo, em sua maioria da ala ortodoxa [N. do R.].

tortura e morte — disse eu. Eles não responderam nada. Então, fiz a pergunta de uma maneira diferente:

— Que possível motivo teriam os autores do NT para fabricar a história da ressurreição se ela não era verdadeira?

Mais uma vez, não tiveram resposta. Por quê? Porque começaram a perceber que os autores do NT tinham todos os motivos naturais para *negar* a ressurreição, em vez de proclamá-la. Não havia motivação ou incentivo para fabricar a narrativa do NT. Desde a última vez que pensamos nisso, a promessa de submissão, servidão, perseguição, tortura e morte não motivaria ninguém a inventar tal história.

Os autores do NT certamente não tiveram razão para inventar uma nova religião. Devemos nos lembrar de que todos eles (com a possível exceção de Lucas) eram judeus que acreditavam firmemente já possuírem uma religião verdadeira. Aquela religião de quase 2 mil anos afirmava que eles, os judeus, eram o povo escolhido de Deus. Por que os judeus que se converteram ao cristianismo se arriscariam a sofrer perseguição, morte e, talvez, condenação eterna para começar alguma coisa que 1) não era verdadeira e 2) elevou os não-judeus ao mesmo relacionamento exclusivo que eles afirmavam ter com o Criador do Universo? A não ser que a ressurreição realmente tivesse acontecido, por que deixariam, de maneira quase imediata, de observar o sabá, a circuncisão, a lei de Moisés, a centralidade do templo, o sistema sacerdotal e outros ensinamentos do AT? Os autores do NT precisavam ter testemunhado alguma evidência muito forte para abandonar as crenças e as práticas antigas que haviam definido quem eles e seus ancestrais eram por cerca de 2 mil anos.

Pessoas convertidas não são objetivas. Nesse ponto, o cético pode protestar: "Mas, uma vez que os autores do NT eram convertidos, eles não podem ser objetivos". Absurdo. As pessoas podem ser objetivas mesmo que não sejam neutras. Um médico pode fornecer um diagnóstico objetivo mesmo que tenha uma grande afeição pelo paciente. Ou seja, pode ser objetivo embora não seja neutro. O fato é que sua paixão pelo paciente pode fazê-lo ser ainda mais diligente ao diagnosticar e tratar a doença de maneira adequada.

Ao escrever este livro, embora certamente não sejamos neutros, estamos apresentando fatos objetivos. Do mesmo modo, os ateus não são neutros, mas também podem apresentar fatos objetivos se optarem por fazê-lo. Os autores do NT poderiam ter feito o mesmo.

A verdade sobre essa questão é que todos os livros são escritos por uma razão, e a maioria dos autores acredita naquilo que está escrevendo! Mas isso não significa que aquilo que eles escrevem seja errado ou não possua um elemento objetivo. Como mencionamos no prefácio, os sobreviventes do Holocausto que escreveram suas experiências certamente não foram observadores neutros. Acreditavam apaixonadamente no propósito de registrar esses fatos, de modo que o mundo jamais se esquecesse do Holocausto, e esperam que ele nunca se repita. Enquanto a paixão pode fazer algumas pessoas exagerarem, ela pode levar outras a serem ainda mais meticulosas e precisas de modo a não perderem a credibilidade e a aceitação da mensagem que desejam comunicar.

A distinção entre a neutralidade e a objetividade dos autores do NT é uma questão extremamente importante. Com muita freqüência, os documentos que compõem o NT são automaticamente considerados tendenciosos e indignos de confiança. Isso é irônico, pois aqueles que sustentam essa visão são freqüentemente tendenciosos. São tendenciosos porque não investigaram primeiramente os documentos do NT ou o contexto no qual eles foram escritos, com o objetivo de fazer uma avaliação isenta de sua probidade.

Como veremos logo a seguir, os documentos do NT não são "propaganda da igreja" ou um monólito de escritos planejados para promover uma teologia construída pela própria igreja. Então, o que são? Essa é a pergunta que vamos abordar no restante deste capítulo e nos três seguintes.

Sendo assim, vamos começar. Sabemos que temos uma cópia precisa do que foi escrito pelos autores do NT. Mas esses documentos são fidedignos? Nossa primeira pergunta lida com o teste histórico número 1: Os documentos do NT são antigos?

OS DOCUMENTOS DO NOVO TESTAMENTO SÃO ANTIGOS?

Sim, mas quão antigos?

Todos os livros do NT foram escritos antes do ano 100 d.C. (cerca de 70 anos depois da morte de Jesus). Como mostra a tabela 9.1, em cartas escritas entre os anos 95 e 110 d.C., três pais da igreja primitiva — Clemente, Inácio e Policarpo — citaram passagens de 25 dos 27 livros do NT.[20] Somente os pequenos livros de Judas e 2João não foram citados, mas certamente já tinham sido escritos (Judas teria escrito sua pequena carta nessa época porque, sendo o meio-irmão de Jesus, muito provavelmente já estava morto no ano 100; 2João fora escrita porque ela é anterior a 3João, que é um dos 25 livros citados).

---

[20]Paul BARNETT. *Is the New Testament Reliable?* Downers Grove, Ill.: InterVarsity Press, 1986, p. 38-40.

DOCUMENTOS DO NOVO TESTAMENTO CITADOS POR:		
Clemente, escrevendo de Roma (c. 95 d.C.)	Inácio, escrevendo de Esmirna, na Ásia Menor (c. 107)	Policarpo, escrevendo de Esmirna, na Ásia Menor (c. 110)
Mateus	Mateus	Mateus
Marcos	Marcos	Marcos
Lucas	Lucas	Lucas
Romanos	João	João
1Coríntios	Atos	Atos
Efésios	Romanos	Romanos
1Timóteo	1Coríntios	1Coríntios
Tito	2Coríntios	2Coríntios
Hebreus	Gálatas	Gálatas
Tiago	Efésios	Efésios
1Pedro	Filipenses	Filipenses
	Colossenses	Colossenses
	1Tessalonicenses	2Tessalonicenses
	1Timóteo	1Timóteo
	2Timóteo	2Timóteo
	Tito	Hebreus
	Filemom	1Pedro
	Hebreus	1João
	Tiago	
	1Pedro	
	2Pedro	
	1João	
	3João	
	Apocalipse	

Tabela 9.1

Uma vez que Clemente estava em Roma e Inácio e Policarpo estavam a centenas de quilômetros de distância, em Esmirna, os documentos originais do NT precisariam ter sido escritos muito tempo antes, caso contrário não poderiam ter circulado por todo o mundo antigo daquela época. Portanto, é seguro dizer que todo o NT já havia sido escrito por volta do ano 100 e pelo menos todos os livros que constam na primeira coluna da esquerda foram escritos vários anos antes de 95.

Mas essa é simplesmente a data *mais posterior* na qual eles poderiam ter sido escritos. A maioria deles foi provavelmente escrita muito tempo antes. Quando? A maioria, se não todos, antes do ano 70 d.C.

A maioria desses livros, se não todos, foi escrita antes do ano 70 d.C. (cerca de 40 anos depois da morte de Jesus). Imagine isto. Você é um judeu religioso do século I. O centro de sua vida nacional, econômica e religiosa é Jerusalém e, em especial, o templo. Essa tem sido a vida de sua nação, de sua família e de praticamente toda a família judaica por milhares de anos, desde que Salomão construiu o primeiro templo. A maior parte do novo templo, construída pelo rei Herodes, foi completada quando você era criança, mas porções dele ainda estão em construção, iniciada no ano 19 a.C. Por toda a sua vida, você freqüentou os cultos e trouxe sacrifícios ali para expiar os pecados que cometera contra Deus. Por quê? Porque você e seus compatriotas consideram esse templo como a habitação terrena do Deus do Universo, o Criador do céu e da terra, a própria Divindade cujo nome é tão santo que você nem ousa pronunciar.

Sendo jovem, você começa a seguir um judeu chamado Jesus, o qual afirma ser o tão esperado Messias predito nas suas Escrituras. Ele realiza milagres, ensina verdades profundas e repreende e confunde os sacerdotes encarregados do templo. De maneira incrível, prediz sua própria morte e ressurreição. Prediz que o próprio templo será destruído antes do fim de sua geração (Mc 13.2,30).

Isso é escandaloso! Jesus é condenado por blasfêmia pelos sacerdotes do seu templo e crucificado na véspera da Páscoa, um dos seus feriados mais sagrados. Ele é enterrado num túmulo judeu, mas, três dias depois, você e os outros seguidores vêem Jesus vivo tal como ele havia predito. Você toca nele, ouve o que diz, e ele continua a realizar milagres, sendo o último deles a sua própria ascensão ao céu. Passados 40 anos, o seu templo é destruído tal como Jesus havia predito, juntamente com toda a cidade e milhares de compatriotas seus.

Pergunta: se você e seus colegas seguidores escrevessem relatos de Jesus *depois* de a cidade e o templo terem sido destruídos no ano 70 d.C., você não faria pelo menos uma menção da tragédia nacional, humana, econômica e religiosa sem precedentes em algum lugar dos seus escritos, especialmente uma vez que esse Jesus ressurreto havia predito que tudo isso aconteceria? É claro que sim! Bem, aqui está um problema para aqueles que dizem que o NT foi escrito depois do ano 70 d.C: não existe absolutamente nenhuma menção do cumprimento dessa tragédia predita em lugar algum nos documentos do NT. Isso significa que a maioria, se não todos os documentos, deve ter sido escrita antes do ano 70 d.C.

Alguns podem levantar uma objeção: "Esse é o argumento do silêncio, e isso não prova nada". Contudo, na verdade esse não é um argumento do silêncio, pois os documentos do NT falam de Jerusalém e do templo, ou de atividades associadas a eles, como se eles ainda estivessem intactos na época da composição dos textos.[21] Mas mesmo que esse fosse um argumento extraído do silêncio, não significa que esteja errado. Considere estes paralelos modernos. Se um ex-marinheiro a bordo do *USS Arizona* escrevesse um livro relacionado à história daquele navio e o livro terminasse sem nenhuma menção do navio sendo afundado e do fato de 1.177 marinheiros terem sido mortos em Pearl Harbor, você teria *alguma dúvida* de que o livro fora escrito antes de 7 de dezembro de 1941? Ou se um morador do World Trade Center escrevesse um livro relatando a história daqueles prédios e o livro terminasse com as torres ainda em pé — sem haver absolutamente nenhuma menção das torres sendo destruídas e de cerca de 3 mil pessoas sendo mortas por terroristas muçulmanos — você teria *alguma dúvida* de que o livro fora escrito antes de 11 de setembro de 2001? É claro que não.

Bem, o desastre no ano 70 d.C., em termos de vidas, propriedade e abrangência nacional, foi muitas vezes maior do que Pearl Harbor e o Onze de Setembro. Ele marcou o fim da terrível guerra que Josefo — que se rendeu aos romanos no ano 67 — chamou de "a maior" guerra de todos os tempos.[22] Os judeus não perderam apenas um navio ou dois prédios importantes — perderam todo o país, a capital e o templo, que fora o centro da sua vida religiosa, política e econômica por pelo menos 2 mil anos. Além disso, *dezenas de milhares* de compatriotas foram mortos e centenas de vilas foram queimadas totalmente.

Desse modo, se esperamos que tragédias como Pearl Harbor e o Onze de Setembro sejam mencionadas em escritos relevantes de hoje, certamente deveríamos esperar que os acontecimentos do ano 70 d.C. fossem citados em algum lugar do NT (principalmente pelo fato de esses acontecimentos terem sido previstos por Jesus). Contudo, uma vez que o NT não menciona esses acontecimentos em qualquer lugar que seja, sugerindo que Jerusalém e o templo ainda estavam intactos, podemos concluir com grande grau de certeza que a maioria, se não todos os documentos do NT, deve ter sido escrita antes do ano 70 d.C.

Mas quanto antes?

Muitos dos livros do Novo Testamento foram compostos antes do ano 62 d.C. (cerca de 30 anos depois da morte de Jesus). Imagine o seguinte: você é um

---

[21]V. Jo 5.2; 2Ts 2.4; Hb 5.1-3; 7.23, 27; 8.3-5; 9.25; 10.1,3,4,11; 13.10,11; Ap 11.1,2.
[22]V. Barnett, *Is the New Testament Reliable?*, p. 65.

médico do século I que resolveu fazer um projeto de pesquisa para registrar os acontecimentos da igreja primitiva. Essa pesquisa vai exigir que você entreviste testemunhas oculares da igreja primitiva e que viaje com o apóstolo Paulo enquanto ele visita novas igrejas por todo o mundo antigo. Você registra fatos importantes da vida da igreja, como o trabalho inicial de João e Pedro, assim como os martírios de Estêvão e de Tiago (irmão de João). Na vida de Paulo, você registra tudo, desde sermões, espancamentos e julgamentos até naufrágios e prisões. Você também registra o debate teológico que ele teve com Pedro e Tiago, que é irmão de Jesus e líder da igreja de Jerusalém.

À medida que você descreve muitos desses fatos, sua narrativa torna-se tão rica em detalhes que todo leitor informado saberá que teve acesso ao depoimento das testemunhas oculares ou então que você mesmo foi uma testemunha ocular. Ao seguir Paulo em suas viagens, por exemplo, você deixa de usar o pronome "eles" e passa a usar "nós", registrando corretamente os nomes de políticos locais, aspectos da linguagem local, padrões meteorológicos do local, topografia local e práticas comerciais locais. Você até mesmo registra a profundidade correta da água a cerca de 400 metros da ilha de Malta, conforme seu navio está prestes a afundar durante uma tormenta! De fato, você registra pelo menos 84 detalhes desse tipo na segunda metade de sua narrativa.

Pergunta: uma vez que está claro que você considera importante registrar todos esses detalhes menores, se o apóstolo Paulo — seu assunto principal — fosse executado pelas mãos do imperador romano Nero, você não registraria isso? Ou se o irmão de Jesus, o líder da igreja de Jerusalém, fosse morto nas mãos do Sinédrio, o mesmo corpo jurídico judaico que sentenciou Jesus à morte, você não registraria isso? Claro que sim! Se você deixasse de registrar tais fatos importantes, nós corretamente presumiríamos que você escreveu sua narrativa *antes* dessas mortes.

Esta é a situação que encontramos no NT. Lucas, o médico, registra meticulosamente todo tipo de detalhes no livro de Atos dos Apóstolos, que é uma crônica da igreja primitiva (você encontrará uma lista de 84 detalhes historicamente confirmados no capítulo seguinte). Lucas registra a morte de dois mártires cristãos (Estêvão e Tiago, o irmão de João), mas seu relato termina tendo dois de seus principais líderes (Paulo e Tiago, irmão de Jesus) ainda vivos. Atos termina abruptamente quando Paulo está numa prisão domiciliar em Roma, e não há menção de Tiago ter morrido. Por meio de Clemente de Roma — escrevendo no final do século I — e de outros pais da igreja primitiva, sabemos que Paulo foi executado em algum momento durante o reinado de Nero, que terminou no ano 68 d.C.[23] Sabemos por meio de Josefo que Tiago foi morto no ano 62 d.C. Assim, podemos concluir, acima do que se considera dúvida justificável, que o livro de Atos foi escrito antes do ano 62 d.C.

Se você ainda não está convencido, considere este paralelo moderno: suponha que alguém escreva um livro registrando os fatos que cercaram as principais personagens do movimento pelos direitos civis na década de 1960. O livro começa com o assassínio do presidente John Fitzgerald Kennedy e inclui a lei dos Direitos Civis de 1964, as marchas e os protestos de Martin Luther King Jr., incluindo sua prisão e o seu grande discurso "Eu tenho um sonho" nos jardins de Washington, D.C. Pergunta: se o livro terminasse com Martin Luther King Jr. — o grande líder desse movimento — ainda vivo, você concluiria que o livro foi escrito em qual data? Obviamente em algum momento antes de seu assassinato em abril de 1968. Essa é a mesma situação que encontramos na narrativa de Lucas. Seu livro termina tendo os principais líderes ainda vivos, o que significa que ele foi escrito não depois do ano 62 d.C. (Colin Hemer, historiador e pesquisador clássico, mostra 13 razões adicionais pelas quais o livro de Atos foi escrito por volta do ano 62 d.C.).[24]

Se Atos foi escrito por volta do ano 62 d.C., então o evangelho de Lucas foi escrito antes. Como podemos saber isso? Porque Lucas lembra ao destinatário original do livro de Atos, Teófilo (que provavelmente era um importante oficial romano), aquilo que lhe escrevera anteriormente. O primeiro versículo de Atos diz: "Em meu livro anterior, Teófilo, escrevi a respeito de tudo o que Jesus começou a fazer e a ensinar...". O "livro anterior" deve ser o evangelho de Lucas, porque Lucas também o endereçou a Teófilo (Lc 1.1-4, v. citação a seguir).

O evangelho de Lucas foi escrito quanto tempo antes? Pareceria plausível dizer que Lucas foi escrito antes ou por volta do ano 60 d.C. Por quê? Porque o ano 62 d.C. é *a última data* para Atos ter sido escrito, e seria necessário algum tempo entre o primeiro texto de Lucas enviado a Teófilo e o segundo texto. Se Atos não poderia ser escrito depois de 62 d.C. (e muito possivelmente antes disso), então Lucas está corretamente colocado no ano 60 d.C. ou antes.

Essa data também faz sentido à luz da citação que Paulo faz do evangelho de Lucas. Escrevendo em algum momento entre os anos 62 e 65 d.C., Paulo

---

[23]V. Paul BARNETT, *Jesus and the Rise of Early Christianity*. Downers Grove, Ill.: InterVarsity Press, 1999, p. 343.

[24]*The Book of Acts in The Setting of Hellenistic History*. Winona Lake, Ind.: Eisenbrauns, 1990, p. 376-82. Você poderá encontrar um resumo das razões de Hemer em GEISLER, *Enciclopédia de apologética*, p. 639.

cita Lucas 10.7 e o chama de "Escritura" (1Tm 5.18). Portanto, o evangelho de Lucas deve ter circulado tempo suficiente antes dessa época para que tanto Paulo quanto Timóteo conhecessem o seu conteúdo e o considerassem Escritura (a propósito, o fato de Paulo ter dito isso não é pouca coisa. Com efeito, ele estava afirmando com ousadia que o evangelho de Lucas era tão inspirado quanto a santa Bíblia judaica — o AT que ele tanto valorizava!).

Se Lucas foi escrito por volta do ano 60 d.C., então Marcos deve ter sido escrito da metade para o fim da década do ano 50 d.C., se não mais cedo. Por quê? Porque Lucas diz que ele obteve conhecimento dos fatos confrontando-os com as fontes das testemunhas oculares:

> Muitos já se dedicaram a elaborar um relato dos fatos que se cumpriram entre nós, conforme nos foram transmitidos por aqueles que desde o início foram testemunhas oculares e servos da palavra. Eu mesmo investiguei tudo cuidadosamente, desde o começo, e decidi escrever-te um relato ordenado, ó excelentíssimo Teófilo, para que tenhas a certeza das coisas que te foram ensinadas (Lc 1.1-4).

A maioria dos estudiosos acredita que o evangelho de Marcos foi uma dessas fontes de testemunhas oculares. Se aqueles fragmentos dos Manuscritos do mar Morto que mencionamos são realmente do período que vai de 50 a 70 d.C., então certamente Marcos é anterior. Contudo, mesmo que Marcos não fosse anterior a Lucas, o próprio fato de sabermos, ainda que com pequena parcela de dúvida justificável, que Lucas é anterior ao ano 62 d.C. (e provavelmente ao ano 60 d.C.) realmente significa que aquilo que temos meticulosamente registrado são depoimentos de testemunhas oculares do sepultamento e da ressurreição de Jesus, escritos num período de 25 a 30 anos depois da morte dele. Isso é cedo demais para ter-se tornado uma lenda. Também significa que a fonte das testemunhas oculares aponta para mais cedo ainda. Quanto mais cedo?

Alguns livros do Novo Testamento foram escritos nas décadas de 40 e 50 d.C., com base em fontes da década de 30 d.C. (apenas alguns anos depois da morte de Jesus). Tão certo como podemos datar os escritos de Lucas, ninguém duvida — nem mesmo os estudiosos mais liberais — que Paulo escreveu sua primeira carta à igreja de Corinto (que está hoje na Grécia moderna) em algum momento entre os anos 55 e 56 d.C. Em sua carta, Paulo fala sobre problemas morais da igreja e, então, continua, discutindo controvérsias sobre línguas, profecias e a ceia do Senhor. Isso certamente demonstra que a igreja em Corinto estava experimentando algum tipo de atividade miraculosa e já estava observando a ceia do Senhor 25 anos depois da ressurreição de Cristo.

Contudo, o aspecto mais significativo dessa carta é que ela contém o mais antigo e mais autenticado testemunho da própria ressurreição. No capítulo 15 de 1Coríntios, Paulo escreve o testemunho que recebeu de outros e o testemunho que foi autenticado quando Cristo apareceu-lhe:

> Pois o que primeiramente lhes transmiti foi o que recebi: que Cristo morreu pelos nossos pecados, segundo as Escrituras, foi sepultado e ressuscitou no terceiro dia, segundo as Escrituras, e apareceu a Pedro e depois aos Doze. Depois disso apareceu a mais de quinhentos irmãos de uma só vez, a maioria dos quais ainda vive, embora alguns já tenham adormecido. Depois apareceu a Tiago e, então, a todos os apóstolos; depois destes apareceu também a mim, como a um que nasceu fora de tempo (1Co 15.3-8).

Onde Paulo obteve aquilo que ele "recebeu"? Ele provavelmente o recebeu de Pedro e de Tiago, quando os visitou em Jerusalém, três anos depois de sua conversão (Gl 1.18). Por que isso é tão importante? Porque, como destaca Gary Habermas, a maioria dos estudiosos (até mesmo os liberais) acredita que esse testemunho era parte de um antigo credo cuja origem remonta à própria ressurreição de Jesus — 18 *meses* a oito anos depois, mas alguns dizem que foi ainda mais cedo.[25] Não há possibilidade de tal testemunho ser descrito como lenda, porque ele tem sua origem exatamente no momento e no lugar do fato em si.[26] Se havia um lugar onde uma ressurreição lendária *não* pudesse acontecer, era Jerusalém, porque os judeus e os romanos estavam por demais ansiosos para esmagar o cristianismo e poderiam facilmente tê-lo feito apresentando o corpo de Jesus por toda a cidade.

Além disso, perceba que Paulo cita 14 testemunhas oculares cujos nomes são conhecidos: os doze apóstolos, Tiago e o próprio Paulo (o termo "Cefas" é a palavra aramaica equivalente a Pedro) e depois faz referência a uma aparição a mais outras 500 pessoas de uma só vez. Dentro desse grupo, havia um cético, Tiago, e um inimigo declarado, o próprio Paulo. Ao citar os nomes de tantas

---

[25]A maioria dos estudiosos, se não todos, data a origem desse material como anterior a 40 d.C. V. Gary HABERMAS, *The Historical Jesus*. Joplin, Mo.: College Press, 1996, p. 152-7; v. tb. HABERMAS & LICONA, *The Case for the Resurrection of Jesus*. Grand Rapids, Mich.: Kregel Publications, 2004, cap. 7.

[26]Além disso, ao escrever "lhes transmiti", Paulo permite-lhes lembrar que já lhes apresentara o testemunho anteriormente. Desse modo, embora lhes tenha escrito em, digamos, 56 d.C., Paulo deve ter-lhes verbalizado isso durante uma visita anterior a Corinto, provavelmente em 51 d.C. Isso também significa que Paulo deve tê-lo recebido antes de 51, o que indica que essa informação já estava disponível anteriormente.

pessoas que poderiam verificar o que Paulo estava dizendo, ele estava, com efeito, desafiando seus leitores de Corinto a verificar o que dizia. O especialista em Bíblia William Lillie expõe a questão da seguinte maneira:

> O que concede uma autoridade especial à lista como evidência histórica é a referência ao fato de a maioria dos 500 irmãos ainda estarem vivos. Com efeito, S. Paulo diz: "Se você não acredita em mim, pergunte a eles". Tal declaração, numa carta comprovadamente genuína, escrita cerca de 30 anos depois do acontecimento, é praticamente uma evidência tão conclusiva quanto alguém poderia esperar obter de algo que aconteceu cerca de 2 mil anos atrás.[27]

Se a ressurreição de Jesus não tivesse acontecido, por que Paulo daria uma lista de supostas testemunhas oculares? Ele teria perdido imediatamente toda a credibilidade diante de seus leitores da cidade de Corinto ao mentir de maneira tão descarada.

Além de 1Coríntios, existem diversos outros documentos do NT que foram escritos na década de 50 d.C. ou antes. Gálatas (48 d.C.), 1Tessalonicenses (50-54 d.C.) e Romanos (57 e 58 d.C.) encaixam-se nessa categoria. De fato (e sabemos que podemos ficar sozinhos nessa posição!), todas as obras de Paulo precisariam ter sido escritas antes que ele morresse, o que aconteceu em algum momento na década de 60 d.C.

Mas não são apenas os estudiosos conservadores que acreditam nessas datas tão antigas. Até mesmo alguns críticos radicais, como o ateu John A. T. Robinson, admitem que os documentos do NT foram escritos logo. Conhecido por seu papel no lançamento do movimento "a Morte de Deus", Robinson escreveu um livro revolucionário intitulado *Redating the New Testament* [Refazendo a datação do Novo Testamento] no qual postula que a maioria dos livros do NT, incluindo os quatro evangelhos, foram escritos em algum momento entre os anos 40 e 65 d.C.

Depois de ver quão bem o NT encaixa-se com os dados arqueológicos e históricos, o grande e outrora liberal arqueólogo William F. Albright escreveu: "Já podemos dizer enfaticamente que não há mais nenhuma base sólida para considerar que algum livro do NT tenha sido escrito depois do ano 80 d.C.".[28] Em outro lugar, Albright disse: "Na minha opinião, todos os livros do NT foram

---

[27]"The Empty Tomb and the Resurrection", in: D. E. NINEHAM, et al. *Historicity and Chronology in the New Testament.* London: SPCK, 1965, p. 125.

[28]*Recent Discoveries in Bible Lands.* New York: Funk & Wagnalls, 1956, p. 136.

escritos por um judeu batizado entre os anos 40 e 80 do século I (muito provavelmente em algum momento entre os anos 50 e 75)".[29]

Desse modo, sabemos, acima do que se considera dúvida justificável, que a maioria dos documentos do NT, se não todos, é antiga. Mas os céticos ainda têm algumas objeções.

O ADVOGADO CÉTICO

Os documentos não são suficientemente antigos

Alguns céticos podem pensar que um período de 15 a 40 anos entre a vida de Cristo e os escritos sobre ele é um período grande demais para que o testemunho seja confiável. Mas estão errados.

Pense nos fatos que aconteceram entre 15 e 40 anos atrás. Quando os historiadores escrevem sobre eles, não dizemos "Oh, isso é impossível! Ninguém pode se lembrar dos fatos que se passaram há tanto tempo!". Tal ceticismo é claramente injustificável. Os historiadores de hoje escrevem com precisão sobre fatos das décadas de 1970, 80 e 90 consultando suas próprias lembranças, a lembrança das testemunhas oculares e qualquer fonte escrita daquela época.

Esse processo é o mesmo que os autores do NT usaram para registrar seus documentos. Tal como um bom repórter, Lucas entrevistou testemunhas oculares.[30] Como veremos no capítulo seguinte, alguns autores do NT foram eles mesmos testemunhas oculares. Eles podiam lembrar-se de fatos acontecidos 15 a 40 anos antes, assim como você pode. Por que você pode se lembrar de certos fatos de maneira tão viva, mesmo que eles tenham acontecido 15 a 40 anos atrás (se você possui idade suficiente) ou até mais para trás? Você pode ser capaz de se lembrar de certos fatos porque eles causaram um grande impacto emocional sobre você (de fato, aqueles de nós de idade provecta às vezes podem lembrar-se de fatos ocorridos 30 anos atrás melhor do que aquilo que aconteceu há 30 minutos!).

Onde você estava e o que estava fazendo quando o presidente Kennedy foi assassinado? Quando a nave *Challenger* explodiu? Quando o segundo avião atingiu a torre em Nova York? Por que consegue lembrar-se tão bem desses fatos? Porque eles provocaram um profundo impacto emocional em você. Uma vez que um fato como a ressurreição de Jesus certamente teria causado um profundo

---

[29]"William Albright: Toward a More Conservative View", *Christianity Today*, January 18, 1963, p. 3.

[30]Se Lucas realmente entrevistou testemunhas oculares como afirma, então seu evangelho contém depoimentos antigos de testemunhas oculares que deveriam ser considerados tão confiáveis como se Lucas tivesse visto os fatos por si mesmo. O depoimento de testemunhas oculares é material-fonte fundamental mesmo que tenha sido registrado posteriormente por outra pessoa.

impacto emocional nos autores do NT e nas testemunhas oculares que eles podem ter consultado, é fácil entender por que a história de Jesus pôde ser lembrada tão facilmente muitos anos depois, especialmente numa cultura com uma confiança estabelecida no testemunho oral (leia mais sobre isso a seguir).

Além do mais, se as maiores obras do NT são relatos de testemunhas oculares, escritos dentro de um período de duas gerações depois dos fatos, então é muito provável que não sejam lendas. Por quê? Porque a pesquisa histórica indica que um mito não pode começar a se sobrepor aos fatos históricos enquanto as testemunhas oculares ainda estão vivas. Por essa razão, o historiador romano A. N. Sherwin-White chama a visão mitológica do NT de "inacreditável".[31] Willian Lane Craig escreve: "Os testes mostram que mesmo duas gerações é um período muito curto para que tendências legendárias apaguem o cerne dos fatos históricos".[32] Dentro dessas duas gerações, as testemunhas oculares ainda estão por perto para corrigir os erros dos revisionistas da história.

Estamos vendo essa tendência exatamente agora com respeito ao Holocausto. No começo do século XXI, começamos a ver algumas pessoas afirmarem que o Holocausto nunca aconteceu. Por que os revisionistas estão tentando isso agora? Porque a maioria das testemunhas oculares já morreu. Felizmente, uma vez que temos o testemunho escrito das testemunhas oculares do Holocausto, os revisionistas não estão sendo bem-sucedidos em passar adiante suas mentiras como se fossem verdades. O mesmo se confirma com relação ao NT. Se o NT fosse escrito 60 anos depois dos fatos que ele registra, é altamente improvável que os fatos pudessem ser lendários. Como já vimos, todos os documentos do NT foram escritos dentro de um período de 60 anos após os fatos narrados, considerando-se que muitos deles foram escritos antes desse período.

Por que não antes?

Neste momento, o cético pode dizer: "O.k., tudo bem. O NT é antigo, mas ele não é tão antigo quanto eu esperaria. Por que eles não escreveram seu testemunho ainda antes? Se eu visse o que eles disseram que viram, não esperaria 15 a 20 anos para escrevê-lo".

Existe um número de razões possíveis para a espera.

Em primeiro lugar, uma vez que os autores do NT estavam vivendo numa cultura em que a grande maioria das pessoas não sabia ler, não havia necessidade

---

[31] *Roman Society and Roman Law in the New Testament.* Oxford: Clarendon, 1963, p. 189.

[32] *The Son Rises.* Eugene, Ore.: Wipf & Stock, 2001, p. 101.

inicial ou utilidade em fazer-se um registro de forma escrita. Por pura necessidade, as pessoas da Palestina do século I desenvolveram forte capacidade de memorização com o objetivo de lembrar e passar adiante uma informação. Craig escreve:

> Numa cultura oral como a da Palestina do primeiro século, a habilidade de memorizar e reter grandes textos de tradição oral era algo altamente valorizado e bastante desenvolvido. Desde os primeiros anos, as crianças no lar, na escola fundamental e na sinagoga eram ensinadas a memorizar corretamente as tradições sagradas. Os discípulos teriam exercido cuidado similar com os ensinamentos de Jesus.[33]

Numa cultura oral como essa, os fatos sobre Jesus podem ter sido colocados numa forma fácil de ser decorada. Existem boas evidências disso. Gary Habermas identificou 41 pequenas sessões do Novo Testamento que parecem ser credos — frases compactas que poderiam ser facilmente relembradas e que provavelmente eram passadas adiante de maneira oral antes de serem colocadas em forma escrita (já mencionamos um desses credos — 1Co 15.3-8).[34]

Em segundo lugar, uma vez que alguns dos autores do NT podem ter tido grandes esperanças de que Jesus estava para voltar durante a sua vida, eles não viam uma razão imediata de escrever. Contudo, conforme foram ficando mais velhos, talvez tenham pensado que seria sábio registrar suas observações no papiro.

Em terceiro lugar, à medida que o cristianismo se espalhava por todo o mundo antigo, a escrita tornava-se um meio mais eficiente de se comunicar com a igreja, que se expandia rapidamente. Em outras palavras, o tempo e a distância forçaram os autores do NT a escrever.

No entanto, pode não ter havido um espaço de tempo com relação a pelo menos um dos evangelhos. Se aqueles fragmentos dos Manuscritos do mar Morto são realmente do evangelho de Marcos (e existe uma grande possibilidade que sejam), então esse evangelho pode ter sido escrito nos anos 30 d.C. Por quê? Porque os fragmentos são das cópias, e não do original. Se temos cópias dos anos 50 d.C., então o original deve ser anterior.[35]

---

[33]"The Evidence for Jesus". Disponível *on-line* em http://www.leaderu.com/offices/billcraig/docs/rediscover2.html. Acesso em 10 de agosto de 2003.

[34]*The Historical Jesus*. Joplin, Mo.: College Press, 1996, cap. 7.

[35]Alguns estudiosos acreditam que existem outras evidências circunstanciais de que Marcos tenha sido escrito na década de 30 do século I. Marcos menciona o sumo sacerdote cinco vezes, mas não apresenta seu nome. Os outros três evangelhos o identificam como Caifás. Por que Marcos não o identifica? Talvez porque Caifás ainda fosse o sumo sacerdote quando Marcos estava escrevendo, de modo que não havia necessidade de citá-lo pelo nome. Se isso é verdade, então Marcos foi escrito por volta de 37 d.C., ano em que se encerrou o sacerdócio de Caifás (Josefo, *Antiguidades*, 18.4.3).

Além disso, muitos estudiosos acreditam que realmente havia fontes escritas anteriores aos evangelhos. De fato, nos primeiros quatro versículos de seu evangelho, Lucas diz que verificou outras fontes, aparentemente algumas delas podem ter sido evangelhos mais antigos (e.g., Mateus e Marcos).[36] O evangelho de Marcos teria sido uma dessas fontes? Não sabemos com certeza. Certamente parece que Lucas está falando de *várias* outras fontes *escritas*, porque ele diz: "*Muitos* já se dedicaram a *elaborar* um relato dos fatos que se cumpriram entre nós..." (Lc 1.1). Lucas pode ter se referido ao evangelho de Marcos e a outros depoimentos escritos, incluindo registros públicos do tribunal que julgou Jesus.

Por fim, realmente não importa se havia ou não outras fontes escritas anteriores ao NT. Também não importa se Marcos foi escrito na década de 30 d.C. Por quê? Porque os documentos dos quais realmente temos conhecimento são antigos o suficiente e contêm material-fonte antigo. Como veremos no capítulo seguinte, muitos, se não todos os documentos do NT, foram escritos por testemunhas oculares ou por seus contemporâneos num período de 15 a 40 anos depois de Jesus, e alguns contêm testemunho escrito de origem oral ou outros escritos que aponta diretamente para a sua ressurreição. Em outras palavras, *a verdadeira questão não é tanto com relação à data dos escritos, mas à data das fontes usadas nos escritos.*

Por que não mais?

Os céticos podem dizer: "Se Jesus realmente ressuscitou dos mortos, não deveria haver mais coisa escrita sobre ele do que realmente existe?". A resposta é que nós realmente temos *mais* testemunho do que poderíamos esperar e certamente mais do que suficiente para estabelecer, acima do que se considera dúvida justificável, o que aconteceu. Como já vimos, Jesus é citado por muito mais autores do que um *imperador* romano de sua época (Jesus é citado por 43 autores, enquanto Tibério é citado por dez, num período de 150 anos após a morte de cada um). Nove desses autores foram testemunhas oculares ou contemporâneos dos acontecimentos e escreveram 27 documentos, dos quais a maioria menciona ou deixa implícita a ressurreição de Jesus. Isso é mais do que suficiente para estabelecer historicidade.

---

[36]Alguns estudiosos acreditam que os autores do Novo Testamento usaram registros escritos que predatam os evangelhos. O primeiro versículo de Lucas (1.1) parece confirmar isso. Contudo, muitos estudiosos liberais sugerem que os evangelhos não são relatos de testemunhas oculares, mas são derivados de uma fonte ainda não descoberta conhecida como "Q". No capítulo seguinte, mostraremos por que os autores do Novo Testamento *eram* testemunhas oculares. Você poderá encontrar uma maravilhosa crítica do criticismo bíblico e a idéia de que houve uma fonte "Q" da qual beberam os autores do Novo Testamento na obra do antigo proponente de "Q", Eta LINNEMANN, *Biblical Criticism on Trial.* Grand Rapids, Mich.: Kregel, 2001; v. tb. GEISLER, *Enciclopédia de apologética,* p. 113-9.

Para aqueles que ainda acham que deveria haver mais material escrito sobre Jesus, o estudioso do NT Craig Blomberg apresenta quatro razões que explicam por que essa idéia não é plausível: 1) o início humilde do cristianismo; 2) a localização remota da Palestina, na fronteira oriental do Império Romano; 3) a pequena porcentagem de obras de historiadores greco-romanos que sobreviveu (devido provavelmente a fatos como perda, degradação, destruição ou as três alternativas juntas) e 4) a falta de atenção dada aos documentos históricos sobreviventes por parte de personagens judaicos em geral.[37]

Todavia, alguns céticos ainda podem pensar que deveria existir o testemunho de alguma daquelas 500 pessoas que supostamente viram o Cristo ressurreto. O cético Farrell Till é um deles. Durante um debate sobre a ressurreição de Jesus que eu [Norm] tive com ele em 1994, Till exigiu: "Mostre-me uma dessas 500 testemunhas ou nos dê alguma coisa que elas tenham escrito, e nós aceitaremos isso como uma prova confiável ou como evidência".[38]

Essa expectativa não é plausível, por diversas razões. Em primeiro lugar, como já destacamos, a Palestina do século I era uma cultura oral. A maioria das pessoas não sabia ler e lembrava-se das informações e passava-as adiante de maneira oral.

Em segundo lugar, quantas dessas testemunhas oculares predominantemente analfabetas teriam escrito alguma coisa, ainda que soubessem escrever? Mesmo hoje, com uma taxa de analfabetismo muito menor e todas as conveniências da escrita moderna e das ferramentas de pesquisa, quantas pessoas você conhece que já escreveram um livro ou até mesmo um artigo sobre um assunto qualquer? Quantas você conhece que já escreveram um livro ou um artigo sobre um fato histórico contemporâneo, até mesmo algo tão significativo quanto o Onze de Setembro? Provavelmente não muitas e certamente muito menos do que 500 (será que o próprio Farrell Till já escreveu um artigo sobre um fato histórico importante que ele testemunhou?).

Em terceiro lugar, mesmo que alguma daquelas cerca de 500 pessoas tivesse escrito aquilo que viram, por que os céticos esperariam que seu testemunho sobrevivesse por 2 mil anos? O NT sobrevive intacto por causa dos milhares de manuscritos copiados por escribas para uma igreja em crescimento durante vários séculos. Obras históricas de grandes historiadores antigos como Josefo, Tácito e Plínio possuem apenas algumas poucas cópias restantes, e essas cópias distam centenas de anos dos originais. Por que os céticos acham que qualquer

---

[37] *The Historical Reliability of the Gospels.* Downers Grove, Ill.: InterVarsity Press, 1987, p. 197.

[38] Você poderá encontrar o debate em fita de áudio em www.impactapologetics.com.

coisa poderia ter sido escrita — muito mais que tenha sobrevivido — por um grupo antigo de camponeses galileus analfabetos?[39]

Por fim, sabemos o nome de muitos daqueles 500, e seu testemunho está escrito no NT. Dentre eles, estão Mateus, Marcos, Lucas, João, Pedro, Paulo e Tiago — além de outros nove que são citados em outros lugares como apóstolos (Mt 10 e At 1).

Desse modo, não devemos esperar mais testemunho do que aquilo que temos sobre Jesus. E isso é mais do que suficiente para estabelecer a historicidade.

RESUMO E CONCLUSÃO

Temos muito mais para investigar no que concerne à historicidade do NT. Mas podemos tirar duas grandes conclusões neste momento:

1. Temos uma cópia precisa dos documentos originais do NT:
   a) Embora os documentos originais do NT não tenham sobrevivido ou ainda não tenham sido encontrados, temos muitas cópias precisas dos documentos originais — muito mais do que as dez melhores peças da literatura antiga combinadas. Além do mais, uma reconstrução praticamente perfeita dos originais pode ser realizada ao comparar-se os milhares de cópias manuscritas que sobreviveram. Descobrimos fragmentos manuscritos do século II e alguns talvez tão antigos quanto o material da segunda metade do século I. *Não existem* obras do mundo antigo que sequer cheguem perto do NT em termos de apoio de manuscritos.
   b) A reconstrução também é autenticada por milhares de citações feitas pelos pais da igreja primitiva. De fato, todo o NT, com exceção de poucos versículos, pode ser reconstruído simplesmente das citações que eles fizeram.
2. Os documentos do NT são antigos e contêm uma fonte ainda mais antiga:
   a) Uma vez que os documentos do NT são citados por outros autores por volta do ano 100 d.C., é necessário que tenham sido escritos antes deles.
   b) Uma vez que os documentos do NT falam como se o templo e a cidade ainda estivessem em pé na época em que foram escritos — e não há

---

[39]A propósito, embora não tenhamos documentos dos 500, a inclusão de 14 testemunhas oculares identificadas por nome torna bastante improvável que a visão do Cristo ressurreto seja uma invenção de Paulo. Discutiremos isso com mais profundidade no cap. 10.

menção do ataque da guerra judaica ou da destruição do templo de Jerusalém —, a maioria dos documentos do NT é provavelmente anterior ao ano 70 d.C.

c) Temos fortíssimas evidências de que o livro de Atos foi escrito por volta do ano 62 d.C., o que significa que o evangelho de Lucas é ainda mais antigo.

d) Temos fontes que chegam até os anos 30 d.C. Praticamente todos os estudiosos concordam que o testemunho da morte, do sepultamento e da ressurreição encontrado em 1Coríntios 15 vem do tempo desses acontecimentos ou de poucos anos depois deles. Além do mais, existem pelo menos outros 40 credos no NT que parecem possuir uma origem bastante antiga.

Portanto, os documentos são antigos, e as fontes são ainda mais antigas. Mas isso não é suficiente para provar historicidade acima do que se considera dúvida justificável. Para provar historicidade, precisamos ter certeza de que esses documentos realmente contêm o testemunho das *testemunhas oculares*. Será que eles contêm? Essa é a pergunta que investigaremos a seguir.

10
Temos depoimentos de testemunhas oculares sobre Jesus?

*Não seguimos fábulas engenhosamente inventadas, quando lhes falamos
a respeito do poder e da vinda de nosso Senhor Jesus Cristo;
ao contrário, nós fomos testemunhas oculares da sua majestade.*
SIMÃO PEDRO

Vemos boas evidências de que os documentos do Novo Testamento são antigos, de modo que eles passam no teste histórico número 1. Mas o que dizer sobre o teste histórico número 2? Os documentos do NT contêm depoimentos de testemunhas oculares? Vamos começar analisando as declarações das testemunhas oculares dos autores.

Se você aceita a leitura direta do texto, o NT certamente contém depoimentos de testemunhas oculares. Perceba quantas vezes vários apóstolos afirmaram ser testemunhas oculares:

"Deus ressuscitou este Jesus, e *todos nós somos testemunhas* desse fato" (At 2.32).

Vocês mataram o autor da vida, mas Deus o ressuscitou dos mortos. E *nós somos testemunhas* disso (At 3.15).

Então [os líderes, as autoridades e os mestres da lei], chamando-os novamente, ordenaram-lhes que não falassem nem ensinassem em nome de Jesus. Mas Pedro e João responderam: "Julguem os senhores mesmos se é justo aos olhos de Deus obedecer aos senhores e não a Deus. Pois não podemos deixar de falar *do que vimos e ouvimos*" (At 4.18-20).

O Deus dos nossos antepassados ressuscitou Jesus, a quem os senhores mataram, suspendendo-o num madeiro. Deus o exaltou, colocando-o à sua direita como Príncipe e Salvador, para dar a Israel arrependimento e perdão de pecados. *Nós somos testemunhas* destas coisas, bem como o Espírito Santo, que Deus concedeu aos que lhe obedecem (At 5.30-32).

Nós somos testemunhas de tudo o que ele fez na terra dos judeus e em Jerusalém, onde o mataram, suspendendo-o num madeiro. Deus, porém, o ressuscitou no terceiro dia e fez que ele fosse visto" (At 10.39,40).

... Cristo morreu pelos nossos pecados, segundo as Escrituras, foi sepultado e ressuscitou no terceiro dia, segundo as Escrituras, e *apareceu* a Pedro e depois aos Doze. Depois disso *apareceu* a mais de quinhentos irmãos de uma só vez, a maioria dos quais ainda vive, embora alguns já tenham adormecido. Depois *apareceu* a Tiago e, então, a todos os apóstolos; depois destes *apareceu* também a mim, como a um que nasceu fora de tempo (1Co 15.3-8).

Portanto, apelo para os presbíteros que há entre vocês, e o faço na qualidade de presbítero como eles e *testemunha* dos sofrimentos de Cristo, como alguém que participará da glória a ser revelada (1Pe 5.1).

De fato, não seguimos fábulas engenhosamente inventadas, quando lhes falamos a respeito do poder e da vinda de nosso Senhor Jesus Cristo; ao contrário, *nós fomos testemunhas oculares* da sua majestade (2Pe 1.16).

Mas quando chegaram a Jesus, constatando que já estava morto, não lhe quebraram as pernas. Em vez disso, um dos soldados perfurou o lado de Jesus com uma lança, e logo saiu sangue e água. *Aquele que o viu*, disso deu testemunho, e o seu testemunho é verdadeiro (Jo 19.33-35).

Tomé, chamado Dídimo, um dos Doze, não estava com os discípulos quando Jesus apareceu. Os outros discípulos lhe disseram: "*Vimos o Senhor!*" Mas ele lhes disse: "Se eu não vir as marcas dos pregos nas suas mãos, não colocar o meu dedo onde estavam os pregos e não puser a minha mão no seu lado, não crerei". Uma semana mais tarde, os seus discípulos estavam outra vez ali, e Tomé com eles. Apesar de estarem trancadas as portas, Jesus entrou, pôs-se no meio deles e disse: "Paz seja com vocês!" E Jesus disse a Tomé: "*Coloque o seu dedo aqui; veja as minhas mãos. Estenda a mão e coloque-a no meu lado.* Pare de duvidar e creia". Disse-lhe Tomé: "Senhor meu e Deus meu!" Então Jesus lhe disse: "*Porque me viu*, você creu? Felizes os que não viram e creram". *Jesus realizou na presença dos seus discípulos muitos outros sinais miraculosos*, que não estão registrados neste livro (Jo 20.24-30).

O que era desde o princípio, *o que ouvimos, o que vimos com os nossos olhos, o que contemplamos e as nossas mãos apalparam* — isto proclamamos a respeito da Palavra da vida. A vida se manifestou; *nós a vimos* e dela testemunhamos, e proclamamos a vocês a vida eterna, que estava com o Pai e *nos foi manifestada* (1Jo 1.1,2).

Você fica com a impressão de que essas pessoas queriam que todo mundo soubesse que elas realmente viram alguma coisa, não fica? Além do mais, Lucas e o autor de Hebreus afirmam terem sido informados por testemunhas oculares:

> Muitos já se dedicaram a elaborar um relato dos fatos que se cumpriram entre nós, conforme nos foram transmitidos por aqueles que desde o início *foram testemunhas oculares* e servos da palavra (Lc 1.1,2).

> Esta salvação, primeiramente anunciada pelo Senhor, *foi-nos confirmada pelos que a ouviram.* Deus também deu testemunho dela por meio de sinais, maravilhas, diversos milagres e dons do Espírito Santo distribuídos de acordo com a sua vontade (Hb 2.3,4).

Em resumo, Pedro, Paulo e João afirmam ser testemunhas oculares, e Lucas e o autor de Hebreus afirmam terem sido informados por testemunhas oculares. Além disso, os autores do NT citam outros que viram a ressurreição de Jesus. Paulo lista especificamente 14 pessoas cujos nomes são conhecidos como testemunhas oculares da ressurreição (os doze apóstolos, Tiago e ele mesmo) e afirma que havia mais de outras 500 pessoas. Mateus e Lucas confirmam as aparições aos apóstolos. Todos os quatro evangelhos mencionam as mulheres como testemunhas, e Marcos as identifica como Maria Madalena; Maria, mãe de Tiago, e Salomé. Lucas acrescenta Joana. Isso equivale a mais quatro. O primeiro capítulo de Atos também revela que José, chamado Barsabás, também foi testemunha ocular (At 1.23).

Os apóstolos não apenas afirmam ser testemunhas oculares, como, em diversas ocasiões, dizem a seus ouvintes que todo mundo sabe que aquilo que estão dizendo é verdade. Não se trata de um comentário improvisado, mas uma ousada declaração a pessoas de poder.

Talvez a mais ousada declaração de uma testemunha ocular venha de Paulo, quando se coloca diante do tribunal do rei Agripa e do governador Festo. Paulo acabara de começar a dizer a Agripa e a Festo por que se convertera ao cristianismo e como Cristo ressuscitara dos mortos, como fora predito no Antigo Testamento, quando repentinamente Festo o interrompe e diz que Paulo está louco! A dramática inversão foi registrada por Lucas em Atos 26.24-28:

> A esta altura Festo interrompeu a defesa de Paulo e disse em alta voz: "Você está louco, Paulo! As muitas letras o estão levando à loucura!" Respondeu

Paulo: "Não estou louco, excelentíssimo Festo. O que estou dizendo é verdadeiro e de bom senso. O rei está familiarizado com essas coisas, e lhe posso falar abertamente. Estou certo de que nada disso escapou do seu conhecimento, pois nada se passou num lugar qualquer. Rei Agripa, crês nos profetas? Eu sei que sim". Então Agripa disse a Paulo: "Você acha que em tão pouco tempo pode convencer-me a tornar-me cristão?"

Você vê como Paulo está sendo ousado e impetuoso? Ele não apenas testemunha de maneira ousada ao rei e ao governador, mas também tem a audácia de dizer ao rei que este sabe que o que se está dizendo é a verdade! Por que Paulo tem tanta certeza disso? Porque os acontecimentos do cristianismo não aconteceram "num lugar qualquer". Os fatos eram de conhecimento geral, e certamente nada "escapou do [...] conhecimento [do rei]". Imagine um réu desafiando o governador ou o juiz dessa maneira! Tal testemunha deve saber que os fatos que descreve são bem conhecidos.

Essa abordagem provocativa é assumida por várias personagens do NT que não se envergonham quanto a desafiar seus ouvintes a testarem a veracidade de seu testemunho. Os outros apóstolos, por exemplo, liderados por Pedro, são tão impetuosos e confiantes quanto Paulo quando são questionados pelas iradas autoridades judaicas. Lucas registra este incidente em Atos 5.27-32:

> Tendo levado os apóstolos, apresentaram-nos ao Sinédrio para serem interrogados pelo sumo sacerdote, que lhes disse: "Demos ordens expressas a vocês para que não ensinassem neste nome. Todavia, vocês encheram Jerusalém com sua doutrina e nos querem tornar culpados do sangue desse homem".
> Pedro e os outros apóstolos responderam: "É preciso obedecer antes a Deus do que aos homens! O Deus dos nossos antepassados ressuscitou Jesus, a quem os senhores mataram, suspendendo-o num madeiro. Deus o exaltou, colocando-o à sua direita como Príncipe e Salvador, para dar a Israel arrependimento e perdão de pecados. Nós somos testemunhas destas coisas, bem como o Espírito Santo, que Deus concedeu aos que lhe obedecem".

O relato prossegue dizendo que os líderes judaicos "ficaram furiosos e queriam [matar os apóstolos]", mas um respeitado fariseu chamado Gamaliel pediu que eles saíssem.

O risco que Paulo, Pedro e os outros apóstolos correram para afirmar que estavam dando um depoimento como testemunhas oculares certamente sugere que estavam dizendo a verdade. Se esses relatos são verdadeiros, o inabalável testemunho dos apóstolos e os desafios provocativos demonstram que eles foram testemunhas oculares que realmente acreditavam que Jesus ressuscitara dos mortos.

Mas esses relatos são verdadeiros? Afinal de contas, por que deveríamos confiar que Lucas está dizendo a verdade sobre esses acontecimentos? Uma coisa é afirmar que você é uma testemunha ocular ou que tem o depoimento de uma testemunha ocular, e outra, bem diferente, é prová-lo. Que evidências temos de que os autores do NT foram realmente testemunhas oculares ou que tiveram acesso ao depoimento de testemunhas oculares? Muito mais do que se pode pensar.

ELES REALMENTE ERAM TESTEMUNHAS OCULARES?

Evidência da testemunha ocular: Lucas

Suponha que alguém tenha escrito um livro em 1980 descrevendo sua cidade natal como era naquele ano. Nesse livro, o autor descreve corretamente os seguintes aspectos: os políticos da sociedade, suas leis e códigos penais singulares, a indústria local, os padrões meteorológicos, a linguagem local, as estradas e a geografia da cidade, sua topografia incomum, locais de adoração, hotéis da área, estátuas e esculturas da cidade, a profundidade da água no porto da cidade e vários outros detalhes singulares sobre sua cidade naquele ano. Uma pergunta: se o autor afirmasse que visitara sua cidade naquele ano — ou dissesse que recebera boa informação de pessoas que estiveram ali —, você acha que ele estaria dizendo a verdade? Naturalmente, porque fornece detalhes que somente uma testemunha ocular poderia fornecer. Esse é o tipo de testemunho que temos por todo o NT.

Lucas inclui vários detalhes típicos de uma testemunha ocular (embora seja possível que Lucas não tenha sido testemunha ocular da ressurreição de Jesus, certamente foi testemunha ocular de muitos eventos do NT). Na segunda metade do livro de Atos dos Apóstolos, por exemplo, Lucas mostra um incrível agrupamento de conhecimento de locais, nomes, condições ambientais, costumes e circunstâncias condizentes com o depoimento de uma testemunha ocular contemporânea da época e dos acontecimentos.

Colin Hemer, estudioso clássico e historiador, faz uma crônica versículo por versículo da precisão de Lucas no livro de Atos. Com esmerado detalhamento, Hemer identifica 84 fatos nos últimos 16 capítulos de Atos que foram confirmados por pesquisa histórica e arqueológica.[1] Ao ler a lista a seguir, tenha em mente

---

[1]V. Colin J. HEMER, *The Book of Acts in the Setting of Hellenistic History* (Winona Lake, Ind.: Eisenbrauns, 1990).

que Lucas não tinha acesso aos mapas ou às cartas náuticas modernos. Lucas registra com precisão:

1. A travessia natural entre portos citados corretamente (At 13.4,5);

2. O porto correto (Perge) juntamente com o destino correto de um navio que vinha de Chipre (13.13);

3. A localização correta da Licaônia (14.6);

4. A declinação incomum mas correta do nome Listra (14.6);

5. O registro correto da linguagem falada em Listra — a língua licaônica (14.11);

6. Dois deuses conhecidos por serem muito próximos — Zeus e Hermes (14.12);

7. O porto correto, Atália, que os viajantes usavam na volta (14.25);

8. A ordem correta de chegada, a Derbe e depois a Listra, para quem vem da Cilícia (16.1; cf. 15.41);

9. A grafia correta do nome Trôade (16.8);

10. O lugar de um famoso marco para os marinheiros, a Samotrácia (16.11);

11. A correta descrição de Filipos como colônia romana (16.12);

12. A correta localização de um rio (Gangites) próximo a Filipos (16.13);

13. A correta associação de Tiatira a um centro de tingimento (16.14);

14. A designação correta dos magistrados da colônia (16.22);

15. A correta localização (Anfípolis e Apolônia) onde os viajantes costumavam passar diversas noites seguidas em sua jornada (17.1);

16. A presença de uma sinagoga em Tessalônica (17.1);

17. O termo correto ("politarches") usado em referência aos magistrados do lugar (17.6);

18. A correta implicação de que a viagem marítima é a maneira mais conveniente de chegar a Atenas, favorecida pelos ventos do leste na navegação de verão (17.14,15);

19. A presença abundante de imagens em Atenas (17.16);

20. A referência a uma sinagoga em Atenas (17.17);

21. A descrição da vida ateniense com debates filosóficos na Ágora (17.17);

22. O uso da palavra correta na linguagem ateniense para Paulo (*spermologos*, 17.18), assim como para a corte (*Areios pagos*, 17.19);

23. A correta representação do costume ateniense (17.21);

24. Um altar ao "deus desconhecido" (17.23);

25. A correta reação dos filósofos gregos, que negavam a ressurreição do corpo (17.32);

26. *Areopagita* (RA e RC) como o título correto para um membro da corte (17.34);

27. Uma sinagoga em Corinto (18.4);

28. A correta designação de Gálio como procônsul, residente em Corinto (18.12);

29. O termo *bema* (tribunal), superior ao *forum* de Corinto (18.16s);

30. O nome Tirano, conforme atestado em inscrições do século I em Éfeso (19.9);

31. Conhecidos relicários e imagens de Ártemis (19.24);

32. A muito confirmada "grande deusa Ártemis" (19.27);

33. Que o teatro de Éfeso era um local de grandes encontros da cidade (19.29);

34. O título correto *grammateus* para o principal magistrado (escrivão) de Éfeso (19.35);

35. O correto título de honra *neokoros*, autorizado pelos romanos (19.35);

36. O nome correto para designar a deusa (19.37);

37. O termo correto para aquele tribunal (19.38);

38. O uso do plural *anthupatoi* (procônsules), talvez uma notável referência ao fato de que dois homens estavam exercendo em conjunto a função de procônsul naquela época (19.38);

39. A assembléia "regular", cuja frase precisa é atestada em outros lugares (19.39);

40. O uso de designação étnica precisa, *beroiaios* (20.4);

41. O uso do termo étnico *asianos* (20.4);

42. O reconhecimento implícito da importância estratégica atribuída à cidade de Trôade (20.7s);

43. O período da viagem costeira naquela região (20.13);

44. A seqüência correta de lugares (20.14,15);

45. O nome correto da cidade como um plural neutro (*Patara*) (21.1);

46. O caminho correto passando pelo mar aberto, ao sul de Chipre, favorecido pelos fortes ventos noroeste (21.3);

47. A correta distância entre essas cidades (21.8);

48. Um ato de piedade caracteristicamente judeu (21.24);

49. A lei judaica considerando o uso que os gentios faziam da área do templo (21.28. Descobertas arqueológicas e citações de Josefo confirmam que os gentios poderiam ser executados por entrarem na área do templo. Em uma dessas descrições, pode-se ler: "Que nenhum gentio passe para dentro da balaustrada e do muro que cerca o santuário. Todo aquele que for pego será pessoalmente responsável por sua conseqüente execução".);[2]

50. A presença permanente de uma coorte romana (*chiliarch*) em Antônia para reprimir qualquer perturbação na época das festas (21.31);

51. O lance de escadas usado pelos soldados (21.31,35);

52. A maneira comum de obter-se a cidadania romana naquela época (22.28);

53. O tribunal ficando impressionado com a cidadania romana, em vez da tarsiana (22.29);

54. Ananias como sumo sacerdote daquela época (23.2);

55. Félix como governador daquela época (23.34);

56. O ponto de parada natural no caminho para Cesaréia (23.31);

57. Em qual jurisdição estava a Cilícia naquela época (23.34);

58. O procedimento penal da província naquela época (24.1-9);

59. O nome Pórcio Festo, que concorda perfeitamente com o nome dado por Josefo (24.27);

60. O direito de apelação dos cidadãos romanos (25.11);

61. A fórmula legal correta (25.18);

62. A forma característica de referência ao imperador daquela época (25.26);

63. A melhor rota marítima da época (27.5);

64. A ligação entre Cilícia e Panfília (27.5);

65. O principal porto para se encontrar um navio em viagem para a Itália (27.5,6);

66. A lenta passagem para Cnido, diante dos típicos ventos noroeste (27.7);

67. A rota correta para navegar, em função dos ventos (27.7);

68. A localização de Bons Portos, perto da cidade de Laséia (27.8);

---

[2]A ameaça de morte estendia-se até mesmo aos romanos. V. Paul MAIER, *In the Fullness of Time* (Grand Rapids, Mich.: Kregel, 1991), p. 305.

69. Bons Portos não era um bom lugar para permanecer (27.12);

70. Uma clara tendência de um vento sul daquela região transformar-se repentinamente num violento nordeste, muito conhecido e chamado *gregale* (27.13);

71. A natureza de um antigo navio de velas redondas que não tinha opção, senão ser conduzido a favor da tempestade (27.15);

72. A localização precisa e o nome desta ilha (27.16);

73. As manobras adequadas para a segurança do navio nesta situação em particular (27.16);

74. A 14ª noite — um cálculo notável, baseado inevitavelmente numa composição de estimativas e probabilidades, confirmada pela avaliação de navegantes experientes do Mediterrâneo (27.27);

75. O termo correto de tempo no Adriático (27.27);

76. O termo preciso (*bosilantes*) para captar sons e calcular a profundidade correta do mar perto de Malta (27.28);

77. Uma posição que se encaixa na provável linha de abordagem de um navio liberado para ser levado pelo vento do leste (27.39);

78. A severa responsabilidade dos guardas em impedir que um preso fugisse (27.42);

79. O povo local e as superstições da época (28.4-6);

80. O título correto *protos tes nesou* (28.7);

81. Régio como um refúgio para aguardar um vento sul para que pudessem passar pelo estreito (28.13);

82. Praça de Ápio e Três Vendas corretamente definidos como locais de parada da Via Ápia (28.15);

83. Forma correta de custódia por parte dos soldados romanos (28.16);

84. Condições de aprisionamento, vivendo "na casa que havia alugado" (28.30,31).

Existe alguma dúvida de que Lucas tenha sido testemunha ocular desses acontecimentos ou que pelo menos tenha tido acesso ao depoimento confiável de testemunhas oculares? O que mais ele poderia ter feito para provar sua autenticidade como historiador?

O historiador romano A. N. Sherwin-White diz: "Quanto ao livro de Atos, a confirmação de sua historicidade é impressionante [...]. Qualquer tentativa de rejeitar sua historicidade básica só pode ser considerada absurda. Historiadores romanos já desprezaram o livro por muito tempo".[3] O especialista clássico e arqueólogo William M. Ramsay começa sua investigação do livro de Atos com grande ceticismo, mas suas descobertas ajudaram a mudar sua forma de pensar. Ele escreveu:

> Comecei tendo um pensamento desfavorável a ele [o livro de Atos] [...]. Eu não tinha o propósito de investigar o assunto em detalhes. Contudo, mais recentemente, vi-me muitas vezes sendo levado a ter contato com o livro de Atos vendo-o como uma autoridade em topografia, antiguidade e sociedade da Ásia Menor. Fui gradualmente percebendo que, em vários detalhes, a narrativa mostrava verdades maravilhosas.[4]

De fato, a precisão de Lucas no livro de Atos é verdadeiramente maravilhosa.

Contudo, há um aspecto que os céticos ficam bastante desconfortáveis. Lucas relata um total de 35 milagres no mesmo livro no qual registra todos esses 84 detalhes historicamente confirmados.[5] Vários milagres de Paulo estão registrados na segunda metade de Atos. Lucas registra, por exemplo, que Paulo cegou temporariamente um mágico (13.11); curou um homem aleijado desde o nascimento (14.8); exorcizou um espírito maligno de uma moça possuída (16.18); "fazia milagres extraordinários" que convenceram muitos na cidade de Éfeso a se afastarem da feitiçaria e seguirem a Jesus (19.11-20); ressuscitou dos mortos um homem que havia caído de uma janela durante um longo discurso de Paulo (20.9,10); curou o pai de Público de disenteria e vários outros que estavam doentes em Malta (28.8,9). Todos esses milagres estão incluídos na mesma narrativa histórica que foi confirmada como autêntica pelos 84 pontos. Os relatos de milagres não mostram sinais de embelezamento ou extravagância — eles foram contados com a mesma eficiência equilibrada do resto da narrativa histórica.

Por que Lucas seria tão preciso com detalhes triviais como direção do vento, profundidade da água e nomes peculiares de cidades, mas não seria tão preciso quando se referisse a fatos importantes como os milagres? À luz do fato de que Lucas mostrou-se preciso diante de tantos detalhes triviais, só é possível considerar como um viés anti-sobrenatural o fato de dizer que ele não está contando a verdade sobre os milagres que registra. Como vimos, tal viés não é legítimo. Este é um mundo teísta onde os milagres são possíveis. Assim, faz muito mais sentido acreditar nos relatos de milagres contados por Lucas do que não considerá-los.

---

[3] *Roman Society and Roman Law in the New Testament.* Oxford: Clarendon, 1963, p. 189.
[4] *St. Paul the Traveller and the Roman Citizen.* New York: Putnam, 1896, p. 8.
[5] V. uma lista completa de milagres em GEISLER, *Enciclopédia de apologética*, p. 592-6.

Em outras palavras, as credenciais de Lucas como historiador têm sido provadas em tantos aspectos que é preciso ter mais fé para *não* acreditar nos relatos dos milagres do que para crer neles.

O evangelho de Lucas é um "evangelho"?

O que dizer do evangelho de Lucas? Em primeiro lugar, precisamos reconhecer que Atos e o evangelho de Lucas são livros profundamente relacionados. Como sabemos disso? Porque os dois documentos contêm o mesmo vocabulário grego e estilo literário. Contudo, mais importante, Atos e Lucas dirigem-se ao "excelentíssimo Teófilo". Ele provavelmente era um tipo de oficial romano porque a expressão "excelentíssimo" é o mesmo título que Paulo usou para dirigir-se aos governadores romanos Félix e Festo.[6]

Independentemente de qual seja a verdadeira identidade de Teófilo, o ponto principal é que Lucas revela que Atos é uma continuação de seu evangelho. Sua introdução diz: "Em meu *livro anterior*, Teófilo, escrevi a respeito de tudo o que Jesus começou a fazer e a ensinar, até o dia em que foi elevado aos céus..." (At 1.1). Lucas usa o restante do livro de Atos para contar a Teófilo o que aconteceu depois da ascensão de Cristo. Como já vimos, fez isso com incrível precisão.

Deveríamos esperar o mesmo grau de precisão do evangelho de Lucas? Por que não? De fato, Lucas diz exatamente isso quando escreve "Eu mesmo investiguei tudo *cuidadosamente*, desde o começo, e decidi escrever-te um relato ordenado, ó excelentíssimo Teófilo" (Lc 1.3). Julgando-se com base em seu trabalho meticuloso em Atos, Lucas certamente foi um historiador cuidadoso, em quem se pode confiar. Como observa o especialista em NT Craig L. Blomberg, "o historiador que é considerado fidedigno onde pôde ser testado deve receber o benefício da dúvida em casos em que não seja possível realizar teste algum".[7] Uma vez que Lucas foi testado em 84 pontos e atingiu uma nota perfeita, existem todas as razões do mundo para acreditar que seu evangelho é realmente um "evangelho".

Mas não precisamos confiar unicamente em sua obra em Atos para confirmar o evangelho de Lucas. Existem vários detalhes do evangelho de Lucas que foram verificados independentemente. Por exemplo: Lucas cita 11 nomes historicamente confirmados apenas nos primeiros três capítulos de seu evangelho (12 se

---

[6]Pode ser que uma das razões de Lucas ter escrito o livro de Atos tenha sido mostrar a inocência de Paulo aos oficiais do Império Romano. Ele certamente forneceu referências históricas suficientes para mostrar que estava dizendo a verdade. Naturalmente, não seria muito sábio da parte de Lucas mentir para os oficiais romanos.

[7] *The Historical Reliability of John's Gospel*. Downers Grove, Ill.: InterVarsity Press, 2001, p. 63.

você incluir Jesus). Dentre eles, temos Herodes, o Grande (1.5), César Augusto (2.1) e Quirino (2.2). Depois, ele escreve isso no início do capítulo 3:

> No décimo quinto ano do reinado de Tibério César, quando Pôncio Pilatos era governador da Judéia; Herodes, tetrarca da Galiléia; seu irmão Filipe, tetrarca da Ituréia e Traconites; e Lisânias, tetrarca de Abilene; Anás e Caifás exerciam o sumo sacerdócio. Foi nesse ano que veio a palavra do Senhor a João, filho de Zacarias, no deserto. Ele percorreu toda a região próxima ao Jordão, pregando um batismo de arrependimento para o perdão dos pecados.

Será que isso dá alguma indicação de que Lucas esteja inventando uma história? É claro que não. Se estivesse, não haveria maneira de colocar referências nos fatos que está descrevendo ao nomear esses líderes proeminentes e suas datas. Como o estudioso da Bíblia F. F. Bruce observa,

> o escritor que relaciona deste modo sua história ao contexto maior da história mundial está procurando problemas se não for cuidadoso. Ele dá aos seus críticos e leitores muitas oportunidades para testar sua precisão. Lucas assume esse risco e passa no teste de maneira admirável.[8]

De fato, todas as 11 figuras históricas citadas por Lucas nos primeiros três capítulos de seu evangelho — incluindo João Batista (filho de Zacarias) — foram confirmadas por escritores não-cristãos e/ou pela arqueologia. João Batista, por exemplo, é mencionado por Josefo (*Antiguidades judaicas* 18:5.2), e uma inscrição datada entre os anos 14 e 29 d.C. possuía o nome de Lisânias.

Outro detalhe historicamente preciso pode ser encontrado em Lucas 22.44. É nesse trecho que Lucas registra que Jesus estava em agonia e que suou gotas de sangue na noite anterior à sua crucificação. Aparentemente, Jesus estava experimentando uma rara condição induzida pelo estresse que conhecemos hoje como hematoidrose. É quando pequenos vasos sanguíneos rompem-se devido ao estresse extremo, fazendo assim o sangue misturar-se ao suor. Uma vez que é muito provável que Lucas não conhecesse essa condição médica 2 mil anos atrás, não poderia ter registrado esse acontecimento a não ser que tivesse acesso a alguém que o tivesse presenciado.

Detalhes como esse levaram William Ramsay (já mencionado) a dizer: "A história de Lucas é incomparável com respeito à sua fidedignidade" e "Lucas é um historiador de primeira linha [...]. [Ele] deveria ser colocado juntamente com os grandes historiadores".[9] O resumo é que Lucas é digno de confiança.

---

[8] *Merece confiança o Novo Testamento?* São Paulo: Vida Nova, 1990, p. 107.
[9] Apud ibid., p. 90-1.

Uma vez que foi confirmado independentemente em tantas questões testáveis, existem inúmeras razões para acreditar que ele está dizendo a verdade em qualquer outro lugar.

Mas aqui surge o ponto crucial: *uma vez que Lucas está dizendo a verdade, então também Marcos e Mateus estão, porque seus evangelhos contam a mesma história básica.* Isso é devastador para os céticos, mas a lógica é inevitável. *Você precisa de muita fé para ignorar isso.*

Evidência de testemunha ocular: João

Demonstrou-se que Lucas é confiável — e, por implicação, Mateus e Marcos também são —, mas o que dizer de João? Os críticos afirmam que João é uma obra muito posterior que expressa uma teologia inventada sobre a divindade de Cristo, e, assim, não se pode confiar nela para obter-se informação histórica precisa. Mas se os críticos estiverem errados e se João for preciso, então temos outra testemunha independente para concluir que a história básica do NT é verdadeira. Desse modo, quão preciso é João? O que as evidências dizem?

Provavelmente, João parece ser uma testemunha ocular porque inclui detalhes específicos sobre diversas conversas particulares de Jesus (v. Jo 3,4,8-10, 13-17). Mas o fato é que existem muitas outras evidências decisivas atestando que João é uma testemunha ocular — evidências praticamente do mesmo caráter das que vimos no livro de Atos.

De maneira similar ao projeto de Colin Hemer com o livro de Atos, Craig Blomberg fez o mesmo estudo detalhado do evangelho de João. A obra de Blomberg chamada *The Historical Reliability of John's Gospel* [A confiabilidade histórica do evangelho de João][10] examina o evangelho de João versículo por versículo e identifica uma enorme quantidade de detalhes históricos.

Uma vez que João descreve fatos restritos à terra santa, seu evangelho não contém tantos itens geográficos, topográficos e políticos como Atos. Todavia, como estamos prestes a ver, uma quantidade bastante grande de detalhes historicamente confirmados ou historicamente prováveis estão contidos no evangelho de João. Muitos desses detalhes foram confirmados como históricos por arqueólogos e/ou escritores não-cristãos, e alguns deles são historicamente prováveis porque muito dificilmente seriam invenções de um escritor cristão. Esses detalhes iniciam-se no segundo capítulo de João e compõem a lista a seguir:

---

[10]V. p. 69-281. Você poderá encontrar outras boas discussões sobre a historicidade de João em Paul BARNETT, *Is the New Testament Reliable?* (Downers Grove, Ill.: InterVarsity Press, 1986), p. 56-80; e GEISLER, *Enciclopédia de apologética*, p. 456.

1. A arqueologia confirmou o uso de jarros de água feitos de pedra nos tempos do NT (Jo 2.6);

2. Dada a antiga tendência cristã ao ascetismo, é muito pouco provável que o milagre do vinho seja uma invenção (2.8);

3. A arqueologia confirma o lugar correto do poço de Jacó (4.6);

4. Josefo (*História da guerra judaica* 2.232) confirma que havia hostilidade significativa entre judeus e samaritanos durante os tempos de Jesus (4.9);

5. O termo "desce" (RA e RC) descreve com precisão a topografia da Galiléia ocidental (existe uma queda significativa da elevação de Caná para Cafarnaum; 4.46,49,51);[11]

6. O termo "subiu" descreve perfeitamente a subida a Jerusalém (5.1);

7. A arqueologia confirma a correta localização e a descrição de cinco entradas no tanque de Betesda (5.2). Escavações realizadas entre 1914 e 1938 revelaram o tanque, e ele era exatamente como João o havia descrito. Uma vez que essa estrutura não mais existia depois de os romanos terem destruído a cidade no ano 70 d.C., é improvável que qualquer outra testemunha não ocular pudesse tê-lo descrito com tal nível de detalhes. Além do mais, João diz que essa estrutura "está" ou "existe" em Jerusalém, implicando que está escrevendo antes do ano 70);

8. É improvável que o fato de o próprio testemunho de Jesus não ser válido sem o Pai seja uma invenção cristã (5.31); o redator posterior desejaria muito destacar a divindade de Jesus e provavelmente faria que seu testemunho fosse autenticado por si mesmo;

9. O fato de as multidões quererem fazer Jesus rei reflete o bastante conhecido fervor nacionalista de Israel do século I (6.15);

10. Tempestades repentinas e severas são comuns no mar da Galiléia (6.18);

11. A ordem de Cristo para que comessem sua carne e bebessem seu sangue não seria inventada (6.53);

12. É improvável que a rejeição a Jesus por parte de muitos de seus discípulos também seja uma invenção (6.66);

13. As duas opiniões predominantes sobre Jesus — uma de que ele é "um bom homem" e outra de que ele "está enganando o povo" — não seriam as duas opções que João escolheria se estivesse inventando uma história

---

[11]BARNETT, *Is the New Testament Reliable?*, p. 62.

(7.12); um escritor cristão posterior provavelmente teria inserido a opinião de que Jesus era Deus;

14. É improvável que a acusação de Jesus estar possuído por demônios seja uma invenção (7.20);

15. O uso do termo "samaritano" para ofender Jesus encaixa-se na hostilidade entre judeus e samaritanos (8.48);

16. É improvável que o desejo dos judeus *que haviam crido nele* de apedrejá-lo seja uma invenção (8.31,59);

17. A arqueologia confirma a existência e a localização do tanque de Siloé (9.7);

18. Ser expulso da sinagoga pelos fariseus era um temor legítimo dos judeus. Perceba que o homem curado professa sua fé em Jesus somente *depois* de ter sido expulso da sinagoga pelos fariseus (9.13-39), momento em que ele não tinha mais nada a perder. Isso transpira autenticidade;

19. O fato de o homem curado chamar Jesus de "profeta", e não outra designação mais elevada, sugere que o incidente é uma história sem retoques (9.17);

20. Durante uma festa no inverno, Jesus caminhou pelo Pórtico de Salomão, que era o único lado da área do templo protegido do vento frio vindo do leste durante o inverno (10.22,23); essa área é mencionada diversas vezes por Josefo;

21. Três quilômetros (15 estádios) é a distância exata entre Betânia e Jerusalém (11.18);

22. Devido à animosidade posterior entre cristãos e judeus, é improvável que a descrição de que os judeus confortaram Marta e Maria seja uma invenção (11.19);

23. Os panos usados para sepultar Lázaro eram comuns nos sepultamentos judaicos do século I (11.44); é improvável que um autor ficcional incluísse esse detalhe irrelevante no aspecto teológico;

24. A descrição precisa da composição do Sinédrio (11.47): durante o ministério de Jesus, ele era composto basicamente pelos principais sacerdotes (em grande parte saduceus) e pelos fariseus;

25. Caifás realmente era o sumo sacerdote naquele ano (11.49); aprendemos com Josefo que Caifás permaneceu no ofício entre 18 e 37 d.C.;

26. A pequena e obscura vila de Efraim (11.54), perto de Jerusalém, é men

cionada por Josefo;

27. A limpeza cerimonial era comum na preparação para a Páscoa (11.55);

28. Às vezes os pés de um convidado especial eram ungidos com perfume ou óleo na cultura judaica (12.3); é improvável que o ato de Maria em secar os pés de Jesus com os cabelos seja uma invenção (isso poderia facilmente ter sido visto como uma provocação sexual);

29. A agitação de ramos de palmeiras era uma prática judaica comum para celebrar as vitórias militares e dar boas-vindas aos governantes nacionais (12.13);

30. A lavagem dos pés na Palestina do século I era necessária por causa da poeira e dos calçados abertos. É improvável que o relato de Jesus executando essa tarefa tão servil seja uma invenção (essa é uma tarefa que nem mesmo os *escravos* judeus eram obrigados a fazer) (13.4); a insistência de Pedro para que recebesse um banho completo também se encaixa com sua personalidade impulsiva (certamente não havia propósito em inventar esse pedido);

31. Pedro faz um sinal a João para que este faça uma pergunta a Jesus (13.24); não há razão para inserir esse detalhe se ele fosse uma ficção, pois o próprio Pedro poderia ter feito a pergunta diretamente a Jesus;

32. É improvável que a frase "o Pai é maior do que eu" seja uma invenção (14.28), especialmente se João quisesse produzir a divindade de Cristo (como os críticos afirmam que ele fez);

33. O uso de vinho como uma metáfora tem sentido em Jerusalém (15.1); os vinhedos estavam na proximidade do templo, e, de acordo com Josefo, os portões do templo tinham uma vinha dourada entalhada neles;

34. O uso da metáfora do nascimento de uma criança (16.21) é plenamente judaico; foi encontrado nos Manuscritos do mar Morto (1QH 11.9,10);

35. A postura-padrão judaica para as orações era olhar "para o céu" (17.1);

36. A confirmação de Jesus de que suas palavras vieram do Pai (17.7,8) não seria incluída se João estivesse inventando a idéia de que Jesus era Deus;

37. Nenhuma referência específica a uma passagem das Escrituras já cumprida é dada no que se refere à predição da traição de Judas; um escritor ficcional ou um redator cristão posterior provavelmente teria identificado os textos do AT aos quais Jesus estava se referindo (17.12);

38. É improvável que o nome do servo do sumo sacerdote (Malco) que teve sua orelha cortada seja uma invenção (18.10);

39. A correta identificação do sogro de Caifás, Anás, que foi o sumo sacerdote

entre os anos 6 e 15 d.C. (18.13) — o comparecimento diante de Anás é crível por causa da ligação familiar e do fato de que os ex-sumos sacerdotes preservavam uma grande influência;

40. A afirmação de João de que o sumo sacerdote o conhecia (18.15) parece histórica; a invenção dessa afirmação não serve a propósito algum e exporia João a ser desacreditado pelas autoridades judaicas;

41. As perguntas de Anás em relação aos ensinamentos e aos discípulos de Jesus fazem sentido no aspecto histórico; Anás estaria preocupado com a possibilidade de um tumulto civil e uma diminuição da autoridade religiosa judaica (18.19);

42. A identificação de um parente de Malco (o servo do sumo sacerdote que teve sua orelha cortada) é um detalhe que João não teria inventado (18.26); ele não tem nenhuma importância teológica e apenas poderia afetar a credibilidade de João se estivesse tentando fazer uma ficção se passar por verdade;

43. Existem boas razões históricas para acreditar na relutância de Pilatos de lidar com Jesus (18.28s): Pilatos precisava equilibrar-se numa linha muito tênue, mantendo felizes tanto os judeus quanto Roma; qualquer perturbação civil poderia custar-lhe a posição (os judeus sabiam de suas preocupações com uma competição quando o desafiaram, dizendo: "Se deixares esse homem livre, não és amigo de César. Quem se diz rei opõe-se a César", 19.12; o filósofo judeu Fílon registra que os judeus fizeram uma pressão bem-sucedida sobre Pilatos de maneira similar para que tivessem suas exigências satisfeitas (*A Gaio* 38.301,302);

44. Uma superfície similar ao Pavimento de Pedra foi identificada próxima da fortaleza de Antônia (19.13) com marcas que podem indicar que os soldados entretinham-se ali com jogos (como no caso de tirar sortes para decidir quem ficaria com as roupas de Jesus em 19.24);

45. O fato de os judeus exclamarem "Não temos rei, senão César" (19.15) não seria inventado, dado o ódio judaico pelos romanos, especialmente se o evangelho de João tivesse sido escrito depois do ano 70 d.C. (isso seria o mesmo que os moradores de Nova York de hoje proclamarem "Não temos rei, senão Osama bin Laden!");

46. A crucificação de Jesus (19.17-30) é atestada por fontes não-cristãs como Josefo, Tácito, Luciano e o *Talmude* judaico;

47. As vítimas de crucificação normalmente levavam sua própria travessa

(19.17);

48. Josefo confirma que a crucificação era uma técnica de execução empregada pelos romanos (*História da guerra judaica* 1.97; 2.305; 7.203); além disso, um osso do tornozelo de um homem crucificado, perfurado por um prego, foi encontrado em Jerusalém em 1968 (v. mais sobre isso no capítulo 12);

49. É provável que a execução tenha acontecido fora da antiga Jerusalém, como diz João (19.17); isso garantiria que a cidade sagrada judaica não fosse profanada pela presença de um corpo morto (Dt 21.23);

50. Depois de a lança ter perfurado o lado de Jesus, saiu aquilo que parecia ser sangue e água (19.34). Hoje sabemos que a pessoa crucificada pode ter uma concentração de fluidos aquosos na bolsa que envolve o coração, chamada de pericárdio.[12] João não saberia dessa condição médica e não poderia ter registrado esse fenômeno a não ser que tivesse sido testemunha ocular dele ou tivesse acesso ao depoimento de uma testemunha ocular;[13]

51. É improvável que José de Arimatéia (19.38), o membro do Sinédrio que sepultou Jesus, seja uma invenção (leia mais sobre isso no capítulo seguinte);

52. Josefo (*Antiguidades judaicas* 17.199) confirma que especiarias (19.39) eram usadas em sepultamentos reais. Esse detalhe mostra que Nicodemos não estava esperando que Jesus ressuscitasse dos mortos e também demonstra que João não estava inserindo fé cristã posterior em seu texto;

53. Maria Madalena (20.1), uma mulher que fora *possuída por demônios* (Lc 8.2), não seria inventada como a primeira testemunha do túmulo vazio. O fato é que as mulheres em geral não seriam apresentadas como testemunhas numa história inventada (leia mais sobre isso a seguir);

54. O fato de Maria confundir Jesus com um jardineiro (20.15) não é um detalhe que um escritor posterior teria inventado (especialmente um escritor buscando exaltar Jesus);

55. "Rabôni" (20.16), o termo aramaico para "mestre", parece um detalhe autêntico porque é outra improvável invenção para um escritor tentando

[12]V. William D. EDWARDS, Wesley J. GABEL, Floyd E. HOSMER, "On the Physical Death of Jesus Christ", *Journal of the American Medical Association* 255, n. 11 (March 21, 1986): 1455-63.

[13]Os céticos podem dizer: "Bem, talvez ele tenha visto outra pessoa crucificada cujo coração tenha sido perfurado por uma lança". Essa poderia ser a explicação caso esse fosse o único detalhe de uma testemunha ocular mencionada por João. Contudo, como já vimos, ele nos deu vários outros detalhes, o que sugere claramente que ele realmente foi uma testemunha ocular da crucificação de Jesus.

exaltar o Jesus ressurreto;

56. O fato de Jesus afirmar que ele está voltando "para meu Pai e Pai de vocês" (20.17) não se encaixa com um escritor posterior inclinado a criar a idéia de que Jesus era Deus;

57. O total de 153 peixes (21.11) é um detalhe teologicamente irrelevante, mas perfeitamente coerente com a tendência dos pescadores de quererem registrar e depois se gabar de suas grandes pescarias;

58. O medo dos discípulos de perguntarem a Jesus quem ele era (21.12) é uma trama improvável. Ele demonstra a natural surpresa humana diante do Cristo ressurreto e talvez o fato de que havia alguma coisa diferente em relação a seu corpo ressurreto;

59. A enigmática declaração de Jesus sobre o destino de Pedro não é clara o suficiente para tirar-se dela certas conclusões teológicas (21.18); então, por que João a inventaria? Isso é outra invenção improvável.

Quando reunimos o conhecimento que João tinha das conversas pessoais de Jesus a esses quase 60 detalhes historicamente confirmados e/ou historicamente prováveis, existe alguma dúvida de que João tenha sido uma testemunha ocular ou que, pelo menos, tenha tido acesso ao depoimento de testemunhas oculares? Certamente nos parece que é preciso ter muito mais fé para *não* acreditar no evangelho de João do que para acreditar nele.

MARCOS HISTÓRICOS

Vamos revisar o que descobrimos até aqui. Analisando apenas alguns documentos do NT (João, Lucas e metade do livro de Atos), descobrimos mais de 140 detalhes que parecem ser autênticos, a maioria dos quais tendo confirmação histórica e alguns deles sendo historicamente plausíveis. Se investigarmos outros documentos do NT, provavelmente encontraremos mais fatos históricos. O tempo e o espaço não nos permitem embarcar nessa investigação. Mas é certo que aquilo que descobrimos somente com João, Lucas e Atos é suficiente para estabelecer a historicidade da narrativa básica do NT (a vida de Jesus e a história inicial da igreja).

Existem, porém, ainda mais evidências de historicidade. Os autores do NT colocaram marcos históricos em seus relatos ao referirem-se a personagens históricas reais e aos seus feitos. Ao todo, *existem pelo menos 30 personagens no NT que foram confirmadas como históricas pela arqueologia ou por fontes não-cristãs*[14]

---

[14]É realmente possível que haja mais do que aqueles que identificamos porque não conduzimos uma busca extensa em relação a todos os nomes que aparecem no Novo Testamento.

(v. tabela 10.1).

Mateus, por exemplo, menciona personagens históricas confirmadas independentemente, dentre as quais Herodes, o Grande (2.3), e seus três filhos: Herodes Arquelau (2.22), Herodes Filipe (14.3) e Herodes Antipas (14.1-11). Mateus também descreve o homem morto por Herodes Antipas, João Batista (cap. 14, apresentado no cap. 3), juntamente com as duas mulheres que instigaram sua morte, Herodias e sua filha. Marcos nos conta a mesma história sobre Herodes Antipas e João Batista (6.14s). Lucas estende as citações bíblicas da linhagem herodiana ao mencionar o neto de Herodes, o Grande, Agripa I — o rei que matou Tiago, o irmão de João (At 12) — e seu bisneto, Agripa II — o rei diante de quem Paulo testemunhou (At 25.13—26.32).

Pilatos é uma figura proeminente em todos os quatro evangelhos e é citado por Paulo.[15] Esse mesmo Pilatos aparece em diversas ocasiões em duas das obras de Josefo (*Antiguidades judaicas* e *História da guerra judaica*) e é identificado numa inscrição antiga como chefe da prefeitura ou governador da Judéia. Essa descoberta arqueológica foi feita na cidade costeira israelense de Cesaréia, em 1961.

Mateus, Lucas e João mencionam especificamente, além de Pilatos, outro líder que figurou de maneira proeminente na morte de Jesus: o sumo sacerdote Caifás, que sentenciou Jesus à morte.[16] Caifás não apenas é mencionado por Josefo, mas seus ossos foram descobertos numa fantástica investigação arqueológica em 1990. Essa descoberta foi possível graças a uma antiga prática de sepultamento dos judeus.

Entre 20 a.C. e 70 d.C., os judeus tinham o costume de exumar o corpo de uma pessoa importante cerca de um ano depois de sua morte e colocar os seus restos em uma pequena caixa de pedra calcária chamada ossuário. Vários desses ossuários foram descobertos numa tumba localizada ao sul de Jerusalém, um dos quais continha a inscrição em aramaico "Yehosef bar Kayafa" (José, filho de Caifás). Dentro da caixa, havia ossos de toda uma família: quatro jovens, uma mulher adulta e um homem de cerca de 60 anos de idade. O homem era muito provavelmente o ex-sumo sacerdote José Caifás — o mesmo homem que Josefo iden-

---

[15]Pilatos aparece freqüentemente no Novo Testamento: governador romano da Judéia (Mt 27.2; Lc 3.1); provoca a morte de certos galileus (Lc 13.1); julga Jesus e ordena sua crucificação (Mt 27; Mc 15; Lc 23; Jo 18.28-40; 19; At 3.13; 4.27; 13.28; 1Tm 6.13); permite que José de Arimatéia retire o corpo de Jesus (Mt 27.57,58; Mc 15.43-45; Lc 23.52; Jo 19.38).

[16]Marcos refere-se ao sumo sacerdote, mas não cita seu nome (14.53). Mais uma vez, isso leva alguns estudiosos a acreditarem que o relato de Marcos foi escrito antes de 37 d.C., porque esse foi o ano do término do sacerdócio de Caifás. A teoria aqui é que Marcos estava escrevendo a um público contemporâneo que já sabia quem era o sumo sacerdote.

[17]JOSEFO, *Antiguidades*, 18.2.2.

tificou como sumo sacerdote[17] e a mesma pessoa que o NT diz ter sentenciado Jesus à morte.[18] Desse modo, temos agora não apenas referências escritas não-cristãs ao sumo sacerdote do julgamento de Jesus, mas também os seus ossos![19]

Como ilustra a tabela 10.1, existem várias outras personagens do NT confirmadas fora do NT. Dentre elas, temos Quirino, Sérgio Paulo, Gálio, Félix, Festo, César Augusto, Tibério César e Cláudio.[20] O que mais poderiam ter feito os autores do NT para provar que foram testemunhas oculares e que não estavam inventando uma história?

PERSONAGENS DO NOVO TESTAMENTO CITADAS POR ESCRITORES NÃO-CRISTÃOS E/OU CONFIRMADAS POR MEIO DA ARQUEOLOGIA		
Personagem	Citação no NT	Fonte(s) não-cristã(s)*
Jesus	Muitas citações	Josefo, Tácito, Plínio, o jovem, Flegon, Talo, Suetônio, Luciano, Celso, Mara bar Serapion, *Talmude* judaico
Agripa I	At 12.1-24	Fílon, Josefo
Agripa II	At 25.13—26.32	Moedas, Josefo
Ananias	At 23.2; 24.1	Josefo
Anás	Lc 3.2; Jo 18.13,24; At 4.6	Josefo
Aretas	2Co 11.32,	Josefo
Berenice (mulher de Agripa II)	At 25.13	Josefo
Caifás	Várias citações	Ossuário, Josefo
César Augusto	Lc 2.1	Josefo e outros
Cláudio	At 11.28; 18.2	Josefo
Drusila (esposa de Félix)	At 24.24	Josefo
Erasto	At 19.22	Inscrição
Falso profeta egípcio	At 21.38	Josefo
Félix	At 23.24—25.14	Tácito, Josefo
Filha de Herodias (Salomé)	Várias citações	Josefo
Gálio	At 18.12-17	Inscrição
Gamaliel	At 5.34; 22.3	Josefo
Herodes Antipas	Mt 14.1-12; Mc 6.14-29; Lc 3.1; 23.7-12	Josefo

[18] V. Mt 26.3,57; Lc 3.2; Jo 11.49; 18.13,14,24,28; At 4.6.

[19] V. "The Short List: The New Testament Figures Known to History", *Biblical Archaeological Review* 26, n. 6 (November/December 2002): 34-7.

[20] Idem, ibidem.

Herodes Arquelau	Mt 2.22	Josefo
Herodes Filipe I	Mt 14.3; Mc 6.17	Josefo
Herodes Filipe II	Lc 3.1	Josefo
Herodes, o Grande	Mt 2.1-19; Lc 1.5	Tácito, Josefo
Herodias	Mt 14.3; Mc 6.17	Josefo
João Batista	Várias citações	Josefo
Judas, o galileu	At 5.37	Josefo
Lisânias	Lc 3.1	Inscrição, Josefo
Pilatos	Várias citações	Inscrição, moedas, Josefo, Fílon, Tácito
Pórcio Festo	At 24.27—26.32	Josefo
Quirino	Lc 2.2	Josefo
Sérgio Paulo	At 13.6-12	Inscrição
Tiago	Várias citações	Josefo
Tibério César	Lc 3.1	Tácito, Suetônio, Patérculo, Dio Cássio, Josefo

* Nota: essa não é uma compilação exaustiva de referências não-cristãs. Pode haver citações adicionais dessas personagens do NT nessas e/ou em outras fontes não-cristãs.

Tabela 10.1

O NOVO TESTAMENTO: UM ROMANCE HISTÓRICO OU UMA HISTÓRIA ROMANCEADA?

A despeito desses mais de 140 detalhes de testemunhas oculares e mais de 30 referências a pessoas reais, um cético de coração duro poderia dizer: "Mas isso não significa necessariamente que o NT seja verdadeiro. Suponha que ele seja um romance histórico — uma ficção ambientada num contexto histórico real — alguma coisa parecida com um romance de Tom Clancy".

Existem muitos problemas com essa teoria. Em primeiro lugar, ela não pode explicar por que escritores independentes não-cristãos revelam coletivamente uma seqüência de fatos similar aos do NT. Se os acontecimentos do NT são ficção, por que esses escritores registrariam alguns desses fatos como se realmente tivessem acontecido?

Em segundo lugar, essa teoria não pode explicar por que os autores do NT passaram por perseguição, tortura e morte. Por que eles teriam feito isso em favor de uma ficção? (Veremos mais sobre isso no capítulo seguinte.)

Em terceiro lugar, os romancistas históricos normalmente não usam nomes de pessoas reais para as personagens principais de suas histórias. Se o fizessem, essas pessoas reais — especialmente oficiais de grande importância do governo e da religião — poderiam negar a história, destruindo a credibilidade dos autores e, talvez, até mesmo usando de ações punitivas contra eles por terem feito isso. Como já vimos, o NT inclui pelo menos 30 personagens históricas reais que foram confirmadas por fontes não-cristãs, muitas dessas são líderes proeminentes e poderosas.

Por fim, uma vez que o NT contém múltiplos relatos independentes desses acontecimentos, feitos por nove autores diferentes, a teoria do romance histórico exigiria uma grande conspiração por um período variando de 20 a 50 anos entre esses nove autores espalhados por todo o mundo antigo. Isso também não é plausível. De fato, a afirmação de que os acontecimentos do NT são parte de uma grande conspiração existe apenas em romances. No mundo real, tais afirmações são esmagadas pelo peso das evidências.

O NOVO TESTAMENTO: UMA ÚNICA FONTE OU MUITAS FONTES?

"Espere!", pode protestar o cético. "Você pode ter o depoimento de testemunhas oculares, mas não pode acreditar no NT porque ele provém de uma fonte apenas. Eles não são 'múltiplos relatos independentes' como você diz!". Esse é um erro comum que os céticos cometem porque deixam de fazer a distinção entre a Bíblia como um "livro religioso" e os documentos históricos que compõem a Bíblia.

Quando consideramos a historicidade do NT, somos constantemente lembrados de que o NT que temos na Bíblia é uma *coleção* de escritos bastante independentes saídos da pena de nove autores diferentes. Ele não foi escrito ou editado por uma pessoa ou pela igreja. Embora os autores do NT descrevam um mesmo acontecimento e possam até mesmo ter extraído material de uma mesma fonte antiga, as evidências indicam que os documentos do NT contêm várias linhas de depoimentos independentes de testemunhas oculares.

Como podemos saber que temos depoimentos independentes de testemunhas oculares? Porque 1) cada um dos autores principais inclui material antigo e singular que apenas uma testemunha ocular poderia conhecer e 2) seus relatos descrevem os mesmos acontecimentos básicos, mas incluem detalhes divergentes. Por que os detalhes divergentes são importantes? Porque, se esses relatos fossem todos de uma única fonte ou de um único editor, haveria a harmonização, e não a divergência dos detalhes. Quando relatos antigos contam a mesma história básica mas incluem detalhes divergentes, os historiadores corretamente concluem que eles possuem relatos independentes de testemunhas oculares dos fatos históricos reais (teste histórico nº 3). A história certamente não pode ser inventada porque fontes independentes jamais poderiam inventar a mesma história ficcional.

Por esse critério, sabemos que João e Marcos são independentes e sabemos que Lucas e Mateus diferem o suficiente de Marcos e um do outro para serem produtos de testemunho independente também. Desse modo, existem pelo menos quatro fontes independentes da história básica do NT, e, acrescentando-se Paulo (1Co 15.8) e Pedro (1Pe 1.21) à mistura, existem pelo menos seis fontes independentes da ressurreição de Jesus.

Seis testemunhas oculares sadias e sóbrias, que se recusam a abnegar seu testemunho mesmo sob ameaça de morte, seriam capazes de convencer qualquer um de qualquer coisa num tribunal (mesmo sem as linhas adicionais de evidências corroborantes que apóiam a história do NT). Os depoimentos das testemunhas oculares conduzem a um veredicto que certamente está nos limites de dúvida justificável. A não ser que você tenha visto o acontecimento por si mesmo, não é possível ter um grau maior de certeza de que tais fatos históricos realmente aconteceram.

RESUMO E CONCLUSÃO

1. Com base no capítulo 9, vimos que:
   a. Os documentos do NT são antigos e contêm material-fonte ainda mais antigo.
   b. Pelo menos, dez escritores antigos não-cristãos apresentaram informação sobre Jesus num período de 150 anos depois de sua vida, e suas referências coletivas fornecem uma seqüência de fatos em conformidade com o NT.
2. Com base neste capítulo, concluímos que:
   1) O NT contém pelo menos de quatro a seis linhas de depoimentos escritos de *testemunhas oculares antigas e independentes*. Concluímos isso porque:
      a. Os principais autores do NT registram os mesmos elementos básicos com detalhes divergentes e uma quantidade de material próprio.
      b. Eles citam, pelo menos, 30 personagens históricas reais que foram confirmadas por escritores antigos não-cris-

tãos e por várias descobertas arqueológicas.

c. Lucas pontua a segunda metade do livro de Atos dos Apóstolos com, pelo menos, 84 detalhes de testemunhas oculares confirmados historicamente e inclui vários outros em seu evangelho.

d. A fidedignidade comprovada de Lucas confirma a de Mateus e a de Marcos, porque eles registram a mesma história básica.

e. João inclui em seu evangelho, pelo menos, 59 detalhes fornecidos por testemunhas oculares que foram confirmados historicamente ou que são historicamente possíveis.

f. Paulo e Pedro fornecem o quinto e o sexto testemunhos escritos da ressurreição de Jesus.

2) Uma vez que o depoimento de testemunhas oculares antigas e independentes insere-se no período de uma geração de distância dos fatos, os acontecimentos do NT não podem ser considerados lendários.

Desse modo, não há questionamento de que fatos históricos reais formam o cerne do NT. *O resumo é que um cético precisa ter muita fé para crer que o NT é ficção.*

Contudo, existem mais questões para se investigar antes de concluirmos definitivamente que o Novo Testamento é historicamente confiável. Por exemplo: como sabemos que o depoimento das testemunhas oculares não foi exagerado ou embelezado? Essa é a questão que vamos abordar no capítulo seguinte.

11
As dez principais razões pelas quais sabemos que os autores do Novo Testamento disseram a verdade

Por que os apóstolos mentiriam? [...] se eles mentiram, qual foi sua motivação, o que eles obtiveram com isso? O que eles ganharam com tudo isso foi incompreensão, rejeição, perseguição, tortura e martírio. Que bela lista de prêmios!
PETER KREEFT

Analisamos fortes evidências que comprovam que os principais documentos do NT foram escritos por testemunhas oculares e seus contemporâneos num período de 15 a 40 anos depois da morte de Jesus. Adicione a isso a confirmação de fontes não-cristãs e da arqueologia, e ficamos sabendo, ainda que passível de dúvida, que o NT está baseado num fato histórico. Mas como sabemos que os autores não exageraram ou embelezaram aquilo que dizem que viram? Existem pelo menos dez razões pelas quais podemos confiar que os autores do NT não foram displicentes com os fatos.

1. OS AUTORES DO NOVO TESTAMENTO INCLUÍRAM DETALHES EMBARAÇOSOS SOBRE SI MESMOS

Uma das maneiras por meio das quais os historiadores podem dizer se um autor está dizendo a verdade é testar o que diz pelo "princípio do embaraço" (v. cap. 9, teste histórico número 7). Esse princípio parte da premissa de que qualquer detalhe embaraçoso do autor é provavelmente verdadeiro. Por quê? Porque a tendência da maioria dos autores é deixar de fora qualquer coisa que prejudique sua aparência.

De que maneira o NT comporta-se diante do princípio do embaraço? Vamos pensar nisso da seguinte maneira: se você e seus amigos estivessem forjando uma história que você quisesse que fosse vista como verdadeira, vocês se mostrariam como covardes, tolos e apáticos, pessoas que foram advertidas e que duvidaram? É claro que não. Mas é exatamente isso o que encontramos no NT. As pessoas que escreveram a maior parte do NT são personagens (ou amigo de personagens) na história e freqüentemente se mostram como completos idiotas:

- Eles são tolos — por diversas vezes, não entenderam o que Jesus estava dizendo (Mc 9.32; Lc 18.34; Jo 12.16).

- Eles são apáticos — caíram no sono duas vezes quando Jesus lhes pediu que orassem (Mc 14.32-41). Mais tarde, os autores do NT acreditam que Jesus é homem-Deus, contudo admitem que caíram no sono duas vezes diante dele em sua hora de maior necessidade! Além disso, não fazem nenhum esforço para dar a seu amigo um sepultamento adequado, mas registram que Jesus foi sepultado por José de Arimatéia, um membro do Sinédrio — a própria corte que havia sentenciado Jesus à morte.

- Eles foram advertidos — Pedro é chamado de "Satanás" por Jesus (Mc 8.33), e Paulo repreende Pedro por estar errado numa questão teológica. Paulo escreve: "Quando, porém, Pedro veio a Antioquia, enfrentei-o face a face, por sua atitude condenável" (Gl 2.11); tenha em mente que Pedro é um dos pilares da igreja primitiva, e, aqui, Paulo está incluindo nas Escrituras que ele estava errado!

- Eles são covardes — todos os discípulos, com exceção de um, escondem-se quando Jesus vai para a cruz. Pedro até mesmo o nega três vezes depois de prometer explicitamente "... eu nunca te abandonarei!" (Mt 26.33-35). Nesse meio tempo, enquanto os outros homens estavam escondendo-se com medo dos judeus, mulheres corajosas levantam-se a favor de Jesus e são as primeiras a descobrir o túmulo vazio.

- Eles duvidam — apesar de terem sido informados diversas vezes de que Jesus ressuscitaria dos mortos (Jo 2.18-22; 3.14-18; Mt 12.39-41; 17.9, 22,23), os discípulos têm dúvidas quando ouvem sobre sua ressurreição. Alguns duvidam até mesmo *depois* de tê-lo visto já ressuscitado (Mt 28.17)!

Agora, pense nisto: se você fosse um autor do NT, incluiria esses detalhes embaraçosos se estivesse inventando uma história? Escreveria que um dos seus principais líderes foi chamado de "Satanás" por Jesus, negou o Senhor três vezes, escondeu-se durante a crucificação e, mais tarde, foi repreendido numa questão teológica? Mostraria seus companheiros, incluindo você, como pessoas sem sentimentos, covardes estabanados e, ao mesmo tempo, mostraria mulheres — cujo testemunho não era nem sequer admitido numa corte — como corajosas que se levantaram a favor de Jesus e que, mais tarde, descobriram o túmulo vazio? Você admitiria que alguns de vocês (os 11 discípulos restantes) duvidaram do próprio Filho de Deus *depois* de ele ter provado a todos que ressuscitara dos mortos? É claro que não.

O que você acha que os autores do NT teriam feito se estivessem inventando uma história? Você sabe muito bem: teriam deixado de lado a sua inaptidão, sua covardia, a repreensão que receberam, as três negações e seus problemas teológicos, mostrando-se como cristãos ousados que se colocaram a favor de Jesus diante de tudo e que, de maneira confiante, marcharam até a tumba na manhã de domingo, bem diante dos guardas romanos, para encontrarem o Jesus ressurreto que os esperava para salvá-los por sua grande fé! Os homens que escreveram o NT também diriam que *eles* é que contaram às *mulheres* sobre o Jesus ressurreto, que eram as únicas que estavam escondendo-se por medo dos judeus. E, naturalmente, se a história fosse uma invenção, nenhum discípulo, em momento algum, teria sido retratado como alguém que duvida (especialmente depois de Jesus ter ressuscitado).

Em resumo, *não temos fé suficiente para acreditar que os autores do Novo Testamento incluíram todos esses detalhes embaraçosos numa história inventada*. A melhor explicação é que eles estavam realmente dizendo a verdade — com defeitos e tudo o mais.

2. OS AUTORES DO NOVO TESTAMENTO INCLUÍRAM DETALHES EMBARAÇOSOS E DIZERES DIFÍCEIS DE JESUS

Os autores do NT também são honestos sobre Jesus. Eles não apenas registram detalhes de uma auto-incriminação sobre si mesmos, mas também registram detalhes embaraçosos sobre seu líder, Jesus, que parecem colocá-lo numa situação bastante ruim. Jesus:

- foi considerado "fora de si" por sua mãe e seus irmãos (sua própria família), que vieram buscá-lo com o objetivo de levá-lo para casa (Mc 3.21,31);
- foi desacreditado por seus próprios irmãos (Jo 7.5);
- é visto como enganador (Jo 7.12);
- é abandonado por muitos de seus seguidores (Jo 6.66);
- desfez dos "judeus que haviam crido nele" (Jo 8.30,31), a ponto destes quererem apedrejá-lo (v. 59);

- é chamado de "beberrão" (Mt 11.19);

- é chamado de "endemoninhado" (Mc 3.22; Jo 7.20; 8.48);

- é chamado de louco (Jo 10.20);

- tem seus pés enxugados pelos cabelos de uma prostituta (fato que tinha o potencial de ser visto como uma provocação sexual — Lc 7.36-39);

- é crucificado pelos judeus e pelos romanos, apesar do fato de "qualquer que for pendurado num madeiro está debaixo da maldição de Deus" (Dt 21.23; cf. Gl 3.13).

Essa certamente não é uma lista de fatos e qualidades que os autores do NT escolheriam se estivessem tentando retratar Jesus como o homem-Deus perfeito e sem pecado. Essas qualidades também não são compatíveis com a expectativa judaica de que o Messias viria para libertá-los da opressão política. De fato, de acordo com a própria Bíblia de seu tempo (o AT), Jesus foi amaldiçoado por Deus por ter sido pendurado num madeiro! A melhor explicação para esses detalhes embaraçosos é que eles realmente aconteceram e que os autores do NT estão dizendo a verdade.

Além dos detalhes embaraçosos, existem vários dizeres difíceis atribuídos a Jesus que os autores do NT não teriam incluído se estivessem inventando uma história sobre o fato de Jesus ser Deus. De acordo com o NT, por exemplo, Jesus:

- declara: "... o Pai é maior do que eu" (Jo 14.28);

- parece predizer incorretamente que voltará à terra dentro de uma geração (Mt 24.34);

- diz em relação à sua segunda vinda que ninguém sabe a hora, "nem os anjos dos céus, nem o Filho" (Mt 24.36);

- parece negar sua divindade ao perguntar ao jovem rico "Por que você me chama bom? [...]. Não há ninguém que seja bom, a não ser somente Deus" (Lc 18.19);

- é visto amaldiçoando uma figueira por não ter figos quando não era época de figos (Mt 21.18s);

- parece incapaz de realizar milagres em sua cidade natal, exceto curar algumas pessoas doentes (Mc 6.5).

Se os autores do NT queriam provar a todos que Jesus era Deus, então por que não eliminaram esses dizeres complicados que parecem argumentar contra a sua deidade?

Além do mais, Jesus faz aquilo que parece ser uma afirmação completamente mórbida: "Eu lhes digo a verdade: Se vocês não comerem a carne do Filho do homem e não beberem o seu sangue, não terão vida em si mesmos" (Jo 6.53). Depois dessa frase difícil, João diz: "Daquela hora em diante, muitos dos seus discípulos voltaram atrás e deixaram de segui-lo" (Jo 6.66). Uma vez que os autores do NT certamente não inventariam essa frase estranha e essa reação desfavorável, ela deve ser autêntica.

Embora existam explicações razoáveis para essas frases difíceis,[1] não faz sentido que os autores do Novo Testamento pudessem deixá-las no texto se estivessem tentando passar uma mentira como se fosse verdade (de fato, não faz sentido que eles inventassem uma personagem que até mesmo parecesse com Jesus. Um Messias fraco e moribundo — um Cordeiro sacrificial — é a própria antítese de um herói feito pelos homens). Mais uma vez, a melhor explicação é que os autores do NT não estavam sendo irresponsáveis ou insinceros com os fatos, mas que foram extremamente precisos ao registrar exatamente aquilo que Jesus disse e fez.

3. OS AUTORES DO NOVO TESTAMENTO INCLUÍRAM AS EXIGÊNCIAS DE JESUS

Se os autores do NT estavam inventando uma história, certamente não inventaram uma história que tenha tornado a vida mais fácil para eles. Esse Jesus tinha alguns padrões bastante exigentes. O Sermão do Monte, por exemplo, não parece ser uma invenção humana:

- "Mas eu lhes digo: Qualquer que olhar para uma mulher para desejá-la, já cometeu adultério com ela no seu coração" (Mt 5.28).

- "Mas eu lhes digo que todo aquele que se divorciar de sua mulher, exceto por imoralidade sexual, faz que ela se torne adúltera, e quem se casar com a mulher divorciada estará cometendo adultério" (Mt. 5.32).

- "Mas eu lhes digo: Não resistam ao perverso. Se alguém o ferir na face direita, ofereça-lhe também a outra. E se alguém quiser processá-lo e tirar-lhe a túnica, deixe que leve também a capa. Se alguém o forçar a caminhar com ele uma milha, vá com ele duas. Dê a quem lhe pede, e não volte as costas àquele que deseja pedir-lhe algo emprestado" (Mt 5.39-42).

---

[1]Você poderá encontrar uma explicação desses e de mais de 800 versículos que os críticos questionaram em Norman GEISLER & Thomas HOWE, *Manual popular de dúvidas, enigmas e "contradições" da Bíblia*. São Paulo: Mundo Cristão, 2001.

- "Mas eu lhes digo: Amem os seus inimigos e orem por aqueles que os perseguem, para que vocês venham a ser filhos de seu Pai que está nos céus" (Mt 5.44,45).
- "Sejam perfeitos como perfeito é o Pai celestial de vocês" (Mt 5.48).
- "Não acumulem para vocês tesouros na terra, onde a traça e a ferrugem destroem, e onde os ladrões arrombam e furtam. Mas acumulem para vocês tesouros nos céus, onde a traça e a ferrugem não destroem, e onde os ladrões não arrombam nem furtam. Pois onde estiver o seu tesouro, aí também estará o seu coração" (Mt 6.19-21).
- "Não julguem, para que vocês não sejam julgados. Pois da mesma forma que julgarem, vocês serão julgados; e a medida que usarem, também será usada para medir vocês" (Mt 7.1,2).

Todos esses mandamentos são difíceis ou impossíveis de serem cumpridos pelos seres humanos e parecem ir na direção contrária dos melhores interesses dos homens que os escreveram. Certamente são contrários aos desejos de muitos hoje que desejam uma religião de espiritualidade sem exigências morais. Considere as extremas e indesejáveis implicações desses mandamentos:

- Se pensar em um pecado é um ato pecaminoso, então todo mundo — incluindo os autores do NT — é culpado.
- Estabelecer padrões rígidos como esses para divórcio e novo casamento não parece estar de acordo com os interesses terrenos dos homens que registraram essa frase.
- Não resistir aos insultos de uma pessoa má é resistir aos nossos instintos humanos básicos. Isso também estabelece um inconveniente padrão de comportamento para os apóstolos que estavam sofrendo perseguição quando essa frase foi escrita.
- Orar por nossos inimigos vai além de qualquer ética jamais pronunciada e exige bondade onde a animosidade é natural.
- Não acumular riqueza contradiz os mais profundos desejos da nossa segurança temporal.
- Ser perfeito é um pedido inatingível para seres humanos falíveis.
- Não julgar, a não ser que nossa vida esteja em perfeita ordem, contradiz nossa tendência natural de apontar as falhas dos outros.

Está claro que esses mandamentos não são os mandamentos que pessoas impõem a si mesmas. Quem pode viver de acordo com esses padrões? Somente uma pessoa perfeita. Talvez o objetivo seja exatamente esse.

4. OS AUTORES DO NOVO TESTAMENTO FIZERAM UMA CLARA DISTINÇÃO ENTRE AS PALAVRAS DE JESUS E AS DELES

Embora não existissem aspas ou travessão para identificar uma citação no grego do século I, os autores do NT distinguiram as palavras de Jesus de maneira bastante clara. A maioria das edições da Bíblia que trazem letras em vermelho são idênticas, ilustrando quão facilmente os autores do NT mostraram aquilo que Jesus dissera e o que ele não dissera.

Por que citamos isso como uma evidência de sua fidedignidade? Porque teria sido muito fácil para os autores do NT resolverem as disputas teológicas do século I colocando palavras na boca de Jesus. Além do mais, se você estivesse inventando a "história do cristianismo" e tentando fazê-lo passar por verdade, não simplesmente inventaria mais citações de Jesus para convencer as pessoas teimosas a verem as coisas do seu modo? Pense em quão conveniente teria sido para eles terminar todo debate ou controvérsia em torno de questões como circuncisão, obediência à Lei Mosaica, falar em línguas, mulheres na igreja e assim por diante simplesmente inventando citações de Jesus!

Apesar da infindável frustração de alguns dos primeiros cristãos, os autores do NT nunca fazem isso. Em vez de cometer abusos de autoridade dessa maneira, os autores neotestamentários parecem manter-se fiéis àquilo que Jesus disse e não disse. Paulo, o homem que escreveu praticamente metade dos livros do NT (pelo menos 13 dos 27), lidou com a maioria desses problemas controversos da igreja e nunca abusou de sua autoridade. Ele cita Jesus apenas algumas vezes e em nenhuma dessas ocasiões abandona sua maneira de fazer uma distinção explícita de suas próprias palavras das de Jesus (1Co 7.10-12).

Por que Paulo seria tão cuidadoso se não estivesse dizendo a verdade? Mais uma vez, a melhor explicação para a precisão dos autores do NT é que realmente estavam dizendo a verdade.

5. OS AUTORES DO NOVO TESTAMENTO INCLUÍRAM FATOS RELACIONADOS À RESSURREIÇÃO DE JESUS QUE ELES NÃO PODERIAM TER INVENTADO

Além da inclusão de detalhes embaraçosos em relação a si mesmos e a Jesus, os autores do NT registram fatos relacionados à ressurreição de Jesus que eles não teriam inserido se tivessem inventado a história. Dentre eles, destacamos os seguintes:

O sepultamento de Jesus. Os autores do NT registram que Jesus foi sepultado por José de Arimatéia, um membro do Sinédrio — o conselho do governo judaico que sentenciou Jesus à morte por blasfêmia. Esse não é um fato que poderiam ter inventado. Considerando a amargura que certos cristãos guardavam no coração contra as autoridades judaicas, por que eles colocariam um membro do Sinédrio de maneira tão positiva? E por que colocariam Jesus na sepultura de uma autoridade judaica? Se José não sepultou Jesus, a história teria sido facilmente exposta como fraudulenta pelos inimigos judaicos do cristianismo. Mas os judeus nunca negaram a história, e jamais se encontrou uma história alternativa para o sepultamento de Jesus.

As primeiras testemunhas. Todos os quatro evangelhos dizem que as mulheres foram as primeiras testemunhas do túmulo vazio e as primeiras a saberem da ressurreição. Uma dessas mulheres era Maria Madalena, que Lucas admite ter sido uma mulher possuída por demônios (Lc 8.2). Isso jamais teria sido inserido numa história inventada. Uma pessoa possessa por demônios já seria uma testemunha questionável, mas as *mulheres* em geral não eram sequer consideradas testemunhas confiáveis naquela cultura do século I. O fato é que o testemunho de uma mulher não tinha peso num tribunal. Desse modo, se você estivesse inventando uma história da ressurreição de Jesus no século I, evitaria o testemunho de mulheres e faria homens — os corajosos — serem os primeiros a descobrir o túmulo vazio e o Jesus ressurreto. Citar o testemunho de mulheres — especialmente de mulheres possuídas por demônios — seria um golpe fatal à sua tentativa de fazer uma mentira ser vista como verdade.[2]

A conversão dos sacerdotes. "Por que o Jesus ressurreto não apareceu aos fariseus?" é uma pergunta popular feita pelos céticos. A resposta pode ser porque não teria sido necessário. Isso é normalmente desprezado, mas muitos sacerdotes de Jerusalém tornaram-se cristãos. Lucas escreve: "Crescia rapidamente o número de discípulos em Jerusalém; *também um grande número de sacerdotes obedecia à fé*" (At 6.7). Esses sacerdotes terminaram dando início a uma controvérsia que aconteceu posteriormente na igreja de Jerusalém. Durante uma reunião de concílio entre Pedro, Paulo, Tiago e outros presbíteros, "se levantaram alguns do partido religioso dos *fariseus* que haviam crido e disseram: 'É necessário circuncidá-los [os gentios] e exigir deles que obedeçam à Lei de Moisés' " (At 15.5).

---

[2] É interessante perceber que o credo registrado em 1Coríntios 15 não inclui mulheres como testemunhas oculares. Talvez isso se deva ao fato de os apóstolos reconhecerem que a menção de mulheres não adicionaria mais credibilidade ao testemunho das 14 testemunhas oculares masculinas citadas nominalmente.

O concílio resolveu a questão, mas nosso ponto principal aqui é que Lucas não teria incluído esses detalhes se eles fossem ficção. Por que não? Porque todo mundo saberia que Lucas era uma fraude se não houvesse convertidos importantes do grupo dos fariseus. Teófilo e outros leitores do século I saberiam — ou poderiam facilmente descobrir — se tais conversões realmente existiram. Obviamente, os fariseus também saberiam. Por que Lucas daria a eles uma maneira tão fácil de expor suas mentiras? Além do mais, se você está tentando fazer que uma mentira seja vista como verdade, não facilita as coisas para os seus inimigos, permitindo que exponham a sua história. A conversão dos fariseus e a de José de Arimatéia eram dois detalhes desnecessários que, se fossem falsos, teriam acabado com a farsa de Lucas. A história de José acabaria com a farsa não apenas de Lucas, mas de todos os outros autores dos evangelhos, porque eles incluem a mesma história do sepultamento.

A explicação dos judeus. A explicação judaica para o túmulo vazio é registrada no último capítulo de Mateus:

> Enquanto as mulheres estavam a caminho, alguns dos guardas dirigiram-se à cidade e contaram aos chefes dos sacerdotes tudo o que havia acontecido. Quando os chefes dos sacerdotes se reuniram com os líderes religiosos, elaboraram um plano. Deram aos soldados grande soma de dinheiro, dizendo-lhes: "Vocês devem declarar o seguinte: Os discípulos dele vieram durante a noite e furtaram o corpo, enquanto estávamos dormindo. Se isso chegar aos ouvidos do governador, nós lhe daremos explicações e livraremos vocês de qualquer problema". Assim, os soldados receberam o dinheiro e fizeram como tinham sido instruídos. E esta versão se divulgou entre os judeus até o dia de hoje (Mt 28.11-15).

Note que Mateus deixa bastante claro que seus leitores já sabiam sobre essa explicação dos judeus para o túmulo vazio porque "esta versão se divulgou entre os judeus até o dia de hoje". Isso significa que os leitores de Mateus (e certamente os próprios judeus) saberiam se ele estava ou não dizendo a verdade. Se Mateus estava inventando a história do túmulo vazio, por que daria a seus leitores uma maneira tão simples de expor suas mentiras? A única explicação plausível é que o túmulo deve ter realmente ficado vazio, e os inimigos judeus do cristianismo devem realmente ter espalhado essa explicação específica para o túmulo vazio (de fato, Justino Mártir e Tertuliano, escrevendo respectivamente nos anos 150 d.C. e 200 d.C., afirmam que as autoridades judaicas continuaram a propagar essa história do roubo durante todo o século II. Discutiremos os problemas dessa teoria no capítulo seguinte).[3]

6. OS AUTORES DO NOVO TESTAMENTO INCLUÍRAM EM SEUS TEXTOS, PELO MENOS, 30 PESSOAS HISTORICAMENTE CONFIRMADAS

Essa é uma questão crítica que continua se repetindo. Os documentos do NT não podem ter sido inventados porque eles contêm muitas personagens confirmadas historicamente (v. tabela 10.1). Os autores do NT teriam minado sua credibilidade diante dos ouvintes contemporâneos ao envolverem pessoas reais numa ficção, especialmente pessoas de grande notoriedade e poder. Não há maneira de os autores do NT terem seguido adiante escrevendo mentiras descaradas sobre Pilatos, Caifás, Festo, Félix e toda a linhagem de Herodes. Alguém os teria acusado por terem envolvido falsamente essas pessoas em acontecimentos que nunca ocorreram. Os autores do NT sabiam disso e não teriam incluído tantas pessoas reais de destaque numa ficção que tinha o objetivo de enganar. Mais uma vez, a melhor explicação é que os autores do NT registraram precisamente aquilo que viram.

7. OS AUTORES DO NOVO TESTAMENTO INCLUÍRAM DETALHES DIVERGENTES

Os críticos são rápidos em citar os relatos aparentemente contraditórios dos evangelhos como uma evidência de que não são dignos de confiança em informação precisa. Mateus diz, por exemplo, que havia um anjo no túmulo de Jesus, enquanto João menciona a presença de dois anjos. Não seria isso uma contradição que derrubaria a credibilidade desses relatos? Não, mas exatamente o oposto é verdadeiro: detalhes divergentes, na verdade, fortalecem a questão de que esses são relatos feitos por testemunhas oculares. De que modo?

Em primeiro lugar, vamos destacar que os relatos do anjo não são contraditórios. Mateus não diz que havia *apenas* um anjo na sepultura. Os críticos precisam acrescentar uma palavra ao relato de Mateus para torná-lo contraditório ao de João.[4]

Mas por que Mateus mencionou apenas um anjo, se realmente havia dois ali? Pela mesma razão que dois repórteres de diferentes jornais cobrindo um mesmo

---

[3]V. Gary HABERMAS, *The Historical Jesus* (Joplin, Mo.: College Press, 1996), p. 205.
[4]V. GEISLER & HOWE, *Manual popular de dúvidas, enigmas e "contradições" da Bíblia*, p. 25.

fato optam por incluir detalhes diferentes em suas histórias. Duas testemunhas oculares independentes raramente vêem todos os mesmos detalhes e descrevem um fato exatamente com as mesmas palavras. Elas vão registrar o mesmo fato principal (i.e., Jesus ressuscitou dos mortos), mas podem diferir nos detalhes (i.e., quantos anjos havia no túmulo). De fato, quando um juiz ouve duas testemunhas que dão testemunho idêntico, palavra por palavra, o que corretamente presume? Conluio — as testemunhas encontraram-se antecipadamente para que suas versões do fato concordassem.

Desse modo, é perfeitamente racional que Mateus e João difiram — os dois estão registrando o depoimento de testemunhas oculares. Talvez Mateus tenha mencionado apenas o anjo que falou (Mt 28.5), enquanto João descreve quantos anjos Maria viu (Jo 20.12). Ou talvez um dos anjos se tenha destacado mais do que o outro. Não sabemos com certeza. Sabemos simplesmente que tais diferenças são comuns entre testemunhas oculares.

À luz dos diversos detalhes divergentes do NT, está claro que os autores não se reuniram para harmonizar seus testemunhos. Isso significa que certamente não estavam tentando fazer uma mentira passar por verdade. Se estavam inventando a história do NT, teriam se reunido para certificar-se de que eram coerentes em todos detalhes. Está claro que tal harmonização não aconteceu, e isso confirma a natureza genuína das testemunhas oculares do NT e da independência de cada autor.

Ironicamente, não é o NT que é contraditório, mas sim os críticos. Por um lado, os críticos afirmam que os evangelhos sinópticos (Mateus, Marcos e Lucas) são por demais uniformes para serem fontes independentes. Por outro lado, afirmam que eles são muito divergentes para estarem contando a verdade. Desse modo, o que eles são? São muito uniformes ou muito divergentes?

Na verdade, achamos que são a mistura perfeita de ambos, a saber: são tanto suficientemente uniformes e suficientemente divergentes (mas não tanto) exatamente *porque* são relatos de testemunhas oculares independentes dos mesmos fatos. Seria de esperar ver o mesmo fato importante e detalhes menores diferentes em manchetes de jornais independentes relatando o mesmo acontecimento.

Se você não acredita em nós, então entre na Internet hoje e procure três histórias independentes sobre um mesmo fato nos jornais. Escolha uma história da agência Reuters, uma da AP e talvez outra da UPI, ou quem sabe de um repórter *freelance*. Todas as histórias terão alguns dos fatos mais importantes, mas poderão incluir diferentes detalhes menores. Na maioria dos casos, os relatos serão *complementares*, em vez de contraditórios.

Se três fontes de notícias, por exemplo, trazem uma história sobre a visita do presidente a um país estrangeiro, todas as histórias vão corretamente identificar o país, mas podem enfatizar diferentes detalhes menores. Se um relato diz que o presidente visitou o primeiro-ministro da Grã-Bretanha e se outro relato diz que o presidente visitou o primeiro-ministro numa sala com colunas de mármore, os dois relatos são complementares ou contraditórios? São complementares. O segundo relato não contradiz o primeiro, mas apenas o suplementa.

Da mesma forma, todos os evangelhos concordam sobre o mesmo fato principal: Jesus ressuscitou dos mortos. Eles simplesmente possuem diferentes detalhes complementares. Ainda que se pudesse encontrar detalhes menores entre os evangelhos que fossem claramente contraditórios, isso não provaria que a ressurreição de Jesus é uma ficção. Pode ser um problema para a doutrina o fato de a Bíblia não possuir um erro menor, mas isso não significaria que o fato principal não aconteceu.

Simon Greenleaf, professor de direito da Universidade de Harvard que escreveu um estudo-padrão sobre o que constitui evidência legal, creditou sua conversão ao cristianismo ao seu cuidadoso exame das testemunhas do evangelho. Se alguém conhecia as características do depoimento genuíno de testemunhas oculares, essa pessoa era Greenleaf. Ele concluiu que os quatro evangelhos "seriam aceitos como provas em qualquer tribunal de justiça, sem a menor hesitação".[5]

O resumo é este: concordância nos pontos principais e divergência nos detalhes menores é da natureza do depoimento de testemunhas oculares, e essa é a própria natureza dos documentos do NT.

8. OS AUTORES DO NOVO TESTAMENTO DESAFIAM SEUS LEITORES A CONFERIR OS FATOS VERIFICÁVEIS, ATÉ MESMO FATOS SOBRE MILAGRES

Já vimos algumas afirmações sobre a precisão dos autores do NT feitas aos destinatários de seus documentos. Destacamos a declaração aberta de precisão feita por Lucas a Teófilo (Lc 1.1-4), a afirmação de Pedro de que não seguiram fábulas engenhosamente inventadas, mas que foram testemunhas oculares da majestade de Cristo (2Pe 1.16); a ousada declaração de Paulo a Festo e ao rei Agripa sobre o Cristo ressurreto (At 26) e a reafirmação de Paulo de um antigo credo que identificou mais de 500 testemunhas oculares do Cristo ressurreto (1Co 15).

Além disso, Paulo faz outra afirmação aos cristãos de Corinto que nunca teria feito a não ser que estivesse dizendo a verdade. Em sua segunda carta aos Coríntios, Paulo declara que anteriormente realizara milagres entre eles. Falando de suas qualificações como apóstolo — com alguém que fala por Deus —, Paulo relembra

---

[5] *The Testimony of the Evangelists* (1874); reimpressão, Grand Rapids, Mich.: Baker, 1984, p. 9-10.

aos cristãos de Corinto: "As marcas de um apóstolo — sinais, maravilhas e milagres — foram demonstradas entre vocês, com grande perseverança" (2Co 12.12).

Por que Paulo escreveria isso aos cristãos de Corinto a não ser que realmente tivesse realizado os milagres entre eles? Ele teria destruído sua credibilidade completamente ao pedir que se lembrassem de milagres que nunca realizara diante deles! A única conclusão plausível é que: 1) Paulo realmente era apóstolo de Deus, 2) portanto, realmente tinha a habilidade de confirmar seu apostolado ao realizar milagres e 3) ele mostrou essa habilidade abertamente aos cristãos de Corinto.

9. OS AUTORES DO NOVO TESTAMENTO DESCREVEM MILAGRES DA MESMA FORMA QUE DESCREVEM OUTROS FATOS HISTÓRICOS: POR MEIO DE UM RELATO SIMPLES E SEM RETOQUES

Detalhes embelezados e extravagantes são fortes sinais de que um relato histórico tem elementos lendários. Existe, por exemplo, um relato lendário da ressurreição de Jesus que foi escrito mais de cem anos depois do acontecimento verdadeiro. Provém de uma farsa apócrifa conhecida como o *Evangelho de Pedro* e é mais ou menos assim:

> E bem cedo, ao amanhecer o sábado, uma grande multidão veio de Jerusalém e das redondezas para ver o sepulcro selado. Mas durante a noite que precedia o domingo, enquanto os soldados estavam fazendo a guarda de dois a dois, uma grande voz produziu-se no céu. E viram os céus abertos e dois homens que desciam, tendo à sua volta um grande resplendor, e aproximaram-se do sepulcro. E aquela pedra que haviam colocado sobre a porta rolou com o seu próprio impulso e pôs-se de lado, com o que o sepulcro ficou aberto, e ambos os jovens entraram. Então, ao verem isto, aqueles soldados despertaram o centurião e os anciãos, já que estes encontravam-se ali fazendo a guarda. E, estando eles explicando o que acabara de acontecer, viram três homens que saíam do sepulcro, dois dos quais servindo de apoio a um terceiro, e uma cruz que ia atrás deles. E a cabeça dos dois primeiros chegava até o céu, enquanto a daquele que era conduzido por eles ultrapassava os céus. E ouviram uma voz vinda dos céus que dizia: "Pregaste para os que dormem?". E da cruz fez-se ouvir uma resposta: "Sim" (v. 34-42).[6]

---

[6]O Evangelho de Pedro, in: *Apócrifos e pseudo-epígrafos*. São Paulo: Novo Século, 2004, p. 583. V. Ron CAMERON, *The Other Gospels* (Philadelphia: Westminster, 1982), p. 80-1.

Puxa! Era assim que eu teria escrito se estivesse inventando ou embelezando a história da ressurreição de Jesus! Temos grandes multidões, pedras movendo-se, cabeça de homens que se estica até o céu e até além dele. Temos até mesmo uma cruz que anda e fala. Que emocionante! Que enfeite!

Os relatos da ressurreição de Jesus do NT não contêm nada semelhante a isso. Os evangelhos fornecem descrições triviais quase insípidas da ressurreição. *Marcos* descreve o que as mulheres viram desta maneira:

> Mas, quando foram verificar, viram que a pedra, que era muito grande, havia sido removida. Entrando no sepulcro, viram um jovem vestido de roupas brancas assentado à direita, e ficaram amedrontadas. "Não tenham medo", disse ele. "Vocês estão procurando Jesus, o Nazareno, que foi crucificado. Ele ressuscitou! Não está aqui. Vejam o lugar onde o haviam posto. Vão e digam aos discípulos dele e a Pedro: Ele está indo adiante de vocês para a Galiléia. Lá vocês o verão, como ele lhes disse". Tremendo e assustadas, as mulheres saíram e fugiram do sepulcro. E não disseram nada a ninguém, porque estavam amedrontadas (Mc 16.4-8).

A descrição de *Lucas* é quase tão direta quanto essa:

> Encontraram removida a pedra do sepulcro, mas, quando entraram, não encontraram o corpo do Senhor Jesus. Ficaram perplexas, sem saber o que fazer. De repente, dois homens com roupas que brilhavam como a luz do sol colocaram-se ao lado delas. Amedrontadas, as mulheres baixaram o rosto para o chão, e os homens lhes disseram: "Por que vocês estão procurando entre os mortos aquele que vive? Ele não está aqui! Ressuscitou! Lembrem-se do que ele lhes disse, quando ainda estava com vocês na Galiléia: 'É necessário que o Filho do homem seja entregue nas mãos de homens pecadores, seja crucificado e ressuscite no terceiro dia' ". Então se lembraram das palavras de Jesus (Lc 24.2-8).

O evangelho de *João* menciona rapidamente Maria Madalena descobrindo o túmulo vazio, acrescenta a experiência de Pedro e João e, então, volta para Maria, do lado de fora do túmulo. Mais uma vez, nada parece embelezado ou extravagante em seu relato:

> No primeiro dia da semana, bem cedo, estando ainda escuro, Maria Madalena chegou ao sepulcro e viu que a pedra da entrada tinha sido removida. Então correu ao encontro de Simão Pedro e do outro discípulo, aquele a quem Jesus amava, e disse: "Tiraram o Senhor do sepulcro, e não sabemos onde o colocaram!" Pedro e o outro discípulo saíram e foram para o sepulcro. Os dois corriam, mas o outro discípulo foi mais rápido que Pedro e chegou primeiro ao

sepulcro. Ele se curvou e olhou para dentro, viu as faixas de linho ali, mas não entrou. A seguir, Simão Pedro, que vinha atrás dele, chegou, entrou no sepulcro e viu as faixas de linho, bem como o lenço que estivera sobre a cabeça de Jesus. Ele estava dobrado à parte, separado das faixas de linho. Depois o outro discípulo, que chegara primeiro ao sepulcro, também entrou. Ele viu e creu. (Eles ainda não haviam compreendido que, conforme a Escritura, era necessário que Jesus ressuscitasse dos mortos.) Os discípulos voltaram para casa. Maria, porém, ficou à entrada do sepulcro, chorando. Enquanto chorava, curvou-se para olhar dentro do sepulcro e viu dois anjos vestidos de branco, sentados onde estivera o corpo de Jesus, um à cabeceira e o outro aos pés (Jo 20.1-12).

Depois disso, o relato de João descreve a aparição de Jesus à Maria.

O relato de Mateus sobre a experiência das mulheres é mais dramático, mas não contém nada tão bizarro quanto as longas cabeças ou a cruz que anda e fala, conforme encontrado no relato lendário do *Evangelho de Pedro*:[7]

> E eis que sobreveio um grande terremoto, pois um anjo do Senhor desceu dos céus e, chegando ao sepulcro, rolou a pedra da entrada e assentou-se sobre ela. Sua aparência era como um relâmpago, e suas vestes eram brancas como a neve. Os guardas tremeram de medo e ficaram como mortos. O anjo disse às mulheres: "Não tenham medo! Sei que vocês estão procurando Jesus, que foi crucificado. Ele não está aqui; ressuscitou, como tinha dito. Venham ver o lugar onde ele jazia. Vão depressa e digam aos discípulos dele: Ele ressuscitou dentre os mortos e está indo adiante de vocês para a Galiléia. Lá vocês o verão. Notem que eu já os avisei" (Mt 28.2-7).

A ressurreição de Jesus é o fato central do cristianismo. Como Paulo escreveu, "... se Cristo não ressuscitou, inútil é a fé que vocês têm, e ainda estão em seus pecados" (1Co 15.17). Se a ressurreição de Jesus fosse uma história inventada, planejada para convencer céticos, então os autores do NT certamente teriam feito relatos mais longos e com mais detalhes. Além do mais, eles provavelmente teriam dito que tinham testemunhado Jesus levantar-se fisicamente dos mortos. Em vez disso, vão até o túmulo depois que ele já havia ressuscitado e não fazem nenhuma tentativa de maquiar sua descoberta com descrições prolixas ou cruzes falantes e caricaturas. Mateus, Marcos e Lucas nem mesmo dizem qualquer coisa sobre as dramáticas implicações teológicas da ressurreição de Jesus, e João relata essas implicações em apenas uma frase (Jo 20.31).

---

[7]Mesmo que se argumente que o anjo de Mateus é um embelezamento, isso não desacreditaria a historicidade da ressurreição de Jesus. De fato, até mesmo o embelezado *Evangelho de Pedro* foi construído em cima do fato histórico da Ressurreição.

Essa questão da limitação teológica dos autores dos evangelhos merece uma amplificação. Ela indica que os autores dos evangelhos estavam preocupados quanto a ter a história correta, e não em inventar um novo tipo de teologia. O especialista em Novo Testamento Norman T. Wright faz a brilhante observação de que expressões como 'ir para o céu quando você morrer', 'vida após a morte', 'vida eterna' e até mesmo 'ressurreição de todo o povo de Cristo' não são mencionadas nas quatro histórias canônicas da ressurreição de Jesus. Se Mateus, Marcos, Lucas e João quisessem contar histórias nas quais o importante fosse 'Jesus ressuscitou, e, portanto, você também ressuscitará', então fizeram um péssimo trabalho.[8]

É chocante quando se pensa a respeito disso. Se você for à maioria dos cultos de igrejas evangélicas hoje, a ênfase constante é "venha a Jesus para ser salvo". Isso é corretamente ensinado em todo o NT, mas é raramente mencionado nos evangelhos. Por quê? Porque os autores dos evangelhos estavam escrevendo história, e não simplesmente teologia. É claro que a história do NT tem implicações dramáticas na teologia, mas essas implicações são extraídas de outros textos do NT, a saber, as epístolas (cartas). Teria sido fácil para os autores dos evangelhos inserir implicações teológicas em cada evento histórico, mas eles não fizeram isso. Foram testemunhas oculares que estavam escrevendo a história, não autores de ficção ou teólogos proselitistas.

Sua sensatez também estará à mostra nos outros milagres que registram. Os outros 35 milagres atribuídos a Jesus nos evangelhos são descritos como se fossem narrados por um repórter, não por pregadores de olhos atentos. Os autores dos evangelhos não oferecem descrições espetaculares ou comentários cheios de fogo e enxofre — narram apenas os fatos.

10. OS AUTORES DO NOVO TESTAMENTO ABANDONARAM SUAS CRENÇAS E PRÁTICAS SAGRADAS DE LONGA DATA, ADOTARAM NOVAS CRENÇAS E PRÁTICAS E NÃO NEGARAM SEU TESTEMUNHO SOB PERSEGUIÇÃO OU AMEAÇA DE MORTE

Os autores do NT não dizem simplesmente que Jesus realizou milagres e ressuscitou dos mortos — na verdade, eles apóiam esse testemunho com ação dramática. Em primeiro lugar, praticamente da noite para o dia, abandonaram muitas de suas crenças e práticas sagradas há muito tempo consideradas. Entre as diversas práticas instituídas num período de mais de 1.500 anos, abandonaram as seguintes:

---

[8] *The Resurrection of the Son of God*. Minneapolis: Fortress, 2003, p. 603.

- o sistema de sacrifício de animais — eles o substituíram pelo sacrifício perfeito de Cristo;
- a supremacia obrigatória da Lei Mosaica — eles dizem que ela não tem mais poder por causa da vida sem pecado de Cristo;
- monoteísmo estrito — agora adoram Jesus, o homem-Deus, apesar do fato de que 1) sua mais prezada crença fosse "Ouça, ó Israel: O Senhor, o nosso Deus, é o único Senhor" (Dt 6.4) e 2) a adoração ao homem sempre fora considerada blasfêmia e punida com a morte;
- o sábado — eles não mais observavam esse dia, embora sempre tivessem acreditado que quebrar o sábado era uma atitude passível de morte (Êx 31.14);
- crença no Messias conquistador — Jesus é o oposto de um Messias conquistador. Ele é o Cordeiro sacrificial (pelo menos em sua primeira visita!).

E não são apenas os autores do NT que fazem isso — milhares de judeus de Jerusalém, dentre eles sacerdotes fariseus, convertem-se ao cristianismo e juntam-se aos autores do NT ao abandonarem essas práticas e crenças tão valorizadas. J. P. Moreland nos ajuda a compreender a magnitude do fato de esses judeus abandonarem, praticamente da noite para o dia, suas instituições estabelecidas:

> [Os judeus] acreditavam que [essas instituições] lhes tinham sido confiadas por Deus. Acreditavam que, abandonando-as, estariam correndo o risco de ver sua alma condenada ao inferno após morte. [...] Agora vem um rabino de nome Jesus de uma região de baixo nível social. Ele ensina durante três anos, reúne um grupo de seguidores vindos de classe média e baixa, entra em conflito com as autoridades e é crucificado, assim como outros 30 mil judeus que foram executados no mesmo período. Cinco semanas depois de ele ser crucificado, porém, mais de 10 mil judeus o estão seguindo, declarando-o iniciador de uma nova religião. E veja: eles estão dispostos a abrir mão ou a alterar as cinco instituições sociais que, desde a infância, lhes tinham sido ensinadas como fundamentais em termos sociais e teológicos [...]. Algo *muito* importante estava acontecendo![9]

Como você explica essas mudanças monumentais se os autores do NT estavam inventando uma história? Como você as explica se a ressurreição de Jesus não aconteceu?

---

[9] J. P. Moreland, entrevistado por Lee Strobel, *Em defesa de Cristo*. São Paulo: Vida, 2001, p. 329.

Em segundo lugar, não apenas esses novos cristãos abandonaram suas crenças e práticas há muito prezadas, mas também adotaram algumas outras bastante radicais:

- domingo, um dia de trabalho, como o novo dia de adoração;
- o batismo como um novo sinal de que alguém era participante da nova aliança (como a circuncisão era um sinal da antiga aliança);
- a comunhão (ceia) como um ato memorial do sacrifício de Cristo por seus pecados.[10]

A ceia é especialmente inexplicável a não ser que a ressurreição de Jesus seja verdadeira. Por que o judeus inventariam uma prática na qual simbolicamente comiam o corpo e bebiam o sangue de Jesus?

A tabela 11.1 resume as dramáticas mudanças surgidas com base na ressurreição de Jesus:

Crença anterior à ressurreição	Crença posterior à ressurreição
Sacrifício animal	Desnecessário por causa do sacrifício de Cristo
Supremacia da Lei Mosaica	Perda da supremacia porque ela foi cumprida pela vida de Cristo
Monoteísmo estrito	Trindade (três pessoas de uma mesma essência divina)
O sábado	Substituído pela adoração no domingo
Messias conquistador	Messias sacrificial (ele vai conquistar quando voltar)
Circuncisão	Substituída pelo batismo e pela ceia

Tabela 11.1

Por fim, além de abandonar instituições sagradas há muito prezadas e adotar outras novas, os autores do NT sofreram perseguição e morte quando poderiam salvar-se ao renunciar aquilo que pregavam. Se tivessem inventado a história da

---

[10]A primeira carta de Paulo aos Coríntios, escrita em meados da década de 50 d.C., lida com a questão da comunhão (ceia) como se ela já fosse uma prática estabelecida havia algum tempo. Paulo diz que entregou aos coríntios aquilo que o Senhor lhe entregara (1Co 11.23). A primeira visita de Paulo a Corinto aconteceu por volta de 51 d.C., provável data em que lhes transmitiu a prática da comunhão. Isso certamente implica que Paulo a recebera anteriormente.

ressurreição de Jesus, certamente teriam dito isso quando estavam prestes a ser crucificados (Pedro), apedrejados (Tiago) ou decapitados (Paulo). Mas nenhum deles abjurou — 11 dos doze apóstolos foram martirizados por sua fé (o único sobrevivente foi João, enviado para o exílio na ilha grega de Patmos). Por que morreriam por uma reconhecida mentira?

Charles Colson, ex-assistente do presidente Nixon e fundador do ministério em prisões chamado *Prison Fellowship*, foi para a prisão por causa do escândâlo Watergate. Comparando sua experiência com os apóstolos, ele escreve:

> Watergate envolvia uma conspiração para encobrir, perpetuada pelos auxiliares mais próximos do presidente dos Estados Unidos — os homens mais poderosos da América, profundamente leais ao seu presidente. Mas um deles, John Dean, tornou-se testemunha principal, ou seja, testemunhou contra o próprio Nixon, como ele mesmo disse, "para salvar a própria pele" — e ele o fez apenas duas semanas depois de ter informado o presidente sobre o que realmente estava acontecendo — duas semanas! O verdadeiro encobrimento, a mentira, só pôde ser sustentada por duas semanas e, então, todo mundo pulou do barco para se salvar. Perceba o fato de que todos aqueles que rodeavam o presidente estavam enfrentando apenas constrangimento, talvez prisão. Ninguém teve a vida ameaçada. Mas e quanto aos discípulos? Doze homens sem poder — na verdade, camponeses — estavam enfrentando não apenas embaraço ou desgraça política, mas espancamentos, apedrejamento, execução. Todos os discípulos, sem exceção, insistiram até o último fôlego que tinham visto fisicamente o Jesus ressuscitado corporalmente dos mortos. Você acha que um desses discípulos teria fraquejado antes de ser decapitado ou apedrejado? Acha que algum deles faria um acordo com as autoridades? Nenhum deles fez.[11]

Colson está certo. Os apóstolos certamente teriam negado tudo para se salvar. Pedro já havia negado Jesus três vezes antes da ressurreição para "salvar sua pele"! Ele certamente teria negado Jesus depois da ressurreição se a história tivesse se mostrado como um simples boato.

Antonin Scalia, juiz da suprema corte norte-americana, destacou o absurdo daqueles que duvidam da historicidade do NT. Num comentário repleto de sarcasmo contra os intelectuais dos dias modernos, Scalia afirmou exatamente isso que estamos dizendo em relação aos motivos dos autores do NT, a saber: uma

---

[11]"An Unholy Hoax?". Comentário em *Breakpoint*, March 29, 2002 (N. 020329). Disponível *online* em http://www.epm.org/UnholyHoax.htm.

vez que os autores do NT não tinham nada a ganhar e tudo a perder, devemos acreditar naquilo que dizem sobre a ressurreição de Jesus. Scalia diz:

> Não é racional aceitar o depoimento de testemunhas oculares que não tinham nada a ganhar [...]. Os sábios [deste mundo] não acreditam na ressurreição dos mortos. Desse modo, tudo o que aconteceu entre a manhã da Páscoa até a ascensão precisou ser inventado pelos deploráveis entusiastas como parte de seu plano para serem martirizados.[12]

Scalia e Colson estão absolutamente certos. Não há razão para duvidar e há todas as razões para acreditar nos relatos do NT. Embora muitas pessoas venham a morrer por uma mentira que considerem verdade, nenhuma pessoa sã morrerá por aquilo que *sabe* que é uma mentira. Os autores do NT e outros apóstolos tinham certeza de que Jesus ressuscitara e demonstraram essa certeza com seu próprio sangue. O que mais as testemunhas oculares deveriam fazer para provar que estavam dizendo a verdade?

E QUANTO AOS MÁRTIRES MUÇULMANOS?

"Espere aí!", pode reclamar o cético. "Vemos pessoas morrendo por sua fé todos os dias! Você já viu o noticiário? Existe um homem-bomba suicida praticamente toda semana no Oriente Médio! Você já se esqueceu do Onze de Setembro? Os seqüestradores estavam fazendo tudo aquilo por Alá! O que o martírio prova? Será que prova que o islamismo também é verdadeiro?"

De modo algum. Existem algumas semelhanças, mas existe uma diferença fundamental entre os mártires do NT e os de hoje. Uma similaridade compartilhada por todos os mártires é a sinceridade. Quer se fale sobre cristãos, muçulmanos quer sobre pilotos camicases seguidores de seitas suicidas, todos concordam que os mártires acreditam sinceramente em sua causa. Mas a diferença crítica é que os mártires cristãos do NT tinham mais do que sinceridade — eles tinham evidências de que a ressurreição de Jesus era verdadeira. Por quê? Porque *os mártires do NT foram testemunhas oculares do Cristo ressurreto*. Sabiam que a ressurreição era verdadeira, e não uma mentira, porque a verificaram com seus próprios sentidos. Eles viram, tocaram e até mesmo comeram com o Jesus ressurreto em diversas ocasiões. Viram-no realizar mais de 30 milagres. À luz dessas fortes evidências empíricas, precisaram de pequena fé para acreditar na ressurreição. Por meio de padrões de observação de senso comum, eles tinham *prova* dela.

---

[12]De um discurso feito na Mississippi College School of Law, registrado em http://tmatt.gospelcom. net/column/1996/04/24/.

Desse modo, submeteram-se voluntariamente à perseguição e à morte por aquilo que eles próprios haviam verificado.

Uma coisa assim é improvável dentro do islamismo (ou em qualquer outro sistema de crenças que produza mártires). Embora os mártires atuais do islamismo sejam certamente sinceros com relação ao islã, não têm provas miraculosas de testemunhas oculares de que o islã seja verdadeiro. Não são testemunhas oculares de qualquer coisa miraculosa.

De fato, *nem mesmo os contemporâneos de Maomé foram testemunhas oculares de qualquer coisa miraculosa.* Quando Maomé foi desafiado a realizar milagres para confirmar que era de Deus, nunca aceitou o desafio (surata 3.181-184; 4.153; 6.8,9; 17.88-96). Em vez disso, disse que era simplesmente um homem (17.93) e deixou implícito que o *Alcorão* o autenticava como profeta (17.88). Mas não existem milagres claramente definidos registrados no *Alcorão*.[13] Os milagres foram atribuídos a Maomé apenas pelos muçulmanos que viveram entre 100 e 200 anos depois de sua morte, porque os cristãos continuavam pedindo provas de que Maomé era um profeta. Essas declarações de milagres não estão baseadas no depoimento de testemunhas oculares e dão toda a indicação de serem lendárias. Várias falam de árvores movendo-se ou saudando Maomé enquanto ele passava. Montanhas e lobos supostamente saudaram Maomé também. Outras histórias de milagres parecem ser variações dos milagres que Jesus realizou (e.g., transformar água em leite, alimentar milhares multiplicando uma pequena refeição). Essas histórias de milagres são encontradas no *hadith*, uma coleção posterior de dizeres e feitos de Maomé.

O mais confiável autor do *hadith*, Al Bukhari, e uma maioria de estudiosos *muçulmanos* admitem que a maioria dos supostos milagres de Maomé não é autêntica.[14] Uma vez que o próprio Maomé nunca afirmou fazer milagres e, considerando que essas histórias de milagres surgiram de fontes posteriores à morte dos contemporâneos de Maomé, não vemos razões para acreditar em *algum* dos milagres atribuídos a Maomé.

Se Maomé não foi confirmado por milagres, então por que as pessoas o seguiram? Elas não o fizeram no começo. Ele e seus poucos seguidores foram expulsos de Meca no ano 622 d.C., 12 anos depois de ele aparentemente ter recebido sua primeira revelação (uma vez que Meca era uma cidade politeísta cheia de tributos a outros deuses, a passagem de Maomé para o monoteísmo não foi bem

---

[13]Você poderá encontrar uma discussão sobre as passagens alcorânicas que alguns muçulmanos acreditam referir-se a milagres em Norman GEISLER & Abdul SALEEB, *Answering Islam,* 2. ed. (Grand Rapids, Mich.: Baker, 2002), p. 163-8.

[14]V. ibid., 163-74.

recebida pelos mercadores locais que viviam do comércio associado ao politeísmo). Somente depois de Maomé ter liderado várias conquistas militares bem-sucedidas entre os anos 622 e 630 é que ele começou a atrair um grande número de seguidores. Sua popularidade foi grandemente aumentada quando liderou ataques às caravanas de Meca e dividiu o despojo desses ataques com seus seguidores. Também tomou diversas esposas, que o ajudaram a solidificar sua base de apoio. Em outras palavras, a popularidade de Maomé resultou de suas lucrativas vitórias militares que compartilhou com seus seguidores, de sua astuta conduta política e de seu carisma pessoal, em vez de qualquer confirmação miraculosa.

O aspecto militarista do islã destaca outra diferença importante entre as origens do cristianismo e do islã. O cristianismo começou como uma fé pacífica que foi considerada ilegal durante os primeiros 280 anos de sua existência (tempo durante o qual experimentou seu maior crescimento). Se alguém se tornasse cristão no Império Romano antes do ano 311, poderia ser morto por causa disso.

Contudo, depois de uma breve mas infrutífera tentativa de propagar sua fé pacificamente, Maomé voltou-se à força militar para espalhar o islã. Por volta do ano 630, ele havia cercado Meca à força e tinha o controle de grande parte daquilo que é conhecido hoje como a península da Arábia Saudita. Embora Maomé tenha morrido em 632, seus seguidores continuaram as campanhas militares em nome do islã. No ano 638 — apenas seis anos depois da morte de Maomé —, os muçulmanos tomaram a terra santa à força. Nos primeiros cem anos do islã, além de terem tomado Jerusalém, os muçulmanos tentaram, por duas vezes, tomar Constantinopla (atual Istambul, Turquia), e foram bem-sucedidos ao passarem pelo norte da África, cruzar o estreito de Gibraltar e chegar até a Europa. Se não fosse por Carlos Martel, prefeito da cidade de Tours, França, provavelmente toda a Europa falaria árabe hoje. Martel expulsou os muçulmanos de Tours em 732, exatamente cem anos depois da morte de Maomé (os muçulmanos acabaram retirando-se para além do estreito de Gibraltar, mas o norte da África permanece predominantemente muçulmano até hoje).

Desse modo, aqui está o contraste: nos primeiros dias do cristianismo, uma pessoa poderia ser morta por se tornar cristã; nos primeiros dias do crescimento do islã, uma pessoa poderia ser morta por *não* se tornar um muçulmano! Em outras palavras, o crescimento dessas duas grandes fés monoteístas não poderia ter sido mais diferente: o islã espalhou-se pelo uso da espada sobre os outros; o cristianismo espalhou-se quando os outros usaram a espada sobre eles.

"Mas e quanto às Cruzadas?", pode perguntar o cético. Faça um curso de História. As Cruzadas não começaram antes do ano 1100, mais de mil anos depois da origem do cristianismo. A proposta inicial das Cruzadas era recuperar as terras que os muçulmanos anteriormente haviam tomado dos cristãos por meio de conquistas militares. Desse modo, foi o islã, e não o cristianismo, que inicialmente se espalhou por meio das Cruzadas militares.

Agora é possível entender por que uma religião se espalha quando usa meios militares. Mas por que uma religião se espalha quando seus adeptos são perseguidos, torturados e mortos durante seus primeiros 280 anos? (esses certamente não são argumentos *favoráveis*). Talvez porque existam alguns testemunhos bastante confiáveis sobre acontecimentos miraculosos que provam que o cristianismo é verdadeiro. De que outra maneira você poderia explicar o fato de que pessoas assustadas, expulsas, céticas e covardes repentinamente se tornarem os mais dedicados, determinados, pacíficos e abnegados missionários que o mundo jamais conheceu?

RESUMO E CONCLUSÃO

Nos últimos dois capítulos, vimos que temos uma cópia precisa dos primeiros depoimentos de testemunhas oculares encontrados nos documentos do NT. Nossa questão central neste capítulo envolve invenção, embelezamento e exagero, a saber: os autores do NT inventaram, embelezaram ou exageraram elementos da história? Eles lidaram com os fatos de maneira descuidada?

Não. Como vimos, existem pelo menos dez boas razões para acreditar que eles foram homens honestos que, de maneira meticulosa e fiel, registraram aquilo que viram. Os autores do NT:

1. incluem diversos detalhes embaraçosos sobre si mesmos;

2. incluem diversos detalhes embaraçosos e dizeres difíceis de Jesus;

3. incluem as exigências de Jesus;

4. fazem uma clara distinção entre as palavras de Jesus e as deles;

5. incluem acontecimentos relacionados à ressurreição de Jesus que eles não poderiam ter inventado;

6. incluem pelo menos 30 pessoas historicamente confirmadas;

7. incluem detalhes divergentes;

8. desafiam seus leitores a conferir os fatos verificáveis, até mesmo fatos sobre milagres;

9. descrevem milagres da mesma forma que descrevem outros fatos históricos: por meio de um relato simples e sem retoques;

10. abandonaram suas crenças e práticas sagradas de longa data, adotaram novas crenças e práticas e não negaram seu testemunho sob perseguição ou ameaça de morte.

Desse modo, temos todas essas razões para apoiar a idéia de que os autores do Novo Testamento apegaram-se incansavelmente à verdade. E por que eles não fariam isso? O que os motivaria a mentir, a embelezar ou a exagerar qualquer aspecto? O que possivelmente teriam a ganhar? Eles ganharam apenas perseguição e morte por testemunharem da maneira pela qual fizeram. Em outras palavras, os autores do NT tinham todos os motivos para *negar* os acontecimentos do NT, não para inventar, maquiar ou exagerar cada um deles. Mais uma vez, não era o caso de eles estarem precisando de uma nova religião! Quando Jesus chegou, a maioria dos autores do NT era de judeus religiosos que consideravam o judaísmo a única religião verdadeira e que se consideravam o povo escolhido de Deus. Alguma coisa dramática deve ter acontecido para tirá-los do sono dogmático e levá-los a um novo sistema de crenças que não lhes prometia nada além de problemas na terra. *À luz de tudo isso, não temos fé suficiente para sermos céticos em relação ao Novo Testamento.*

Contudo, a despeito de todas essas evidências contrárias a eles, os céticos ainda têm fé. Uma vez que as evidências fazem ser praticamente impossível concluir que Jesus foi uma lenda ou que os autores do NT eram mentirosos, alguns céticos apegam-se à sua única possibilidade restante: os autores do NT foram enganados. Sinceramente acreditaram que Jesus ressuscitara dos mortos, mas estavam errados. Essa é a possibilidade que trataremos no capítulo seguinte.

12
Jesus realmente ressuscitou dos mortos?

Os céticos devem apresentar mais do que teorias alternativas à ressurreição;
precisam fornecer evidências do século I que apóiem essas teorias.
GARY HABERMAS

A RESSURREIÇÃO DE JESUS: O QUE DIZEM OS ESTUDIOSOS?

Gary Habermas completou a mais ampla investigação já feita até o momento sobre o que os estudiosos acreditam a respeito da ressurreição de Jesus. Habermas reuniu mais de 1.400 obras dos eruditos mais críticos que falam sobre a ressurreição de Jesus, escritas de 1975 a 2003. Na obra *The Risen Jesus and Future Hope* [O Jesus ressurreto e a esperança do futuro],[1] Habermas expõe que quase todos os estudiosos, independentemente do espectro ideológico — desde os ultraliberais até os conservadores defensores da Bíblia —, concordam que os pontos a seguir, todos relacionados a Jesus e ao cristianismo, são fatos históricos reais:

1. A morte de Jesus deu-se por meio da crucificação romana.
2. Ele foi sepultado, muito provavelmente, num túmulo particular.
3. Pouco tempo depois, os discípulos ficaram desanimados, desolados e desacorçoados, tendo perdido a esperança.
4. O túmulo de Jesus foi encontrado vazio pouco tempo depois de seu sepultamento.[2]

---

[1]Lanham, Md.: Rowman & Littlefield, 2003.

[2]Embora os estudiosos não sejam unânimes quanto ao túmulo vazio, a *maioria* deles (cerca de 75%) acredita que a tumba estava vazia. Os outros 11 fatos declarados aqui desfrutam de apoio praticamente unânime dos especialistas.

5. Os discípulos tiveram experiências que acreditaram ser aparições reais do Jesus ressurreto.

6. Devido a essas experiências, a vida dos discípulos foi totalmente transformada. Depois disso, até mesmo se dispuseram a morrer por sua crença.

7. A proclamação da ressurreição aconteceu logo de início, desde o começo da história da igreja.

8. O testemunho público e a pregação dos discípulos sobre a ressurreição de Jesus aconteceram na cidade de Jerusalém, onde Jesus fora crucificado e sepultado pouco tempo antes.

9. A mensagem do evangelho concentrava-se na pregação da morte e da ressurreição de Jesus.

10. O domingo passou a ser o principal dia de reunião e adoração.

11. Tiago, irmão de Jesus e cético antes desse evento, converteu-se quando acreditou que também vira o Jesus ressurreto.

12. Poucos anos depois, Saulo de Tarso (Paulo) tornou-se cristão devido a uma experiência que ele também acreditou ter sido uma aparição do Jesus ressurreto.[3]

A aceitação desses fatos faz sentido à luz daquilo que vimos até aqui. As evidências nos demonstram os pontos a serem apresentados a seguir.

A história do Novo Testamento não é uma lenda. Os documentos do NT foram escritos exatamente dentro de um período de duas gerações, com base nos eventos, pelas testemunhas oculares ou por seus contemporâneos. A seqüência da história do NT é corroborada por escritores não-cristãos. Além disso, o NT menciona pelo menos 30 personagens históricas que foram confirmadas por fontes externas ao NT. Portanto, a história do NT não pode ser uma lenda.

A história do Novo Testamento não é uma mentira. Os autores do NT incluíram detalhes divergentes e embaraçosos, dizeres difíceis e exigentes e fizeram cuidadosa distinção entre as palavras de Jesus e suas próprias palavras. Eles também se referiram a fatos e a testemunhas oculares que seus leitores já conheciam ou poderiam verificar. De fato, os autores do NT fizeram seus leitores e os mais destacados inimigos do século I verificarem aquilo que disseram. Se isso não é suficiente para confirmar sua fidedignidade, então seu martírio deveria remover qualquer dúvida. Essas testemunhas oculares sofreram perseguição e morte por

[3]Habermas, *Risen Jesus and Future Hope*, p. 9-10.

causa da declaração empírica de que viram, ouviram e tocaram o Jesus ressurreto, embora elas pudessem ter-se salvado simplesmente negando-se a dar o seu testemunho.

A história do Novo Testamento não é um embelezamento. Os autores do NT foram meticulosamente precisos, conforme evidenciado pelos mais de 140 detalhes historicamente confirmados. Registraram milagres nessas narrativas historicamente confirmadas e o fizeram sem maquiagem aparente ou comentário teológico significativo.

Portanto, o Novo Testamento é verdadeiro? Se a maioria dos estudiosos concorda com os 12 fatos relacionados anteriormente porque as evidências mostram que a história do NT não é uma lenda, uma mentira ou um embelezamento, então sabemos, acima do que se considera dúvida justificável, que os autores do NT registraram com precisão aquilo que viram. Por acaso isso significa que todos os acontecimentos do NT são verdadeiros? Não necessariamente. O cético ainda tem uma questão.

A última questão possível para o cético é que os autores do NT foram enganados. Em outras palavras, talvez os autores do NT estivessem simplesmente errados em relação àquilo que pensaram ter visto.

Dadas as características do NT que já revisamos anteriormente, não parece plausível que os autores do NT tenham sido enganados com relação a acontecimentos comuns e não miraculosos. Eles se mostraram corretos em relação a muitos detalhes históricos. Por que duvidar de suas observações de acontecimentos do dia-a-dia?

Mas teriam eles sido enganados no caso de acontecimentos miraculosos como a ressurreição de Jesus? Talvez realmente tenham crido que Jesus ressuscitara dos mortos — e, por isso, pagaram com a própria vida —, mas estavam errados ou enganados. Talvez existam explicações naturais para todos os milagres que julgavam ter visto.

Os estudiosos mais críticos ignoram isso. Considere o fato número 5 daquela lista de 12 nos quais praticamente todos os estudiosos acreditam: "Os discípulos tiveram experiências que *eles acreditaram* ser aparições reais do Jesus ressurreto". Em outras palavras, os estudiosos *não* estão necessariamente dizendo que Jesus realmente ressuscitou dos mortos (embora alguns considerem que realmente ressuscitou). O consenso mínimo entre praticamente todos os estudiosos é que os discípulos *acreditaram* que Jesus ressuscitara dos mortos.

Para que testemunhas oculares e contemporâneos dos acontecimentos estejam errados, é preciso haver alguma outra explicação para a ressurreição de Jesus e os outros milagres registrados no NT. Uma vez que a ressurreição de Jesus é o fato central do cristianismo, vamos começar daí. De que maneira os céticos excluem a ressurreição?

CÉTICO QUANTO A TEORIAS CÉTICAS

Aqui estão as explicações para a ressurreição de Jesus mais freqüentemente apresentadas pelos céticos.

Teoria da alucinação. Teriam os discípulos sido enganados por alucinações? Talvez eles pensaram sinceramente que tinham visto o Cristo ressurreto, mas, em vez disso, na verdade estavam experimentando alucinações. Essa teoria tem muitas falhas fatais. Vamos abordar duas delas.

Em primeiro lugar, as alucinações não são experimentadas por grupos, mas apenas por indivíduos. Nesse aspecto, são muito parecidas com sonhos. É por isso que, se um amigo lhe diz pela manhã: "Uau! Esse foi um grande sonho que *nós* tivemos, não é?", você não diz "Sim, foi fabuloso! Vamos continuar hoje à noite?". Não, você acha que seu amigo ficou louco ou que está simplesmente fazendo uma brincadeira. Você não o leva a sério porque sonhos não são experiências coletivas. Quem tem sonhos é o indivíduo, não grupos. As alucinações funcionam da mesma maneira. Se existirem *raras* condições psicológicas, um indivíduo pode ter uma alucinação, mas seus amigos não a terão. Mesmo que a tiverem, não terão a mesma alucinação.

A teoria da alucinação não funciona porque Jesus não apareceu uma única vez para uma única pessoa — ele apareceu em dezenas de ocasiões diferentes, numa grande variedade de cenários, para diferentes pessoas, durante um período de *40 dias*. Ele foi visto por homens e mulheres. Foi visto caminhando, falando e comendo. Foi visto dentro e fora de lugares. Foi visto por muitos e por poucos. Um total de mais de 500 pessoas viu o Jesus ressurreto. Elas não estavam tendo uma alucinação ou vendo um fantasma, porque, em seis das 12 aparições, Jesus foi fisicamente tocado e/ou comeu comida verdadeira (v. tabela 12.1).

A existência do túmulo vazio é a segunda falha fatal da teoria da alucinação. Se mais de 500 testemunhas oculares tiveram a experiência sem precedentes de ter a mesma alucinação em 12 ocasiões diferentes, então por que as autoridades judaicas ou romanas simplesmente não exibiram o corpo de Jesus pela cidade? Isso teria desferido um golpe fatal no cristianismo de uma vez por todas. As autoridades adorariam ter feito isso, mas, aparentemente, não puderam fazê-lo porque o túmulo estava realmente vazio.

As testemunhas foram ao túmulo errado. Talvez os discípulos tenham ido ao túmulo errado e, então, presumiram que Jesus havia ressuscitado. Essa teoria também possui duas falhas fatais.

Primeira falha: se os discípulos tivessem ido à sepultura errada, as autoridades judaicas e romanas teriam ido à sepultura certa e, então, teriam mostrado o corpo de Jesus na cidade. O túmulo era conhecido pelos judeus porque era um túmulo *deles* (pertencia a José de Arimatéia, membro do Sinédrio). O túmulo também era conhecido pelos romanos porque colocaram guardas ali. Como destaca William Lane Craig, a teoria do túmulo errado presume que todos os judeus (e os romanos) tiveram um tipo de "amnésia coletiva" permanente em relação àquilo que eles haviam feito com o corpo de Jesus.[4]

ORDEM DAS DOZE APARIÇÕES DE JESUS CRISTO				
	Pessoas	Viram	Ouviram	Tocaram	Outras evidências
1.	Maria Madalena (Jo 20.10-18)	X	X	X	túmulo vazio
2.	Maria Madalena e outra Maria (Mt 28.1-10)	X	X	X	túmulo vazio (e panos no sepulcro também em Lc 24.1-12)
3.	Pedro (1Co 15.5) e João (Jo 20.1-10)	X	X		túmulo vazio, panos no sepulcro
4.	Dois discípulos (Lc 24.13-35)	X	X		comeram com ele
5.	Dez apóstolos (Lc 24.36-49; Jo 20.19-23)	X	X	X**	viram as feridas, comeram
6.	Onze apóstolos (Jo 20.24-31)	X	X	X**	viram as feridas
7.	Sete apóstolos (Jo 21)	X	X		comeram
8.	Todos os apóstolos (Mt 28.16-20; Mc 16.14-18)	X	X		
9.	Quinhentos irmãos (1Co 15.6)	X	X*		
10.	Tiago (1Co 15.7)	X	X*		
11.	Todos os apóstolos (At 1.4-8)	X	X		comeram com ele
12.	Paulo (At 9.1-9; 1Co 15.8)	X	X		

* implícito   ** deixou que seu corpo fosse tocado

Tabela 12.1

[4]In: Paul COPAN & Ronald TACELLI, eds. *Jesus' Resurrection: Fact or Figment? A Debate Between William Lane Craig and Gerd Lüdemann.* Downers Grove, Ill.: InterVarsity Press, 2000, p. 56.

Segunda falha: mesmo que os discípulos realmente tivessem ido ao túmulo errado, a teoria não explica de que maneira o Jesus ressurreto apareceu em 12 diferentes ocasiões. Em outras palavras, são as aparições que devem ser explicadas, e não apenas o túmulo vazio.

Perceba que o túmulo vazio não convenceu a totalidade dos discípulos (com a possível exceção de João) de que Jesus ressuscitara dos mortos. Foram as *aparições* de Jesus que os fizeram deixar de ser covardes assustados, fugitivos e céticos e se transformar na maior força missionária pacífica da história. Isso é especialmente verdadeiro com relação a um religioso inimigo do cristianismo, Saulo (Paulo). Ele não apenas não foi convencido pelo túmulo vazio, como estava perseguindo os cristãos logo após a ressurreição de Jesus. Foi necessária uma aparição do próprio Jesus para transformar Paulo. Parece que Tiago, o cético irmão de Jesus, também foi convertido depois de uma aparição de Jesus. Como vimos, a conversão de Tiago foi tão dramática que ele se tornou líder da igreja de Jerusalém e, mais tarde, foi martirizado nas mãos do sumo sacerdote.

O resumo é este: mesmo que alguém pudesse dar uma explicação natural para o túmulo vazio, não seria suficiente como prova contrária à ressurreição. Qualquer teoria alternativa da ressurreição também deve excluir as aparições de Jesus. A teoria do túmulo vazio não faz nenhuma das duas coisas.

Teoria do desmaio, do desfalecimento ou da morte aparente. Existe a possibilidade de Jesus não ter realmente morrido na cruz? Talvez Jesus tenha simplesmente desfalecido. Em outras palavras, ele ainda estava vivo quando foi colocado no túmulo, mas, de alguma maneira, Jesus escapou e convenceu seus discípulos de que havia ressuscitado dos mortos. Existem diversos erros fatais nessa teoria também.

Primeiro erro: tanto inimigos quanto amigos acreditaram que Jesus estava morto. Os romanos, que eram executores profissionais, chicotearam e bateram em Jesus de maneira brutal. Então, depois disso, pregaram cravos rústicos em seus punhos e em seus pés e enfiaram uma lança em seu lado. Eles não quebraram as pernas para apressar sua morte porque sabiam que já estava morto (as vítimas de crucificação freqüentemente morriam por asfixia porque não podiam erguer o corpo para poder respirar. Quebrar as pernas, portanto, apressaria a morte). Além do mais, Pilatos foi verificar para certificar-se de que Jesus estava morto, e a morte de Jesus foi a razão de os discípulos terem perdido toda a esperança.

A técnica brutal de crucificação romana foi verificada por toda a arqueologia e por fontes escritas não-cristãs (v. cap. 15, em que temos uma vívida descrição da experiência da crucificação de Jesus). Em 1968, os restos de uma vítima de crucificação do século I foram encontrados numa caverna em Jerusalém. O osso do calcanhar desse homem tinha um prego de quase 18 cm que o atravessava, e seus braços também mostravam evidências de pregos.[5] A lança no coração também foi reconhecida como uma técnica romana de crucificação pelo autor romano Quintiliano (35-95 d.C.).[6] Em função desse tratamento dispensado a Jesus, não é de surpreender que as testemunhas oculares tenham pensado que ele estivesse morto.

Não foram apenas as pessoas do século I que acreditaram que Jesus estava morto: médicos modernos também acreditam que Jesus realmente morreu. Escrevendo em 21 de março de 1986, na edição do *Journal of the American Medical Association,* três médicos, incluindo um patologista da Clínica Mayo, concluíram:

> Está claro que o peso das evidências históricas e médicas indica que Jesus já estava morto antes de receber o ferimento em seu lado e apóia a visão tradicional de que a lança, introduzida entre as costelas do lado direito, provavelmente perfurou não apenas o pulmão direito, mas também o pericárdio e o coração e, portanto, garantiu sua morte. Por conta disso, interpretações baseadas na pressuposição de que Jesus não morreu na cruz parecem não estar de acordo com o conhecimento médico moderno.[7]

Como indicamos no capítulo anterior, o sangue e a água que saíram da ferida da lança parecem ser outro detalhe genuíno de uma testemunha ocular, relatado

---

[5]Em 1968, um antigo local de sepultamento foi descoberto em Jerusalém com cerca de 35 corpos. Determinou-se que a maioria deles sofrera morte violenta no levante judaico contra Roma no ano 70 d.C. Um desses restos era de um homem chamado Yohanan Ben Ha'gaigol. Sua idade variava entre 24 e 28 anos. Tinha fenda palatina, e um prego de 18 cm ainda estava cravado em ambos os pés. Os pés foram virados para fora para que o prego pudesse ser colocado por entre os calcanhares, por dentro do tendão de Aquiles. Isso também teria arcado as pernas para fora, de modo que elas não poderiam ser usadas como apoio na cruz. O prego estava encravado num toco de madeira de acácia, passando depois pelos calcanhares e então sendo fincado num ramo de oliveira. Também havia evidências de que cravos similares haviam sido colocados entre os dois ossos de cada antebraço. Isso teria feito os ossos superiores serem raspados conforme a vítima repetidamente se levantasse e abaixasse para respirar (a respiração é dificultada quando os braços estão erguidos). As vítimas de crucificação precisam erguer-se para liberar os músculos do peito e, quando estão fracas demais para fazer isso, morrem por sufocação. V. Norman GEISLER, *Enciclopédia de apologética*. São Paulo: Vida, 2002, p. 213.

[6]*Declarationes maiores* 6.9. Referência feita por Gary HABERMAS & Michael LICONA, *The Case for the Resurrection of Jesus*. Grand Rapids, Mich.: Kregel, 2004.

[7]William D. EDWARDS, Wesley J. GABEL & Floyd E. HOSMER, "On the Physical Death of Jesus Christ", *Journal of the American Medical Association* 255, no. 11 (March 21, 1986): 1463.

pela pena de João. Esse único fato deveria pôr fim a todas as dúvidas sobre a morte de Jesus.

O segundo grande erro na teoria do desfalecimento é que Jesus foi embalsamado com 34 quilos de bandagens e especiarias. É altamente improvável que José de Arimatéia e Nicodemos (Jo 19.40) pudessem ter embalsamado por engano um Jesus que ainda estivesse vivo.

Terceiro erro: mesmo que todo mundo estivesse errado sobre o fato de Jesus realmente estar morto quando foi para o túmulo, de que maneira um homem gravemente ferido e sangrando ainda estaria vivo 36 horas depois? Ele teria sangrado até morrer naquele túmulo frio, úmido e escuro.

Quarto erro: se ele tivesse sobrevivido ao túmulo frio, úmido e escuro, de que maneira poderia tirar as bandagens, empurrar a pedra para cima e para fora (uma vez que estava dentro do túmulo), passar pelos guardas romanos (que seriam mortos por permitir uma brecha na segurança) e, então, convencer os covardes assustados, fugitivos e céticos de que ele havia triunfado sobre a morte? Mesmo que pudesse sair do túmulo e passar pelos guardas romanos, Jesus seria apenas uma massa mole alquebrada e ensangüentada de homem, da qual os discípulos teriam pena, e não alguém a quem eles adorariam. Eles diriam: "Você pode estar vivo, mas certamente não ressuscitou. Vamos levá-lo já para um médico!".

Quinto erro: a teoria do desfalecimento não pode explicar a brilhante aparição de Jesus a Paulo na estrada de Damasco. O que transformou esse dedicado inimigo do cristianismo logo depois da crucificação? Certamente não foi um ser humano normal que fora curado de sua experiência de crucificação.

A descrição que Paulo faz de sua conversão está registrada duas vezes no livro de Atos, que é historicamente autenticado. No capítulo 22, Paulo fala a uma multidão judaica hostil sobre a aparição de Cristo a ele:

> "Por volta do meio-dia, eu me aproximava de Damasco, quando de repente uma forte luz vinda do céu brilhou ao meu redor. Caí por terra e ouvi uma voz que me dizia: 'Saulo, Saulo, por que você está me perseguindo?' Então perguntei: 'Quem és tu, Senhor?'. E ele respondeu: 'Eu sou Jesus, o Nazareno, a quem você persegue'." (v. 6-8).

Paulo ficou sem enxergar por três dias e experimentou uma mudança de 180 graus em suas atitudes. Deixou de ser o mais enérgico inimigo do cristianismo para se tornar o seu mais ardente defensor.

A experiência de conversão de Paulo não pode ser explicada por um Jesus desfalecido segurando uma tocha e usando sua "voz de Deus" no meio dos arbustos. Foi uma mostra dramática do poder divino, em plena luz do dia, que mudou dramaticamente um homem e o mundo para sempre.[8]

Sexto erro: vários autores não-cristãos confirmaram que Jesus morreu por crucificação. Dentre eles, incluímos Josefo, Tácito, Talo e o *Talmude* judaico. O *Talmude* judaico, por exemplo, diz que Yeshua (Jesus) foi pendurado num madeiro na véspera da Páscoa.[9] Essa não é considerada uma fonte favorável ao cristianismo, de modo que não há razão para duvidar de sua autenticidade.

Por essas e outras razões, poucos estudiosos ainda acreditam na teoria do desfalecimento. Simplesmente existem evidências demais contra ela.

Os discípulos roubaram o corpo. A teoria de que os discípulos roubaram o corpo de Jesus não pode apoiar a última opção dos céticos — a de que os autores do NT foram todos enganados. Por quê? Porque a teoria faz que os autores do NT sejam os enganadores, e não os enganados! Naturalmente, isso é um ataque frontal a todas as evidências que vimos até aqui. A teoria presume a insustentável posição de que os autores do NT eram todos mentirosos. Por alguma razão inexplicável, roubaram o corpo com o objetivo de serem eles mesmos surrados, torturados e martirizados! As pessoas que defendem essa teoria não podem explicar por que qualquer pessoa faria isso. Por qual razão os discípulos embarcariam em tal conluio de autodestruição? E por que todos eles continuaram a dizer que Jesus ressuscitara dos mortos quando poderiam preservar sua vida ao se negarem a dar seu testemunho?

Além do grave conflito de interesse dos discípulos, os defensores dessa idéia não podem explicar outros absurdos exigidos pela teoria. De que maneira, por exemplo, os discípulos passaram pela guarda de elite romana que fora treinada para guardar o túmulo com o penhor da própria vida? Se Jesus nunca ressuscitou dos mortos, então quem apareceu a Paulo, a Tiago e às outras testemunhas oculares? Os autores do NT mentiram sobre sua conversão também? Paulo simplesmente inventou as evidências encontradas em 1Coríntios? E o que dizer sobre os autores não-cristãos? Teria Josefo mentido sobre Tiago ter sido martirizado pelo Sinédrio? Por acaso o escritor romano Flegon (nasc. c. 80 d.C.) mentiu também quando escreveu suas *Crônicas*, em que diz: "Jesus, enquanto vivo,

---

[8]Alguns céticos afirmam que isso foi simplesmente uma aparição subjetiva na mente de Paulo porque seus companheiros não viram ninguém (At 9) nem compreenderam o que a voz disse (At 9 e 22). Mas essa conclusão é incorreta porque os companheiros de Paulo experimentaram um fenômeno objetivo: 1) eles viram uma luz real, só não viram uma pessoa; 2) eles também ouviram uma voz real, simplesmente não entenderam o que ela dizia.

[9]V. Gary HABERMAS, *The Historical Jesus*. Joplin, Mo.: College Press, 1996, p. 202-5.

não foi de qualquer ajuda para si mesmo, mas, quando ressuscitou depois da morte, exibiu as marcas de sua punição, e mostrou de que maneira suas mãos foram perfuradas pelos pregos"?[10]. Seria preciso mais do que um "milagre" para que tudo isso acontecesse, caso Jesus não tivesse ressuscitado dos mortos. *Não temos fé suficiente para acreditar em tudo isso!*

Como já vimos, a noção de que os discípulos roubaram o corpo é exatamente a explicação que os judeus ofereceram para justificar o túmulo vazio. Além do fato de os discípulos não terem nenhum motivo ou habilidade para roubar o corpo, essa antiga explicação judaica não foi uma boa mentira por duas outras razões: 1) como os guardas adormecidos poderiam ter visto que os discípulos haviam roubado o corpo? e 2) nenhum guarda romano se deixaria punir com a pena capital por ter dormido no posto (talvez seja por isso, como registra Mateus, que as autoridades judaicas tiveram de pagar os guardas e prometer que os livrariam de problemas com o governador).

Em 1878, foi feita uma fascinante descoberta arqueológica que corrobora a afirmação bíblica de que os judeus estavam espalhando a versão do roubo. Uma placa de mármore de 38 cm por 60 cm foi descoberta em Nazaré com a seguinte inscrição:

> Decreto de César: É meu prazer que tumbas e sepulturas permaneçam perpetuamente imperturbadas por aqueles que as construíram para o culto aos seus ancestrais, aos filhos ou aos membros de sua casa. Se, porém, qualquer um fizer acusação de que outro as destruiu ou que, de alguma maneira, tenha extraído o sepultado, ou o tenha maliciosamente transferido para outro lugar com o objetivo de fazer-lhe mal, ou que tenha substituído o selo por um outro, contra este ordeno que seja constituído um tribunal, tanto com relação aos deuses, como em relação ao culto aos mortais. Pois é muito mais obrigatório honrar os sepultados. Que seja absolutamente proibido a qualquer um perturbá-los. Em caso de violação, desejo que o ofensor seja sentenciado à pena capital ou considerado culpado de violação de sepulcro.[11]

---

[10]Referência feita por Orígenes (185?-254? d.C.). V. HABERMAS, *The Historical Jesus*, p. 218. Os textos de Flegon não sobreviveram, mas são citados por Orígenes e Julio Africano. Os céticos podem levantar objeções ao uso de citações feitas por cristãos como Orígenes, mas essa objeção não é racional. Embora não possamos verificar se Orígenes citou Flegon corretamente, podemos presumir que ele o fez porque os leitores de Orígenes daquela época provavelmente teriam acesso ao original de Flegon. Não faria sentido Orígenes inventar ou alterar a citação de Flegon se havia a possibilidade de ela ser facilmente confirmada naquela época.

[11]V. Paul MAIER, *In the Fullness of Time*. Grand Rapids, Mich.: Kregel, 1991, p. 202; V. tb. HABERMAS, *The Historical Jesus*, p. 176.

Os estudiosos acreditam que esse edito foi promulgado pelo imperador Tibério, que reinou de 14 a 37 d.C. (durante a maior parte da vida de Cristo), ou pelo imperador Cláudio, que reinou de 41 a 54 d.C. O aspecto notável desse dito é que ele transforma a simples ação de saquear uma sepultura de um ato passível de multa para um ato passível de pena de morte!

Por que o imperador romano se importaria em promulgar um edito tão severo naquele momento, numa área tão remota de seu Império? Embora ninguém saiba com certeza as razões que levaram à promulgação desse edito, existem algumas possibilidades que remetem a Jesus.

Se a inscrição é de Tibério, então é provável que Tibério tenha ouvido falar de Jesus com base em um dos relatórios anuais que Pilatos teria feito. Justino Mártir afirma que foi isso o que aconteceu.[12] Pode ter sido incluída nesse relatório a explicação judaica para o túmulo vazio (os discípulos roubaram o corpo), levando Tibério a impedir qualquer "ressurreição" futura daquele edito.

Se a inscrição é de Cláudio, então o edito pode ter sido parte de sua resposta às revoltas que aconteceram em Roma no ano 49 d.C. Lucas menciona em Atos 18.2 que Cláudio expulsou os judeus de Roma. Isso é confirmado pelo historiador romano Suetônio, que nos diz que "porque os judeus em Roma causavam perturbações contínuas em função da instigação de Crestos, ele [Cláudio] os expulsou da cidade"[13] (Crestos é uma variante do nome Cristo).

Qual a relação entre Cristo e as revoltas judaicas em Roma? Talvez Roma tivesse experimentado o mesmo curso de fatos ocorridos em Tessalônica basicamente no mesmo período. Em Atos 17, Lucas registra que houve um "tumulto" em Tessalônica quando os judeus "ficaram com inveja" porque Paulo estava pregando que Jesus ressuscitara dos mortos. Aqueles judeus reclamaram com os oficiais da cidade, dizendo: "Esses homens, que têm causado alvoroço por todo o mundo, agora chegaram aqui [...]. Todos eles estão agindo contra os decretos de César, dizendo que existe um outro rei, chamado Jesus" (v. 6,7).

Se foi isso o que realmente aconteceu em Roma, então Cláudio não estava feliz com o grupo que agia contra os seus decretos e que seguia outro rei. Uma vez que já tinha conhecimento dessa nova seita rebelde nascida entre os judeus que acreditavam que seu líder havia ressuscitado, é possível que tenha expulsado todos os judeus de Roma e transformado a violação de sepulturas em crime capital.

Qualquer uma dessas duas possibilidades poderia explicar o tempo, o local e a severidade do edito. Contudo, mesmo que o edito *não* estivesse ligado ao

---

[12]Maier, ibid.

[13]*Claudius* 25. Apud HABERMAS, *The Historical Jesus*, p. 191.

túmulo vazio de Cristo, já temos boas evidências de que os judeus propagaram a hipótese do roubo (v. cap. anterior). A questão principal é que a hipótese do roubo foi uma admissão tácita de que o túmulo estava realmente vazio. *Além do mais, por que os judeus inventariam uma explicação para o túmulo vazio se o corpo de Jesus ainda estivesse ali?*

Um substituto assumiu o lugar de Jesus na cruz. Essa é a explicação apresentada pelos muçulmanos hoje — Jesus não foi crucificado, mas alguém — como Judas, por exemplo — foi morto em seu lugar.[14] O *Alcorão* faz a seguinte afirmação sobre Jesus:

> Eles não o mataram, não o crucificaram, mais tudo foi feito para que lhes parecesse assim, e aqueles que discordam desse aspecto estão cheios de dúvidas sem conhecimento (correto), mas apenas conjeturas para seguir, pois com certeza eles não o mataram: não, Alá o ressuscitou para si mesmo; e Alá é Exaltado em Poder, Sábio (surata 4.157,158).

Desse modo, de acordo com o *Alcorão*, parece que Jesus foi crucificado e que Alá o levou diretamente para o céu.

Existem muitos problemas com essa teoria, sem contar que simplesmente não existe evidência alguma que a apóie. Essa afirmação do *Alcorão* foi escrita mais de 600 anos depois da vida de Jesus. De que maneira isso pode ser considerado uma fonte mais autorizada sobre a vida de Jesus do que os relatos das testemunhas oculares? Essa teoria contradiz todo o depoimento das testemunhas oculares e o testemunho das fontes não-cristãs.

Além do mais, essa teoria levanta mais perguntas do que respostas. Devemos acreditar que a multidão de testemunhas que presenciou algum aspecto da morte de Jesus — os discípulos, os guardas romanos, Pilatos, os judeus, a família e os amigos de Jesus — estava *toda* errada sobre quem fora morto? De que maneira tantas pessoas poderiam estar erradas quanto a uma simples identificação? Isso é o mesmo que dizer que Abraham Lincoln não foi a pessoa assassinada ao lado de sua esposa numa noite de abril de 1865 no Teatro Ford. Estaria Mary Lincoln errada sobre o homem que estava sentado ao seu lado? O guarda-costas de Lincoln estava errado sobre quem ele estava guardando? Todas as outras pessoas estavam erradas sobre a identidade do presidente também? Não se pode acreditar nisso.

---

[14]Às vezes, os muçulmanos apelam ao evangelho de Barnabé como prova, mas isso se tem mostrado uma fraude. V. Norman GEISLER & Abdul SALEEB, *Answering Islam*, 2. ed. Grand Rapids, Mich.: Baker, 2002, apêndice 3.

Existem muitas outras perguntas levantadas por essa teoria. Se Jesus não foi morto, então por que o túmulo do homem que realmente *foi* morto foi encontrado vazio? Por acaso devemos acreditar que o *substituto* ressuscitou dos mortos? Se foi assim, de que maneira ele o fez? Devemos acreditar que todos os historiadores não-cristãos estão errados sobre a morte de Jesus? E o que devemos fazer com a admissão judaica da morte de Jesus? Estaria o *Talmude* errado ao dizer que Jesus foi pendurado num madeiro na véspera da Páscoa? Em resumo, devemos acreditar que todas as pessoas do século I estavam erradas sobre tudo?

É preciso questionar uma teoria surgida 600 anos depois dos fatos e que pede a você para acreditar que todas as evidências do século I estão erradas. A verdade é que essa teoria contradiz a maioria dos 12 fatos nos quais praticamente todos os estudiosos acreditam (v. o início deste capítulo). Tal como outras teorias alternativas, essa está construída sobre mera especulação, sem nem mesmo uma partícula de comprovação que possa apoiá-la. *Portanto, não temos fé suficiente para acreditar nela.*

A fé dos discípulos levou-os à crença na ressurreição. John Dominic Crossan é o co-fundador do grupo de estudiosos e críticos de extrema esquerda que chamam a si mesmos de o "Seminário de Jesus". Eles decidiram que apenas 18% dos dizeres atribuídos a Jesus nos evangelhos são autênticos (leia mais sobre isso no apêndice 3). Não apresentam nenhuma evidência real para o seu ceticismo, apenas teorias especulativas sobre como a fé dos discípulos levou-os à sua crença na ressurreição e em tudo mais no NT.

Essa teoria foi levantada exatamente durante o debate que Crossan teve com William Lane Craig sobre a ressurreição de Jesus. Crossan apresentou a teoria de que os discípulos inventaram a história da ressurreição porque eles "pesquisaram nas Escrituras" depois de sua morte e descobriram que "a perseguição, se não a execução, era muito semelhante a uma espécie de descrição de função dos eleitos de Deus".[15]

Todo o debate de duas horas girou em torno da resposta de Craig. Ele disse: "Certo. Isso surgiu *depois* de terem presenciado as aparições da ressurreição [...]. *A fé dos discípulos não levou às aparições [da ressurreição], mas foram as aparições que levaram à sua fé*; depois disso é que eles foram pesquisar nas Escrituras".[16]

O fato é que os discípulos assustados, amedrontados e céticos não inventariam uma história de ressurreição e depois sairiam por aí dispostos a morrer por

---

[15]Paul COPAN, ed. *Will the Real Jesus Please Stand Up? A Debate Between William Lane Craig and John Dominic Crossan*. Grand Rapids, Mich.: Baker, 1998, p. 65.

[16]Ibid.

ela. O natural era que eles fugissem e se escondessem com medo dos judeus! Foram as aparições posteriores à ressurreição que lhes deram uma fé ousada, e não o contrário. Crossan estava enxergando as coisas pelo avesso.

Além do fato de não existir evidência para sua teoria, Crossan não consegue explicar as aparições da ressurreição que aconteceram diante de mais de 500 pessoas. Também não pode explicar o túmulo vazio ou a tentativa dos judeus de explicá-lo. Os judeus sabiam que os discípulos estavam afirmando que a ressurreição fora um fato histórico real, não um mero produto de sua fé. Se, como diz Crossan, a ressurreição não aconteceu realmente, então por que as autoridades judaicas continuariam a insistir até o século II que os discípulos haviam roubado o corpo? Crossan não tem resposta porque sua teoria é falsa. *Você precisa ter muita fé — e desprezar uma grande quantidade de evidências — para acreditar nela.*

Os autores do Novo Testamento copiaram mitos pagãos sobre a ressurreição. Essa teoria afirma que o NT não é histórico porque os autores simplesmente copiaram mitos pagãos sobre a ressurreição. Os céticos são rápidos em citar supostas ressurreições de personagens míticas como Marduque, Adônis e Osíris. Seria o NT apenas um outro mito? Poderia essa teoria ser verdadeira? Isso não é provável, por diversas razões.

Em primeiro lugar, como já vimos, o NT é qualquer coisa, menos mitológico. Diferentemente dos mitos pagãos, o NT está repleto de evidências de testemunhas oculares e de personagens históricas reais, sendo corroborado por várias fontes externas. C. S. Lewis, ele mesmo um escritor de mitos, disse que as histórias do NT não mostram sinais de serem mitológicas. "Tudo o que sou em minha vida particular é crítico literário e historiador; esse é o meu trabalho", disse Lewis.

> Estou preparado para dizer, com base nisso, que, se alguém pensa que os evangelhos são lendas ou romances, essa pessoa está simplesmente mostrando incompetência como crítico literário. Já li uma grande quantidade de romances e sei muita coisa sobre lendas que se desenvolveram entre pessoas do passado, e sei perfeitamente bem que os evangelhos não são esse tipo de coisa.[17]

Em segundo lugar, a teoria do mito pagão não pode explicar o túmulo vazio, o martírio das testemunhas oculares nem o testemunho dos autores não-cristãos. Também não pode explicar a evidência que leva praticamente todos os estudiosos a aceitarem os outros fatos históricos que citamos no início deste capítulo.

---

[17] *Christian Reflections*, Walter HOOPER, ed. Grand Rapids, Mich.: Eerdmans, 1967, p. 209.

Em terceiro lugar, antigas fontes não-cristãs sabiam que os autores do NT não estavam apresentando relatos míticos. Como observa Craig L. Blomberg, "os antigos críticos judaicos e pagãos da ressurreição entenderam que os autores dos evangelhos estavam fazendo afirmações históricas, não escrevendo mitos ou lendas. Eles simplesmente discutiam a plausibilidade dessas afirmações".[18]

Em quarto lugar, nenhum mito grego ou romano falou da encarnação literal de um Deus monoteísta numa forma humana (cf. Jo 1.1-3,14), por meio de um nascimento virginal (Mt 1.18-25), seguido por sua morte e ressurreição física. Os gregos eram politeístas, e não monoteístas como os cristãos do NT. Além do mais, os gregos acreditavam na encarnação em um corpo mortal diferente; os cristãos do NT acreditavam na *ressurreição* do mesmo corpo físico que se tornava imortal (cf. Lc 24.37; Jo 9.2; Hb 9.27).

Em quinto lugar, o primeiro paralelo real de um deus que morre e ressuscita só aparece depois do ano 150 d.C., mais de cem anos *depois* da origem do cristianismo.[19] Desse modo, se houve qualquer influência de um sobre o outro, foi a influência do fato histórico do NT sobre a mitologia, e não o inverso.

O único relato conhecido de um deus sobrevivendo à morte que seja anterior ao cristianismo é o culto egípcio ao deus Osíris. Nesse mito, Osíris é cortado em 14 pedaços, espalhado por todo o Egito e, depois, remontado e trazido de volta à vida pela deusa Ísis. Contudo, Osíris não volta realmente à vida física, mas torna-se membro de um submundo de sombras. Como observam Gary Habermas e Michael Licona, "isso é muito diferente do relato da ressurreição de Jesus, no qual ele é o gloriosamente ressurreto Príncipe da vida que foi visto por outros na terra antes de sua ascensão ao céu".[20]

Por fim, mesmo se existirem mitos sobre deuses morrendo e ressuscitando que sejam anteriores ao cristianismo, isso não significa que os autores do NT copiaram esses mitos. A série de TV de ficção científica *Jornada nas estrelas* precedeu o programa norte-americano do ônibus espacial, mas isso não significa que as reportagens de jornal sobre as missões do ônibus espacial são influenciadas pelos episódios de *Jornada nas estrelas*! É preciso olhar para a evidência de cada relato para ver se é histórico ou mítico. Não há testemunhas oculares ou evidências que corroborem a historicidade da ressurreição de Osíris ou de qualquer outro deus pagão. Ninguém acredita que eles sejam realmente figuras históricas. Contudo, como

---

[18] *The Historical Reliability of John's Gospel*. Downers Grove, Ill.: InterVarsity Press, 2001, p. 259.

[19] V. Edwin YAMAUCHI, Easter — "Myth, Hallucination or History?", *Christianity Today* (March 15, 1974; e March 29, 1974).

[20] *The Case for the Resurrection of Jesus*. Grand Rapids, Mich.: Kregel, 2004.

vimos, existem fortes evidências de testemunhas oculares que corroboram a historicidade da morte e da ressurreição de Jesus Cristo.

VOCÊ POSSUI ALGUMA EVIDÊNCIA PARA ISSO?

Os cristãos estão acostumados a "contra-atacar" teorias alternativas da ressurreição. De fato, nós mesmos acabamos de fazer isso ao destacar as inúmeras deficiências das teorias alternativas. Mas isso não é suficiente. Embora os céticos corretamente coloquem o ônus da prova da ressurreição sobre os cristãos (e, como vimos, os cristãos podem satisfazer essa prova com boas evidências), *os cristãos precisam colocar o ônus da prova sobre os céticos quanto às suas teorias alternativas.* À luz de todas as evidências positivas da ressurreição, os céticos devem mostrar evidências positivas originárias do século I para suas visões alternativas.

Uma coisa é inventar uma teoria alternativa da ressurreição; outra é encontrar evidências do século I para ela. Uma teoria não é uma evidência. É sensato exigir evidências, não apenas teoria. Qualquer um pode inventar uma teoria para explicar um fato histórico qualquer. Por exemplo: você acreditaria numa história que afirmasse que todo o material filmado nos campos de concentração do Holocausto fora encenado e fabricado por judeus com o objetivo de angariar simpatia e apoio para um Estado judeu? É claro que não, porque isso vai de encontro a todas as evidências conhecidas. Para serem levados a sério, aqueles que propõem tal teoria devem apresentar relatórios dignos de crédito e independentes de testemunhas oculares, além de outras evidências corroborantes, para irem na direção oposta aos inúmeros relatos que dizem que o Holocausto foi real e que foi realmente perpetrado pelos nazistas. Mas não existe nenhuma dessas contra-evidências.

Esse é o caso da ressurreição. Embora os céticos tenham formulado diversas teorias alternativas para desacreditar a ressurreição, não há evidência de alguma fonte do século I que apóie qualquer uma dessas teorias.[21] A única teoria que é até mesmo mencionada por uma fonte do século I (os discípulos roubaram o corpo) vem de Mateus e é claramente identificada como mentira. Ninguém do mundo antigo — nem mesmo os inimigos do cristianismo — deu uma explicação alternativa *plausível* para a ressurreição. Muitas das teorias alternativas formuladas nos 200 anos seguintes estão baseadas no anti-sobrenaturalismo. Uma vez que os estudiosos modernos eliminam filosoficamente os milagres logo de

---

[21]Você poderá encontrar uma ampla abordagem sobre essa e outras teorias alternativas da ressurreição em ibid (obra indicada na nota 15).

início, eles inventam explicações *ad hoc* para desacreditar a ressurreição. Como vimos, suas explicações *ad hoc* contêm inúmeros absurdos e improbabilidades.

Deveríamos perguntar àqueles que possuem teorias alternativas para a ressurreição: "Que evidências você tem para sua teoria? Por favor, poderia citar três ou quatro fontes do século I que apóiem sua teoria?". Quando os céticos honestos se vêem diante dessa pergunta, normalmente respondem com o silêncio ou admitem de modo gaguejante que não possuem tais evidências, porque elas não existem.[22]

E não é apenas a ressurreição que os céticos precisam explicar. Também precisam explicar os outros 35 milagres que as testemunhas oculares associaram a Jesus. Devemos acreditar que os quatro autores dos evangelhos foram todos enganados acerca de todos aqueles milagres, bem como sobre a ressurreição de Jesus?

Essa teoria de engano em massa precisa de evidência. Possuímos alguma outra fonte do século I que ofereça uma explicação diferente para as obras de Jesus? A única que foi descoberta (e que provavelmente é do século II) é o *Talmude* judaico, que admite que Jesus realizou atos incomuns dizendo que ele "praticava feitiçaria". Mas essa explicação é tão fraca quanto a explicação judaica para a ressurreição (os discípulos roubaram o corpo). Talvez a feitiçaria pudesse explicar *alguns* dos "milagres" de Jesus, mas o que dizer de todos os 35? Feiticeiros e mágicos não podem realizar o tipo de ato que se diz que Jesus realizou — ressuscitar mortos, dar vista a cegos, caminhar sobre as águas, e assim por diante.

Desse modo, se não existe nenhuma evidência antiga para esse engano coletivo, devemos aceitar os milagres do NT como são apresentados? Por que não? Vivemos num Universo teísta, onde milagres são possíveis. Embora seja verdade que não tenhamos confirmação independente para todos os milagres do NT (porque alguns são mencionados por apenas um autor), certamente temos múltiplas confirmações de muitos deles (até mesmo a ressurreição de Jesus). A quantidade de milagres de Jesus citados por fontes independentes é grande demais para que eles sejam eliminados como se fossem um grande engano. Uma pessoa pode ser enganada uma vez, mas não é possível que vários observadores sejam enganados repetidamente.

O estudioso alemão Wolfgang Trilling escreve: "Estamos convictos e consideramos historicamente correto que Jesus de fato realizou milagres [...]. Os relatos de milagres ocupam tanto espaço nos evangelhos que é impossível que tudo isso pudesse ter sido subseqüentemente inventado ou transferido para Jesus".[23]

---

[22]Agradeço a Gary Habermas esse ponto (conversa pessoal em 29/7/2003).

[23]Apud Paul COPAN & Ronald TACELLI, eds. *Jesus' Resurrection, Fact or Figment? A Debate Between William Lane Craig and Gerd Lüdemann.* Downers Grove, Ill.: InterVarsity Press, 2000, p. 181.

William Lane Craig conclui: "O fato de que a obra miraculosa pertence ao Jesus histórico não é mais discutido".[24] Ou seja, os milagres não são discutidos com bases históricas, mas apenas com bases filosóficas (falaremos sobre isso mais à frente).

O mais importante é que existem muitos milagres e muito testemunho para se acreditar que todas as testemunhas oculares erraram todas as vezes. Com respeito à ressurreição, todas as teorias alternativas possuem erros fatais e temos fortes evidências circunstanciais e de testemunhas oculares de que Jesus realmente ressuscitou dos mortos. Em outras palavras, não apenas carecemos de uma explicação natural para o túmulo vazio, mas temos evidências positivas *da* ressurreição. A explicação que exige a *menor* quantidade de fé é a de que Jesus realmente realizou milagres e realmente ressuscitou dos mortos como havia predito anteriormente. *Desse modo, não temos fé suficiente para acreditar que os autores do Novo Testamento foram todos enganados.*

POR QUE NEM TODOS OS ESTUDIOSOS CRÊEM?

Se temos uma cópia precisa de um testemunho antigo (cap. 9); se esse testemunho é não apenas antigo, mas provém de testemunhas oculares (cap. 10); se essas testemunhas oculares registraram com precisão aquilo que viram (cap. 11); e se as testemunhas oculares não foram enganadas sobre aquilo que registraram (este capítulo), então por que nem todos os estudiosos aceitam o NT como ele é? Pela mesma razão que os darwinistas recusam-se a reconhecer as evidências que derrotam sua visão: possuem um viés filosófico contrário aos milagres.

Esse viés foi admitido durante um debate entre Craig e Crossan. Craig acredita, como nós, que a evidência da historicidade da ressurreição literal é forte. Por outro lado, Crossan não acredita que Jesus ressuscitou literalmente dos mortos. Leia a seguir um trecho do debate entre os dois homens:

Craig: — Haveria alguma coisa, dr. Crossan, que pudesse convencê-lo do fato histórico de que Jesus ressuscitou dos mortos?

Crossan: — Preciso certificar-me do que estamos falando. Digamos que estamos diante de algum acontecimento do lado de fora do túmulo vazio na manhã do domingo de Páscoa. Se alguém tivesse uma câmera de vídeo, teríamos o registro de alguma coisa saindo do túmulo? É esse o tipo da pergunta?

Craig: — Creio que o que estou perguntando e o que penso que o sr. Buckley [o moderador do debate] está exigindo é isto: que evidência seria necessária

[24]Ibid.

para convencê-lo? Ou você possui uma idéia preconcebida sobre a impossibilidade do miraculoso e similares que, de fato, é tão forte que distorce o seu julgamento histórico, de modo que tal fato jamais pudesse ser admitido num tribunal?

Crossan: — Não... Um médico na cidade de Lourdes poderia admitir: "Não possuo uma maneira médica de explicar o que aconteceu". Essa é uma afirmação correta. Então alguém tem o direito de dizer: "Portanto, eu, pela fé, acredito que Deus interveio aqui". *Mas é uma pressuposição teológica minha de que Deus não opera dessa maneira... O que seria necessário para me provar o que você pergunta? Eu não sei, a não ser que Deus mude o Universo. Eu poderia imaginar descobrir amanhã pela manhã que todas as árvores do lado de fora da minha casa moveram-se 2 metros. Isso exige alguma explicação. Não sei qual é a explicação, mas não presumiria imediatamente que foi um milagre.[25]

A declaração explícita de Crossan de sua pressuposição teológica contra os milagres é uma franca admissão de sua parte. Naturalmente Crossan não está falando em nome de todos os estudiosos céticos. Contudo, certamente a maioria deles nega a leitura direta do NT porque compartilha de seu viés filosófico contra os milagres. Não é que a evidência histórica favorável ao NT seja fraca (na verdade, ela é muito forte). É que excluíram os milagres de antemão. Chegam à conclusão errada porque seu viés os impede de chegar à conclusão correta.

CONTEXTO! CONTEXTO! CONTEXTO!

Vamos analisar o comentário final de Crossan sobre as árvores no seu jardim movendo-se 2 metros da noite para o dia. Ele diz que ele"não presumiria imediatamente que foi um milagre". Bem, nós também, porque a maioria dos fatos realmente *possui* uma explicação natural (que, conseqüentemente, ajuda os milagres a destacar-se quando ocorrem). Desse modo, faz total sentido procurar uma explicação natural em primeiro lugar.

Mas isso significa que *nunca* deveríamos concluir que um fato qualquer (como as árvores movendo-se) foi um milagre? Crossan não concluiria isso por causa de sua pressuposição teológica de que Deus "não opera dessa maneira". Contudo, uma vez que a pressuposição é injustificada — porque Deus existe —, qual seria a conclusão correta? Depende do contexto do fato. Lembre-se do capítulo 5, no

---

[25]COPAN, ed., *Will the Real Jesus Please Stand Up?*, p. 61-2 (grifo do autor).

qual dissemos que a evidência deve ser interpretada à luz do contexto no qual ela é encontrada.[26]

Desse modo, vamos supor que o evento de Crossan no qual as árvores movem-se aconteceu no seguinte contexto: 200 anos antes, alguém que afirma ser um profeta de Deus escreve uma predição de que todas as árvores numa área de Jerusalém realmente se moveriam 1 metro numa noite, em um ano em particular. Duzentos anos depois, um homem chega para dizer às pessoas da cidade que o milagre do mover das árvores vai acontecer em breve. Esse homem afirma ser Deus, ensina verdades profundas e realiza muitos outros atos incomuns que parecem ser milagres.

Então, numa manhã, diversas testemunhas oculares afirmam que as árvores no jardim de Jerusalém de Crossan — incluindo algumas com raízes profundas, carvalhos com 30 metros de altura — realmente se moveram 1 metro durante a noite, exatamente como o homem-Deus predissera. Essas testemunhas oculares também dizem que esse é apenas um dos mais de 30 milagres realizados por aquele homem-Deus. Então as testemunhas começam a sofrer perseguição e martírio por proclamar tais milagres e recusar-se a negar o seu depoimento. Os oponentes do homem-Deus não negam a evidência sobre as árvores ou os outros milagres, mas oferecem uma explicação natural que possui inúmeros erros fatais. Muitos anos mais tarde, depois que todas as testemunhas morreram, os céticos oferecem explicações naturais adicionais que fatalmente são comprovadas como erros. De fato, nos 1.900 anos seguintes, os céticos tentam explicar o fato de maneira natural, mas nenhum deles consegue.

Pergunta: Dado o contexto, não seria racional presumir que o movimento das árvores foi sobrenatural, em vez de ter uma origem natural? É claro que sim. O contexto faz toda a diferença.

Esse é o caso que temos quanto à ressurreição. Não é simplesmente porque não temos uma explicação natural para o túmulo vazio. É que temos evidências circunstanciais positivas de testemunhas oculares que corroboram *favoravelmente* o milagre da ressurreição de Jesus. Aqui está o contexto no qual devemos avaliar as evidências.

I. A natureza teísta deste Universo faz milagres serem *possíveis*. Vivemos num Universo teísta onde milagres são possíveis (na verdade, o maior milagre de

---

[26]Lembre-se de nosso exemplo no cap. 5 quando a evidência precisar de contexto: um homem que corta a barriga de uma mulher é um criminoso ou um herói dependendo do contexto do evento. Se isso acontece num beco com o intuito de ferir a mulher, ele é um criminoso; mas se isso acontece dentro de um hospital, numa sala de parto, então é um herói.

todos — a criação do Universo do nada — já aconteceu). Desse modo, Deus pode usar profetas para anunciar sua mensagem e milagres para confirmá-la. Ou seja, um milagre pode ser usado para confirmar a palavra de Deus, por meio de um homem de Deus, ao povo de Deus.

II. Documentos antigos dizem que se devem *esperar* os milagres. Temos documentos do AT, escritos centenas de anos antes, que predizem que o Messias — um homem que, na verdade, seria Deus — viria, seria morto num momento específico como sacrifício pela humanidade pecaminosa e ressuscitaria dos mortos (v. mais sobre esse assunto no capítulo seguinte).

III. Documentos de testemunhas oculares historicamente confirmados dizem que os milagres são *reais*. Existem 27 documentos escritos por nove testemunhas oculares ou por seus contemporâneos que descrevem diversos acontecimentos miraculosos. Muitos desses documentos contêm depoimentos historicamente confirmados de testemunhas oculares que remontam aos tempos dos acontecimentos, e essas evidências demonstram que a narrativa não foi inventada, maquiada ou produto de fraude. Sabemos isso porque os documentos do NT satisfazem todos os sete testes de historicidade identificados no capítulo 9. Os documentos do NT:

1. são antigos (a maioria deles foi escrita 15 a 40 anos depois, num período de no máximo duas gerações depois dos fatos);
2. possuem depoimento de testemunhas oculares;
3. possuem depoimento independente de testemunhas oculares de múltiplas fontes;
4. foram escritos por pessoas dignas de confiança que ensinaram e viveram de acordo com elevados padrões de ética e que morreram por causa de seu testemunho;
5. descrevem acontecimentos, locais e indivíduos corroborados pela arqueologia e por outros autores;
6. descrevem alguns acontecimentos que os inimigos tacitamente admitem serem verdadeiros (confirmação do inimigo);
7. descrevem acontecimentos e detalhes que são embaraçosos para os autores e até mesmo para o próprio Jesus.

Esses documentos historicamente confirmados de testemunhas oculares contam a seguinte história:

1. No tempo, no local e da maneira predita pelo AT, Jesus chega a Jerusalém e afirma ser o Messias. Ele ensina verdades profundas e, de acordo com numerosas testemunhas oculares independentes, realiza 35 milagres (alguns em grupos de pessoas) e ressuscita dos mortos.

2. As testemunhas oculares — que antigamente eram covardes e descrentes — repentinamente começam a proclamar a ressurreição de Jesus de maneira ousada, arrostando perseguição e morte (pessoas mal orientadas podem morrer por uma mentira que elas consideram ser verdade, mas não vão morrer por uma mentira que sabem que é uma mentira. Os autores do NT estavam em posição de saber a verdade real sobre a ressurreição).

3. Na própria cidade da morte e do túmulo de Jesus, um novo movimento (a igreja) nasce e espalha-se rapidamente de maneira pacífica, na crença de que Jesus ressuscitou dos mortos (isso seria difícil de explicar se a ressurreição não tivesse acontecido. Como seria possível o cristianismo começar em uma cidade hostil como Jerusalém se o corpo de Jesus ainda estivesse no túmulo? As hostis autoridades religiosas e governamentais teriam exposto o cristianismo como uma farsa ao apresentarem o corpo).

4. Os milhares de judeus de Jerusalém, incluindo sacerdotes fariseus, abandonaram cinco de suas crenças e práticas mais estimadas e adotaram novas práticas estranhas ao se converter ao cristianismo.

5. Saulo, o mais ardoroso inimigo da igreja nascente, converte-se repentinamente e torna-se seu propagador mais produtivo. Ele viaja pelo mundo antigo para proclamar a ressurreição, sofrendo perseguição e martírio (se a ressurreição não tivesse acontecido, então por que o maior inimigo do cristianismo repentinamente se tornaria seu maior líder? Por que sofreria voluntariamente perseguição e morte?).

6. Tiago, o cético irmão de Jesus, repentinamente se convence de que seu irmão é o Filho de Deus e, então, torna-se o líder da igreja em Jerusalém. Mais tarde, sofre martírio nas mãos do sumo sacerdote (todos nós sabemos que os membros da família podem ser as pessoas mais difíceis de se convencerem de nosso ponto de vista religioso. Tiago começou como um irmão inconvicto de Jesus [Jo 7.5]. Se a ressurreição não tivesse acontecido, então por que Tiago — que foi chamado de "o justo" pelos historiadores Clemente e Hegesipo no século II[27] — repentinamente se tornaria

---

[27]V. Paul MAIER, *Eusebius: The Church History.* Grand Rapids, Mich.: Kregel, 1999, p. 57, 81.

crente de que seu irmão realmente era o Messias? A não ser que tenha visto o Cristo ressurreto, por que Tiago se tornaria o líder da igreja em Jerusalém e sofreria a morte por meio de martírio?).

7. Os inimigos judeus do cristianismo não negam as evidências, mas oferecem justificativas naturais falhas para explicá-la.

IV. Confirmação adicional. As referências coletivas de outros historiadores e de autores antigos confirmam essa linha básica da história dos documentos do NT, e várias descobertas arqueológicas confirmam os detalhes que esses documentos descrevem.

Quando se colocam as evidências no contexto adequado, você pode ver por que *não temos fé suficiente para sermos céticos em relação a isso*. É muito mais lógico ser cético sobre o ceticismo!

Os céticos que analisam os pontos II a IV mostrados anteriormente (incluindo seus subitens) podem concluir que Jesus não ressuscitou dos mortos. Mas, se o fizerem, então precisarão dar evidências para uma teoria alternativa que possa responder a *todas* essas questões. Como já vimos, eles falharam terrivelmente. A ressurreição é a melhor explicação para *todas* as evidências.

Uma vez que existe um Deus capaz de agir, então pode haver atos de Deus. Quando a intenção de Deus é anunciada antecipadamente e você possui bons depoimentos de testemunhas oculares e evidências que corroboram que tais fatos realmente aconteceram, *é preciso ter muito mais fé para negar esses eventos do que para acreditar neles*.

AFIRMAÇÕES EXTRAORDINÁRIAS E EVIDÊNCIAS QUE SE AUTOCANCELAM

Existem duas objeções adicionais que os céticos freqüentemente levantam contra a ressurreição de Jesus e os milagres. A primeira é a demanda por evidência extraordinária.

Evidência extraordinária. Alguns céticos podem admitir que a ressurreição seja possível, mas eles dizem que isso exigiria uma evidência extraordinária para que fosse crível. Ou seja, uma vez que o NT faz afirmações extraordinárias — como os milagres —, devemos ter evidências extraordinárias com o objetivo de acreditar nessas afirmações. Essa objeção parece lógica até que se pergunte: "o que significa 'extraordinário'?".

Se significa *além do natural*, então o cético está pedindo que a ressurreição seja confirmada por outro milagre. Como isso poderia funcionar? Com o objetivo de acreditar no primeiro milagre (a ressurreição), o cético precisaria então de um segundo milagre que a apoiasse. Ele então exigiria um terceiro milagre para apoiar o segundo, e isso prosseguiria infinitamente. Assim, por esse critério, o cético nunca acreditaria na ressurreição de Jesus. Existe alguma coisa errada com um padrão de prova que impossibilita que se creia naquilo que realmente aconteceu.

Se "extraordinário" significa *repetível* como no laboratório, então nenhum fato da história é digno de crédito, porque os fatos históricos não podem ser repetidos. A credibilidade de um fato histórico só pode ser confirmada ao olhar-se para a qualidade das evidências das testemunhas oculares e para a natureza das evidências forenses à luz dos princípios de uniformidade e causalidade (abordamos esses princípios no cap. 5). Além disso, os ateus que exigem a repetibilidade dos milagres bíblicos são incoerentes, porque não exigem repetibilidade de "milagres" históricos nos quais eles acreditam — o *Big Bang*, a geração espontânea da primeira vida e a macroevolução das formas de vida subseqüentes.

Se "extraordinário" significa *mais do que o comum*, então é exatamente o que temos para apoiar a ressurreição. Temos *mais* documentos de testemunhas oculares e documentos de testemunhas oculares *mais antigos* sobre a ressurreição de Jesus do que de qualquer outra coisa do mundo antigo. Além do mais, esses documentos incluem *mais* detalhes históricos e personagens e foram corroborados por *mais* fontes independentes e externas do que qualquer outra coisa do mundo antigo. Como acabamos de ver, também temos *mais* do que evidências circunstanciais comuns apoiando a ressurreição de Jesus.

Por fim, as pressuposições dos céticos podem ser contestadas. Não precisamos de evidências "extraordinárias" para acreditar em alguma coisa. Os ateus afirmam isso com base em sua própria visão de mundo. Eles acreditam no *Big Bang* não porque ele tenha evidências "extraordinárias" favoráveis, mas porque existem boas evidências de que o Universo explodiu e passou a existir do nada. Boas evidências é tudo de que você precisa para acreditar em alguma coisa. Contudo, os ateus não possuem nem mesmo boa evidência para algumas de suas próprias crenças tão preciosas. Os ateus acreditam, por exemplo, na geração espontânea e na macroevolução somente pela fé. Dizemos somente pela fé porque, como vimos nos capítulos 5 e 6, não apenas existe pouca ou nenhuma evidência para a geração espontânea e a macroevolução, mas existem fortes evidências *contra* essas possibilidades.

Além disso, os céticos não exigem evidências "extraordinárias" para outros fatos "extraordinários" da história. Poucos fatos da história antiga, por exemplo, são mais "extraordinários" do que os feitos de Alexandre, o Grande (356-323 a.C.). Apesar de ter vivido apenas 33 anos, Alexandre alcançou um sucesso sem paralelo. Ele conquistou grande parte do mundo civilizado de sua época, desde a Grécia, indo ao leste da Índia e ao sul do Egito. Contudo, como sabemos tudo isso sobre

Alexandre? Não temos fontes da época de sua vida ou de pouco tempo depois de sua morte. Temos apenas fragmentos de duas obras escritas cerca de cem anos depois de sua morte. A verdade é: *baseamos quase tudo o que sabemos sobre a vida "extraordinária" de Alexandre, o Grande, daquilo que historiadores escreveram cerca de 300 a 500 anos depois de sua morte!* À luz das robustas evidências favoráveis à vida de Cristo, qualquer um que duvide da historicidade de Cristo deveria também duvidar da historicidade de Alexandre, o Grande. De fato, para ser coerente, tal cético deveria duvidar de *toda* a história antiga.[28]

Por que os céticos pedem evidências "extraordinárias" para a vida de Cristo, mas não para a vida de Alexandre, o Grande? Porque se apegam novamente aos milagres. Apesar do fato de os milagres serem possíveis pelo fato de Deus existir — e a despeito do fato de que os milagres foram preditos e depois testemunhados —, os céticos não suportam admitir que os milagres realmente aconteceram. Desse modo, colocam o padrão de credibilidade num nível muito alto. É como se algum cético estivesse dizendo: "Eu não vou acreditar nos milagres porque não vi um deles acontecer. Se Jesus ressurreto aparecesse a mim, então eu acreditaria nele". Essa então seria uma evidência extraordinária.

Ela seria certamente extraordinária, mas seria realmente necessária? Jesus precisa aparecer a toda pessoa no mundo para que suas declarações sejam dignas de crédito? Por que faria isso? Não precisamos testemunhar todo acontecimento em primeira mão com o objetivo de acreditar que ele realmente aconteceu. De fato, seria fisicamente impossível fazer isso. Acreditamos no testemunho dos outros se são pessoas dignas de confiança e especialmente se o seu testemunho é corroborado por outros dados. É exatamente isso o que acontece com o testemunho dos autores do NT.

Além do mais, como destacamos no capítulo 8, se Deus fosse muito aberto à demonstração de milagres freqüentes, então, em alguns casos, estaria infringindo o nosso livre-arbítrio. Se o propósito desta vida é permitir que façamos escolhas livremente que vão nos preparar para a eternidade, então Deus vai nos dar evidências convincentes — mas não evidências impositivas — de sua existência e de seus propósitos. Portanto, aqueles que querem seguir a Deus podem fazê-lo com confiança, e aqueles que não querem podem suprimir ou ignorar a evidência e viver como se ele não existisse.

Milagres que se autocancelam. O grande cético David Hume argumentou que os milagres não podem confirmar a religião de alguém porque são baseados

---

[28]Um argumento similar foi extraído com base em feitos heróicos incomuns de Napoleão na sátira de Richard Whately, intitulada *Historical Doubts Relative to Napoleon Bonaparte*. V. H. Morely, ed., *Famous Pamphlets*. New York: Routledge, 1890.

em um testemunho pobre e todas as religiões os possuem. Em outras palavras, as declarações sobre milagres se autocancelam. Infelizmente para Hume, sua objeção não descreve o estado real das coisas.

Em primeiro lugar, Hume faz uma generalização precipitada ao dizer que os supostos milagres de todas as religiões são iguais. Como estamos vendo desde o capítulo 9, os milagres associados ao cristianismo não estão baseados em um testemunho pobre. Eles estão baseados em um testemunho antigo, de testemunhas oculares e de múltiplas fontes que não possuem similares em qualquer outra religião mundial. Ou seja, nenhuma outra religião mundial testificou milagres como aqueles presentes no NT.

Em segundo lugar, a objeção de Hume é anterior às descobertas da ciência moderna que confirmam que este é um Universo teísta (caps. 3—6). Uma vez que este é um Universo teísta, o judaísmo e o islamismo são as únicas outras grandes religiões mundiais com possibilidade de serem verdadeiras. Os milagres que confirmam o AT do judaísmo também confirmam o cristianismo. Desse modo, resta o islamismo como a única alternativa possível para "cancelar" os milagres do cristianismo. Contudo, como vimos no capítulo 10, não existem milagres verificáveis confirmando o islamismo. Todos os supostos milagres de Maomé surgiram depois de sua morte e não estão baseados no depoimento de testemunhas oculares.

Por fim, a singularidade, a quantidade e a qualidade dos milagres do NT não podem ser explicadas por qualquer outra coisa que não seja uma causa sobrenatural. Jesus realizou mais de 30 milagres, os quais foram instantâneos, sempre bem-sucedidos e singulares. Alguns foram até mesmo preditos. Os assim chamados milagreiros que afirmam sucesso parcial realizam apenas curas psicossomáticas, estão envolvidos em embuste, realizam sinais satânicos ou estão baseados em acontecimentos que podem ser explicados naturalmente. De fato, nenhum curandeiro contemporâneo jamais afirmou ser capaz de curar todas as doenças (incluindo as "incuráveis") instantaneamente, com 100% de sucesso. Mas Jesus e os apóstolos fizeram isso. Assim, fica demonstrada a natureza singular e de autenticação divina dos milagres do NT contra todas as afirmações sobrenaturais de qualquer outra religião. Em resumo, nada "cancela" os milagres do NT.

CONCLUSÃO: UMA VIDA SOLITÁRIA

No começo do capítulo 9, dissemos que existem duas perguntas às quais precisamos responder para verificar se o NT é verdadeiramente histórico:

1. Possuímos cópias precisas dos documentos originais que foram escritos no século I?
2. Esses documentos falam a verdade?

Como temos observado nos últimos quatro capítulos, há fortes evidências para uma resposta afirmativa a ambas as perguntas. Em outras palavras, podemos ter certeza, ainda que passível de dúvida, de que o NT é historicamente confiável.

Nesse ponto, *não* estamos dizendo que o NT está isento de erros. Vamos investigar essa questão mais tarde. Por ora, podemos apenas concluir que os principais fatos do NT realmente aconteceram cerca de 2 mil anos atrás. Jesus realmente viveu, ensinou, realizou milagres, morreu crucificado e depois ressuscitou dos mortos.

Se você ainda não se convenceu, considere mais uma peça das evidências corroborantes o incrível impacto da vida de Cristo conforme expresso num pequeno excerto de um sermão freqüentemente intitulado "Uma vida solitária":

> Ele nasceu numa vila obscura, filho de um camponês. Cresceu em outra vila, onde trabalhou como carpinteiro até os 30 anos. Então, por três anos, foi pregador itinerante. Ele nunca escreveu um livro. Nunca teve um escritório. Nunca constituiu família nem teve casa. Ele não foi para a faculdade. Nunca viveu numa cidade grande. Nunca viajou a mais de 300 quilômetros do lugar onde nasceu. Nunca realizou as coisas que normalmente acompanham a grandeza. Ele não tinha credenciais, a não ser ele mesmo. Tinha apenas 33 anos quando a onda da opinião pública voltou-se contra ele. Seus amigos fugiram. Um deles o negou. Foi entregue aos seus inimigos e sofreu zombaria durante seu julgamento. Foi pregado numa cruz entre dois ladrões. Enquanto estava morrendo, por meio de sortes seus executores disputavam suas roupas, a única coisa material que tivera. Quando morreu, foi colocado numa sepultura emprestada, por compaixão de um amigo.
>
> [Vinte] séculos se passaram, e hoje ele é a figura central da raça humana. Sinto-me plenamente confiante quando digo que todos os exércitos que já marcharam, todos os navios que já navegaram, todos os parlamentos que já discutiram, todos os reis que já reinaram, colocados juntos, não afetaram a vida do homem nesta Terra tanto quanto aquela vida solitária.[29]

Se não houve ressurreição, de que maneira essa vida poderia ter sido a vida mais influente de todos os tempos? Não temos fé suficiente para acreditar que essa vida solitária de uma vila remota e antiga pudesse ser a mais influente de todos os tempos... *A não ser que a ressurreição seja verdadeira.*

---

[29]Adaptado de "Arise, Sir Knight", um sermão de James Allan Francis, in: *The Real Jesus and Other Sermons*. Philadelphia: Judson, 1926, p. 123-24.

Os capítulos 13 e 14 tratarão dos seguintes assuntos:

1. A verdade sobre a realidade pode ser conhecida.
2. O oposto de verdadeiro é falso.
3. É verdade que o Deus teísta existe. Isso é comprovado pelos seguintes aspectos:
   a. O início do Universo (argumento cosmológico);
   b. O planejamento do Universo (argumento teleológico/princípio antrópico);
   c. O planejamento da vida (argumento teleológico);
   d. A lei moral (argumento moral).
4. Se Deus existe, os milagres são possíveis.
5. Os milagres podem ser usados para confirmar uma mensagem de Deus (i.e., como atos de Deus para confirmar uma palavra de Deus).
6. O Novo Testamento é historicamente confiável. Isso é comprovado por:
   a. Testemunhos antigos;
   b. Relatos de testemunhas oculares;
   c. Testemunhos não inventados (autênticos);
   d. Testemunhas oculares que não foram enganadas.
7. **O Novo Testamento diz que Jesus afirmava ser Deus.**
8. **A afirmação de Jesus quanto a ser Deus foi miraculosamente confirmada por:**
   a. **Cumprimento de muitas profecias sobre si mesmo;**
   b. **Sua vida sem pecado e seus feitos miraculosos;**
   c. **A predição e a concretização de sua ressurreição.**
9. **Portanto, Jesus é Deus.**
10. **Todos os ensinamentos de Jesus (que é Deus) são verdadeiros.**
11. **Jesus ensinou que a Bíblia é a Palavra de Deus.**
12. **Portanto, é verdade que a Bíblia é a Palavra de Deus (e qualquer coisa que se opõe a ela é falsa).**

13
Quem é Jesus: Deus? Ou apenas um grande professor de moral?

O pior surdo é aquele que não quer ouvir.
BARRY LEVENTHAL

Já provamos que os documentos do NT são historicamente confiáveis, ou seja, podemos estar racionalmente certos de que Jesus disse e fez aquilo que aqueles tais documentos dizem que ele disse e fez, incluindo sua ressurreição dentre os mortos. Desse modo, quem é esse Jesus? O que ele diz sobre si mesmo? Ele é realmente Deus como afirmam os cristãos?

Antes de investigar as declarações de Cristo, precisamos analisar as predições messiânicas que estamos mencionando nos últimos capítulos. Isso vai nos ajudar a descobrir a verdadeira identidade de Jesus e também nos dará maiores evidências em relação à autenticidade do NT. Começaremos na Universidade da Califórnia, *campus* de Los Angeles (UCLA), em meados da década de 1960.

O MESSIAS E A BÍBLIA "FALSA"

No começo de 1966, o jovem judeu Barry Leventhal estava no auge. Como atacante e capitão do time de futebol americano da UCLA, Barry acabara de levar o time dessa universidade — que todos achavam que chegaria em último lugar naquele ano — a vencer pela primeira vez no Rose Bowl.[1]

---

[1] Rose Bowl é o nome do jogo realizado entre os vencedores dos dois principais campeonatos universitários de futebol americano, o Pac Ten (dez universidades da região da costa norte-americana do Pacífico) e o Big Ten (dez universidades do Meio-Oeste norte-americano) [N. do T.].

"Minha vida era fantástica!", relembra ele. "Eu era um herói. As pessoas me amavam. Minha comunidade judaica escolheu-me como atleta nacional do ano. Eu estava desfrutando toda a glória disso."[2]

Logo depois da vitória no Rose Bowl, Kent, o melhor amigo de Barry, disse que havia conhecido Jesus Cristo de maneira pessoal.

"Eu não tinha a menor idéia do que Kent estava falando", disse Barry. "Sempre achei que ele era cristão. Além do mais, tinha nascido num lar cristão, assim como eu havia nascido num lar judeu. Não é dessa maneira que uma pessoa encontra sua religião particular? Você a herda de seus pais."

Mas Barry estava intrigado pela mudança na vida de Kent, especialmente quando Kent lhe disse:

— Barry, eu quero que você saiba que agradeço a Deus todos os dias pelos judeus.

— Mas por que você faz isso? — perguntou Barry. A resposta de Kent foi uma total surpresa para ele.

— Sou grato a Deus todos os dias pelos judeus por duas razões — começou Kent. — Em primeiro lugar, porque Deus os usou para me dar a Bíblia. Em segundo lugar, e mais importante, Deus usou os judeus para trazer seu Messias ao mundo, aquele que morreu pelos pecados de todo o mundo e, especialmente, por todos os meus pecados — disse ele.

"Até hoje, lembro-me do impacto daquela declaração simples mas verdadeira", recorda-se Barry. "Cristãos *genuínos* não odeiam judeus. De fato, eles realmente nos amam e estão agradecidos e honrados pelo fato de Deus tê-los incluído pela fé em sua família eterna."

Algumas semanas depois, Kent apresentou Barry a Hal, o líder da Cruzada Estudantil para Cristo no *campus* da UCLA. Certo dia, Barry e Hal estavam sentados no grande salão social dos alunos quando as coisas ficaram bastante tensas. Conforme Hal ia mostrando a Barry as predições do Messias do AT que foram cumpridas por Jesus, Barry deixou escapar uma frase:

— Como você pôde fazer isso?!

— Fazer o quê? — perguntou Hal.

— Usar uma Bíblia falsa! — acusou Barry. — Você tem uma Bíblia falsa para enganar os judeus!

---

[2]O testemunho de Barry foi extraído de seu capítulo em Norman GEISLER & Paul HOFFMAN, eds. *Why I am a Christian: Leading Thinkers Explain Why They Believe.* Grand Rapids, Mich.: Baker, 2001, p. 205-21, e de nossas conversas pessoais com ele.

— O que você quer dizer com uma "Bíblia falsa"? — perguntou Hal. Barry respondeu:

— Vocês, cristãos, pegaram as assim chamadas profecias messiânicas do seu próprio NT e então as reescreveram em sua edição do AT para enganar os judeus. Mas eu lhe garanto que essas profecias messiânicas não estão em nossa Bíblia judaica!

— Não, Barry! — respondeu Hal. — Não é nada disso.

— É sim, essa é uma Bíblia falsa! — gritou Barry, enquanto pulava da cadeira.

— Não, não é! — disse Hal mais uma vez, surpreso diante da acusação. — Ninguém jamais me disse isso. Por favor, sente-se.

As pessoas começaram a prestar atenção à discussão.

— Não, Hal. Nossa amizade encerra-se aqui!

— Barry, Barry, espere um minuto. Você tem o seu próprio *Tanach* [o AT em hebraico]?

— Sim, eu ganhei um no meu *bar mitzvah*. E daí?

— Por que você não toma nota desses versículos e vai lê-los no seu próprio *Tanach*?

— Porque isso será perda de tempo! — respondeu Barry. — Esses versículos não estão no *Tanach*!

— Por favor — insistiu Hal. — Simplesmente tome nota desses versículos e verifique-os por si mesmo.

Os dois rapazes ficaram discutindo até que Barry — querendo livrar-se de Hal — concordou em verificar os versículos.

— Tudo bem — disse Barry, enquanto tomava nota das referências. — Vou verificar isso. Mas não ligue para mim; eu telefono para você!

Barry saiu, esperando nunca mais ver Hal. Ele não verificou os versículos por vários dias, e, então, a culpa começou a atormentá-lo.

"Eu disse a Hal que iria verificar", lembra-se Barry, "e, assim, eu deveria pelo menos fazer isso e colocar essa coisa de cristianismo de lado de uma vez por todas!"

Naquela noite, Barry tirou o pó de seu velho *Tanach* — aquele que ele nem sequer havia aberto desde quando completou 13 anos de idade — e ficou chocado com o que encontrou. Cada uma das predições que Hal havia citado realmente estava no *Tanach*!

A reação inicial de Barry foi: "Estou numa tremenda enrascada! Jesus é realmente o Messias!".

Contudo, naquele momento, a aceitação de Barry foi apenas intelectual. Ele começou imediatamente a preocupar-se com as implicações de tornar pública a sua descoberta. "Se eu aceitar Jesus como Messias, o que meus pais vão pensar? O que meus amigos da comunidade judaica vão fazer? O que meu rabino vai dizer?"

Foi preciso haver mais estudo até que Barry fosse a público, especialmente em relação a uma passagem à qual Hal havia se referido várias vezes: Isaías 53. Antes de revelar a conclusão da pesquisa de Barry, vamos analisar o capítulo 53 de Isaías e algumas outras profecias messiânicas que ele estava investigando.

O SERVO SOFREDOR

Em março de 1947, um jovem pastor árabe (Muhammad adh-Dhib) estava cuidando de suas ovelhas cerca de 12 quilômetros ao sul de Jericó e 1 quilômetro e meio a oeste do mar Morto. Depois de jogar uma pedra na direção de uma cabra desgarrada, ouviu um som de cerâmica quebrando-se. O que se seguiu foi uma das maiores descobertas arqueológicas de todos os tempos: os Manuscritos do mar Morto.

Em escavações nas cavernas da área feitas em 1956, diversos rolos e milhares de fragmentos de manuscritos foram encontrados em potes de cerâmica que foram colocados ali cerca de 2 mil anos antes por uma seita religiosa judaica conhecida como os essênios. Os essênios existiram como grupo de 167 a.C. até 68 d.C. Eles romperam com as autoridades do templo e estabeleceram sua própria comunidade monástica no deserto judaico perto de Qumran.

Um de seus rolos encontrados em Qumran é hoje conhecido como o grande rolo de Isaías. Datado do ano 100 a.C., esse rolo com 7,3 m de comprimento é o livro completo de Isaías (todos os 66 capítulos) e é o mais antigo rolo bíblico existente.[3] O rolo está atualmente protegido em um cofre em algum lugar de Jerusalém, mas uma cópia dele está à mostra no Museu do Livro, em Jerusalém.

A importância dessa descoberta reside não apenas no fato de o rolo ser anterior a Cristo e estar em boas condições, mas por conter talvez a mais clara e mais completa profecia sobre a vinda do Messias. Isaías chama o Messias de "Servo do Senhor" e começa a referir-se ao Servo no capítulo 42, naquilo que é conhecido como o primeiro "Cântico do Servo". Contudo, o Servo é mais comumente tratado como o "Servo Sofredor", por causa da vívida descrição de sua morte sacrificial encontrada em Isaías 53.

---

[3]Quando comparado com o outro manuscrito mais antigo de Isaías — o texto massorético de 1000 d.C. —, o texto é 95% idêntico, e os 5% de variação consistem, em grande parte, em deslizes da pena e diferenças de grafia (nenhuma dessas variantes afeta questões doutrinárias). Esse é um exemplo do cuidado meticuloso que os escribas judeus tomaram ao copiar as Escrituras com o passar dos séculos. Você poderá encontrar mais informação sobre os manuscritos do Antigo Testamento em Norman GEISLER & William NIX, *General Introduction to the Bible*. Chicago: Moody, 1986, p. 357-382.

Enquanto lê esta passagem (52.13—53.12), faça a você mesmo a seguinte pergunta: a quem o texto se refere?

(52.13) Vejam, o meu Servo agirá
   com sabedoria;
será engrandecido, elevado
   e muitíssimo exaltado.
(14) Assim como houve muitos
   que ficaram pasmados diante dele;
sua aparência estava tão desfigurada,
   que ele se tornou irreconhecível como homem;
não parecia um ser humano;
(15) de igual modo ele aspergirá
   muitas nações,
e reis calarão a boca por causa dele.
Pois aquilo que não lhes foi dito verão,
e o que não ouviram compreenderão.

(53.1) Quem creu em nossa mensagem?
E a quem foi revelado o braço do SENHOR?
(2) Ele cresceu diante dele
   como um broto tenro,
e como uma raiz saída de uma terra seca.
Ele não tinha qualquer beleza
   ou majestade que nos atraísse,
nada havia em sua aparência
   para que o desejássemos.
(3) Foi desprezado e rejeitado pelos homens,
um homem de dores
   e experimentado no sofrimento.
Como alguém de quem
   os homens escondem o rosto,
   foi desprezado,
e nós não o tínhamos em estima.

(4) Certamente ele tomou sobre si
   as nossas enfermidades
e sobre si levou as nossas doenças;
contudo nós o consideramos
   castigado por Deus,
por Deus atingido e afligido.

(5) Mas ele foi transpassado
   por causa das nossas transgressões,
foi esmagado por causa
   de nossas iniqüidades;
o castigo que nos trouxe paz
   estava sobre ele, e pelas suas feridas
   fomos curados.
(6) Todos nós, tal qual ovelhas,
   nos desviamos,
cada um de nós se voltou
   para o seu próprio caminho;
e o Senhor fez cair sobre ele
   a iniqüidade de todos nós.
(7) Ele foi oprimido e afligido;
   e, contudo, não abriu a sua boca;
como um cordeiro
   foi levado para o matadouro,
e como uma ovelha que diante de seus
   tosquiadores fica calada,
ele não abriu a sua boca.
(8) Com julgamento opressivo ele foi levado.
E quem pode falar dos seus descendentes?
Pois ele foi eliminado
   da terra dos viventes;
por causa da transgressão
   do meu povo ele foi golpeado.
(9) Foi-lhe dado um túmulo com os ímpios,
   e com os ricos em sua morte,
embora não tivesse cometido
   nenhuma violência
nem houvesse nenhuma mentira
   em sua boca.

(10) Contudo, foi da vontade do Senhor
   esmagá-lo e fazê-lo sofrer,
e, embora o Senhor tenha feito da vida dele
   uma oferta pela culpa,
ele verá sua prole e prolongará seus dias,

e a vontade do Senhor
   prosperará em sua mão.
(11) Depois do sofrimento de sua alma,
   ele verá a luz e ficará satisfeito;
pelo seu conhecimento
   meu Servo justo
   justificará a muitos,
e levará a iniqüidade deles.
(12) Por isso eu lhe darei uma porção
   entre os grandes,
e ele dividirá os despojos com os fortes,
porquanto ele derramou sua vida
   até a morte,
e foi contado entre os transgressores.
Pois ele levou o pecado de muitos,
e pelos transgressores intercedeu.

A quem você acha que isso se refere? Barry tinha uma boa idéia de quem era. Lendo em seu próprio *Tanach*, ele ficou chocado com os paralelos em relação a Jesus, mas estava um pouco confuso. Queria dar ao seu rabino uma chance para que explicasse isso.

"Lembro-me muito bem da primeira vez que confrontei seriamente Isaías 53 ou, melhor ainda, da primeira vez que ele certamente me confrontou", explica Barry. "Bastante confuso quanto à identidade do Servo em Isaías 53, fui até o meu rabino e lhe disse:"

— Rabino, eu encontrei algumas pessoas da escola que afirmam que o assim chamado Servo de Isaías 53 é ninguém menos que Jesus de Nazaré. Mas eu gostaria de saber de você, quem é esse Servo de Isaías 53? — Barry ficou surpreso com a resposta:

— Barry, devo admitir que, quando leio Isaías 53, realmente parece que o texto está falando sobre Jesus, mas, uma vez que nós, judeus, não acreditamos em Jesus, o texto não pode falar de Jesus — respondeu o rabino.

Barry não sabia muita coisa sobre lógica formal naquele momento, mas sabia o suficiente para dizer a si mesmo: "Isso não parece *kosher* para mim! O assim chamado raciocínio do rabino não apenas parecia circular, mas evasivo e até mesmo temeroso". Hoje, Barry observa: "O pior surdo é aquele que não quer ouvir".

Para aqueles que querem ouvir, Larry R. Helyer realiza um trabalho primoroso de resumir as características e as realizações do Servo de Isaías. Começando com o primeiro Cântico do Servo no capítulo 42, Helyer faz as seguintes observações com respeito ao Servo:

1. ele é escolhido pelo Senhor, ungido pelo Espírito e recebe a promessa de sucesso em sua empreitada (42.1,4);

2. a justiça é uma preocupação fundamental em seu ministério (42.1,4);

3. seu ministério tem uma abrangência internacional (42.1,6);

4. Deus o predestinou para o seu chamado (49.1);

5. ele é um mestre talentoso (49.2);

6. ele enfrenta desânimo em seu ministério (49.4);

7. seu ministério estende-se aos gentios (49.6);

8. o Servo encontra forte oposição e resistência aos seus ensinamentos, até mesmo de natureza fisicamente violenta (50.4-6);

9. ele está determinado a completar aquilo que Deus o chamou para fazer (50.7);

10. o Servo tem origens humildes, com poucas possibilidades exteriores de sucesso (53.1,2);

11. ele experimenta sofrimento e aflição (53.3);

12. o Servo aceita o sofrimento vicário em favor de seu povo (53.4-6,12);

13. ele é morto depois de ter sido condenado (53.7-9);

14. incrivelmente, ele volta à vida e é exaltado acima de todos os governantes (53.10-12; 52.13-15).[4]

Além das observações de Helyer, notamos que o Servo também não tem pecados (53.9).

Uma simples leitura superficial dessa passagem deveria deixar poucas dúvidas de que o Servo Sofredor é Jesus. De fato, a interpretação *judaica* tradicional das passagens do Servo era que elas prediziam o Messias que estava por vir.[5] Ou seja, quando os judeus começaram a ter mais contato com apologistas cristãos

---

[4] *Yesterday, Today and Forever: The Continuing Relevance of the Old Testament. Salem.* Wis.: Sheffield, 1996, p. 318.

[5] Muitos rabinos judeus por todos os séculos, mesmo antes de Cristo, consideraram Isaías 53 uma referência ao Messias que viria. V. S. R. DRIVER & A. D. NEUBAUER, *The Fifty-Third Chapter of Isaiah According to Jewish Interpreters.* Oxford & London: Parker, 1877. Essa obra cita, por exemplo, opiniões rabínicas que atestam que os versículos a seguir referem-se ao Messias: "broto tenro" do versículo 2 (p. 22); "homem de dores" do versículo 3 (p. 11); "ele tomou sobre si as nossas enfermidades" do versículo 4 (p. 23); "ele foi transpassado por causa das nossas transgressões" do versículo 5 (p. 24).

cerca de mil anos atrás, reinterpretaram o Servo Sofredor sendo a nação de Israel. O primeiro judeu a afirmar que o Servo Sofredor era Israel, em vez de o Messias, foi Shlomo Yitzchaki, mais conhecido por Rashi (c. 1040-1105). Atualmente a visão de Rashi domina a teologia judaica e rabínica.

Infelizmente para Rashi e muitos teólogos judaicos atuais, existem pelo menos três erros fatais quanto à afirmação de que Israel é o Servo Sofredor. Em primeiro lugar, diferentemente de Israel, o Servo não tem pecado (53.9). Dizer que Israel é sem pecado é contradizer e negar praticamente todo o AT. O tema recorrente do AT é que Israel pecou ao quebrar os mandamentos de Deus e buscar outros deuses, em vez de seguir o único e verdadeiro Deus. Se Israel não tinha pecados, então por que Deus conferiu aos judeus um sistema sacrificial? Por que tinham um Dia da Expiação? Por que precisaram constantemente de profetas para adverti-los a pararem de pecar e se voltarem para Deus?

Em segundo lugar, diferentemente de Israel, o Servo Sofredor é um cordeiro que se submete sem nenhuma resistência que seja (53.7). A história nos mostra que Israel certamente não é um cordeiro — ela não afirma isso com relação a ninguém.

Em terceiro lugar, diferentemente de Israel, o Servo Sofredor morre em expiação substitutiva pelos pecados dos outros (53.4-6,8,10-12). Mas Israel não morreu nem está pagando pelos pecados de outros. Ninguém é redimido em função daquilo que Israel faz. Nações e os indivíduos que as compõem são punidos por seus próprios pecados.

Essa interpretação mais recente de Isaías 53 parece ser motivada pelo desejo de evitar a conclusão de que Jesus é realmente o Messias que fora predito centenas de anos antes. Mas não há maneira legítima de evitar o óbvio. Lembre-se: o grande rolo de Isaías foi escrito cerca de 100 anos antes de Cristo, e sabemos que o material que ele contém é ainda mais antigo. A *Septuaginta*, a tradução do AT hebraico (incluindo todo o livro de Isaías) para o grego, é datada de cerca de 250 a.C. Desse modo, o original hebraico deve ser ainda mais antigo. Além disso, manuscritos ou fragmentos de manuscritos de todos os livros do AT, com exceção de Ester, foram encontrados nos Manuscritos do mar Morto. Assim, não há dúvida de que o AT, incluindo a passagem do Servo Sofredor, é anterior a Cristo em várias centenas de anos.

ACERTANDO O ALVO NA MOSCA

Se Isaías 53 fosse a única passagem profética do AT, já seria suficiente para demonstrar a natureza divina pelo menos do livro de Isaías. Mas existem várias outras passagens no AT que predizem a vinda de Jesus Cristo ou são por fim cumpridas por ele. Podemos ver essas passagens na tabela 13.1.

Passagem messiânica	Predição messiânica
Gênesis 3.15: [Deus falando a Satanás] "Porei inimizade entre você e a mulher, entre a sua descendência e o descendente dela; este lhe ferirá a cabeça, e você lhe ferirá o calcanhar."	**Descendência de uma mulher:** a descendência de Eva (literalmente a "semente" de Eva) terminará esmagando Satanás. Mas esse ser humano, diferentemente de outros seres humanos, será da semente de uma mulher, em vez da semente de um homem (cf. Mt 1.23).
Gênesis 12.3,7: [Deus falando a Abraão] Abençoarei os que o abençoarem e amaldiçoarei os que o amaldiçoarem; e por meio de você todos os povos da terra serão abençoados [...]. O Senhor apareceu a Abrão e disse: "À sua descendência darei esta terra".	**Descendência de Abraão:** a descendência de Abraão citada aqui significa literalmente "semente" (e não "sementes"). Ela se refere a apenas uma pessoa — um Messias — que por fim abençoará todas as pessoas até governar sobre a terra (cf. Gl 3.16).
Gênesis 49.10: O cetro não se apartará de Judá, nem o bastão de comando de seus descendentes, até que venha aquele a quem ele pertence, e a ele as nações obedecerão.	**Tribo de Judá:** o cetro (o cajado cerimonial do rei) não se afastará da tribo de Judá até que o último rei, o Messias, chegue. Em outras palavras, o Messias virá da tribo de Judá (uma das 12 tribos de Israel).
Jeremias 23.5,6: "Dias virão", declara o Senhor, "em que levantarei para Davi um Renovo justo, um rei que reinará com sabedoria e fará o que é justo e certo na terra. Em seus dias Judá será salva, Israel viverá em segurança, e este é o nome pelo qual será chamado: O Senhor é a Nossa Justiça.	**Filho de Davi:** o Messias será um filho de Davi e ele será chamado Deus.
Isaías 9.6,7: Porque um menino nos nasceu, um filho nos foi dado, e o governo está sobre os seus ombros. E ele será chamado Maravilhoso Conselheiro, Deus Poderoso, Pai Eterno, Príncipe da Paz. Ele estenderá o seu domínio, e haverá paz sem fim sobre o trono de Davi e sobre o seu reino, estabelecido e mantido com justiça e retidão, desde agora e para sempre.	**Ele será Deus:** o Messias nascerá como uma criança, mas ele também será Deus. Ele governará do trono de Davi.
Miquéias 5.2: Mas tu, Belém-Efrata, embora pequena entre os clãs de Judá, de ti virá para mim aquele que será o governante sobre Israel. Suas origens estão no passado distante, em tempos antigos.	**Nascido em Belém:** o Messias, que é eterno, nascerá em Belém.

Malaquias 3.1: "Vejam, eu enviarei o meu mensageiro, que preparará o caminho diante de mim. E então, de repente, o Senhor que vocês buscam virá para o seu templo; o mensageiro da aliança, aquele que vocês desejam, virá", diz o SENHOR dos Exércitos.	**Ele virá para o templo:** o Messias, que será precedido por um mensageiro, repentinamente virá ao templo.
Daniel 9.25,26: "Saiba e entenda que, da promulgação do decreto que manda restaurar e reconstruir Jerusalém até que o Ungido, o líder, venha, haverá sete semanas, e sessenta e duas semanas. Ela será reconstruída com ruas e muros, mas em tempos difíceis. Depois das sessenta e duas semanas, o Ungido será morto, e já não haverá lugar para ele. A cidade e o Lugar Santo serão destruídos pelo povo do governante que virá".	**Ele morrerá no ano 33 d.C.:** o Messias morrerá (será cortado) 483 anos (69 x 7) depois do decreto de reconstruir Jerusalém (o que equivale ao ano 33 d.C.).[6] Depois disso, a cidade e o templo serão então destruídos (aconteceu no ano 70 d.C.).

Tabela 13.1

Pergunta: Quem, em toda a história do mundo,

1. é da descendência (semente) de uma mulher;

2. é da descendência de Abraão;

3. é da tribo de Judá;

4. é da linhagem de Davi;

5. é tanto Deus quanto homem;

6. nasceu em Belém;

7. foi precedido por um mensageiro e visitou o templo de Jerusalém antes de ser destruído no ano 70 d.C.;

8. morreu no ano 33 d.C. e

9. ressuscitou dos mortos (Is 53.11)?

Jesus Cristo de Nazaré é o único candidato possível. Somente ele acerta o alvo na mosca. É claro que o caso é fortalecido ainda mais quando consideramos outros aspectos de Isaías 53. Jesus também satisfaz todos esses critérios.

[6]Você poderá encontrar uma explicação detalhada dessa profecia em Harold HOEHNER, *Chronological Aspects of the Life of Christ.* Grand Rapids, Mich.: Zondervan, 1978, p. 115-38.

AS PROFECIAS MESSIÂNICAS ESTAVAM PARA SE CUMPRIR

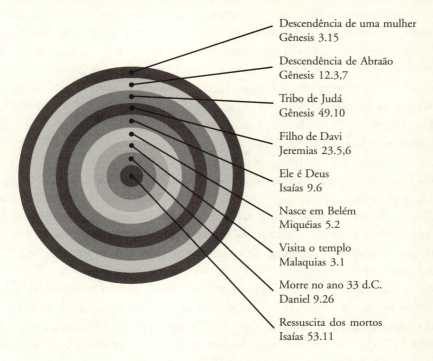

Fig. 13.1

O caso profético em defesa de Cristo é fortalecido ainda mais quando você percebe que o AT predisse que o próprio Deus seria traspassado, como aconteceu quando Jesus foi crucificado. Conforme registrado por Zacarias, profeta do AT (também escrito bem antes de Cristo), *Deus diz*:

> E derramarei sobre a família de Davi e sobre os habitantes de Jerusalém um espírito de ação de graças e de súplicas. Olharão *para mim, aquele a quem traspassaram,* e chorarão por ele como quem chora a perda de um filho único, e se lamentarão amargamente por ele como quem lamenta a perda do filho mais velho (Zc 12.10).

Mais tarde, Zacarias prediz que os pés do Senhor "estarão sobre o monte das Oliveiras, a leste de Jerusalém" (Zc 14.4). Essas predições referem-se à segunda vinda de Cristo, mas a referência a Deus ter sido "traspassado" (i.e., crucificado) pela "família de Davi e [...] os habitantes de Jerusalém" obviamente está relacionada à sua primeira vinda. De fato, o apóstolo João cita Zacarias 12.10 como um texto profético sobre a crucificação (Jo 19.37).

Podemos ver por que Barry percebeu que estava "numa tremenda enrascada". Essas profecias messiânicas são muito mais do que coincidências. Elas estão muito além do que qualquer paranormal possa fazer.[7] Alguma coisa verdadeiramente sobrenatural está acontecendo aqui, mas muitos de seus colegas judeus não viram. Barry percebeu que, ainda que os judeus estejam esperando um Messias político, deixaram de reconhecer que o Messias precisaria vir em primeiro lugar como um cordeiro para ser sacrificado pelos pecados do mundo (Is 53.7,11,12; Jo 1.29).

Um tanto intrigado, Barry entrou em contato novamente com Hal. Eles revisaram as profecias messiânicas mais uma vez, particularmente Isaías 53. Então, Hal ofereceu a Barry um pequeno livro.

— Este é o relato da vida de Jesus feito por um jovem que o conheceu e que o seguiu, disse Hal. Por que você não lê e depois me diz o que pensa sobre isso?

Depois de abrir o livro, Barry não conseguiu mais largá-lo. A história tinha muitos elementos judaicos, desde sacerdotes até a Páscoa. Esse Jesus era uma figura impressionante — alguém que realizava milagres, tinha grandes *insights* e falava com autoridade mas também com bondade.

Barry não sabia disso naquela época, mas ele estava lendo o evangelho de João. O jovem foi particularmente tocado pelo dom gratuito da salvação eterna que Jesus oferece a qualquer um que o receba. "Sempre precisei me esforçar para ganhar tudo o que eu quis na vida", lembra-se Barry. "Contudo, ali estava Jesus, oferecendo a si mesmo e todos os seus melhores presentes, para agora e a eternidade, como um dom gratuito do seu amor. Quem não gostaria de aceitar tal oferta?"

Já era abril, e mais de três meses haviam se passado desde a gloriosa vitória no Rose Bowl. "De repente percebi que nenhuma daquelas coisas tinha sobrevivido ao teste do tempo, quanto mais ao teste da eternidade", lembra-se Barry. "Isso me foi mais claramente demonstrado pela própria vitória no Rose Bowl. Apenas alguns poucos meses depois do acontecimento mais significativo da minha vida — e talvez de *toda* a minha vida —, toda a glória, tudo que estava envolvido, estava lentamente desaparecendo numa distante lembrança."

---

[7]As assim chamadas predições psíquicas não se podem comparar às predições bíblicas. Por exemplo: o *People's Almanac* (1976) fez um estudo das previsões dos 25 paranormais de maior destaque. Eles descobriram que 66 previsões, de um total de 72 (ou 92%), estavam completamente erradas. Aquelas que estavam corretas em algum aspecto eram vagas ou podiam ser explicadas pelo acaso ou por um conhecimento geral da situação mundial. Uma previsão, por exemplo, era a de que os Estados Unidos e a Rússia continuariam sendo os principais poderes do mundo e que não aconteceriam guerras mundiais. Não é incrível? Em contraste, algumas das predições da Bíblia foram feitas com centenas de anos de antecipação, quando não se poderia antever eventos futuros sem a ajuda divina, e todas as predições da Bíblia mostraram-se 100% corretas. V. Norman L. GEISLER, *Enciclopédia de apologética*. São Paulo: Vida, 2002, p. 718-26. Verifique na. p. 637 os problemas relacionados a supostas previsões de Nostradamus.

"Isso é tudo o que há na vida?", pensou Barry. Então lembrou-se de que Jesus, o Messias, estava oferecendo vida *eterna*! Barry soubera *intelectualmente* que Jesus era o Messias algumas semanas antes, quando encontrou aquelas profecias messiânicas em seu próprio *Tanach*. Mas acreditar *que* Jesus era o Messias não era suficiente (afinal de contas, até mesmo os demônios sabem *que* Jesus é o Messias — Tg 2.19). Barry precisava acreditar *em* Jesus como o Messias. Com o objetivo de aceitar o dom gratuito da salvação eterna que o livraria da merecida punição, Barry precisava dar um passo por sua própria vontade, não apenas com sua mente. Afinal de contas, não seria amoroso da parte de Deus forçar Barry a ir para o céu contra sua vontade.

Na tarde de 24 de abril de 1966, Barry estava pronto para agir de acordo com aquilo que as evidências lhe mostraram que era verdadeiro. Ajoelhou-se ao lado de sua cama e orou: "Jesus, eu creio que você é o Messias prometido ao povo judeu e ao mundo todo e, desse modo, a mim também; creio que você morreu por meus pecados e que reviveu dos mortos para sempre. Desse modo, eu agora o recebo em minha vida como meu Salvador pessoal e Senhor. Obrigado por morrer em meu lugar". Barry diz hoje: "Não houve relâmpago nem trovão, mas apenas a sua presença pessoal e a paz que prometera, que não me deixou desde aquele dia".

Desde sua notável descoberta, Barry tem alcançado o povo judeu com a verdade de que o Messias já veio. As evidências dessa verdade estão em suas próprias Escrituras! O exame das evidências dessas Escrituras é o foco do Southern Evangelical Seminary, próximo da cidade de Charlotte, Carolina do Norte, Estados Unidos, onde Barry trabalha atualmente como deão acadêmico e professor.

A TAMPA DA CAIXA DA PROFECIA

Vimos diversas passagens do AT que são claras predições sobre o Messias. Elas foram cumpridas somente por Jesus Cristo. Contudo, os céticos são rápidos em destacar que algumas outras profecias citadas como messiânicas são tiradas do contexto ou não estão realmente predizendo o futuro. O salmo 22, por exemplo, diz: "Perfuraram minhas mãos e meus pés". Muitos cristãos dizem que esse versículo é uma referência à crucificação de Cristo, o que não era sequer um meio de punição nos dias de Davi (o autor do salmo). Mas os céticos acusam que Davi está falando sobre si mesmo, não de Cristo, de modo que qualquer aplicação messiânica é ilegítima. Existem três possibilidades aqui.

Em primeiro lugar, alguns estudiosos cristãos concordam com os céticos em versículos como esse. Eles dizem que o salmo 22 não tinha o propósito de ser preditivo (é claro que, mesmo que eles estiverem certos, existe uma grande quantidade de versículos que *são* claramente preditivos, como já vimos anteriormente).

Em segundo lugar, outros estudiosos cristãos destacam que algumas profecias bíblicas podem se aplicar a duas pessoas diferentes em dois momentos distintos. Tanto Davi quanto Jesus certamente tiveram inimigos e dificuldades na vida, conforme expresso no salmo 22. Desse modo, por que o salmo não poderia ser verdadeiro com relação a Davi *e* a Jesus?

A terceira opção — que nos parece a mais plausível — é que o salmo 22 é uma predição unicamente sobre Jesus. Afinal de contas, o salmo contém várias referências diretas à experiência de crucificação de Cristo. Ele começa com o seu clamor na cruz — "Meu Deus! Meu Deus! Por que me abandonaste?" (Sl 22.1; cf. Mt 27.46) — e prossegue descrevendo outros acontecimentos associados à crucificação, incluindo: o escárnio, a zombaria e os insultos de seus acusadores (v. 6,7); sua sede (v. 15); suas mãos e pés perfurados (v. 16); os ossos não quebrados (v. 17); suas roupas divididas (v. 18); o fato de seus inimigos lançarem sortes para disputar a posse de suas roupas (v. 18); o resgate final feito pelo Senhor (v. 19) e até mesmo seu louvor público a Deus diante de seus compatriotas depois de seu resgate (v. 22). Isso é muito mais do que coincidência e nos leva a crer que Cristo é realmente aquele que está falando em todo o salmo. Em outras palavras, embora Davi tenha escrito o salmo, Cristo é aquele que está falando. Isso não é algo sem precedentes. No salmo 110, Deus Pai está na verdade tendo uma conversa com Deus Filho.

O cético pode dizer: "Mas você só está interpretando o salmo 22 dessa maneira porque sabe o que aconteceu a Cristo. Provavelmente não teria sido aparente a alguém que vivesse na época do AT que o salmo 22 estaria falando sobre Cristo".

A tal questionamento, responderemos: mesmo que isso seja verdade, e daí? Pode ser verdade que certas profecias messiânicas do AT tenham se tornado claras apenas à luz da vida de Cristo. Mas isso não significa que tais profecias sejam menos impressionantes. Veja da seguinte maneira: se não podemos fazer as peças de um quebra-cabeça terem sentido sem a tampa da caixa, por acaso isso significa que ninguém criou o quebra-cabeça? Não. Isso significa que não existe um projeto no quebra-cabeça? Não. De fato, assim que se vê a tampa da caixa, rapidamente percebe-se não apenas de que maneira os pedaços se encaixam, mas quanto projeto foi requerido para planejar as peças dessa maneira. Do mesmo modo, a vida de Jesus serve como a tampa da caixa para muitas peças do quebra-cabeça profético encontrado por todo o AT. De fato, um estudioso da Bíblia identificou 71 profecias messiânicas do AT cumpridas por Cristo, algumas das quais iluminadas pela luz da vida de Cristo.[8]

Alguns já resumiram essa questão da seguinte maneira: no AT, Cristo está oculto; no NT, ele é revelado. Embora muitas profecias sejam claras de antemão, algumas só podem ser vistas à luz da vida de Cristo. Aquelas que se tornam claras *depois* de Cristo não deixam de ser um produto do projeto sobrenatural como o são aquelas que já estavam claras *antes* de Cristo.

JESUS É DEUS?

Como vimos, o AT prediz a vinda de um Messias que nasceria como homem mas que, de alguma maneira, também seria Deus (Is 9.6). Jesus é a única pessoa conhecida que satisfaz as qualificações preditas do Messias. Mas ele afirmou ser Deus?

Certamente os autores do NT afirmaram em diversas ocasiões que Jesus era Deus. No capítulo de abertura de seu evangelho, João, por exemplo, diz que "a Palavra [...] era Deus" e "a Palavra tornou-se carne" (Jo 1.1,14). Paulo diz que Cristo "é Deus acima de todos" (Rm 9.5) e que "em Cristo habita corporalmente toda a plenitude da divindade" (Cl 2.9). Pedro diz que os crentes recebem "de nosso Deus e Salvador Jesus Cristo a fé" (2Pe 1.1). Mateus afirma a divindade de Jesus quando cita Isaías 7.14: " 'A virgem ficará grávida e dará à luz um filho, e lhe chamarão Emanuel', que significa 'Deus conosco' " (Mt 1.23). O autor de Hebreus diz: "O Filho é o resplendor da glória de Deus e a expressão exata do seu ser, sustentando todas as coisas por sua palavra poderosa" (Hb 1.3). Ele também cita Salmos 45.3 ao afirmar que Deus diz o seguinte sobre o Filho: "O teu trono, ó Deus, subsiste para todo o sempre" (Hb 1.8). Essas são afirmações claras da divindade de Cristo feitas pelos apóstolos. Até mesmo os demônios reconheceram que Jesus era Deus (Mt 8.29; Lc 4.34,41)! Mas o próprio Jesus afirmou ser Deus?

Declarações diretas quanto a ser Deus

Talvez nenhuma declaração seja mais objetiva do que a resposta de Jesus à pergunta direta de Caifás:

> "Você é o Cristo, o Filho do Deus Bendito?" "Sou", disse Jesus. "E vereis o Filho do homem assentado à direita do Poderoso vindo com as nuvens do céu."

---

[8] J. Barton PAYNE. *Encyclopedia of Biblical Prophecy.* Grand Rapids, Mich.: Baker, 1973, p. 665-70. Payne também identificou 95 profecias messiânicas da segunda vinda de Cristo (42 no Antigo Testamento, 53 no Novo Testamento).

O sumo sacerdote, rasgando as próprias vestes, perguntou: "Por que precisamos de mais testemunhas? Vocês ouviram a blasfêmia. Que acham?" Todos o julgaram digno de morte (Mc 14.61-64).

Perceba que Jesus respondeu à pergunta direta com uma resposta direta: "Sou". Referindo-se a si mesmo como o "Filho do homem", Jesus acrescentou que voltaria com as nuvens do céu. Caifás e seus assistentes sabiam a implicação disso. Essa expressão foi uma referência à visão do AT que o profeta Daniel teve do fim dos tempos: o Messias — o Filho do homem — virá à Terra para julgar o mundo com a autoridade que lhe foi concedida por Deus Pai (o "ancião" [NVI] ou "Ancião de Dias" [ARA e ARC]). E todas as pessoas do mundo o adorarão (Dn 7.13,14). Naturalmente ninguém deve ser adorado, senão o próprio Deus. Contudo, aqui estava Cristo afirmando ser aquele que julgaria o mundo e receberia adoração de seus habitantes. Ele estava afirmando ser Deus, e todo mundo sabia disso.

Embora Mateus, Marcos e Lucas registrem a resposta "sou" (ou alguma variante dela), a Caifás, João fala de outra ocasião na qual Jesus afirmou sua divindade ao responder "Eu Sou". Isso aconteceu durante uma intensa discussão com alguns judeus. Depois de várias idas e vindas sobre a verdadeira identidade de Jesus, a conversa termina com a seguinte declaração de Jesus aos fariseus:

> "Abraão, pai de vocês, regozijou-se porque veria o meu dia; ele o viu e alegrou-se". Disseram-lhe os judeus: "Você ainda não tem cinqüenta anos, e viu Abraão?" Respondeu Jesus: "Eu lhes afirmo que antes de Abraão nascer, Eu Sou!" Então eles apanharam pedras para apedrejá-lo, mas Jesus escondeu-se e saiu do templo (Jo 8.56-59).

Os céticos podem dizer: " 'Antes de Abraão nascer, Eu Sou!' não é nem mesmo um bom português! Está no tempo verbal errado". Exatamente. Jesus não está preocupado com a gramática porque ele está citando o mesmo nome que Deus apresentara a Moisés na sarça ardente.

Você se lembra do filme *Os Dez Mandamentos?* O que fez Moisés (representado por Charlton Heston) quando encontrou a sarça ardente? Ele perguntou a Deus: "Suponha que eu vá aos israelitas e lhes diga 'O Deus de seus pais me enviou', e eles me perguntem 'Qual é o nome dele?'; então, o que devo dizer?".

Então Deus disse a Moisés: "Eu Sou o que Sou. É isto que você dirá aos israelitas: Eu Sou me enviou a vocês" (Êx 3.13,14).

Eu Sou é Aquele que é auto-existente. Ele não tem passado nem futuro, porque é eterno. Não está no tempo. Jesus estava afirmando ser esse que é eterno e auto-existente, e é por isso que os judeus pegaram pedras para atirar nele.

Para aqueles que continuam a dizer "Não, Jesus nunca afirmou ser Deus", temos uma pergunta: se Jesus nunca afirmou ser Deus, então por que ele foi morto? A crucificação de Jesus, que é provavelmente o fato mais bem atestado de toda a história antiga, é difícil de explicar a não ser que ele tenha afirmado ser Deus.

Os judeus descrentes certamente sabiam que ele afirmara ser Deus. Em diversas ocasiões, pegaram pedras para jogar nele, acusando-o de blasfêmia. Por que era tão óbvio para as pessoas do século I que Jesus afirmara ser Deus, mas não é óbvio para alguns céticos de nossos dias?

Declarações indiretas quanto a ser Deus

Além dessas declarações diretas afirmando ser Deus, Jesus fez várias outras declarações que claramente deixavam implícito que ele era Deus:

- Jesus orou, dizendo: "E agora, Pai, glorifica-me junto a ti, com a glória que eu tinha contigo antes que o mundo existisse" (Jo 17.5). Mas o AT diz que existe apenas um único Deus (Dt 6.4; Is 45.5s), e Deus diz: "Não darei a outro a minha glória" (Is 42.8).

- Ele declarou: "Eu sou o Primeiro e o Último" (Ap 1.17) — exatamente as mesmas palavras usadas por Deus para referir-se a si mesmo em Isaías 44.6.

- Ele disse: "Eu sou o bom pastor" (Jo 10.11); mas o AT diz "O Senhor é o meu pastor" (Sl 23.1). Além do mais, Deus diz: "Assim como o pastor busca as ovelhas dispersas quando está cuidando do rebanho, também tomarei conta de minhas ovelhas" (Ez 34.12).

- Jesus afirmou ser o juiz de todas as pessoas (Mt 25.31s; Jo 5.27); mas Joel apresenta Deus dizendo: "... me assentarei para julgar todas as nações vizinhas" (Jl 3.12).

- Jesus disse: "Eu sou a luz do mundo. Quem me segue, nunca andará em trevas, mas terá a luz da vida" (Jo 8.12). Mas o salmista declara "O Senhor é a minha luz" (Sl 27.1).

- Jesus declarou: "Pois, da mesma forma que o Pai ressuscita os mortos e lhes dá vida, o Filho também dá vida a quem ele quer" (Jo 5.21). Mas o AT ensina claramente que somente Deus é o doador da vida (Dt 32.39; 1Sm 2.6), aquele que levanta dos mortos (Is 26.19; Dn 12.2; Jó 19.25) e o único juiz (Dt 32.35; Jl 3.12).

- Jesus insistiu: "Ninguém vem ao Pai, a não ser por mim" (Jo 14.6).

Deus no AT	Afirmação	Jesus no NT
Sl 23.1	Pastor	Jo 10.11
Is 44.6	Primeiro e último	Ap 1.17
Jl 3.12	Juiz	Mt 25.31s
Is 62.5	Noivo	Mt 25.1
Sl 27.1	Luz	Jo 8.12
Is 43.11	Salvador	Jo 4.42
Is 42.8	Glória de Deus	Jo 17.5
1Sm 2.6	Doador da vida	Jo 5.21

Tabela 13.2

Jesus também declarou sua divindade de maneira implícita por meio de parábolas. Em várias de suas parábolas, mostra a si mesmo no papel de Deus. Por exemplo:

- Ao responder à reclamação dos fariseus de que estava recebendo pecadores e comendo com eles (Lc 15.2), Jesus conta três parábolas: da ovelha perdida, da dracma perdida e do filho perdido (Lc 15.4-32). A implicação é que Jesus está fazendo aquilo que o AT diz que Deus faz: ele é o pastor que sai e encontra aquilo que está perdido e um pai perdoador que dá boas-vindas aos pecadores arrependidos (Ez 34.11; Sl 103.8-13. Conseqüentemente, os fariseus são representados pelo filho mais velho que reclama na parábola do filho pródigo. Os fariseus, assim como o filho mais velho, erradamente pensam que *merecem* os presentes do pai por causa de suas boas obras. Desse modo, essa parábola não apenas afirma a divindade de Cristo, mas também ensina que a salvação é um dom gratuito que não pode ser comprado, mas apenas aceito).

- Em Mateus 19.28-30, Jesus declara que ele — o "Filho do homem" — reinará do trono glorioso de Israel na renovação de todas as coisas e que seus seguidores reinarão com ele. Logo a seguir, ensina a parábola dos trabalhadores na vinha (Mt 20.1-16). É a parábola na qual o Reino de Deus é representado por uma vinha cujo proprietário também é empregador. O empregador paga a todos os trabalhadores igualmente, independentemente do tempo trabalhado, comunicando dessa maneira que a graça de Deus não se baseia em algum tipo de mérito como duração do serviço ("os últimos serão primeiros, e os primeiros serão últimos"). Jesus é representado pelo empregador que possui a vinha e que dispensa a graça livremente. Isso o iguala a Deus porque, no AT, Deus é o dono da vinha (Is 5.1-7). (Como vimos, seu uso da expressão "Filho do homem" também é uma afirmação de deidade).

- Jesus refere-se a si mesmo como o "noivo" em diversas ocasiões (Mc 2.19; Mt 9.15; 25.1; Lc 5.34), até mesmo na parábola das virgens (Mt 25.1-13). Uma vez que o AT identifica Deus como noivo (Is 62.5; Os 2.16), Jesus está se igualando a Deus.

Existem vários outros exemplos de afirmações implícitas que Jesus faz sobre sua divindade por meio das parábolas. Não temos espaço para abordar todas elas aqui, mas Philip B. Payne conclui: "Das 52 parábolas narrativas de Jesus registradas, 20 o retratam por meio de imagens que o AT tipicamente usa para referir-se a Deus".[9]

Atos divinos

Além de fazer declarações que afirmaram sua divindade (e, além disso, de realizar milagres), Jesus *agiu* como Deus:

- Ele disse a um paralítico: "Filho, os seus pecados estão perdoados" (Mc 2.5-11). Os escribas responderam corretamente: "Quem pode perdoar pecados, a não ser somente Deus?".
- Jesus declarou: "Foi-me dada toda a autoridade nos céus e na terra" e, imediatamente, deu um novo mandamento: "Portanto, vão e façam discípulos de todas as nações..." (Mt 28.18,19).
- Deus entregou os Dez Mandamentos a Moisés, mas Jesus disse: "Um novo mandamento lhes dou: Amem-se uns aos outros" (Jo 13.34).
- Ele pediu oração em seu nome: "E eu farei o que vocês pedirem em meu nome [...]. O que vocês pedirem em meu nome, eu farei" (Jo 14.13,14); "Se vocês permanecerem em mim, e as minhas palavras permanecerem em vocês, pedirão o que quiserem, e lhes será concedido" (Jo 15.7).
- A despeito do fato de que tanto o Antigo quanto o Novo Testamentos proíbem a adoração a qualquer coisa que não seja Deus (Êx 20.1-4; Dt 5.6-9; At 14.15; Ap 22.8,9), Jesus aceitou adoração em pelo menos nove ocasiões. Essa adoração foi prestada por:

[9]"Jesus' Implicit Claim to Deity in His Parables", *Trinity Journal*, 2 NS (1981), p. 17.

1. um leproso que foi curado (Mt 8.2);
2. um dirigente da sinagoga cuja filha foi curada (Mt 9.18);
3. pelos discípulos depois de uma tempestade (Mt 14.33);
4. uma mulher cananéia (Mt 15.25);
5. a mãe de Tiago e de João (Mt 20.20);
6. um endemoninhado geraseno (Mc 5.6);
7. o homem cego que foi curado (Jo 9.38);
8. todos os discípulos (Mt 28.17);
9. Tomé, que disse: "Senhor meu e Deus meu!" (Jo 20.28).

Todas essas pessoas adoraram a Jesus sem uma palavra de repreensão por parte dele. Jesus não apenas aceitou essa adoração, como até mesmo elogiou aqueles que reconheceram sua divindade (Jo 20.29; Mt 16.17). Isso só poderia ser feito por uma pessoa que considerava seriamente ser Deus.

Vamos colocar tudo isso na devida perspectiva. Ninguém fez isso melhor do que C. S. Lewis quando escreveu:

> Entre aqueles judeus, repentinamente surge um homem que sai falando por aí como se ele mesmo fosse Deus. Afirma perdoar pecados. Diz que sempre existiu. Diz que julgará o mundo no final dos tempos. Vamos deixar uma coisa clara. Entre os panteístas, como os indianos, qualquer um pode dizer que é uma parte de Deus ou um com Deus: não haveria nada de muito estranho em relação a isso. Esse homem, porém, uma vez que era judeu, não poderia estar se referindo a esse tipo de Deus. Na linguagem daquele povo, Deus significava um ser fora do mundo, que o fizera e que era infinitamente diferente de qualquer outra coisa. Quando você entende isso, percebe que aquilo que esse homem diz foi, de maneira bem simples, a coisa mais chocante que jamais fora pronunciada por lábios humanos.[10]

Imagine seu vizinho fazendo este tipo de afirmação: "Eu sou o primeiro e o último, aquele que é auto-existente. Você precisa que seus pecados sejam perdoados? Eu posso fazê-lo. Você quer saber como viver? Eu sou a luz do mundo — todo aquele que me segue não andará em trevas, mas terá a luz da vida. Você quer saber em quem pode confiar? Toda autoridade me foi dada no céu e na terra. Você tem qualquer preocupação ou pedido? Ore em meu nome. Se você

---

[10] *Mere Christianity*. New York: Macmillan, 1952, p. 54-5 [publicado em português pela Martins Fontes, *Cristianismo puro e simples*].

permanecer nas minhas palavras, e as minhas palavras permanecerem em você, peça o que quiser, e lhe será dado. Você precisa de acesso a Deus Pai? Ninguém vem ao Pai senão por mim. O Pai e eu somos um".

O que acharia do seu vizinho se ele estivesse dizendo essas coisas seriamente? Você certamente não diria "Uau, acho que ele é um grande professor de moral!". Não, você diria que esse cara é maluco, porque está definitivamente afirmando ser Deus. Mais uma vez, ninguém articulou essa questão melhor do que C. S. Lewis quando escreveu:

> Estou tentando impedir aqui que qualquer um realmente diga as coisas tolas que as pessoas costumam dizer sobre Ele: "Estou pronto para aceitar Jesus como um grande professor de moral, mas não aceito a afirmação de que ele é Deus". Isso é algo que não devemos dizer. Um homem que fosse simplesmente homem e dissesse esse tipo de coisas que Jesus disse não seria um grande professor de moral. Seria, em vez disso, um lunático — ou estaria no mesmo nível do homem que diz que é um ovo cozido — senão, seria o próprio Demônio do inferno. Você precisa fazer sua escolha. Ou esse homem era, e é, o Filho de Deus, ou então ele é um louco ou algo pior. Você pode calá-lo, considerando um tolo; você pode cuspir nele e até matá-lo como se fosse um demônio; ou então pode cair a seus pés e chamá-lo de Senhor e Deus. Mas que ninguém venha com um ar paternalista sem sentido sobre o fato de ele ser um grande professor humano. Ele não deixou isso aberto a nós. Ele não pretendia fazer isso.[11]

Lewis está absolutamente certo. Uma vez que Jesus afirmou claramente ser Deus, não poderia ser simplesmente um grande professor de moral. Grandes professores de moral não enganam as pessoas afirmando falsamente que são Deus. Uma vez que Jesus afirmou ser Deus, somente uma entre três possibilidades pode ser verdadeira: ele era mentiroso, um lunático ou o Senhor.

Mentiroso não se encaixa com os fatos. Jesus viveu e ensinou o mais elevado padrão de ética. É improvável que ele tivesse entregado sua vida a não ser que realmente achasse que estivesse dizendo a verdade.

Se Jesus achava que era Deus mas realmente não era, então ele teria sido um *lunático*. Mas lunático também não se encaixa. Jesus proferiu algumas das mais profundas frases já registradas. Todo mundo — incluindo seus inimigos — afirmou que Jesus era um homem de integridade que ensinava a verdade (Mc 12.14).

[11]Ibid., p. 55-6

Isso nos deixa com a opção *Senhor*. Peter Kreeft apresenta o argumento de maneira bem simples:

> Existem apenas duas interpretações possíveis: Jesus é Deus ou Jesus não é Deus. Em sua forma mais simples, o argumento tem esta aparência: Jesus foi (1) Deus, se sua afirmação sobre si mesmo foi verdadeira, ou (2) um homem mau, se aquilo que ele disse não foi verdade, pois homens bons não afirmam ser Deus. Mas ele não era um homem mau (se qualquer pessoa na história não foi um homem mau, então Jesus não foi um homem mau). Portanto, ele era (e é) Deus.[12]

Isso parece lógico. Mas *Senhor* é realmente a conclusão correta? Afinal de contas, uma coisa é afirmar ser Deus — qualquer um pode fazer isso —, mas outra bem diferente é provar.

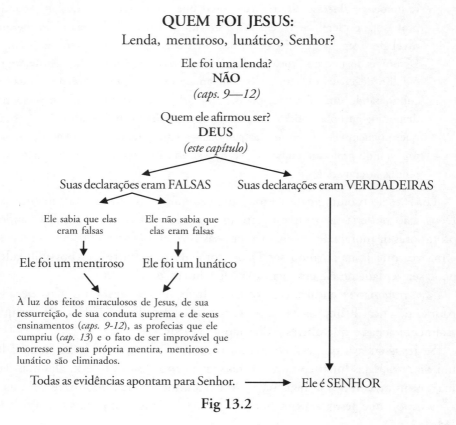

Fig 13.2

---

[12]"Why I Believe Jesus is the Son of God", in: GEISLER & HOFFMAN, eds., *Why I am a Christian*, p. 228-29.

Provas de que Jesus é Deus

Como vimos, Jesus afirmou claramente ser Deus e freqüentemente agiu de acordo com isso. Mas ele não apenas afirmou isso ou agiu dessa maneira; ele provou! Fez isso por meio de três provas sem paralelo:

1. Ele cumpriu diversas profecias messiânicas escritas centenas de anos antes dele.
2. Ele viveu uma vida sem pecado e realizou feitos miraculosos.
3. Ele predisse a ressurreição e efetivamente ressuscitou dos mortos.

Já apresentamos evidências com relação às profecias messiânicas, aos milagres de Jesus e à sua ressurreição. Mas e quanto a essa idéia de Jesus não ter pecado? O próprio Jesus disse: "Qual de vocês pode me acusar de algum pecado?" (Jo 8.46). Além disso, seus discípulos, que passaram *três anos* com ele dia e noite, afirmaram que Jesus não tinha pecado:

- Pedro caracterizou Jesus como "um cordeiro sem mancha e sem defeito" (1Pe 1.19), acrescentando que "Ele não cometeu pecado algum, e nenhum engano foi encontrado em sua boca" (1Pe 2.22).
- João disse isto sobre Cristo: "Nele não há pecado" (1Jo 3.5).
- Paulo disse que Jesus foi "aquele que não tinha pecado" (2Co 5.21).
- O autor de Hebreus fez o mesmo destaque afirmando que Jesus era "sem pecado" (Hb 4.15).

Tente passar três *dias* com qualquer ser humano — muito menos que três *anos* —, e você certamente vai encontrar falhas. Os autores do NT disseram que Jesus não tinha nenhuma.

Mas não foram apenas os seus amigos que confirmaram seu caráter supremo. Os inimigos de Cristo não puderam encontrar falha nele também. Os fariseus, que procuravam ativamente pontos ruins em Jesus, não puderam encontrar um sequer (Mc 14.55). Eles até mesmo admitiram que Jesus ensinava "o caminho de Deus conforme a verdade" (Mc 12.14). Até mesmo depois de todos os esforços dos fariseus para atribuírem alguma culpa a Jesus, Pilatos considerou-o inocente de qualquer erro (Lc 23.22).

Mas a prova da divindade de Cristo não depende de sua ausência de pecados. As profecias cumpridas, seus milagres e sua ressurreição são mais do que suficientes para provar que Jesus era Deus. Contudo, existem algumas poucas objeções que precisamos abordar antes de concluir, acima do que se considera justificável, que Jesus era (e é) o único e verdadeiro Deus.

OBJEÇÕES À DIVINDADE DE CRISTO

Por que Jesus não foi mais objetivo? A despeito de algumas afirmações bastante claras de ser Deus, os céticos destacam que Jesus poderia ter sido muito mais claro e com mais freqüência se ele realmente era Deus. Isso certamente é verdade. Ele poderia ter feito muito mais declarações abertas se achasse que fosse necessário. Contudo, existem várias razões possíveis para não ter agido dessa maneira.

Em primeiro lugar, Jesus não queria sofrer interferência dos judeus, que tinham uma compreensão errada de que o Messias viria e os libertaria da opressão romana. Na verdade, isso tornou-se um problema, apesar da abordagem cuidadosa de Jesus: em determinado ponto depois de realizar milagres, Jesus precisou fugir dos judeus que queriam fazê-lo rei (Jo 6.15)!

Em segundo lugar, Jesus não poderia ser o nosso supremo exemplo humano se usasse de autoridade toda vez que enfrentasse algum problema terreno. Sua conduta nos fornece o perfeito exemplo de humildade e servidão e de como devemos glorificar ao Pai, em vez de a nós mesmos.

Em terceiro lugar, Jesus precisava ser muito cuidadoso em relação ao momento que revelava sua divindade e ao local, de modo que pudesse realizar sua missão de expiação sacrificial. Se ele tivesse sido muito aberto em suas afirmações e em suas provas miraculosas, é possível que não o tivessem matado. Mas se ele fosse reservado demais, haveria poucas provas de que realmente era Deus, e ele poderia não ter atraído um número suficientemente grande de seguidores para espalhar sua mensagem.

Por fim, devemos entender o contexto religioso no qual Jesus viveu e ensinou. Jesus apresentou a idéia de que cumpriu pessoalmente toda a lei do AT (Mt 5.17), a lei que fora reverenciada e seguida por vários séculos e que era a base de todas as práticas políticas e religiosas dos judeus. Como diz Norman T. Wright, "[isso] seria como anunciar, num país muçulmano, que alguém estava cumprindo a vontade de Alá enquanto aparentemente estava difamando Maomé e queimando uma cópia do *Alcorão*!".[13] Não é surpresa que Jesus tenha usado parábolas para ensinar e feito referências mais indiretas do que diretas à sua divindade. Ele apresentou provas suficientes para convencer a pessoa com mente aberta, mas não suficiente para abafar o livre-arbítrio daqueles que desejavam apegar-se à sua própria tradição.

Desse modo, há boas razões para Jesus não ter proclamado diretamente sua divindade com mais freqüência. Contudo, não devemos perder de vista o fato de

---

[13]Apud Jeffrey L. SHELER. *Is the Bible True?*. San Francisco: HarperSanFrancisco, 1999, p. 208.

que ele o fez com freqüência suficiente. Diante dos judeus (Jo 8.58) e enquanto estava em juramento diante do sumo sacerdote, consciente de que sua missão de expiação sacrificial estava prestes a ser completada (Mt 26.64; Mc 14.62; Lc 22.70), Jesus afirmou claramente ser Deus.

Negações indiretas da divindade. Os críticos freqüentemente citam três ocasiões específicas no NT nas quais a divindade de Cristo pode ser questionada. A primeira está registrada em Mateus 19.17 (ARC), em que o jovem rico chama Jesus de "bom". Jesus aparentemente nega sua divindade ao responder: "Há somente um que é bom".

Mas os críticos estão errados. Jesus não está negando sua divindade. Ele está *confirmando* sua divindade ao levar o homem a considerar as implicações de sua declaração. Com efeito, Jesus está perguntando: "Você percebe o que está dizendo quando me chama de bom? Você está dizendo que eu sou Deus?". Isso fica aparente com base no contexto, porque, apenas alguns versos depois, Jesus refere-se a si mesmo como o "Filho do homem" que vai "assentar em seu trono glorioso" e que permitirá que os discípulos julguem com ele (Mt 19.28).

A segunda e terceira objeções à divindade de Cristo se relacionam ao fato de Jesus estar subordinado ao Pai e ser limitado em conhecimento. Em João 14.28, Jesus claramente se subordina a Deus ao admitir que "o Pai é maior do que eu". Em Mateus 24.36, Jesus afirma que não sabe a data de sua volta, ao declarar que "quanto ao dia e à hora ninguém sabe, nem os anjos dos céus, nem o Filho, senão somente o Pai". De que maneira Jesus pode ser Deus se ele está subordinado ao Pai e tem conhecimento limitado?

A resposta a ambas as objeções reside numa compreensão adequada da Trindade. Em primeiro lugar, vamos afirmar claramente o que a Trindade *não é*: a Trindade não é três Deuses, três modos de um Deus, ou três essências divinas. *A Trindade é três pessoas em uma essência divina.* Em outras palavras, existem três pessoas — Pai, Filho e Espírito Santo — que compartilham de uma natureza divina. A Trindade é como um triângulo: um triângulo tem três pontas, mas ainda assim é um triângulo (fig. 13.3a e 13.3b).

Jesus compartilha de uma natureza divina, mas ele também tem uma natureza humana distinta. Jesus é um "quem" com dois "o quês" (um "o que" divino e um "o que" humano); Deus é três "quens" ("quem" Pai, "quem" Filho e "quem" Espírito Santo) em um "o que", ou seja, três pessoas em uma natureza divina. Atanásio, um dos pais da igreja primitiva, disse que a encarnação não foi a subtração da divindade; ela foi o acréscimo da humanidade. Realmente, quando Jesus foi concebido, ele não deixou de ser Deus. Ele simplesmente acrescentou a natureza humana.

A TRINDADE: três pessoas em uma natureza
JESUS: uma pessoa com duas naturezas

Figura 13.3a

A TRINDADE: três pessoas em uma natureza
JESUS: uma pessoa com duas naturezas

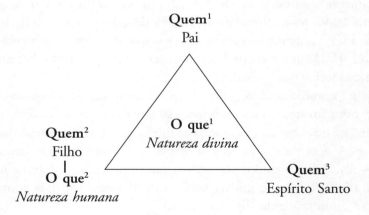

Figura 13.3b

De que maneira isso nos ajuda a lidar com as objeções 2 e 3? Bem, uma vez que Jesus possui duas naturezas, todas as vezes que se fizer uma pergunta sobre ele, você tem, na verdade, duas perguntas a fazer. Por exemplo: Jesus sabia o momento de sua segunda vinda? Como Deus, sim; como homem, não. Jesus sabia todas as coisas? Como Deus, sim; como homem, não (de fato, Lc 2.52

admite que Jesus crescia em sabedoria). Jesus teve fome? Como Deus, não; como homem, sim. Jesus ficou cansado? Como Deus, não; como homem, sim.

A Trindade também nos ajuda a compreender o sentido da declaração de Jesus "o Pai é maior do que eu". O Pai e o Filho são iguais em *essência*, mas diferentes em *função*. Isso é análogo aos relacionamentos humanos. Um pai terreno, por exemplo, é igualmente humano a seu filho, mas o pai possui uma tarefa mais elevada. Do mesmo modo, Jesus e o Pai possuem tarefas diferentes, mas ambos são igualmente Deus (Jo 1.1; 8.58; 10.30). Quando Jesus acrescentou humanidade, ele voluntariamente se subordinou ao Pai e aceitou as limitações inerentes à humanidade (isso é exatamente o que Paulo explica em sua carta aos Filipenses [2.5-11]). Jesus nunca perdeu sua natureza divina ou deixou de ser Deus. A tabela 13.3 resume as diferenças entre Jesus e o Pai:

JESUS E O PAI COMO DEUS	
Jesus é igual ao Pai	**Jesus está subordinado ao Pai**
em sua natureza divina	em sua natureza humana
em sua essência divina	em sua função humana
em seus atributos divinos	em sua tarefa humana
em seu caráter divino	em sua posição humana

Tabela 13.3

Objeções à Trindade. A despeito do que alguns céticos possam dizer, a Trindade não é ilógica ou contrária à razão. Dizer que existe um Deus e três Deuses seria ilógico. Mas dizer que existe um Deus que tem três pessoas não é ilógico. Pode estar *além* da nossa razão, mas não é *contra* a razão.

Isso não significa que a Trindade possa ser completamente compreendida. Além do mais, nenhum ser finito pode entender completamente um Deus infinito. Mas podemos *vislumbrar* a Trindade, assim como podemos vislumbrar, mas não completamente *compreender,* o oceano. Quando estamos na praia, podemos **atinar** o oceano diante de nós, embora não possamos completamente compreender sua enorme magnitude.

Alguns muçulmanos acusam a Trindade de ser muito complexa. Mas quem disse que a verdade deve ser sempre simples? Como diz de maneira competente C. S. Lewis:

> Se o cristianismo fosse alguma coisa que tivéssemos inventado, naturalmente poderíamos torná-lo mais fácil. Mas não é. Não podemos competir em

simplicidade com pessoas que estão inventando religiões. Como poderíamos? Estamos lidando com fatos. Naturalmente, qualquer um pode ser simples se não tiver que se preocupar com fatos.[14]

Alguns críticos e líderes de seitas sugeriram que a Trindade é uma invenção posterior da igreja. Mas isso simplesmente não é verdadeiro. O Pai, o Filho e o Espírito Santo[15] são todos tratados como Deus nas Escrituras. Além disso, até mesmo se a Trindade não tivesse sido aceita por todos os pais da igreja primitiva, isso não significa que ela é falsa. A verdade não é determinada pelo voto da maioria. A doutrina da Trindade é coerente tanto no aspecto das Escrituras quanto da filosofia.

De fato, em vez de criar problemas teológicos, a Trindade realmente resolve problemas teológicos. Ela nos ajuda a entender, por exemplo, de que maneira o amor existe desde toda a eternidade. O NT diz que Deus é amor (1Jo 4.16). Mas de que maneira o amor pode existir em um ser monoteísta rígido? Não existe mais ninguém para amar! A tri-unidade da Divindade resolve o problema. Além do mais, para existir amor, é preciso haver aquele que ama (o Pai), e o amado (o Filho) e um espírito de amor (o Espírito Santo). Devido a essa natureza trina e una, Deus existe eternamente numa perfeita comunhão de amor. Ele é um ser perfeito que não carece de nada, nem mesmo de amor. Uma vez que ele não carece de nada, Deus não *precisaria* criar seres humanos por nenhum motivo (ele não estava sozinho, como alguns pregadores têm dito). Simplesmente *optou* por nos criar, e nos ama de acordo com sua natureza amorosa. De fato, seu amor é a razão pela qual ele enviou seu Filho — a segunda pessoa da Trindade — para receber a punição por nossos pecados. Sua justiça infinita nos condena, mas seu amor infinito salva aqueles que desejam ser salvos.

[14]*Mere Christianity*, p. 145

[15]V. GEISLER, *Enciclopédia de apologética*. São Paulo: Vida, 2002. O texto a seguir foi extraído da p. 835: O Espírito Santo é chamado "Deus" (At 5.3,4). Ele possui os atributos da divindade, tais como onipresença (cf. Sl 139.7-12) e onisciência (1Co 2.10,11). Aparece associado a Deus Pai na Criação (Gn 1.2). Está envolvido com outros membros da Trindade na obra de redenção (Jo 3.5,6; Rm 8.9-17,27; Tt 3.5-7). Está associado a outros membros da Trindade sob o "nome" de Deus (Mt 28.18-20). Finalmente, o Espírito Santo aparece, junto com o Pai e o Filho, nas bênçãos do NT (e.g., 2Co 13.13). Além de possuir divindade, o Espírito Santo tem uma personalidade diferenciada. O fato de ser uma pessoa distinta fica claro, pois as Escrituras referem-se a "ele" com pronomes pessoais (Jo 14.26; 16.13). Segundo, ele faz coisas que só pessoas podem fazer, como ensinar (Jo 14.26; 1Jo 2.27, convencer do pecado (Jo 16.7,8) e entristecer-se com o pecado (Ef 4.30). Finalmente, o Espírito Santo tem intelecto (1Co 2.10,11), vontade (1Co 12.11) e sentimentos (Ef 4.30).

RESUMO E CONCLUSÃO

Jesus Cristo de Nazaré afirmou e provou ser o Deus-Messias predito pelo AT. Suas afirmações aparecem de diversas formas: desde o direto "Eu Sou" até aquelas que deixam claramente implícita a sua divindade. Suas ações — incluindo perdoar pecados, assumir a autoridade de Deus para promulgar mandamentos e aceitar a adoração devida somente a Deus — também revelam que Jesus realmente acreditava ser Deus. Ele então provou que era Deus por meio das seguintes ações:

1. Cumpriu um grande número de profecias messiânicas específicas que foram escritas com antecipação de centenas de anos (Jesus é a única pessoa na História que cumpre todas essas profecias).

2. Viveu uma vida sem pecado e realizou feitos miraculosos.

3. Predisse a ressurreição e efetivamente ressuscitou dos mortos.

Acreditamos que esses fatos foram estabelecidos acima do que se considera justificável. Portanto, concluímos que Jesus é Deus.

Uma vez que já definimos que Deus é um ser moralmente perfeito (com base no argumento moral no cap. 7), então qualquer coisa ensinada por Jesus (que é Deus) é verdadeira. O que Jesus ensinou? Mais especificamente, o que ele ensinou sobre a Bíblia? Esse é o assunto do capítulo seguinte.

14
O que Jesus ensinou sobre a Bíblia?

> *Meu professor de ciências do ensino médio disse, certa vez, que a maior parte do Gênesis é falsa. Contudo, uma vez que meu professor de ciências não ressuscitou dos mortos, para provar que era Deus, vou acreditar em Jesus, em vez de crer nele.*
>
> ANDY STANLEY

AI DE VOCÊS, HIPÓCRITAS!

O Congresso dos Estados Unidos estava reunido numa rara sessão conjunta. Todos os 435 deputados e os cem senadores estavam presentes, e as câmeras da emissora de televisão C-SPAN faziam a cobertura de tudo. Os parlamentares estavam reunidos juntos para ouvir um discurso de um descendente de George Washington. Mas aquilo que eles achavam que seria um discurso educado de patrióticas reflexões históricas rapidamente se transformou numa reprimenda transmitida via satélite. Com o dedo em riste e lançando um olhar austero, o descendente da sétima geração de Washington declarou:

> Ai de vocês, egoístas hipócritas! Vocês estão cheios de ganância e autocomplacência. Tudo que fazem é feito pelas aparências: vocês fazem discursos pomposos e colocam-se na tribuna diante dessas câmeras de TV. Vocês exigem o lugar de honra nos banquetes e os lugares mais importantes aonde vão. Vocês adoram ser saudados em suas cidades e ouvir todos chamando-os de "senador" ou "deputado". No exterior, vocês parecem pessoas corretas, mas, no interior, estão cheios de hipocrisia e impiedade! Vocês dizem que querem limpar Washington mas, assim que chegam lá, tornam-se duas vezes piores do que aquele filho do inferno que vocês substituíram! Ai de vocês, legisladores

hipócritas! Vocês não praticam aquilo que pregam. Colocam fardos pesados sobre os cidadãos, mas não cumprem as suas próprias leis! Ai de vocês, tolos federais! Vocês fazem um voto de apoiar e defender a Constituição, mas depois anulam os decretos permitindo que os juízes façam suas próprias leis. Ai de vocês, hipócritas cegos! Vocês dizem que, se tivessem vivido nos dias dos nossos fundadores, nunca tomariam parte com eles na escravidão. Dizem que nunca teriam concordado que os escravos fossem uma propriedade de seus senhores, mas que teriam insistido que eram seres humanos com direitos inalienáveis. Mas vocês testificam contra si mesmos porque hoje dizem que a criança que ainda não nasceu é propriedade de sua mãe e que não tem direito algum! Sobre vocês cairá todo o sangue justo que tem sido derramado neste país. Suas serpentes! Raça de víboras! Vocês desolaram esta grande Câmara! Como escaparão da condenação do inferno?

É claro que tal discurso nunca aconteceu realmente (se tivesse acontecido, você certamente teria ouvido falar dele!). Quem seria tão áspero e rude para se dirigir aos líderes da nação dessa maneira? Certamente ninguém que afirmasse ser um cristão! Você tem certeza disso?

Embora não tenhamos certeza de que Jesus faria tais comentários aos líderes políticos de hoje, ele realmente fez comentários similares aos líderes religiosos de seus dias. O quê?! O doce e gentil Jesus? Certamente que não. Se você ler o capítulo 23 de Mateus, verá que muito de nosso discurso fictício é adaptado do discurso verdadeiro que Jesus fez às multidões e aos fariseus. Ao contrário do Jesus sem espinhos inventado hoje por aqueles que querem eles próprios parecer inofensivos, o Jesus verdadeiro ensinou com autoridade e não tolerou o erro. Quando os religiosos estavam errados, ele fazia julgamentos justos e certificava-se de que todos soubessem quais eram aqueles juízos. E quem poderia ser melhor na correção de erros do que o próprio Deus? Uma vez que Jesus é Deus, tudo o que ele ensina é verdadeiro.

Os evangelhos — que são historicamente confiáveis — registram os ensinos de Jesus sobre muitos assuntos. Mas nenhum ensinamento de Jesus tem impacto mais abrangente do que aquilo que ele ensinou sobre a Bíblia. Se Jesus ensinou que a Bíblia é a palavra de Deus, então ela é a nossa fonte principal da verdade divina. Sendo assim, o que Jesus ensinou sobre a Bíblia?

O QUE JESUS ENSINOU SOBRE A BÍBLIA?

O Antigo Testamento

Jesus ensinou que o AT é a palavra de Deus de sete maneiras diferentes.

1. O Antigo Testamento possui autoridade divina. Quando tentado por Satanás, Jesus o repreeendeu citando trechos do AT. Ele disse: "Está escrito: 'Nem só de pão viverá o homem, mas de toda palavra que procede da boca de Deus' ". Em seguida, Jesus lhe respondeu: "Também está escrito: 'Não ponha à prova o Senhor, o seu Deus' ". Também disse: "Retire-se, Satanás! Pois está escrito: 'Adore o Senhor, o seu Deus, e só a ele preste culto' " (Mt 4.4,7,10). Por que Jesus faria citações do AT de maneira tão confiante se o AT não possuísse autoridade divina? Devia considerá-lo como uma fonte de verdade para poder dispensar seu mais poderoso inimigo com ele.

De fato, em 92 ocasiões, Jesus e seus apóstolos apoiaram suas posições dizendo "Está escrito" (ou uma frase equivalente) e, depois, citando o AT. Por quê? Porque Jesus e seus discípulos consideravam as Escrituras do AT a palavra de Deus em forma escrita e, assim, a autoridade definitiva para a vida.

2. O Antigo Testamento é imperecível. No Sermão do Monte, uma passagem amada tanto pelos conservadores quanto pelos liberais, Jesus afirmou que nem mesmo a menor pontuação nas Escrituras — o equivalente a um pingo em um "i" ou um corte em um "t" — jamais pereceria: "Não pensem que vim abolir a Lei ou os Profetas", declarou ele. "Não vim abolir, mas cumprir. Digo-lhes a verdade: Enquanto existirem céus e terra, de forma alguma desaparecerá da Lei a menor letra ou o menor traço, até que tudo se cumpra" (Mt 5.17,18). Jesus não poderia ter expressado a imperecibilidade das Escrituras de maneira mais contundente.

3. O Antigo Testamento é infalível. Em João 10, lemos que Jesus estava prestes a ser apedrejado por blasfêmia. Para livrar-se dessa confusão, ele citou o AT e declarou que "a Escritura não pode ser anulada" (Jo 10.35). Em outras palavras, quando sua vida estava em risco, Jesus fez referência a uma autoridade infalível que não poderia ser anulada: as Escrituras. Além disso, mais tarde afirmou a verdade das Escrituras quando, ao orar por seus discípulos, disse: "Santifica-os na verdade; a tua palavra é a verdade" (Jo 17.17).

4. O Antigo Testamento é isento de erros. Quando os saduceus tentaram pegar Jesus com uma pergunta, ele lhes disse: "Vocês estão enganados porque não conhecem as Escrituras nem o poder de Deus!" (Mt 22.29). Naturalmente, a implicação disso é que as Escrituras não contêm erros. Não faria nenhum sentido para Jesus dizer: "Vocês estão em erro porque não conhecem as Escrituras, que também erram!".

5. O Antigo Testamento é historicamente confiável. Além de declarar que o AT possui autoridade divina, é imperecível, infalível e isento de erros, Jesus confirmou duas das histórias mais discutidas do AT: Noé (Mt 24.37,38) e Jonas (Mt 12.40). Ele referiu-se a elas como historicamente verdadeiras. E por que não seriam verdadeiras? Os milagres associados a Noé e a Jonas são brincadeira de criança para o Deus todo-poderoso que criou o Universo. Mesmo com nossa inteligência limitada, construímos grandes naves que mantêm as pessoas vivas por vários meses debaixo d'água. Por que Deus não poderia fazer o mesmo?

Jesus também confirmou os aspectos do AT que os críticos negam. Ele ensinou que Daniel foi um profeta (Mt 24.15), embora muitos críticos digam que Daniel foi simplesmente um historiador (os críticos definem uma data posterior para Daniel, alegando que certamente não poderia ter feito todas aquelas predições. Seu viés anti-sobrenatural é mais uma vez revelado aqui). Além do mais, Jesus citou especificamente diversas partes do livro de Isaías (e.g., Mc 7.6,7; Mt 13.14,15; Lc 4.17-19), sem sugerir uma vez sequer que existiam dois ou três Isaías, como muitos críticos afirmam.

6. O Antigo Testamento é cientificamente preciso. Jesus fez outras afirmações que contradizem o que afirmam os críticos de hoje. Quando perguntado se o divórcio era aceitável, Jesus citou um fato científico do Gênesis. Ele disse:

> "Vocês não leram que, no princípio, o Criador 'os fez homem e mulher' e disse: 'Por essa razão, o homem deixará pai e mãe e se unirá à sua mulher, e os dois se tornarão uma só carne'? Assim, eles já não são dois, mas sim uma só carne. Portanto, o que Deus uniu, ninguém separe" (Mt 19.4-6).

Em outras palavras, a natureza do casamento está ligada ao fato científico de que Adão e Eva foram criados com um propósito.

Além do mais, Jesus não aceitou a falsa idéia de que a Bíblia pudesse dizer como "ir para o céu" mas não fosse capaz de explicar "como são os céus". Ele disse a Nicodemos: "Eu lhes falei de coisas terrenas e vocês não creram; como crerão se lhes falar de coisas celestiais?" (Jo 3.12). Em outras palavras, Jesus ensinou que, se a Bíblia não falasse de maneira fidedigna sobre o mundo físico que você pode ver, então não seria possível confiar nela quando falasse sobre o mundo espiritual, que você não pode ver. O fato é que o cristianismo está construído sobre fatos históricos — tais como a Criação e a Ressurreição — que podem ser testados por meio de investigação científica e histórica. Embora os adeptos de outras religiões possam aceitar uma separação completa da ciência, os cristãos não podem fazê-lo. A verdade sobre o Universo não pode ser contraditória. Uma vez que toda verdade é verdade de Deus, as crenças religiosas devem concordar com os fatos científicos. Se elas não o fizerem, então ou existe um erro em nosso pensamento científico ou nossas crenças religiosas estão erradas. Como já vimos, muitas das afirmações do cristianismo são confirmadas por investigação científica. Cristo sabia que seria dessa maneira.

7. O Antigo Testamento possui supremacia definitiva. Uma vez que Jesus ensinou que o AT possui autoridade divina, é imperecível, infalível, isento de erros, historicamente confiável e cientificamente preciso, é de esperar que asseverasse que possui supremacia definitiva sobre qualquer ensinamento do homem. É exatamente isso que Jesus disse. Ele corrigiu os fariseus e os mestres da lei afirmando que deveriam obedecer às Escrituras do AT, em vez de suas próprias tradições feitas por homens. Ele disse: "E por que vocês transgridem o mandamento de Deus por causa da tradição de vocês? [...] Assim, por causa da sua tradição, vocês anulam a palavra de Deus" (Mt 15.3,6). Depois, criticou-os por deixarem de viver de acordo com as Escrituras, citando o AT: "Hipócritas! Bem profetizou Isaías acerca de vocês, dizendo: 'Este povo me honra com os lábios, mas o seu coração está longe de mim. Em vão me adoram; seus ensinamentos não passam de regras ensinadas por homens' " (Mt 15.7-9). Por que Jesus corrigiria os líderes religiosos de Israel com o AT a não ser que o AT tivesse supremacia definitiva sobre suas próprias idéias?

À luz dos ensinamentos de Jesus, não há questionamento de que ele tenha considerado todo o AT a palavra de Deus escrita e inerrante. Ele disse que veio para cumprir todo o AT judaico (Mt 5.17), ao qual se referiu como "a Lei e os Profetas" (v. Mt 5.17; Lc 24.26,27). Ele disse aos judeus: "Vocês estudam cuidadosamente as Escrituras, porque pensam que nelas vocês têm a vida eterna. E são as Escrituras que testemunham a meu respeito; contudo, vocês não querem vir a mim para terem vida" (Jo 5.39,40).

Portanto, Jesus veio para cumprir as Escrituras que testificam dele. Mas o que compreende o Antigo Testamento? A quais livros Jesus estava se referindo quando falou das "Escrituras"? Em sua repreensão aos fariseus em Mateus 23, Jesus cobriu todos os livros do AT judaico, do primeiro ao último, quando declarou: "Sobre vocês recairá todo o sangue justo derramado na terra, desde o sangue do justo Abel, até o sangue de Zacarias, filho de Baraquias, a quem vocês assassinaram entre o santuário e o altar" (v. 35). Abel foi morto no primeiro livro do AT judaico (Gênesis), e Zacarias foi morto no último (Crônicas).

Evento do Antigo Testamento	Confirmação no Novo Testamento
1. Criação do Universo (Gn 1)	Jo 1.3; Cl 1.16
2. Criação de Adão e Eva (Gn 1,2)	1Tm 2.13,14
3. Casamento de Adão e Eva (Gn 1,2)	Mt 19.4,5
4. Tentação da mulher (Gn 3)	1Tm 2.14
5. Desobediência e pecado de Adão (Gn 3)	Rm 5.12; 1Co 15.22
6. Sacrifícios de Abel e Caim (Gn 4)	Hb 11.4
7. Abel é assassinado por Caim (Gn 4)	1Jo 3.12
8. Nascimento de Sete (Gn 4)	Lc 3.38
9. Trasladação de Enoque (Gn 5)	Hb 11.5
10. Casamento antes do Dilúvio (Gn 6)	Lc 17.27
11. O Dilúvio e a destruição do homem (Gn 7)	Mt 24.39
12. Preservação de Noé e sua família (Gn 8,9)	2Pe 2.5
13. Genealogia de Sem (Gn 10)	Lc 3.35,36
14. Nascimento de Abraão (Gn 11)	Lc 3.34
15. Chamado de Abraão (Gn 12,13)	Hb 11.8
16. Dízimo entregue a Melquisedeque (Gn 14)	Hb 7.1-3
17. Justificação de Abraão (Gn 15)	Rm 4.3
18. Ismael (Gn 16)	Gl 4.21-24
19. Promessa de Isaque (Gn 17)	Hb 11.18
20. Ló e Sodoma (Gn 18,19)	Lc 17.29
21. Nascimento de Isaque (Gn 21)	At 7.8
22. Oferta de Isaque (Gn 22)	Hb 11.17
23. A sarça ardente (Êx 3.6)	Lc 20.37
24. Êxodo pelo mar Vermelho (Êx 14.22)	1Co 10.1,2
25. Provisão de água e maná (Êx 16.4; 17.6)	1Co 10.3-5
26. Levantamento da serpente no deserto (Nm 21.9)	Jo 3.14
27. Queda de Jericó (Js 6.22-25)	Hb 11.30
28. Milagres de Elias (1Rs 17.1; 18.1)	Tg 5.17
29. Jonas e o grande peixe (Jn 2)	Mt 12.40
30. Três jovens hebreus na fornalha (Dn 3)	Hb 11.34
31. Daniel na cova dos leões (Dn 6)	Hb 11.33
32. Morte de Zacarias (2Cr 24.20-22)	Mt 23.35

Tabela 14.1

De fato, Jesus e os autores do NT citaram cada sessão do AT como possuidora de autoridade conforme foram fazendo referências a acontecimentos em 18 dos 22 livros do Antigo Testamento judaico.[1] A historicidade de muitos dos acontecimentos apresentados na tabela 14.1[2] foi discutida por muitos críticos. Mas Jesus e os apóstolos referem-se aos acontecimentos como se fossem historicamente verdadeiros. Além de Noé e Jonas, o próprio Jesus confirma a historicidade da criação (Mc 13.19), Adão e Eva (Mt 19.4,5), Sodoma e Gomorra (Lc 10.12) e Moisés e a sarça ardente (Lc 20.37). Isso mostra que Jesus ligou a realidade histórica do Antigo Testamento à verdade de sua própria mensagem espiritual.

Mas Jesus poderia estar errado? Jesus declarou que todo o AT é a inerrante palavra de Deus, e ele e seus apóstolos confirmaram os acontecimentos do AT que muitos críticos negam. Mas poderia Jesus estar errado? Talvez ele não estivesse dizendo que aqueles fatos do AT realmente tenham acontecido, mas simplesmente que os judeus acreditavam que eles haviam acontecido. Em outras palavras, talvez ele estivesse simplesmente acomodando as crenças dos judeus, dizendo, com efeito: "Assim como vocês acreditam em Jonas, devem acreditar na minha ressurreição".

Essa teoria da acomodação não funciona. Como já vimos, Jesus não tolerava o erro. Ele não estava acomodando as crenças dos judeus, como alguns céticos podem sugerir. Ele os repreendeu e corrigiu por várias vezes, tanto fazendo severas reprimendas públicas (como em Mt 23) quanto corrigindo suas falsas interpretações do Antigo Testamento (Mt 5.21-43), chegando até a virar as mesas no templo (Mt 21; Mc 11; Jo 2). Jesus não desistiu de nada, e ele certamente não desistiu das verdades do AT.

O cético pode dizer: "Mas Jesus não poderia ter errado por causa de suas limitações humanas? Além do mais, se ele não sabia quando voltaria, talvez não tivesse ciência dos erros do AT". Não, essa teoria da limitação também não funciona.

---

[1] O Antigo Testamento judaico contém o mesmo material do Antigo Testamento protestante, mas as divisões dos livros são diferentes. O Antigo Testamento protestante separa Samuel, Reis e Crônicas em dois livros cada um, diferencia o livro de Esdras do livro de Neemias e os 12 Profetas Menores em 12 livros separados. Assim, embora existam 22 livros no Antigo Testamento judaico, os mesmos livros estão divididos em 39 livros no Antigo Testamento protestante. O Antigo Testamento católico contém 11 livros adicionais (sete relacionados separadamente e quatro inseridos como partes de outros livros) que são chamados de apócrifos. Esses livros foram adicionados pela Igreja Católica Romana no Concílio de Trento em 1546, grandemente em resposta à Reforma iniciada por Martinho Lutero.

[2] Exceto por seu título, essa tabela é a mesma presente em Norman GEISLER & William NIX, *General Introduction to the Bible*. Chicago: Moody, 1986, p. 85.

Limitação na compreensão é diferente de mal-entendidos. Como homem, havia algumas coisas que Jesus não sabia. Mas isso não significa que ele estava errado em relação àquilo que ele *realmente* sabia. O que Jesus *realmente sabia* era verdade porque ele ensinava somente aquilo que o Pai lhe dissera para ensinar (Jo 8.28; 17.8,14). Desse modo, acusar Jesus de erro é acusar Deus Pai de erro. Mas Deus não pode errar porque ele é o padrão imutável e a fonte da verdade.[3] Além disso, Jesus confirmou a verdade de seus ensinamentos quando declarou: "Os céus e a terra passarão, mas as minhas palavras jamais passarão" (Mt 24.35) e "Foi-me dada toda a autoridade nos céus e na terra" (Mt 28.18).

Desse modo, aonde isso nos leva? Precisamos fazer apenas mais uma pergunta: quem sabe mais sobre o AT, Cristo ou os críticos? Se Jesus é Deus, então tudo o que ele ensina é verdadeiro. Se ele ensina que o Antigo Testamento possui autoridade divina, é imperecível, infalível, isento de erros, historicamente confiável, cientificamente preciso e que possui a supremacia definitiva, então todo o seu conteúdo é verdadeiro. Suas credenciais superam as de qualquer crítico falível (especialmente aqueles cuja crítica não está fundamentada em evidências, mas tem um ilegítimo viés anti-sobrenatural).

Outras evidências que apóiam o Antigo Testamento. Em acréscimo às afirmações de Jesus, existem muitas outras razões que apóiam a veracidade dos documentos do AT. O AT tem, por exemplo, muitas das mesmas características que fazem o Novo Testamento ser digno de crédito: forte apoio de manuscritos, confirmação da arqueologia e um enredo que seus autores não teriam inventado.

Vamos considerar esse último ponto por apenas um instante. Quem inventaria o enredo do AT? Uma história que fosse inventada pelos hebreus provavelmente registraria os israelitas como um povo nobre e correto. Mas os autores do AT não dizem isso. Em vez disso, descrevem seu próprio povo como escravos pecaminosos e volúveis que, repetidas vezes, são miraculosamente resgatados por Deus, mas que o abandonam sempre que têm oportunidade. A história que eles registram está cheia de desobediência estúpida, desconfiança e egoísmo. Seus líderes são pecadores olímpicos, incluindo Moisés (um assassino), Saul (um

---

[3]A Bíblia confirma aquilo que sabemos por meio da revelação geral — que deve haver um padrão imutável de verdade. A Bíblia afirma que Deus é verdade (Sl 31.5; 33.4; Jo 14.6; 1Jo 4.6); que Deus não pode mentir (Hb 6.18; Tt 1.2); e que Deus não pode mudar (Nm 23.19; 1Sm 15.29; Sl 102.26,27; Ml 3.6; Hb 13.8; Tg 1.17). Você poderá ler mais sobre os atributos de Deus em Norman GEISLER, *Systematic Theology*, vol. 2. Minneapolis: Bethany, 2003, parte 1.

egomaníaco paranóico), Davi (adúltero, mentiroso e assassino), Salomão (um polígamo extremado). Essas são as pessoas que deveriam liderar a nação por meio da qual Deus escolhera trazer o Salvador ao mundo. Contudo, os autores do AT admitem que entre os ancestrais desse Messias existem personagens pecadoras como Davi, Salomão e até mesmo uma prostituta chamada Raabe. Isso certamente não é um enredo inventado!

Embora o AT relate uma gafe embaraçosa atrás da outra, a maioria dos outros historiadores antigos evita até mesmo mencionar fatos históricos pouco elogiosos. Por exemplo: não se encontrou nada registrado nos documentos do Egito sobre o êxodo, levando alguns críticos até mesmo a sugerir que o fato nunca ocorreu. Mas o que os críticos esperam? O escritor Peter Fineman imagina o que um anúncio de reportagem do faraó poderia dizer:

> Um porta-voz de Ramsés, o Grande, faraó dos faraós, supremo governador do Egito, filho de Rá, diante de quem todos tremem, cegados que ficam por seu brilho, anunciou hoje que o homem Moisés chutou Sua Majestade [no traseiro] para que todo mundo visse, provando assim que Deus é Javé e que a cultura egípcia de mais de 2 mil anos é uma mentira. Entrevista às 11 horas.[4]

Certamente nenhum secretário de imprensa do faraó admitiria um fato como esse! O silêncio egípcio sobre o êxodo é compreensível. Contudo, por outro lado, quando os egípcios registraram uma vitória militar, eles foram à imprensa e exageraram grandemente. Isso é aparente com base na mais antiga referência a Israel fora da Bíblia. Vem de um monumento de granito encontrado no templo funerário do faraó Merneptah, em Tebas. O monumento exalta a vitória militar do faraó nas terras altas de Canaã, afirmando que "Israel é uma terra devastada, e sua semente não existe mais".[5] Os historiadores datam a batalha como tendo acontecido no ano 1207 antes de Cristo, o que confirma que Israel estava na terra àquela época.

Existem várias outras descobertas arqueológicas que corroboram o AT. Lembre-se que no capítulo 3 deste livro afirmamos que existem até mesmo provas astronômicas (o *Big Bang*) que apóiam o Gênesis (se você quiser encontrar mais evidências que apóiam o Antigo Testamento, veja a *Enciclopédia de apologética*).[6] Contudo, no final, o mais forte argumento favorável ao AT vem do próprio Jesus. Como Deus, ele possui a carta que vence todas as outras. Se os documentos

---

[4]Apud Jeffrey L. SHELER. *Is the Bible True?* San Francisco: HarperSanFrancisco, 1999, p. 78.
[5]Ibid., p. 80.
[6]São Paulo: Vida, 2002.

do Novo Testamento são confiáveis, então o AT não possui erro, porque Jesus o disse.

Nosso amigo Andy Stanley faz uma assertiva muito interessante: "Meu professor de ciências do ensino médio disse certa vez que a maior parte do Gênesis é falsa. Contudo, uma vez que meu professor de ciências não ressuscitou dos mortos, provando que era Deus, vou acreditar em Jesus, em vez de crer nele".[7] Escolha sábia.

E quanto ao Novo Testamento?

Jesus ensinou que o AT é isento de erros, mas o que ele poderia dizer sobre o NT? Afinal de contas, só foi escrito após o final da vida terrena de Cristo.

Embora Jesus tenha *confirmado* o AT, ele *prometeu* o NT. Ele disse que o NT viria por meio de seus apóstolos porque o Espírito Santo os faria relembrar *tudo aquilo que Jesus lhes dissera* e que os guiaria *a toda a verdade*. Isso está registrado em duas passagens do Evangelho de João. Jesus declarou:

> "Tudo isso lhes tenho dito enquanto ainda estou com vocês. Mas o Conselheiro, o Espírito Santo, que o Pai enviará em meu nome, *lhes ensinará todas as coisas e lhes fará lembrar tudo o que eu lhes disse*" (Jo 14.25,26).

> "Tenho ainda muito que lhes dizer, mas vocês não o podem suportar agora. Mas quando o Espírito da verdade vier, *ele os guiará a toda a verdade*. Não falará de si mesmo; falará apenas o que ouvir, e lhes anunciará o que está por vir" (Jo 16.12,13).

Em outras palavras, Jesus está prometendo aos seus apóstolos que o Espírito Santo os levaria a serem os autores daquilo que hoje conhecemos como o Novo Testamento. Mais tarde, Paulo faria eco a esse ensinamento de Jesus ao afirmar que a igreja está edificada "sobre o fundamento dos apóstolos e dos profetas, tendo Jesus Cristo como pedra angular" (Ef 2.20). A igreja primitiva reconheceu isso também porque "eles se dedicavam ao ensino dos apóstolos" (At 2.42).

Mas os apóstolos realmente obtiveram a mensagem do Espírito Santo, como Jesus prometera? Eles certamente afirmaram isso. João escreve que os apóstolos vieram de Deus (1Jo 4.6) e começa o livro do Apocalipse dizendo: "Revelação de Jesus Cristo, *que Deus lhe deu*" (Ap 1.1). Paulo afirma que suas palavras foram

---

[7] Você poderá obter os sermões de Andy Stanley em www.northpoint.org.

"*ensinadas pelo Espírito*" (1Co 2.10,13; 7.40) e que seus escritos são "*mandamento do Senhor*" (1Co 14.37). Na abertura de sua carta aos Gálatas, Paulo declara: "Irmãos, quero que saibam que o evangelho por mim anunciado não é de origem humana. Não o recebi de pessoa alguma nem me foi ele ensinado; ao contrário, *eu o recebi de Jesus Cristo por revelação* (Gl 1.11,12). Falando aos tessalonicenses, Paulo afirma que ele lhes estava entregando a palavra de Deus: "Também agradecemos a Deus sem cessar o fato de que, *ao receberem de nossa parte a palavra de Deus, vocês a aceitaram, não como palavra de homens, mas conforme ela verdadeiramente é, como palavra de Deus*, que atua com eficácia em vocês, os que crêem" (1Ts 2.13). Além da confirmação da natureza inspirada de suas próprias obras, Paulo cita os evangelhos de Lucas e de Mateus como "Escritura", colocando-os no mesmo nível de Deuteronômio (1Tm 5.18; Lc 10.7; Mt 10.10).

Referindo-se às cartas de Paulo (existem 13 delas), Pedro concorda que elas são inspiradas, quando escreve: "Suas cartas contêm algumas coisas difíceis de entender, as quais os ignorantes e instáveis torcem, *como também o fazem com as demais Escrituras*, para a própria destruição deles" (2Pe 3.15,16; cf. 2Tm 3.15,16). Pedro também confirma a fonte divina de suas próprias palavras e das dos outros apóstolos quando declara:

> De fato, [*nós*] não seguimos fábulas engenhosamente inventadas, quando lhes falamos a respeito do poder e da vinda de nosso Senhor Jesus Cristo; ao contrário, nós fomos testemunhas oculares da sua majestade [...] *temos ainda mais firme a palavra dos profetas*, e vocês farão bem se a ela prestarem atenção [...] saibam que nenhuma profecia da Escritura provém de interpretação pessoal, pois jamais a profecia teve origem na vontade humana, mas homens falaram da parte de Deus, impelidos pelo Espírito Santo (2Pe 1.16-21).

Mas os apóstolos não *afirmaram* apenas que estavam recebendo mensagens de Deus. Qualquer um podia fazer isso. Eles deram provas de que suas palavras eram inspiradas ao realizarem sinais miraculosos. De fato, uma das duas qualificações de um apóstolo era a habilidade de realizar tais sinais; a outra qualificação era ter sido testemunha ocular da ressurreição (At 1.22; 1Co 9.1). Paulo afirmou que era apóstolo quando declarou aos seus leitores da cidade de Corinto: "As marcas de um apóstolo — sinais, maravilhas e milagres — foram demonstradas entre vocês, com grande perseverança" (2Co 12.12). Paulo deveria estar dizendo a verdade sobre ter feito milagres na presença deles, pois, caso contrário, teria perdido toda a credibilidade diante de seus leitores.

Além das afirmações de Paulo de ter realizado milagres, Lucas registra 35 milagres apenas no livro de Atos — o livro bem documentado, já investigado por nós, que faz a crônica da propagação da igreja desde a ressurreição de Jesus até por volta do ano 60 d.C. A maioria desses milagres foi realizada pelos apóstolos (alguns poucos foram realizados por anjos ou pelo próprio Deus).[8] Além disso, o autor de Hebreus, falando da salvação anunciada pelo Senhor, declara: *"Deus também deu testemunho dela por meio de sinais, maravilhas, diversos milagres e dons do Espírito Santo distribuídos de acordo com a sua vontade"* (Hb 2.4).

Lembre-se de que, no capítulo 8, vimos a maneira por meio da qual Deus autentica seus profetas — por meio de milagres. O milagre confirma a mensagem. O sinal confirma o sermão. Atos de Deus confirmam a palavra de Deus para o povo de Deus (Êx 4; 1Rs 18; Jo 3.2; At 2.22). É a maneira de Deus nos dizer que uma mensagem vem realmente dele. Os apóstolos do Novo Testamento confirmaram que sua mensagem veio de Deus ao realizar milagres.

O cético pode dizer: "Oh, eles estavam simplesmente inventando as histórias dos milagres". Isso não faz sentido. Já vimos nos capítulos 10, 11 e 12 que eles foram historiadores incrivelmente precisos e não tinham motivo para inventar histórias de milagres. De fato, tinham todos os motivos para *não* inventar tais histórias, porque foram torturados, espancados e mortos por confirmá-las.

Além disso, a capacidade de realizar milagres não estava, por fim, em seu controle, mas residia no próprio Deus. Como sabemos isso? Por duas razões. Em primeiro lugar, os apóstolos parecem ter perdido a capacidade de realizar milagres em algum momento na década de 60 d.C. O autor de Hebreus, escrevendo no final dos anos 60, refere-se a esses dons especiais de sinais de um apóstolo no tempo passado (Hb 2.3,4). Mais tarde, em seu ministério, Paulo aparentemente não pôde curar alguns de seus ajudadores de confiança (Fp 2.26; 2Tm 4.20). Se ele ainda possuísse o poder de realizar milagres, então por que estava pedindo orações e recomendando que seus auxiliadores tomassem remédio (1Tm 5.23)?

Em segundo lugar, mesmo *enquanto Paulo estava realizando milagres*, ele foi incapaz de curar sua própria enfermidade física (Gl 4.13). De fato, não há exemplo nas Escrituras de ninguém realizando milagre em seu próprio benefício ou por entretenimento. Isso demonstra que a habilidade de realizar milagres era limitada pela vontade de Deus (cf. Hb 2.4). Os milagres eram realizados com um propósito específico, que normalmente era o de confirmar um novo mensageiro ou uma nova revelação.

É provavelmente por isso que não existe registro de milagres apostólicos nas cartas de Paulo depois de cerca do ano 62 d.C. — a última data em que o livro

---

[8]Você pode encontrar uma lista de milagres bíblicos em "Milagres na Bíblia", in: GEISLER, *Enciclopédia de apologética*, p. 590.

de Atos poderia ter sido composto.[9] Nessa época, Paulo e os outros apóstolos já tinham sido confirmados como mensageiros de Deus, e não havia necessidade de maior confirmação.

O Espírito do Senhor está sobre Jesus. Existe mais uma linha adicional de evidências em relação ao fato de que Jesus e o Espírito Santo providenciariam o NT. O AT predisse que o Messias viria para "pregar boas novas". Jesus declarou que cumpriu essa tradição. Conforme registrado em Lucas 4, Jesus vai à sinagoga de sua cidade natal (Nazaré) e faz essa impressionante declaração. Lucas diz:

> E [Jesus] levantou-se para ler. Foi-lhe entregue o livro do profeta Isaías. Abriu-o e encontrou o lugar onde está escrito:
>
> "O Espírito do Senhor
> está sobre mim,
> porque ele me ungiu
> para pregar boas novas
> aos pobres.
> Ele me enviou
> para proclamar liberdade
> aos presos
> e recuperação da vista
> aos cegos,
> para libertar os oprimidos
> e proclamar o ano da graça
> do Senhor".
>
> Então ele fechou o livro, devolveu-o ao assistente e assentou-se. Na sinagoga todos tinham os olhos fitos nele; e ele começou a dizer-lhes: "Hoje se cumpriu a Escritura que vocês acabaram de ouvir" (Lc 4.16-21).

O que se cumpriu naquele dia? A primeira vinda do Messias. Citando Isaías 61.1,2, Jesus parou no meio do versículo para indicar que ele era o Messias que viera para "pregar boas novas aos pobres", "proclamar liberdade aos presos", oferecer "recuperação da vista aos cegos" e assim por diante. Ele parou no meio do

---

[9]Esse não é um argumento do silêncio porque a Bíblia não se cala sobre a natureza, o propósito e a função desses milagres apostólicos especiais (v., p. ex., 2Co 12.12; Hb 2.3,4). Essa função de confirmar a revelação apostólica encaixa-se com sua cessação, uma vez que eles não eram mais necessários depois que a revelação fosse confirmada.

versículo 2 porque a segunda metade do versículo declara "o dia da vingança do nosso Deus", uma referência à segunda vinda de Cristo. Os judeus de sua cidade natal, que tinham conhecimento de que Jesus era filho de José, também sabiam que ele estava afirmando ser o Messias. De fato, depois de Jesus ter feito mais uma declaração messiânica, os presentes na sinagoga começaram a ficar "furiosos" e o levaram para fora da cidade a fim de jogá-lo precipício abaixo. Jesus escapou caminhando pelo meio da multidão (Lc 4.22-30).

O capítulo 61 de Isaías predisse que o Messias realizaria milagres de cura e pregaria "boas notícias aos pobres" e "liberdade aos cativos" pelo "Espírito do Soberano". Em outras palavras, o Messias faria exatamente aquilo que Jesus fez: fornecer uma nova revelação e confirmá-la com milagres. Naturalmente, uma vez que o Messias deve apresentar uma nova revelação, alguém precisa escrevê-la. É por isso que Jesus prometeu aos seus apóstolos que o Espírito Santo os faria lembrar de todas as suas palavras e os guiaria "a toda a verdade" (Jo 14.26; 16.13).

Descobrindo o cânon. O que tudo isso significa para o NT? Significa que, de acordo com Jesus, os únicos livros que deveriam estar no AT são aqueles que foram escritos e/ou confirmados por seus apóstolos. Que livros especificamente são esses?

Primeiro de tudo, precisamos esclarecer uma má interpretação sobre aquilo que chamamos de "o cânon". É isto: é errado dizer que "a igreja" ou os pais da igreja primitiva *determinaram* o que estaria no NT. Eles não *determinaram* o que estaria no NT — *descobriram* o que *Deus desejava* que estivesse ali. Bruce Metzger, da Universidade de Princeton, expõe a questão de uma maneira muito adequada. Ele disse: "O cânon é uma lista de livros autorizados mais do que uma lista autorizada de livros. Esses documentos não têm autoridade pelo fato de terem sido escolhidos; cada um deles já tinha autoridade antes de serem postos todos juntos".[10] Em outras palavras, os únicos livros que deveriam fazer parte do Novo Testamento são aqueles que Deus inspirou. Uma vez que Jesus disse que seus discípulos produziriam esses livros, nossas únicas perguntas são históricas: 1) Quem eram os apóstolos? e 2) O que eles escreveram?

Os pais da igreja primitiva podem nos ajudar a responder a essas perguntas porque eles estavam muito mais próximos dos acontecimentos do que nós. O fato é que eles não tiveram problemas em *descobrir* a natureza divina da maioria dos livros do NT. Embora tenha havido alguma controvérsia inicial sobre alguns

---

[10]Bruce Metzger, entrevistado por Lee Strobel, *Em defesa de Cristo*. São Paulo: Vida, 2001, p. 89-90.

dos livros menores (como Filemom, 3João e Tiago), os pais da igreja primitiva imediatamente reconheceram os evangelhos e as principais epístolas como divinamente inspiradas. Por quê? Porque sabiam que os livros haviam sido escritos por apóstolos (ou por aqueles confirmados pelos apóstolos) e aqueles apóstolos foram confirmados por milagres. Como eles sabiam disso? Sabiam porque existe uma cadeia ininterrupta de testemunho dos apóstolos aos pais da igreja primitiva no que se refere à autoria e à autenticidade dos livros do Novo Testamento.

João, que obviamente conheceu todos os apóstolos, tinha um discípulo chamado Policarpo (69-155 d.C.), e Policarpo teve um discípulo chamado Ireneu (130-202). Policarpo e Ireneu citaram em conjunto 23 dos 27 livros do Novo Testamento como se eles fossem autênticos — e, em alguns casos, disseram especificamente que eles eram autênticos.[11] Ireneu afirma explicitamente a autoria de todos os quatro evangelhos.[12] Além do mais, por meio do historiador Eusébio sabemos que Papias (60-120) confirmou a autoria de Mateus e de Marcos. Ninguém duvida da autoria das principais obras de Paulo.

Embora as principais obras do NT tivessem sido vistas imediatamente como autênticas por aqueles pais da igreja primitiva, a maioria do NT foi aceita antes do ano 200 d.C., e todo ele foi oficial e finalmente reconhecido como autêntico pelo concílio de Hipona em 393. Veja a **tabela 14.2**.[13]

TÍTULO

	Mateus	Marcos	Lucas	João	Atos	Romanos	1Coríntios	2Coríntios	Gálatas	Efésios	Filipenses	Colossenses	1Tessalonicenses	2Tessalonicenses	1Timóteo	2Timóteo	Tito	Filemom	Hebreus	Tiago	1Pedro	2Pedro	1João	2João	3João	Judas	Apocalipse
Indivíduos																											
Pseudo-Barnabé (c. 70-130)	X	X	X			X									X	X		X			X	X					
Clemente de Roma (c. 95-97)	X		X	X	O	X									X		X	X			X						
Inácio (c. 110)								X	X	X	X	X					X										
Policarpo (c. 110-150)	X	X	X	X	X	X	X	X	X	X	X	X	X	X	X				X					X	X		
Hermas (c. 115-140)	X	X			X		X	X		X		X			X	X				X	X	X		X			X
Didaquê (c. 120-150)	X				X		X	X					X		X												X
Papias (c. 130-140)			X																								O

[11]Somente Filemom, 2Pedro, Tiago e 3João não são citados. Contudo, Clemente de Roma (escrevendo em 95-97 d.C.) e/ou Inácio (100 d.C.) confirmam Filemom, 2Pedro e Tiago antes mesmo de Policarpo e Ireneu. Assim, o único livro não citado como autêntico por ninguém nos dois primeiros séculos é a pequena carta chamada 3João. V. GEISLER & NIX, *General Introduction to the Bible*, p. 294.

[12]*Contra as heresias*, 3.3.4.

[13]De GEISLER & NIX, *General Introduction to the Bible*, p. 294.

	Mateus	Marcos	Lucas	João	Atos	Romanos	1Coríntios	2Coríntios	Gálatas	Efésios	Filipenses	Colossenses	1Tessalonicenses	2Tessalonicenses	1Timóteo	2Timóteo	Tito	Filemom	Hebreus	Tiago	1Pedro	2Pedro	1João	2João	3João	Judas	Apocalipse
Ireneu (c. 130-202)	O	O	O	O	O	O	O	O	O	O	O	O	O	O	X	X	X		X		O		O	X		X	O
Diogneto (c. 150)							X	X		X					X												
Justino Mártir (c. 150-155)	X	X	X	O	X	X	X	X	X	X		X	X	X						X							X
Clemente de Alexandria (c. 150-215)	X	X	X	X	X	O	O	O	O	X	O	O	X	X	O		O		O		O		O			O	O
Tertuliano (c. 150-220)	X	X	X	X	X	X	X	X	X	X	X	X	X	X	X	X	X	X	X		X		X			X	X
Orígenes (c. 185-254)	X	X	X	X	X	X	X	X	X	X	X	X	X	X	X	X	X		?		O	?		?	?		O
Cirilo de Jerusalém (c. 315-386)	O	O	O	O	O	O	O	O	O	O	O	O	O	O	O	O	O	O	O	O	O	O	O	O	O	O	O
Eusébio (c. 325-340)	O	O	O	O	O	O	O	O	O	O	O	O	O	O	O	O	O	O	O	?	O	?	O	?	?	?	O
Jerônimo (c. 340-420)	O	O	O	O	O	O	O	O	O	O	O	O	O	O	O	O	O	O	O	O	O	O	O	O	O	O	O
Agostinho (c. 400)	O	O	O	O	O	O	O	O	O	O	O	O	O	O	O	O	O	O	O	O	O	O	O	O	O	O	O
Cânones																											
Marcião (c. 140)			O			O	O	O	O	O	O	O	O	O				O									
Muratório (c. 170)	O	O	O	O	O	O	O	O	O	O	O	O	O	O	O	O	O	O					O	O	O	O	O
Apostólico (c. 300)	O	O	O	O	O	O	O	O	O	O	O	O	O	O	O	O	O	O	O	O	O	O	O	O	O	O	O
Cheltenham (c. 360)	O	O	O	O	O	O	O	O	O	O	O	O	O	O	O	O	O	O			O	?	O	?	?		O
Atanásio (367)	O	O	O	O	O	O	O	O	O	O	O	O	O	O	O	O	O	O	O	O	O	O	O	O	O	O	O
Traduções																											
Diatessaron, de Taciano (c. 170)	O	O	O	O																							
Latim antigo (c. 200)	O	O	O	O	O	O	O	O	O	O	O	O	O	O	O	O	O	O	O	O			O	O	O	O	O
Siríaco antigo (c. 400)	O	O	O	O	O	O	O	O	O	O	O	O	O	O	O	O	O	O	O	O	O		O				
Concílios																											
Nicéa (c. 325-340)	O	O	O	O	O	O	O	O	O	O	O	O	O	O	O	O	O	O	O	?	O	?	O	?	?	?	O
Hipona (393)	O	O	O	O	O	O	O	O	O	O	O	O	O	O	O	O	O	O	O	O	O	O	O	O	O	O	O
Cartago (397)	O	O	O	O	O	O	O	O	O	O	O	O	O	O	O	O	O	O	O	O	O	O	O	O	O	O	O
Cartago (419)	O	O	O	O	O	O	O	O	O	O	O	O	O	O	O	O	O	O	O	O	O	O	O	O	O	O	O

X = Citação ou alusão   O = Indicado como autêntico   ? = Indicado como controverso

Tabela 14.2

"Por que o reconhecimento desses livros levou tanto tempo?", pode perguntar o cético. Talvez porque o cristianismo tenha sido, de maneira geral, ilegal no Império Romano até o ano 313. A situação não permitia que os pais da igreja primitiva fossem ao Hotel Hilton da cidade e fizessem uma conferência bíblica para examinar juntos as evidências e chegarem a uma conclusão. Eles freqüentemente temiam por sua própria vida dentro de casa! A questão importante é que, uma vez que todas as evidências estavam sobre a mesa, todos os 27 livros do NT, e apenas os 27 livros, foram reconhecidos como autênticos.

Esses 27 livros compreendem o único registro autêntico do ensinamento apostólico que possuímos. Como já vimos, todos eles foram escritos no século I por testemunhas oculares ou por aqueles que entrevistaram testemunhas oculares. Em outras palavras, eles satisfizeram o critério de Jesus: eram livros escritos pelos apóstolos ou confirmados pelos apóstolos.[14] Uma vez que não se sabe da existência de outras obras apostólicas autênticas — e uma vez que é improvável que Deus permitisse que uma obra autêntica ficasse escondida por tanto tempo —, podemos descansar seguros de que o cânon do NT é completo.

COMO PODE A BÍBLIA SER ISENTA DE ERROS?

Se Jesus confirmou que o AT era a inerrante palavra de Deus, então seu prometido NT também deve ser parte da inerrante palavra de Deus. Naturalmente que sim. Mas como isso é possível? Não existem dezenas, senão centenas de erros na Bíblia?

Não. A Bíblia não possui erros, mas ela certamente tem *supostos* erros ou dificuldades. De fato, eu [Norm] e outro professor do Southern Evangelical Seminary, Thomas Howe, escrevemos um livro intitulado *Manual popular de dúvidas, enigmas e "contradições" da Bíblia*, no qual são abordadas mais de 800 dificuldades que os críticos identificaram na Bíblia (existe mais discussão sobre a inerrância na obra *Systematic Theology*, volume 1).[15] Embora certamente não possamos incluir o conteúdo desses livros aqui, destacamos a seguir alguns pontos dignos de menção.

Em primeiro lugar, vamos expressar por meio da lógica por que a Bíblia não pode ter erros:

1. Deus não pode errar.
2. A Bíblia é a palavra de Deus.
3. Portanto, a Bíblia não pode errar.

Uma vez que esse é um silogismo (forma de raciocínio) válido, se as premissas são verdadeiras, então a conclusão é verdadeira. A Bíblia claramente afirma ser ela própria a palavra de Deus, e vimos as fortes evidências de que ela o é. A Bíblia também informa várias vezes que Deus não pode errar, e sabemos disso também com base na revelação geral. Desse modo, a conclusão é inevitável. A Bíblia não pode errar. Se a Bíblia errasse em qualquer coisa que ela afirma, então Deus estaria equivocado. Mas Deus não pode cometer erros.

---

[14]Embora não fosse tecnicamente apóstolo, Lucas possivelmente foi uma das 500 pessoas que testemunharam a ressurreição de Cristo. Mas mesmo que não fosse, teria seus escritos confirmados por seu companheiro de viagem, o apóstolo Paulo (1Tm 5.18; cf. Lc 10.7). Portanto, a obra de Lucas é considerada um ensinamento apostólico.

[15]São Paulo: Mundo Cristão, 2001; e Minneapolis: Bethany, 2002, cap. 27.

Desse modo, o que acontece quando pensamos que encontramos um erro na Bíblia? Agostinho tinha a resposta: "Se ficamos perplexos diante de qualquer aparente contradição nas Escrituras", notou ele sabiamente, "não é permitido dizer 'o autor deste livro está errado'; mas sim o manuscrito pode ser falho, a tradução pode estar errada ou nós não entendemos".[16] Em outras palavras, é mais provável que *nós* tenhamos cometido um erro do que a Bíblia o tenha feito. Na obra *Manual popular de dúvidas, enigmas e "contradições" da Bíblia*, identificamos 17 erros típicos cometidos pelos críticos. Aqui está um resumo de apenas quatro deles:

- **Presumir que relatos divergentes são contraditórios.** Como já vimos, não é uma contradição se um autor dos evangelhos diz que viu um anjo no túmulo e outro diz que viu dois. Mateus não diz que havia *apenas* um. E, se houvesse dois, certamente havia (pelo menos) um! Desse modo, divergência nem sempre significa contradição. Em vez disso, a divergência normalmente sugere o depoimento genuíno de testemunhas oculares.

- **Deixar de entender o contexto da passagem.** Às vezes achamos que foi encontrada uma contradição na Bíblia, mas, em vez disso, simplesmente aconteceu de a passagem ter sido tirada do contexto. O exemplo óbvio seria Salmos 14.1, que diz: "Deus não existe". Contudo, o contexto correto é revelado quando se lê o versículo inteiro: "*Diz o tolo em seu coração*: 'Deus não existe' ".

- **Presumir que a Bíblia aprova tudo o que está registrado.** Os críticos podem citar a poligamia de Salomão (1Rs 11.3) como exemplo de uma contradição. A Bíblia não ensina a monogamia, em vez da poligamia? É claro que sim. Mas Deus certamente não aprova todo ato registrado na Bíblia. Ela também registra as mentiras de Satanás, mas Deus também não as aprova. Os padrões de Deus são encontrados naquilo que a Bíblia *revela*, e não em tudo o que ela *registra* (como já vimos, em vez de isso ser um argumento de que a Bíblia possui erros, é, na verdade, um argumento favorável à historicidade da Bíblia. O fato de a Bíblia registrar todos os pecados e falhas de seu povo sugere que ela é verdadeira — ninguém inventaria uma história na qual condena a si mesmo).

- **Esquecer-se de que a Bíblia é um livro humano com características humanas.** Os críticos são conhecidos por falsamente impugnar a integridade da

---

[16]"Resposta a Fausto, o maniqueísta", in: P. SCHAFF, ed. *A Select Library of the Nicene and Ante-Nicene Fathers of the Christian Church*, 14 vol. (1ª série, 1886-1894; reimpressão Grand Rapids, Mich.: Eerdmans, 1952, v. 11, p. 5.

Bíblia, esperando um nível de expressão mais elevado do que aquele que é costumeiro para um documento humano. Contudo, isso é ilegítimo, porque a maior parte da Bíblia não foi verbalmente ditada, mas escrita por autores humanos (uma exceção são os Dez Mandamentos, leis que foram "escritas pelo dedo de Deus" [Êx 31.18]). Os autores foram compositores humanos que empregaram seu próprio estilo literário e suas idiossincrasias. Eles escreveram narrativas históricas (e.g., Atos), poesia (e.g., Cântico dos Cânticos), orações (e.g., muitos salmos), profecia (e.g., Isaías), cartas pessoais (e.g., 1Timóteo), tratados teológicos (e.g., Romanos) e outros tipos de literatura. Esses autores falaram na perspectiva de um *ponto de vista humano* quando escreveram sobre o nascer e o pôr-do-sol (Js 1.15). Eles também revelaram *padrões de pensamento humano*, incluindo lapsos de memória (1Co 1.14-16), assim como *emoções humanas* (Gl 4.14). Em resumo, uma vez que Deus usou o estilo de cerca de 40 autores num período de aproximadamente 1.500 anos para apresentar sua mensagem, é errado esperar que o nível de expressão seja maior do que o de outros documentos humanos. Contudo, assim como a natureza humana de Cristo, a distinta natureza humana da Bíblia não possui erro.

OBJEÇÕES À INERRÂNCIA

Os críticos podem dizer: "Os humanos erram e, portanto, a Bíblia é passível de erro". Contudo, mais uma vez é o crítico que está errado. É verdade, os humanos erram, mas os humanos não erram *sempre*. Pessoas falíveis escrevem livros que não possuem erros o tempo todo. Desse modo, pessoas falíveis que são guiadas pelo Espírito Santo certamente podem escrever um livro sem erros.

"Mas você não está simplesmente argumentando em círculos", pode perguntar o crítico, "ao usar a Bíblia para provar a Bíblia?" Não, não estamos argumentando em círculos, porque não estamos começando com a pressuposição de que a Bíblia é um livro inspirado. Estamos começando com vários documentos separados que se têm provado, acima do que se considera passível de dúvida, serem historicamente confiáveis. Uma vez que esses documentos revelam que Jesus é Deus, então sabemos que seus ensinamentos sobre o AT devem ser verdadeiros. Em diversas ocasiões, Jesus disse não apenas que o AT é a palavra de Deus, mas também afirmou que ele é isento de erros. Ele também prometeu que o resto da verdade de Deus ("toda a verdade") viria aos apóstolos por meio do Espírito Santo. Os apóstolos então escreveram o NT e provaram sua autoridade por meio de milagres. Portanto, na autoridade de Jesus, que é Deus, o NT também é isento de erros. Isso não é argumentar em círculos; é argumentar de maneira intuitiva, coletando evidências e seguindo essas evidências aonde ela nos levar.

Os críticos também podem acusar: "Mas a sua posição sobre a inerrância não é passível de negação. Você não vai aceitar um erro na Bíblia porque já decidiu de antemão que ela não pode ter nenhum erro!". Na verdade, nossa posição é passível de negação, mas a posição dos críticos não é. Vamos explicar.

Em primeiro lugar, pelo fato de a autoridade de Jesus estar bem estabelecida pelas evidências, nós sensatamente damos o benefício da dúvida à Bíblia quando nos deparamos com uma dificuldade ou uma pergunta no texto. Em outras palavras, quando ficamos diante de algo inexplicável, presumimos que nós — e não o Deus infinito — é que estamos cometendo um erro. É mais provável Geisler e Turek serem ignorantes do que a Bíblia estar errada.

Contudo, isso não significa que acreditamos que não exista absolutamente nenhuma possibilidade de erros bíblicos. Afinal de contas, sempre existe uma chance de que nossas conclusões sobre a inerrância estejam erradas, pois *nós* certamente não somos isentos de erro. De fato, nossa conclusão sobre a inerrância seria passível de negação por parte de alguém que pudesse ligar um erro a um manuscrito original.[17] Contudo, até o dia de hoje, depois de quase 2 mil anos de busca, ninguém encontrou tal problema irreconciliável (isso é realmente maravilhoso quando você considera que a Bíblia é na verdade uma coleção de documentos escritos por cerca de 40 autores num período de 1.500 anos. Onde você poderia encontrar tal concordância numa variedade de questões entre 40 autores vivos hoje, quanto mais num período de 1.500 anos?).

Em segundo lugar, mesmo que a inerrância fosse passível de negação algum dia, isso não negaria as verdades centrais do cristianismo. Como já vimos, as evidências históricas de que Jesus ensinou verdades profundas, realizou milagres e morreu e ressuscitou dos mortos pela humanidade pecaminosa são realmente muito fortes. Mesmo que as Escrituras contivessem um detalhe falso ou dois, a verdade histórica do cristianismo não seria diminuída. Nós nos apressamos a acrescentar que não consideramos que a inerrância será um dia negada, mas, se ela for, o cristianismo ainda será verdadeiro ainda que passível de dúvida.

Existe alguma descoberta que seja capaz de nos fazer desacreditar no cristianismo? Sim. Se alguém pudesse encontrar o corpo de Jesus, o cristianismo seria

---

[17]Foram encontrados erros de copistas em manuscritos, mas eles são facilmente identificados, sabendo-se que não estão no original por meio da comparação entre os muitos manuscritos existentes (v. cap. 9). Embora nenhum original bíblico tenha sido encontrado, manuscritos antigos de outras obras sobreviveram. Desse modo, é possível que a Bíblia original possa ser descoberta um dia.

mostrado como falso, e nós o abandonaríamos. Com efeito, concordamos com Paulo, que disse que a nossa fé cristã é vã se Jesus realmente não ressuscitou dos mortos (1Co 15.14-18).

Isso é singular em relação ao cristianismo. Diferentemente da maioria das outras visões de mundo religiosas, o cristianismo está construído sobre fatos históricos e, portanto, pode ser tanto provado quanto negado pela investigação histórica. O problema para os céticos e os críticos é que toda evidência histórica aponta para a ressurreição de Jesus. As pessoas que viveram em Jerusalém naquela época — algumas das quais adorariam ter encontrado o corpo de Jesus e tê-lo exibido pela cidade — não puderam encontrá-lo e, na verdade, admitiram que seu túmulo estava vazio. Desde então, nada foi encontrado. Se, depois de 2 mil anos de procura, ninguém pôde encontrar os restos de Jesus ou erros reais na Bíblia, não é bastante possível que realmente eles não existam? Quando um caso pode ser encerrado com certeza? Se não for depois de 2 mil anos, então quando?

Em terceiro lugar, depois de muitos anos de estudo contínuo e cuidadoso da Bíblia, podemos apenas concluir que aqueles que "descobriram um erro" na Bíblia não a conhecem muito — eles, na verdade, conhecem muito pouco. Isso não significa que entendemos como resolver todas as dificuldades nas Escrituras, mas significa que continuamos a fazer pesquisa. De fato, nós somos diferentes dos cientistas que não podem resolver todas as dificuldades ou mistérios do mundo natural. Eles não negam a integridade do mundo natural simplesmente porque não podem explicar alguma coisa. Tal qual um cientista do mundo natural, um cientista de teologia continua procurando por respostas. À medida que o fazemos, a lista de dificuldades diminui[18] (enquanto isso, para aqueles de vocês que não podem deixar de lado uma dificuldade bíblica, Mark Twain foi muito feliz quando concluiu que não eram as partes da Bíblia que ele não entendia que o incomodavam, mas ficava perturbado, sim, com as partes que ele realmente compreendia!).

Por último, são os críticos que realmente mantêm uma posição não passível de negação. O que os convenceria de que sua visão está errada? Em outras palavras, o que os convenceria de que Jesus realmente ressuscitou dos mortos ou que

---

[18]Houve uma época, por exemplo, quando os críticos achavam que a Bíblia estava errada em relação a um povo conhecido como os heteus (ou hititas). Não havia provas de sua existência fora da Bíblia. Ou melhor, até que uma biblioteca inteira foi encontrada na Turquia. Do mesmo modo, os críticos achavam que a escrita não havia sido inventada na época de Moisés, de modo que não havia maneira de ele ter escrito nenhum livro do Antigo Testamento. Mas isso mudou no momento em que foram encontradas as tábuas Ebla na Síria, que são mil anos mais antigas que Moisés. À medida que a pesquisa continua, a Bíblia continua sendo confirmada.

a inerrância é verdadeira? Talvez devessem considerar as evidências que apresentamos neste livro. Infelizmente, muitos críticos não farão isso. Eles não vão permitir que os fatos interfiram em seu desejo de manter controle sobre sua própria vida. Além do mais, se um crítico fosse admitir que a Bíblia é verdadeira, teria de admitir que não é mais a última palavra em todos os assuntos. Haveria uma Autoridade no Universo maior que ele mesmo, e essa Autoridade poderia não aprovar o estilo de vida que os críticos querem ter.

CONCLUSÃO E RESUMO

Jesus ensinou que o AT judaico é a inerrante palavra de Deus e prometeu que o resto da verdade da palavra de Deus viria por meio de seus apóstolos. Os apóstolos, que foram autenticados por milagres, escreveram ou confirmaram 27 livros. Todos os livros principais foram imediatamente reconhecidos como parte da palavra de Deus por aqueles que estavam ligados aos próprios apóstolos. Todos os 27 livros foram mais tarde reconhecidos como autênticos pelos concílios da igreja primitiva. Em outras palavras, a Bíblia que temos hoje é a verdadeira e inerrante palavra de Deus.

Uma vez que a Bíblia é nosso padrão estabelecido de verdade, qualquer coisa que contradiga o ensinamento presente na Bíblia é falsa. Isso *não* quer dizer que não existam verdades em outras religiões. Simplesmente significa que qualquer ensinamento específico que contradiga um ensinamento da Bíblia é falso.

Desse modo, vamos revisar as conclusões a que chegamos desde o capítulo 1:

1. A verdade sobre a realidade é cognoscível.

2. O oposto de verdadeiro é falso.

3. É verdade que existe um Deus teísta. As evidências para isso são:
   a. o início do Universo (argumento cosmológico);
   b. o planejamento do Universo (argumento teleológico/princípio antrópico);
   c. planejamento da vida (argumento teleológico);
   d. a lei moral (argumento moral).

4. Se Deus existe, então os milagres são possíveis.

5. Os milagres podem ser usados para confirmar uma mensagem de Deus (i.e., como atos de Deus para confirmar uma palavra vinda de Deus).

6. O NT é historicamente confiável. Isso é evidenciado por:
   a. testemunho antigo;
   b. depoimento de testemunhas oculares;

c. testemunhos não inventados (autênticos);

d. testemunhas oculares que não foram enganadas.

7. O NT diz que Jesus afirmou ser Deus.

8. A afirmação de Jesus de ser Deus foi miraculosamente confirmada por:

a. cumprimento de todas as profecias em relação a si mesmo;

b. sua vida sem pecado e seus atos miraculosos;

c. sua predição e a realização de sua ressurreição.

9. Portanto, Jesus é Deus.

10. Tudo o que Jesus (que é Deus) ensina é verdadeiro.

11. Jesus ensinou que a Bíblia é a palavra de Deus.

12. Portanto, é verdade que a Bíblia é a palavra de Deus (e qualquer coisa que se oponha a ela é falsa).

Vamos voltar ao capítulo 8 para revelar as implicações disso. As evidências que reunimos até o capítulo 8 (os pontos 1—3 citados anteriormente) nos ajudam a concluir que todas as visões de mundo e religiões não teístas são falsas. Isso nos leva a considerar as três maiores religiões mundiais teístas: judaísmo, cristianismo e islamismo. Qual delas é verdadeira? As evidências apresentadas nos capítulos 9—14 (os pontos 4—12 citados anteriormente) proclamam agora o seu veredicto:

- A revelação do judaísmo é verdadeira, mas é incompleta. Ela carece do NT.

- A revelação do islamismo possui alguma verdade, mas ela erra em alguns de seus ensinamentos fundamentais, incluindo sua negação da divindade e da ressurreição de Cristo (suratas 5.75; 4.157-159).

- Somente a revelação do cristianismo é a completa e inerrante palavra de Deus.

Poderíamos estar errados com relação a tudo isso? É possível. *Contudo, à luz das evidências, os críticos, os céticos e os adeptos de outras crenças precisam ter muito mais fé do que nós temos.*

15
Conclusão: o Juiz, o Rei-Servo e a tampa da caixa

> *Existem apenas dois tipos de pessoas no final: aquele que diz a Deus "Seja feita a tua vontade" e aquele a quem Deus diz, no final, "Seja feita a sua vontade".*
>
> C. S. Lewis

O JUIZ

Um jovem é levado diante de um juiz por dirigir embriagado. Quando seu nome é anunciado pelo meirinho, percebe-se um suspiro no tribunal — o réu é o filho do juiz! O juiz espera que seu filho seja inocente, mas a evidência é irrefutável. Ele é culpado.

O que o juiz pode fazer? Ele é pego num dilema entre a justiça e o amor. Uma vez que seu filho é culpado, merece punição. Mas o juiz não deseja punir seu filho por causa do grande amor que tem por ele.

Relutantemente anuncia:

— Filho, você pode escolher entre pagar uma multa de R$ 5.000,00 ou ir para a cadeia — o filho olha para o juiz e diz:

— Mas, pai, eu prometi que vou ser bom de agora em diante! Serei voluntário no programa de distribuição de sopa aos necessitados. Vou visitar uma pessoa de idade. Vou abrir uma casa para cuidar de crianças que sofreram abuso. Nunca mais vou fazer outra coisa errada de novo! Por favor, deixe-me ir! — implora o filho. Nesse momento, o juiz pergunta:

— Você ainda está bêbado? Você não consegue fazer tudo isso. Mas mesmo que pudesse, os seus atos bondosos futuros não podem mudar o fato de que você já é culpado por ter dirigido embriagado.

De fato, o juiz percebe que *boas obras não podem cancelar más obras!* A justiça perfeita exige que seu filho seja punido por aquilo que fez. Sendo assim, o juiz repete:

— Sinto muito, meu filho. Assim como eu gostaria de permitir que você fosse embora, estou atado pela lei. A punição para esse crime é pagar R$ 5.000,00 ou ir para a cadeia — diz o juiz. O filho apela a seu pai:

— Mas pai, você sabe que eu não tenho R$ 5.000,00. Deve existir outra maneira de evitar a cadeia!

O juiz levanta e tira sua toga. Desce do seu lugar elevado e chega no mesmo nível em que está seu filho. Olhando bem direto em seus olhos, põe a mão no bolso, tira R$ 5.000,00 e estende ao filho. O filho está surpreso, mas ele entende que existe apenas uma coisa que pode fazer para ser livre: aceitar o dinheiro. Não há nada mais que possa fazer. Boas obras ou promessas de boas obras não podem libertá-lo. Somente a aceitação do presente gratuito de seu pai pode salvá-lo da punição certa.

Deus está numa situação similar à daquele juiz — ele está preso num dilema entre sua justiça e seu amor. Uma vez que todos nós pecamos em algum momento de nossa vida, a infinita justiça de Deus exige que ele puna aquele pecado. Mas por causa do seu amor infinito, Deus deseja encontrar uma maneira para evitar nos punir.

Qual era a *única maneira* de Deus permanecer justo mas não nos punir por nossos pecados? Ele deve punir um substituto sem pecado que voluntariamente aceita a punição que nos é devida (sem pecado significa que o substituto deve pagar por nossos pecados, e não pelos seus próprios; voluntário porque seria injusto punir um substituto contra sua vontade). Onde Deus pode encontrar um substituto sem pecado? Não na humanidade pecaminosa, mas apenas em si mesmo. Na realidade, o *próprio Deus* é o substituto. Assim como o juiz desceu de seu lugar para salvar seu filho, Deus desceu dos céus para salvar você e eu da punição. Todos nós merecemos a punição. Eu mereço. Você merece.

"Mas eu sou uma boa pessoa!", você diz. Talvez você seja "bom" comparado a Hitler ou até mesmo ao seu vizinho. Mas o padrão de Deus não é Hitler nem o homem que mora na casa ao lado da sua. Seu padrão é a perfeição moral, porque sua natureza imutável é a perfeição moral.

De fato, o maior mito no qual se acredita hoje em dia quando se trata de religião é que "ser bom" vai fazer você chegar ao céu. De acordo com essa visão, não importa aquilo em que você crê, contanto que seja uma "boa pessoa" e que haja uma maior quantidade de boas obras do que de más. Mas isso é falso, porque um Deus perfeitamente justo deve punir as más obras independentemente de quantas boas obras alguém tenha realizado. Uma vez que pecamos contra um Ser eterno

— e todos nós pecamos —, merecemos punição eterna, e nenhuma obra pode mudar esse fato.

Jesus veio para nos apresentar uma maneira de nos livrarmos dessa punição, oferecendo-nos vida eterna. O paraíso perdido no Gênesis torna-se o paraíso encontrado no Apocalipse. Desse modo, quando Jesus disse "Eu sou o caminho, a verdade e a vida. Ninguém vem ao Pai, a não ser por mim" (Jo 14.6), ele não estava fazendo uma afirmação arbitrária, mas uma declaração que refletia a realidade do Universo. Jesus é o único caminho porque não existe outra maneira pela qual Deus possa conciliar sua justiça infinita e seu amor infinito (Rm 3.26). Se houvesse alguma outra maneira, então Deus permitiu que Cristo morresse por nada (Gl 2.21).

Tal como o pai fez por seu filho embriagado, Deus satisfaz sua justiça ao punir a si mesmo por nossos pecados e estender esse pagamento a cada um de nós. Tudo o que precisamos fazer com o objetivo de sermos libertos é aceitar o presente. Existe apenas um problema: *assim como o pai não pode forçar seu filho a aceitar o presente, Deus não pode nos forçar a aceitar seu presente.* Deus nos ama tanto que ele até mesmo respeita nossa decisão de rejeitá-lo.

O SERVO-REI

Você pode rejeitar a Cristo porque ele manteve o seu livre-arbítrio realmente livre.[1] O escritor Philip Yancey adapta uma parábola do filósofo cristão Søren Kierkegaard que nos ajuda a compreender de que maneira Deus tenta nos salvar ao mesmo tempo que respeita nossa liberdade. É uma parábola de um rei que ama uma moça humilde:

> Não havia rei como ele. Todos os estadistas tremiam diante de seu poder. Ninguém ousava pronunciar uma palavra contra ele, pois este rei possuía a força para esmagar todos os oponentes. E, ainda assim, esse poderoso rei derreteu-se de amores por uma moça humilde. Como podia declarar seu amor por ela? Por ironia, sua própria realeza deixava-o de mãos amarradas. Caso a trouxesse ao palácio, lhe coroasse a cabeça com jóias e lhe vestisse o corpo com vestes reais, certamente ela não resistiria — ninguém ousava resistir-lhe. Mas ela o amaria? É claro que diria que o amava, mas amá-lo-ia de verdade? Ou iria viver com ele temerosa, secretamente se lastimando

---

[1] V. uma discussão sobre como Deus pode ser soberano e os homens continuarem livres em Norman GEISLER, *Eleitos, mas livres*: uma perspectiva equilibrada entre a eleição divina e o livre-arbítrio. 2. ed. São Paulo: Vida, 2005.

pela vida que havia deixado para trás? Seria feliz ao seu lado? Como ele poderia saber? Caso fosse na carruagem real até a cabana dela na floresta, com uma escolta armada balançando imponentes estandartes, isso também a atordoaria. Ele não desejava uma súdita servil. Desejava uma amante, uma igual. Desejava que ela esquecesse que ele era rei e ela uma moça humilde e que deixasse que o amor partilhado vencesse o abismo existente entre eles. "Pois é somente no amor que o desigual pode ser feito igual", concluiu Kierkegaard.[2]

Esse é exatamente o mesmo problema que Deus enfrenta em sua busca por você e eu: se ele se impuser sobre nós com seu poder, não seremos livres para amá-lo (amor e poder freqüentemente possuem relações opostas). Ainda que mantenhamos nossa liberdade, podemos não amá-lo, mas simplesmente amar aquilo que ele nos dá. O que Deus pode fazer? Veja o que o rei fez:

O rei, convencido de que não poderia fazer a moça melhorar sua condição social sem reprimir sua liberdade, decidiu rebaixar-se. Vestiu-se de pedinte e aproximou-se da cabana incógnito, com uma capa surrada, frouxa, esvoaçando ao seu redor. Não era um mero disfarce, mas uma nova identidade que assumiu. Renunciou ao trono para ganhar a mão dela.[3]

Foi exatamente isso o que Deus fez para ganhar você e eu! Ele se rebaixou até o nível humano — na verdade, a uma das mais baixas posições sociais que alguém poderia assumir — a de um servo. Paulo descreve o sacrifício de Cristo dessa maneira em sua carta aos Filipenses (2.5-8):

Seja a atitude de vocês a mesma de Cristo Jesus,

que, embora sendo Deus,
    não considerou
que o ser igual a Deus
    era algo a que devia apegar-se;
mas esvaziou-se a si mesmo,
    vindo a ser servo,
tornando-se semelhante
    aos homens.

[2] *Decepcionado com Deus.* São Paulo: Mundo Cristão, 2004, 11. ed., p. 103-4.
[3] Ibid.

E, sendo encontrado
  em forma humana,
humilhou-se a si mesmo
  e foi obediente até a morte,
  e morte de cruz!

Imagine o Criador do Universo humilhando-se a ponto de se tornar servo, sofrer e morrer nas mãos das próprias criaturas que ele criou! Por que ele faria isso? Porque seu amor infinito o compele a oferecer salvação àqueles que foram criados à sua imagem. Assumir a forma de um servo humano era a única maneira de ele nos oferecer salvação sem negar nossa capacidade de aceitá-la.

Uma coisa é reconhecer que Cristo se fez servo com o objetivo de nos salvar de nossos pecados; outra, completamente diferente, é perceber com precisão a magnitude de seu sofrimento. A maioria de nós o despreza. C. Truman Davis, médico, escreveu uma viva descrição do sofrimento e da crucificação de Cristo, que adaptamos no relato a seguir.[4]

O SOFRIMENTO DO REI-SERVO

O chicote que os soldados romanos usaram sobre Jesus tinha pequenas bolas de ferro e pedaços afiados de ossos de carneiro amarrados nele. Jesus é despido, e suas mãos são presas em um tronco vertical. Suas costas, nádegas e pernas são chicoteadas por um soldado ou por dois em posições alternadas. Os soldados insultam sua vítima. Conforme atingem repetidamente as costas de Jesus com toda a força, as bolas de ferro causam contusões graves, e os ossos de carneiro cortam a pele e os tecidos. À medida que o açoitamento continua, as lacerações atingem os músculos esqueléticos por baixo da pele e produzem tiras de carne ensangüentada. A dor e a perda de sangue antecipam o choque circulatório.

Quando é percebido, pelo centurião encarregado, que Jesus está prestes a morrer, a tortura é finalmente interrompida. O Jesus quase desmaiado é então solto e cai no piso de pedra, que está molhado com seu próprio sangue. Os soldados romanos vêem muita graça na afirmação desse judeu provinciano que

---

[4] "A Physician Analyzes the Crucifixion: A Medical Explanation of What Jesus Endured on the Day he Died". Disponível *on-line* em http://www.thecross-photo.com/Dr_C._Truman_Davis_ Analyzes_the_Crucifixion.htm. Acesso em 9 de outubro de 2003. Originalmente publicado em *Arizona Medicine*, March 1965, Arizona Medical Association. Você poderá obter informação adicional sobre a morte de Cristo em William D. EDWARDS, Wesley J. GABEL, Floyd E. HOSMER, "On the Physical Death of Jesus Christ", *Journal of the American Medical Association* 255, n. 11 (March 21, 1986): 1463.

afirma ser ele um rei. Jogam uma túnica sobre seus ombros e colocam uma vara em sua mão, como se fosse um cetro. Ele precisa de uma coroa para fazer sua imitação ser completa. Um pequeno feixe de galhos flexíveis cobertos de espinhos é montado no formato de uma coroa e é pressionado em seu escalpo. Mais uma vez, acontece um grande sangramento (o escalpo é uma das áreas mais vascularizadas do corpo). Depois de zombar dele e de atingi-lo na face, os soldados tiram a vara de sua mão e batem com ela na cabeça de Jesus, fazendo os espinhos penetrarem ainda mais na pele.

Finalmente, quando já estão cansados de seu esporte sádico, o manto é retirado de suas costas. Ele já se grudou às roupas ensangüentadas e ao soro das feridas, e sua remoção — do mesmo modo que a remoção descuidada de uma bandagem cirúrgica — provoca uma dor excruciante, quase como se estivesse sendo chicoteado de novo. As feridas começam a sangrar mais uma vez. Em deferência ao costume judaico, os romanos devolvem suas roupas. A pesada viga horizontal da cruz é presa aos seus ombros, e a procissão do Cristo condenado, dos dois ladrões e dos responsáveis pela execução prossegue pela Via Dolorosa. Apesar de seus esforços para caminhar ereto, o peso da pesada travessa de madeira, juntamente com o choque produzido pela enorme perda de sangue, é muito para ele. Ele tropeça e cai. A madeira rústica da travessa provoca um tipo de entalhe na pele lacerada e nos músculos dos ombros. Ele tenta se levantar, mas os músculos humanos foram exigidos além do que podem suportar. O centurião, ansioso para prosseguir com a crucificação, escolhe um observador robusto do norte da África, chamado Simão de Cirene, para carregar a cruz. Jesus o segue, ainda sangrando e suando o suor frio e pegajoso do choque.

A jornada de cerca de 600 metros entre a fortaleza de Antônia e o Gólgota é finalmente completada. As roupas de Jesus são mais uma vez tiradas, restando-lhe uma tira nos quadris, permitida aos judeus. A crucificação começa. Uma espécie de analgésico leve — uma mistura de vinho com mirra — é oferecida a Jesus. Ele se recusa a bebê-la. Simão recebe a ordem de colocar a travessa da cruz no chão, e Jesus é rapidamente jogado de costas, tendo os ombros contra a madeira. O legionário procura a depressão na parte anterior do pulso. Ele introduz um prego de ferro pesado e quadrado por entre o pulso, pregando-o profundamente na madeira. Rapidamente, ele vai para o outro lado e repete a ação, sendo cuidadoso para não deixar os braços muito apertados, mas permitindo alguma flexibilidade e movimento. A travessa vertical é então erguida, e o título "Jesus de Nazaré, rei dos judeus" é pregado na parte superior.

Jesus, a vítima, está agora crucificado. Conforme ele verga lentamente para baixo com mais peso sobre os pregos nos pulsos, uma terrível e excruciante dor é sentida nos dedos, passando pelos braços e vindo explodir no cérebro — os pregos nos pulsos estão fazendo pressão nos nervos medianos. Conforme tenta se empurrar para cima a fim de evitar o prolongamento desse tormento, ele coloca todo o seu peso nos pregos que seguram seus pés. Mais uma vez, é sentida uma profunda agonia por causa dos pregos cortando os nervos entre os metatarsos em seus pés. Nesse momento, acontece outro fenômeno. Conforme os braços se fatigam, grandes ondas de cãibras passam pelos músculos, provocando uma profunda e contínua dor latejante. Juntamente com essas cãibras, vem a incapacidade de se empurrar para cima. Pendurado pelos braços, os músculos peitorais são paralisados, e os músculos intercostais não conseguem funcionar. O ar consegue entrar nos pulmões, mas não consegue ser expelido. Jesus luta para se levantar a fim de poder ter um curto período de respiração. Desse modo, o dióxido de carbono diminui em seus pulmões e na corrente sanguínea, e as cãibras diminuem parcialmente. De maneira espasmódica, ele é capaz de se empurrar para cima para exalar e inalar o oxigênio que lhe pode prolongar a vida. É sem dúvida durante esses períodos que ele profere as sete frases curtas que estão registradas.

É nesse momento que tem início as horas de dor ilimitada, ciclos de cãibras e torções, a asfixia parcial, a dor abrasadora à medida que os tecidos são rasgados em suas costas diaceradas conforme ele se move para cima e para baixo contra a viga bruta da cruz. Então, começa outra agonia. Uma dor profunda e esmagadora no peito à medida que o pericárdio lentamente se enche de soro e começa a comprimir o coração. Está quase no fim — a perda de fluidos nos tecidos alcançou um nível crítico; o coração comprimido está lutando para bombear sangue grosso, pesado e vagaroso nos tecidos; os pulmões torturados estão fazendo um esforço frenético para arfar pequenas golfadas de ar. Os tecidos notadamente desidratados enviam um dilúvio de estímulos ao cérebro. Sua missão de expiação se completou. Finalmente, ele pode permitir que seu corpo morra. Com um último surto de força, ele mais uma vez pressiona seus pés pregados contra os cravos, fortalece suas pernas, respira fundo e profere seu sétimo e último clamor: "Pai, nas tuas mãos entrego o meu espírito".

Jesus passou por tudo isso para que você e eu pudéssemos ser reconciliados com ele, para que você e eu pudéssemos ser salvos de nossos pecados quando declaramos *Pai, nas tuas mãos entrego a minha vida.*

A TAMPA DA CAIXA

Começamos este livro procurando a "tampa da caixa" deste quebra-cabeça que chamamos vida. Dissemos que, se pudéssemos encontrar a tampa da caixa, seríamos capazes de responder às cinco maiores perguntas que confrontam todo ser humano. Uma vez que sabemos agora, acima do que se considera passível de dúvida, que a tampa da caixa é a Bíblia, as respostas para aquelas cinco perguntas são:

1. **Origem: De onde viemos?** Somos seres criados, maravilhosamente feitos à imagem e semelhança de Deus (Gn 1.27; Sl 139.14).

2. **Identidade: Quem somos?** Uma vez que somos feitos à imagem e semelhança de Deus, somos criaturas de supremo valor. Somos amados por Deus e recebemos dele certos direitos e responsabilidades (Jo 3.16-18; 1.12; Gl 4.5).

3. **Propósito: Por que estamos aqui?** Adão e Eva foram criados num estado de inocência, mas sua escolha em desobedecer condenou a raça humana à punição de acordo com a infinita justiça de Deus (Gn 3.6-19). Desde aquele momento, cada um de nós confirmou a escolha de Adão e Eva por meio de nossa própria desobediência (Rm 3.10-12; 5.12). Permanecemos nesse estado decaído, de modo que podemos fazer escolhas livres que terão implicações na eternidade. Esta vida temporal é o lugar onde são feitas as opções para a vida eterna. Entre as escolhas que podem ser feitas, as quais trarão glória a Deus (Is 43.7; Jo 15.8) e podem nos trazer recompensas eternas, temos:

    a. *Aceitar* o resgate pago por Jesus com o objetivo de nos libertar da punição eterna e de nos dar boas-vindas em sua presença eterna (Mc 10.45; 1Tm 2.6; Hb 9.15; Lc 16.9; Jo 14.2);

    b. *Servir* como embaixadores de Cristo para ajudar os outros a fazerem a mesma escolha (2Co 5.17-21; Mt 28.19);

    c. *Aprender* com base emnossos próprios sofrimentos a confortar aqueles que sofrem (2Co 1.3,4) e perceber que nossos sofrimentos aumentam nossa capacidade de desfrutar a eternidade (2Co 4.15—5.1; 2Pe 1.5-11).

4. **Moralidade: Como devemos viver?** Uma vez que Deus nos amou primeiro, devemos amá-lo e aos outros (Rm 5.8; 1Jo 4.19-21). De fato, "o essencial para o homem" é "[temer] a Deus e [obedecer] aos seus mandamentos" (Ec 12.13,14). Isso inclui fazer discípulos de todas as nações (Mt 28.19) e desfrutar das boas coisas que Deus nos dá (1Tm 6.17).

5. **Destino: Para onde vamos?** A infinita justiça de Deus exige que ele puna os nossos pecados, mas, por causa de seu amor infinito, ele próprio assumiu essa punição (Is 53.4,10,12; Rm 3.26; 2Co 5.21; 1Pe 2.24). Essa era a única maneira de Deus permanecer justo e ainda assim justificar os pecadores (Jo 14.6; Rm 3.26). O dom de ser salvo da punição eterna é gratuito para todo o mundo (Jo 3.16; Ef 2.8,9; Ap 22.17). Ele não pode

ser obtido por meio de boas obras ou por qualquer tipo de mérito. Deus deseja que todos sejamos salvos da punição eterna que merecemos (1Tm 2.4; 2Pe 3.9). Contudo, uma vez que ele não pode nos forçar a amá-lo (amor forçado é uma contradição), cada um de nós deve escolher por si mesmo a quem vai servir (Js 24.15; Jo 3.18).

NOSSO DESTINO

A quem você vai servir? Deus deixa essa escolha em suas mãos. O amor não conhece outra maneira. Com o objetivo de respeitar o livre-arbítrio que você possui, Deus fez que a evidência do cristianismo fosse convincente, mas não impositiva. Se você quer suprimir ou ignorar as evidências ao seu redor (Rm 1.18-20) — incluindo as que foram apresentadas neste livro —, é livre para fazê-lo. Mas isso seria um ato volitivo, não um ato racional. *Você pode rejeitar a Cristo, mas não pode dizer honestamente que não existem evidências suficientes para acreditar nele.*

C. S. Lewis disse isso de maneira melhor quando escreveu o seguinte: "Existem apenas dois tipos de pessoas no final: aquele que diz a Deus 'Seja feita a tua vontade' e aquele a quem Deus diz, no final, 'Seja feita a *sua* vontade'. Todos os que estão no inferno optaram por estar lá. Sem essa escolha pessoal, não haveria inferno. Nenhuma alma que deseja a alegria de maneira séria e constante vai perdê-la. Aqueles que a buscam a encontram. Àqueles que batem, será aberto".[5]

A porta está sendo mantida aberta por Jesus Cristo. De que maneira você pode passar por ela? Paulo escreveu: "Se você confessar com a sua boca que Jesus é Senhor e crer em seu coração que Deus o ressuscitou dentre os mortos, será salvo. Pois com o coração se crê para justiça, e com a boca se confessa para salvação" (Rm 10.9,10).

Você diz: "Eu creio que Jesus ressuscitou dos mortos". Bom. Mas simplesmente *acreditar* que Jesus ressuscitou dos mortos não é suficiente. Você precisa colocar sua *confiança* nele. Você poderia *acreditar* que certa pessoa seria um grande cônjuge, mas isso não é suficiente para fazer que essa pessoa se transforme em seu marido ou em sua esposa. Você deve ir além, saindo do intelectual e indo para o volitivo — você deve colocar sua *confiança* nessa pessoa ao dizer "sim". O mesmo é verdadeiro em relação ao seu relacionamento com Deus. Confiar nele não é simplesmente uma decisão da cabeça, mas também do coração. Como alguém já disse, "a distância entre o céu e inferno é de cerca de 40 cm — a distância entre a cabeça e o coração".

---

[5] *The Great Divorce.* New York: Macmillan, 1946, p. 72 [no prelo pela Editora Vida].

O que acontece se você escolhe livremente *não* passar pela porta que Jesus está mantendo aberta? Jesus disse que você vai permanecer no estado de condenação: "Pois Deus enviou o seu Filho ao mundo, não para condenar o mundo, mas para que este fosse salvo por meio dele. Quem nele crê não é condenado, *mas quem não crê já está condenado*, por não crer no nome do Filho Unigênito de Deus" (Jo 3.17,18). Em outras palavras, você permanecerá condenado e separado de Deus para sempre. Deus respeitará sua escolha ao lhe dizer "*Tua* vontade seja feita".

Você diz: "Deus não manda ninguém para o inferno!". Você está certo. Se você rejeitar a Cristo, é você mesmo que está se mandando para lá.

Você diz: "Deus vai simplesmente aniquilar aqueles que não crêem". Não, ele não fará isso. O inferno é real. De fato, Jesus falou mais do inferno do que do céu. Deus não vai aniquilar os que não crêem porque ele não vai destruir criaturas feitas à sua própria imagem. Isso seria um ataque a si mesmo (o que você pensaria se um pai humano matasse seu filho simplesmente porque o filho escolheu não fazer aquilo que o pai queria que ele fizesse?). Deus é amoroso demais para destruir aqueles que não desejam estar em sua presença. Sua única escolha é isolar aqueles que o rejeitam. É isso o que faz o inferno — ele coloca o mal, que é contagioso, de quarentena.

Você diz: "Deus vai salvar todo mundo!". De que maneira? Contra sua própria vontade? Algumas pessoas preferem ser arruinadas a serem transformadas. Preferem continuar sua rebelião a serem reformadas. Desse modo, Deus diz: "Que seja do seu jeito. Você pode continuar a sua rebelião, mas será colocado em quarentena, de modo que não possa mais poluir o resto da minha criação". Além disso, seria falta de amor por parte de Deus enviar as pessoas que não conseguem passar uma hora no culto de adoração dominical para um lugar onde elas o estarão louvando por toda a eternidade. Isso seria um verdadeiro "inferno" para elas!

Você diz: "Não posso acreditar que exista apenas uma maneira de chegar a Deus". Por que não? Você precisa de mais de uma maneira para entrar num prédio? Você faz essa acusação contra os muçulmanos por dizerem que o islã é o único caminho? E quanto aos hindus? Eles dizem que a encarnação é a única maneira para se alcançar a salvação. Demonstramos filosófica e biblicamente que Jesus é o único caminho para conciliar a justiça infinita e o amor infinito. Se isso não for verdade, então Deus enviou Jesus para morrer uma morte brutal por nada.

Você diz: "Mas e quanto àqueles que nunca ouviram?". Por que isso deve afetar *a sua* decisão? *Você* ouviu!

"Porque eu não posso crer em um Deus que torturaria pessoas no inferno simplesmente porque elas não ouviram falar de Jesus". Quem disse que Deus faz isso? Em primeiro lugar, Deus não tortura ninguém. O inferno não é um lugar onde se inflige tortura externa, mas um lugar de *tormento* auto-infligido (Lc 16.23,28). Aqueles que estão no inferno certamente não o querem, mas *estarão* lá. O inferno é um lugar terrível, mas suas portas estão fechadas pelo lado *de dentro*. Segundo, as pessoas podem optar pelo inferno quer elas tenham ouvido quer não tenham ouvido falar de Jesus. Todo mundo conhece a Deus por causa dos céus estrelados acima de nós e da lei moral dentro de nosso coração (Rm 1.18-20; 2.14,15). Aqueles que rejeitam essa revelação natural também rejeitarão a Jesus. Contudo, aqueles que verdadeiramente buscam a Deus serão recompensados (Hb 11.6). Uma vez que Deus deseja que todos sejam salvos (até mais do que você mesmo deseja — 2Pe 3.9), ele vai garantir que aqueles que o buscam tenham a informação de que necessitam. Uma vez que Deus é justo (Gn 18.25; Sl 9.8; Rm 3.26), ninguém que deva ir para o céu estará no inferno, e vice-versa. "Enquanto isso", como disse C. S. Lewis,

> ... se você está preocupado em relação às pessoas do lado de fora, a coisa mais sensata que poderia fazer era permanecer lá fora com elas. Os cristãos são o corpo de Cristo, o organismo por meio do qual ele opera. Qualquer acréscimo a esse corpo o capacitará a fazer mais. Se você quer ajudar aqueles que estão do lado de fora, deve acrescentar sua própria pequena célula ao corpo de Cristo, que é o único que pode ajudá-los. Cortar o dedo de um homem seria uma maneira estranha de ajudá-lo a fazer mais coisas.[6]

Você diz: "Vocês, cristãos, só querem assustar as pessoas com o inferno!". Não, nós simplesmente queremos que as pessoas saibam a verdade. Se isso as assusta, talvez deveria ser assim mesmo. Nós certamente não gostamos daquilo que a Bíblia diz sobre o inferno. Gostaríamos que não fosse verdade. Mas Jesus, que é Deus, ensinou isso, e o fez por uma boa razão. Parece ser necessário. Sem um inferno, a injustiça neste mundo nunca seria corrigida, as opções das pessoas não seriam respeitadas e o maior bem de uma redenção jamais poderia ser realizado. Se não existe um céu a ser buscado e um inferno a ser evitado, então nada neste Universo tem um significado último: as suas escolhas, os seus prazeres, os seus sofrimentos, a sua vida e a de seus entes queridos por fim não significam nada. Lutamos nesta vida por nenhuma razão final, e Cristo morreu por nada. Sem o inferno e o céu, este Universo incrivelmente planejado é um caminho estrelado que não leva a lugar algum.

"E daí?", diz o ateu. "Talvez este Universo *seja* um caminho estrelado que não leva a lugar algum. O simples fato de você querer que a vida tenha sentido não

---

[6]*Mere Christianity*. New York: Macmillan, 1952, p. 65 [publicado em português pela Martins Fontes, *Cristianismo puro e simples*].

significa que ela tenha." É verdade. Mas nós não simplesmente *queremos* que a vida tenha sentido — temos *evidências* de que ela tem sentido.[7]

Terminamos com a maior notícia que alguém poderia ouvir. Suas escolhas têm importância. A sua vida realmente possui significado. E, graças a Cristo, ninguém precisa experimentar o inferno. Todo ser humano pode aceitar seu dom gratuito de salvação eterna. Isso não exige nenhum esforço. Exige alguma fé? Sim, mas todas as escolhas — até mesmo a de rejeitar a Cristo — exigem fé. Uma vez que as evidências mostram acima de qualquer dúvida que a Bíblia é verdadeira, aceitar a Cristo é a escolha que exige a *menor* quantidade de fé. A escolha depende de você. Você tem fé suficiente para acreditar em qualquer outra coisa?

Você diz: "Eu ainda tenho dúvidas e questionamentos". E daí? Nós também temos. Todo mundo tem dúvidas e questionamentos. E por que não deveríamos ter? Como criaturas finitas, não deveríamos esperar compreender todas as coisas sobre um Deus infinito e como ele faz as coisas. Paulo certamente não sabia de tudo (Rm 11.33-36), e muitos dos autores do Antigo Testamento expressaram dúvidas e até mesmo questionaram a Deus.[8] Contudo, uma vez que somos criaturas finitas que devem tomar suas decisões baseadas na probabilidade, é preciso haver um ponto onde percebamos que o peso das evidências é maior de um lado do que do outro. Nunca teremos *todas* as respostas. Contudo, como vimos por todo este livro, existem respostas mais do que suficientes para dar a Deus o benefício de nossas dúvidas.

Por último, você já pensou em questionar suas próprias dúvidas? Simplesmente faça a seguinte pergunta a si mesmo: "É racional duvidar que o cristianismo é verdadeiro à luz de todas as evidências?". Provavelmente não. De fato, *à luz das evidências, você deve ter muito mais dúvidas sobre o ateísmo e sobre outros sistemas de crenças não-cristãos.* Eles não são razoáveis. O cristianismo é. Assim, comece duvidando de suas próprias dúvidas e aceite a Cristo. *É preciso ter muito mais fé para acreditar em qualquer outra coisa!*

---

[7]Você poderá ler mais sobre o inferno e objeções ao inferno em Norman GEISLER, *Enciclopédia de apologética*. São Paulo: Vida, 2002, p. 424.

[8]Os livros de Jó, Eclesiastes, Lamentações e muitos salmos são exemplos de livros bíblicos nos quais são expressas dúvidas e questionamentos sobre Deus.

Apêndice 1
Se Deus existe, então por que existe o mal?

Ateu: — Se realmente existe um Deus teísta que é completamente bom e todo-poderoso, então por que ele permite a existência do mal?

Cristão: — Como você pode saber o que é o mal a não ser que saiba o que é o bem? E como você sabe o que é o bem a não ser que possua um padrão objetivo de bem que esteja além de você?

Ateu: — Não tente evitar a pergunta.

Cristão: — Não estou tentando fugir da pergunta. Estou simplesmente mostrando-lhe que sua reclamação pressupõe que Deus existe. De fato, a existência do mal não é uma prova contra a existência de Deus. Ela pode provar que Satanás existe, mas não pode provar que Deus não exista.

Ateu: — Argumento interessante, mas ainda não estou convencido.

Cristão: — Você pode não estar convencido, mas a sua reclamação ainda assim pressupõe a existência de Deus.

Ateu: — Em favor do argumento, suponha que eu considere a existência de Deus. Você vai responder à pergunta?

Cristão: — Certamente. É bom ver que você está fazendo progresso.

Ateu: — Lembre-se de que estou fazendo isso apenas em favor do argumento. Então, por que o seu assim chamado Deus "todo-poderoso" não impede a existência do mal?

Cristão: — Você realmente quer que ele faça isso?

Ateu: — Naturalmente!

Cristão: — Vamos supor que comece com você.

Ateu: — Fale sério.

Cristão: — Não, de verdade. Sempre falamos sobre Deus conter o mal, mas nos esquecemos de que, se ele o fizer, vai precisar nos conter também. Todos nós fazemos alguma coisa de mal.

Ateu: — Ora, faça-me o favor! Não estamos falando sobre os pecados menores que eu e você cometemos, mas estamos falando sobre o mal verdadeiro, como aquele que Hitler fez!

Cristão: — Minha questão não é a gradação do mal, mas a fonte do mal. A fonte do mal é o nosso livre-arbítrio. Se Deus fosse eliminar todo mal, então teria de eliminar o nosso livre-arbítrio. E se ele eliminasse o nosso livre-arbítrio, não teríamos mais a capacidade de amar ou de fazer o bem. Este não seria mais um mundo moral.

Ateu: — Mas nem todo o mal se deve ao livre-arbítrio. Por que os bebês morrem? Por que acontecem desastres naturais?

Cristão: — A Bíblia faz uma ligação de tudo isso com a Queda do homem. Ninguém é realmente inocente porque todos nós pecamos em Adão (Rm 5.12) e, como conseqüência, merecemos a morte (Rm 6.23). Desastres naturais e mortes prematuras são resultado direto da maldição sobre a criação por causa da Queda da humanidade (Gn 3; Rm 8). Este mundo decaído não será consertado até que Cristo volte (Ap 21 e 22). Desse modo, ninguém tem garantia de uma vida livre de problemas ou de chegar a uma boa idade.

Ateu: — Puxa, isso é muito conveniente — você tira a poeira da Bíblia e nos diz que Deus consertará tudo no final! Não estou interessado no futuro. Eu quero pôr fim à dor e ao sofrimento agora! Por que Deus não dá fim a tudo isso?

Cristão: — Ele eliminará tudo isso, mas não de acordo com sua agenda. O simples fato de Deus não ter feito cessar definitivamente o mal não significa que ele não o fará no final.

Ateu: — Mas por que Cristo não volta agora mesmo para pôr fim a todo sofrimento? A soma de toda a dor humana é enorme!

Cristão: — Em primeiro lugar, ninguém está experimentando a "soma de toda a dor humana". Se está fazendo 35° em Copacabana, 30° em Ipanema e 32° na Tijuca, o carioca não está sentindo um calor de 97°, está?

Ateu: — Não.

Cristão: — Isso mesmo, cada pessoa experimenta sua própria dor.

Ateu: — Mas isso ainda não explica por que Deus não coloca um ponto final em tudo isso agora. Por que está esperando?

Cristão: — Se Deus quisesse fazer cessar definitivamente o mal agora, ele poderia. Mas você já pensou que talvez Deus tenha outros objetivos que gostaria de alcançar enquanto o mal existe?

Ateu: — Tal como o quê?

Cristão: — Para começar, ele gostaria que mais pessoas escolhessem o céu antes de ele fechar a cortina deste mundo. Paulo parece indicar que Jesus voltará depois que a "plenitude" de pessoas se torne crente (Rm 11.25).

Ateu: — Bem, enquanto Deus está esperando pela "plenitude" de pessoas a serem salvas, outras pessoas estão sofrendo!

Cristão: — Sim, estão. Isso significa que os cristãos têm um trabalho a fazer. Nós temos o privilégio de ajudar essas pessoas que estão sofrendo. Somos embaixadores de Cristo neste mundo.

Ateu: — Isso é interessante, mas, se eu estivesse sofrendo, preferiria que *Deus* me ajudasse, em vez de você!

Cristão: — Se Deus impedisse a dor todas as vezes que tivéssemos algum problema, então nos tornaríamos as criaturas mais negligentes e egoístas do Universo. Nunca aprenderíamos com o sofrimento.

Ateu: — Aprender com o sofrimento? Do que você está falando?

Cristão: — Ah, você acabou de ver outra razão pela qual Deus não põe fim ao mal exatamente agora. Você pode me citar uma lição duradoura que tenha aprendido do prazer?

Ateu: — Dê-me um minuto.

Cristão: — Eu poderia lhe dar uma hora; duvido que possa relatar muitas coisas. Se você pensar sobre isso, vai descobrir que praticamente toda lição valiosa que já aprendeu resultou de alguma dificuldade em sua vida. Na maioria dos casos, a má sorte ensina enquanto a boa sorte engana. De fato, você não apenas aprende lições com o sofrimento, como ele é praticamente a única maneira pela qual pode desenvolver as virtudes.

Ateu: — O que você quer dizer?

Cristão: — Você não pode desenvolver coragem a não ser que esteja em perigo. Não pode desenvolver perseverança a não ser que tenha obstáculos no caminho. Não vai aprender como ser servo a não ser que exista alguém a quem servir. A compaixão nunca será compreendida se não houver uma pessoa que esteja passando por uma necessidade ou enfrentando o sofrimento. É como diz aquela expressão: "Sem dor, não tem valor".

Ateu: — Mas eu não precisaria de todas essas virtudes se Deus simplesmente banisse o mal exatamente agora!

Cristão: — Mas uma vez que Deus tem razões para não banir o mal exatamente agora, você precisa desenvolver virtudes para esta vida e para a depois desta. Este mundo é um lar desconfortável, mas é uma grande academia para a vida futura.

Ateu: — Vocês, cristãos, sempre apontando para a vida futura. Ficam tão concentrados no céu que não conseguem se concentrar na Terra!

Cristão: — Podemos pensar muito no céu, mas sabemos que aquilo que fazemos aqui tem implicações eternas. As virtudes que um crente desenvolve por meio do sofrimento vão melhorar sua capacidade de desfrutar a eternidade. Paulo diz que "os nossos sofrimentos leves e momentâneos estão produzindo para nós uma glória eterna que pesa mais do que todos eles" (2Co 4.17; cf. Rm 8.18).

Ateu: — De que maneira as dificuldades daqui vão me ajudar a me sentir melhor num lugar onde não vai existir dor de qualquer tipo?

Cristão: — Você gosta de futebol, não gosta?

Ateu: — Já vi alguns jogos.

Cristão: — Como se sente qualquer jogador que vence o campeonato nacional?

Ateu: — Muito contente, é claro!

Cristão: — Será que o capitão do time vencedor — que também foi o artilheiro do campeonato — desfruta da vitória muito mais do que aquele reserva que nunca entrou em campo?

Ateu: — Suponho que sim.

Cristão: — É claro que sim. Embora o reserva esteja feliz por fazer parte do time vencedor, a vitória é muito mais saboreada pelo capitão que também leva o prêmio de artilheiro porque ele contribuiu para isso e perseverou durante o ano todo para obtê-la. Ao persistir diante de todas as dificuldades e dores de se jogar, ele na verdade aumentou sua capacidade de desfrutar da vitória. E ela tornou-se ainda mais saborosa quando ele recebeu o troféu de artilheiro do campeonato.

Ateu: — Mas o que o futebol tem a ver com o céu?

Cristão: — O céu será muito semelhante a um vestiário de time vencedor (mas sem o cheiro!). Todos estaremos felizes por estar ali, mas alguns terão uma capacidade ainda maior de desfrutar dele e receberão também mais prêmios que outros. Afinal de contas, a justiça de Deus exige que existam graus de recompensa no céu assim como haverá graus de punição no inferno.

Ateu: — Então você está dizendo que a vida é como o campeonato nacional?

Cristão: — Até certo ponto, sim. Tal como o campeonato nacional, a vida possui regras, um juiz e prêmios. Contudo, na vida não há espectadores — todo mundo está num jogo — e já sabemos quem vai ganhar. Cristo ganhará e, independentemente da habilidade, qualquer um pode ser um vencedor simplesmente por se juntar ao time. Embora todo mundo no time desfrute da vitória, alguns vão apreciá-la ainda mais por causa das dificuldades que experimentaram durante o jogo e das recompensas que vão receber por ter jogado bem. Em outras palavras, o sentimento de vitória é maior quanto mais intensa for a batalha.

Ateu: — Então você está dizendo que o mal tem um propósito com implicações eternas?

Cristão: — Sim.

Ateu: — Por que você insiste em colocar tudo debaixo da luz da eternidade?

Cristão: — Porque todos nós vamos passar muito mais tempo na outra vida do que nesta aqui! Além do mais, a Bíblia ensina que devemos olhar para o que é eterno, e a vida só faz sentido à luz da eternidade. Se não existe a eternidade, então não há um propósito último para nada, seja prazer seja dor.

Ateu: — Suponha que não exista eternidade. Suponha que vivamos, morramos e tudo se acabe.

Cristão: — Isso é possível, mas *não tenho fé suficiente para acreditar nisso.*

Ateu: — Por que não?

Cristão: — Você já leu este livro?

Ateu: — Não, eu pulei direto para este apêndice.

Cristão: — Você é assim mesmo, não é? Você não quer jogar; simplesmente quer ver o resultado final.

Ateu: — Suponho que eu sofra da doença mundial da gratificação instantânea.

Cristão: — É provavelmente por isso que você está tendo dificuldades para perceber o valor do sofrimento e da expressão "Sem dor, não tem valor"!

Ateu: — Você está certo, este livro é muito doloroso. Ele é grande demais.

Cristão: — Ele poderia ser menor se não tivéssemos de abordar todas essas argumentações malucas que vocês, ateus, levantam. Além do mais, você dispõe de tempo para ler. As manhãs de domingo são livres para você.

Ateu: — Existem coisas muito menos dolorosas que eu poderia fazer numa manhã de domingo.

Cristão: — Olha, eu sei que este livro pode ser doloroso de ler, mas é mais doloroso ainda rejeitar a sua conclusão. Você precisa ler este livro desde o início até o fim se quiser ver o argumento completo em favor do cristianismo. A questão é abordada de maneira lógica. Cada capítulo se baseia no anterior.

Ateu: — Tudo bem, eu vou ler o livro. Mas, enquanto isso, vamos voltar à questão do mal. Se existe eternidade, então alguns males deste mundo podem ter um propósito eterno. Mas certamente existem alguns atos malignos deste mundo que não têm absolutamente propósito algum.

Cristão: — Como você sabe disso?

Ateu: — É óbvio! Que propósito benéfico poderia ter, digamos, os ataques terroristas de 11 de setembro de 2001?

Cristão: — Embora eu desejasse que aquilo nunca tivesse acontecido, ficamos sabendo que houve algumas coisas boas que surgiram daqueles acontecimentos terríveis. Os Estados Unidos, por exemplo, ficaram mais próximos como país; ajudamos aquelas pessoas que estavam passando por necessidades; resolvemos enfrentar o mal do terrorismo. Também ficamos chocados ao ponderar as questões derradeiras da vida, e algumas pessoas chegaram a Cristo como resultado disso. Como disse C. S. Lewis, a dor é o "megafone de Deus para despertar um mundo surdo".[1] O episódio do Onze de Setembro certamente nos despertou!

Ateu: — Sim, você pode encontrar uma ponta de bem em qualquer coisa ruim, mas de maneira alguma a sua "ponta de bem" é maior do que a dor e o sofrimento.

Cristão: — Como você pode ter certeza disso? A não ser que saiba todas as coisas e tenha uma perspectiva eterna, como pode saber que os eventos do Onze de Setembro não vão cooperar para o bem no final de tudo? Talvez existam muitas coisas boas que surjam daquela tragédia na vida de cada pessoa, coisas sobre as quais nunca saberemos. De fato, bons resultados podem surgir até mesmo gerações depois, sem que aqueles que experimentaram aquilo tenham consciência do que está acontecendo.

Ateu: — Ora, isso é uma desculpa!

Cristão: — Não, é simplesmente reconhecer nossos limites e reconhecer o conhecimento limitado e os propósitos ocultos de Deus (Rm 11.33-36). Não podemos ver o futuro neste planeta, quanto mais como será a eternidade no céu. Assim, como podemos dizer que o resultado final do Onze de Setembro não vai produzir alguma coisa boa? Já sabemos algumas coisas boas que resultaram dele. O simples fato de não podermos pensar numa boa razão final ou num propósito para ele não significa que o Deus infinito não tenha um propósito.

Ateu: — Se Deus pudesse me mostrar as suas razões, então talvez eu pudesse acreditar em você.

---

[1] *The Problem of Pain.* New York: Macmillan, 1959, p. 81 [no prelo pela Editora Vida].

Cristão: — Jó já tentou essa tática. Depois de questionar a Deus sobre a razão de ele estar sofrendo, Deus o deixou desconcertado com perguntas sobre as maravilhas da criação (Jó 38—41). É como se Deus estivesse dizendo a ele: "Jó, se você não pode nem entender como eu dirijo o mundo físico que você *pode ver*, como então compreenderia o amplamente mais complexo mundo moral que *não pode ver* — o mundo no qual os resultados de bilhões de escolhas feitas em função do livre-arbítrio dos seres humanos a cada dia podem interagir umas com as outras?". De fato, seria impossível para nós compreendermos tal complexidade. A propósito, você já viu o filme *A felicidade não se compra* (no original, *It's a wonderful life* [A vida é maravilhosa])?

Ateu: — Você quer dizer aquele com James Stewart, que passa todo nat..., quer dizer, todo solstício de inverno?

Cristão: — Sim, esse mesmo. Jimmy Stewart faz o papel de George Bailey, uma personagem que está desesperada porque seus negócios vão mal e sua vida parece estar desabando. Ele é salvo de uma tentativa de suicídio no último minuto por um anjo, que lhe mostra como teria sido a vida para outras pessoas caso George não tivesse nascido. Ele descobre que a vida teria sido terrível para muitas pessoas em toda a sua cidade natal. Mas George nunca soube disso. Ele nunca percebeu o maravilhoso impacto que sua vida teve sobre os outros. Daí o título, *It's a wonderful life*.

Ateu: — Ah, isso é tapeação!

Cristão: — Ora, você entendeu, não?

Ateu: — Sim, entendi: não sabemos que impacto qualquer pessoa ou fato pode ter a longo prazo, especialmente porque existem tantas escolhas que interagem entre si.

Cristão: — Sim, até mesmo as escolhas feitas para o mal podem transformar-se em bem (Gn 50.20). Talvez muitas pessoas hoje ou gerações à frente da nossa acheguem-se a Cristo por causa de efeitos diretos ou indiretos de acontecimentos ruins.

Ateu: — Mas isso parece ser uma um argumento baseado na ignorância.

Cristão: — Não. Não é como se não tivéssemos *nenhuma* informação sobre a razão de as coisas ruins acontecerem. Sabemos que vivemos num mundo decaído e também que coisas boas podem surgir com base em coisas ruins. Desse modo, sabemos que é possível que Deus possa ter uma boa razão para as coisas ruins, mesmo que desconhecendo suas razões. E sabemos que ele pode extrair o bem do mal. Desse modo, não é um argumento fundamentado na ignorância, mas uma conclusão proveniente daquilo que sabemos. Embora não compreendamos a razão de cada coisa ruim *específica* que acontece na vida, entendemos por que não sabemos: por causa das nossas limitações humanas.

Ateu: — O que você acha da resposta do rabino Kushner a essa pergunta? Você sabe, ele escreveu o livro *Quando coisas ruins acontecem a pessoas boas*.

Cristão: — Eu acho que a resposta dele está errada.

Ateu: — Errada? Por quê?

Cristão: — Porque sua resposta é que Deus não é suficientemente poderoso para derrotar o mal sobre a Terra. Desse modo, precisamos perdoar Deus por permitir a presença do mal.

Ateu: — O que há de errado com isso?

Cristão: — É que existem fortes evidências de que Deus é infinitamente poderoso. A Bíblia trata Deus como "todo-poderoso" em 56 lugares diferentes e, de várias outras maneiras, ele é descrito como todo-poderoso. Nós também sabemos, com base em evidências científicas, que ele criou este Universo do nada (dê uma olhada no cap. 3 deste livro). Desse modo, o deus finito do rabino Kushner não se enquadra com os fatos.

Ateu: — Se Deus é infinitamente poderoso como você diz, então por que ele permite que coisas ruins aconteçam a pessoas boas?

Cristão: — Já destacamos que existem resultados benéficos da dor e do sofrimento. Mas também precisamos destacar que essa pergunta faz mais uma suposição que não é verdadeira.

Ateu: — Que suposição é essa?

Cristão: — Não existem pessoas *boas*!

Ateu: — Ora, tenha dó!

Cristão: — Não, é verdade. Algumas pessoas são melhores do que outras, mas ninguém é realmente bom. Todos nós temos uma tendência natural para o egoísmo. E todos nós cometemos pecados rotineiramente.

Ateu: — Eu faço mais coisas boas do que ruins.

Cristão: — De acordo com qual padrão?

Ateu: — Com o padrão da sociedade. Sou um cidadão respeitador da lei. Não sou assassino nem ladrão.

Cristão: — Esse é o problema. Nós nos consideramos boas pessoas simplesmente de acordo com os padrões das pessoas ruins. Nós nos julgamos em relação aos outros, em vez de nos julgarmos por um padrão absoluto do bem. A propósito, você já roubou alguma coisa?

Ateu: — Bem, sim.

Cristão: — Você já mentiu sobre alguma coisa?

Ateu: — Não.

Cristão: — Você está mentindo.

Ateu: — Eu posso enganar você.

Cristão: — Então você é um ladrão mentiroso!

Ateu: — Isso não significa que eu seja completamente ruim.

Cristão: — Não, mas significa que você não é plenamente bom também. Pense sobre isso: é muito mais fácil ser ruim do que bom; é muito mais natural para você ser egoísta do que generoso. Todos nós possuímos a natureza humana corrompida. Como disse Agostinho, "todos nós nascemos com uma propensão para o pecado e uma necessidade de morrer".[2] Essa propensão é inata. É por isso que crianças pequenas naturalmente pegam uma coisa e dizem "É meu!". É também por isso que James Madison disse: "Se os homens fossem anjos, não haveria necessidade de haver governo".[3]

Ateu: — Então Kushner faz pressuposições incorretas sobre a natureza do homem e a natureza de Deus.

Cristão: — Exatamente. A pergunta não é "Por que coisas ruins acontecem a pessoas boas?", mas "Por que coisas boas acontecem a pessoas ruins?".

Ateu: — Se Deus é realmente todo-poderoso como você diz, ainda não entendo por que não impediu o Onze de Setembro. Se você soubesse o que estava para acontecer e tivesse o poder de impedi-lo, não o teria feito?

Cristão: — Sim.

Ateu: — Então você é melhor do que Deus!

Cristão: — Não, ao impedir o que hoje denominamos Onze de Setembro, eu estaria evitando o mal. Mas Deus, que possui uma perspectiva eterna ilimitada, permite escolhas ruins, sabendo que ele pode redimi-las no final. Nós não podemos redimir tais escolhas e, assim, tentamos evitá-las.

Ateu: — Sim, mas de acordo com sua doutrina cristã, Deus não redime todas as escolhas ruins no final. Além do mais, algumas pessoas vão para inferno!

Cristão: — Sim, mas isso porque Deus pode trazer bem eterno somente àqueles que o aceitam. Algumas pessoas ignoram os fatos ou simplesmente optam por jogar o jogo de uma maneira que vai lhes trazer a derrota. Uma vez que Deus não pode forçá-las a *livremente escolher* jogar o jogo da maneira correta, o bem último vem somente sobre aqueles que optam por

---

[2] *The City of God*, 14.1 [publicado em português pela Editora Vozes, *A cidade de Deus*].

[3] In: *The Federalist*, Benjamin F. Wright, ed. Cambridge, Mass.: Harvard University Press, 1961, p. 356 [publicado em português pela Ed. Universidade de Brasília, *O federalista*].

ele. É por isso que Paulo diz: "Sabemos que Deus age em todas as coisas para o bem daqueles que o amam, dos que foram chamados de acordo com o seu propósito" (Rm 8.28). Perceba que ele não diz que "todas os coisas são boas". Ele afirma que Deus age em todas as coisas *para* o bem *daqueles que o amam.*

Ateu: — Então de que maneira Deus age em todas as coisas para o bem daqueles que morreram no Onze de Setembro?

Cristão: — Aqueles que amavam a Deus e aceitaram o dom gratuito da salvação estão com Deus na eternidade. Aqueles que não fizeram isso também estão sendo respeitados em sua livre escolha pela separação eterna.

Ateu: — E o resto de nós?

Cristão: — Aqueles de nós que permanecem aqui ainda têm tempo de fazer sua própria decisão. E aqueles que já eram cristãos no momento podem ter tido seu caráter fortalecido por meio do que ocorreu nessa data.

Ateu: — Mas se Deus é plenamente bom e sabe todas as coisas, por que criaria seres que sabia que iriam para o inferno?

Cristão: — Boa pergunta. Deus teve apenas cinco opções. Ele poderia: 1) não ter criado nada; 2) ter criado um mundo não livre, repleto de robôs; 3) ter criado um mundo livre onde não poderíamos pecar; 4) ter criado um mundo livre onde poderíamos pecar, mas no qual todos aceitariam a salvação de Deus; ou 5) ter criado um mundo como o que temos agora — um mundo onde nós pecaríamos, alguns seriam salvos, e o restante se perderia.

Ateu: — Sim, e parece que Deus escolheu a pior das cinco opções! É por isso que Deus não é plenamente bom!

Cristão: — Não tão rápido. A primeira opção não pode sequer ser comparada com as outras quatro porque "alguma coisa" e "nada" não possuem nada em comum. Comparar o mundo real a um não-mundo não é nem mesmo como comparar maçãs com laranjas, uma vez que ambas são frutas. É como comparar maçãs com não-maçãs, insistindo que não-maçãs têm gosto melhor. Na lógica, isso é chamado de erro de categoria. É como perguntar: "Que cor é a matemática?". A matemática não é sequer uma cor, de modo que a pergunta não faz sentido.

Ateu: — Se comparar a existência com a não-existência é um erro de categoria, então Jesus cometeu um erro de categoria quando disse que teria sido melhor se Judas nunca tivesse nascido (Mt 26.24).

Cristão: — Não, Jesus não estava falando sobre a supremacia do não-ser sobre o ser. Estava simplesmente fazendo uma declaração enfática sobre a severidade do pecado de Judas.

Ateu: — O.k., então por que Deus não fez a segunda opção, um mundo de robôs?

Cristão: — Ele poderia ter feito essa opção, mas este não seria um mundo moral. Seria um mundo sem o mal, mas também sem o bem moral.

Ateu: — Então por que ele não criou os mundos três ou quatro? Esses mundos permitiriam a existência do amor e certamente seriam melhores do que este.

Cristão: — Sim, mas nem tudo o que é *concebível* pode ser *alcançável* tendo-se criaturas livres. Por exemplo: é concebível que eu pudesse estar roubando um banco, em vez de estar falando com você. Mas isso não é alcançável porque eu livremente optei por conversar com você. Do mesmo modo, Deus não pode forçar criaturas livres a *não* pecarem. Liberdade forçada é uma contradição.

Ateu: — Mas este mundo poderia ser melhor se houvesse pelo menos um assassinato a menos ou um estupro a menos. Desse modo, Deus falhou porque ele não criou o melhor mundo possível.

Cristão: — Espere um pouco. Embora possa admitir que este mundo não seja o melhor mundo possível, ele pode *ser a melhor maneira para se chegar* ao melhor mundo possível.

Ateu: — Que papo psicoteísta é esse?

Cristão: — Deus pode ter permitido o mal com o objetivo de derrotá-lo. Como já disse, se o mal não fosse permitido, então as mais elevadas virtudes não poderiam ser alcançadas. As pessoas que são redimidas possuem um caráter mais forte do que aquelas que não foram provadas. A edificação da alma exige alguma dor. O Jó do capítulo 42 é um homem mais profundo e mais alegre do que o Jó do capítulo 1. Desse modo, o mal neste mundo realmente serve para um bom propósito no final. Ele criou um mundo eterno que é o melhor mundo possível.

Ateu: — Mas por que Deus criaria pessoas sabendo que elas escolheriam o inferno?

Cristão: — Você tem filhos?

Ateu: — Sim. O fato é que eu mesmo já fui criança!

Cristão: — Por que você os teve, sabendo que, algum dia, eles não lhe obedeceriam?

Ateu: — Minha esposa sempre me faz essa pergunta!

Cristão: — Eu sei por que tive filhos. Porque o amor assume riscos. Eu estava disposto a assumir o risco da perda com o objetivo de experimentar a alegria do amor. O mesmo é verdadeiro em relação ao campeonato nacional de futebol. Os dois times sabem que um vai perder, mas ambos estão dispostos a participar do jogo apesar do risco.

Ateu: — Devo admitir que suas respostas intelectuais fazem algum sentido, mas o mal ainda me perturba.[4]

Cristão: — Ele também me perturba, e deve ser assim. Todos nós sabemos que este mundo simplesmente não é certo, e todos desejamos o céu. Talvez o nosso desejo pelo céu seja outra pista de que ele realmente existe (algumas das outras pistas são as evidências que apresentamos neste livro).

Ateu: — Talvez, mas não acho que as suas respostas intelectuais possam ajudar uma pessoa que esteja sofrendo.

Cristão: — Você pode estar certo. Não posso afastar o mal simplesmente com palavras. Você pode ter acesso ao Consolador Divino — o Espírito Santo — que vai ajudá-lo a passar por esta vida de edificação da alma repleta de dor e sofrimento.

Ateu: — Eu preferiria não ter sofrimento algum a ter um consolador.

Cristão: — Talvez seja por isso que Deus não nos dê o controle sobre o sofrimento. Se ele fizesse isso, quem optaria por passar por ele?

Ateu: — Ninguém.

Cristão: — Bem, isso não é exatamente verdade. Um homem certamente optou por sofrer. Jesus Cristo se voluntariou a sofrer, de modo que você e eu pudéssemos nos reconciliar com Deus. Essa foi a única causa real de uma coisa ruim acontecer a uma pessoa verdadeiramente boa. Desse modo, podemos reclamar com Deus sobre a dor e o sofrimento, mas precisamos admitir que ele não se isentou deles. Quanto a você e a mim, às vezes Deus nos salva *do* mal, mas às vezes ele nos conforta *por meio* do mal. Seja qual for o evento, quer saibamos as suas razões quer não, os crentes podem confiar em Deus no sentido de que todas as coisas vão trabalhar em conjunto para o bem, de acordo com seu plano interno.

---

[4]Você poderá encontrar uma abordagem mais completa sobre o problema do mal em Norman GEISLER, *Enciclopédia de apologética*. São Paulo: Vida, 2002. V. tb. Peter KREEFT, *Making Sense Out of Suffering*. Ann Arbor, Mich.: Servant, 1986.

Apêndice 2
Isso não é apenas a sua interpretação?

Ateu: — Tudo bem, voltei e li seu livro inteiro como você me pediu, mas não acho que tenha conseguido provar que o cristianismo é verdadeiro.

Cristão: — Por que não?

Ateu: — Porque é apenas a *sua* interpretação.

Cristão: — Naturalmente é a *minha* interpretação, mas isso não quer dizer que ela esteja errada.

Ateu: — Eu digo que ela *está* errada!

Cristão: — Essa é apenas a sua interpretação?

Ateu: — Você está virando o meu feitiço contra mim.

Cristão: — Sim. Todas as conclusões envolvem fazer uma interpretação, incluindo a sua. Para que você saiba que a interpretação (cristianismo) está objetivamente errada, precisaria saber o que é o objetivamente certo. Sendo assim, qual é essa interpretação correta?

Ateu: — Não existem interpretações objetivas.

Cristão: — Perdoe-me por fazer isso mais uma vez, mas *essa* é uma interpretação objetiva?

Ateu: — Pare com isso!

Cristão: — Pare com o quê? Você quer que eu deixe de ser lógico? Estou simplesmente usando a tática do Papa-léguas mostrada no capítulo 1. Quando você diz alguma coisa que derrota a si mesma, sinto-me compelido a destacá-la. Desse modo, como você pode fazer a interpretação objetiva de que não existem interpretações objetivas?

Ateu: — Tudo bem, talvez existam interpretações objetivas.

Cristão: — Sim, existem. Embora você possa interpretar as evidências e concluir que o cristianismo é falso, eu posso fazer a mesma coisa e concluir que ele é verdadeiro. Contudo, uma vez que os opostos não podem ser ambos verdadeiros, um deles deve estar certo e o outro deve estar errado. Assim, quem está certo?

Ateu: — Eu estou.

Cristão: — Por quê?

Ateu: — Simplesmente acho que estou certo.

Cristão: — Mas isso é apenas uma afirmação. Você deve apresentar evidências, em vez de simplesmente fazer asserções. Neste livro, nós não fizemos afirmações de que o cristianismo é verdadeiro — apresentamos evidências em cada passo no caminho, desde a questão da verdade até a inspiração da Bíblia. Que evidências você tem para que o ateísmo seja considerado verdadeiro?

Ateu: — O mal e a ciência.

Cristão: — Essas não são evidências positivas para o ateísmo, mas simplesmente obstáculos *perceptíveis* para a crença no cristianismo. Como vimos, a existência do mal não prova que Deus não existe (apêndice 1), e as descobertas científicas na verdade apóiam a visão de mundo cristã (caps. 3—6).

Ateu: — Mas se o cristianismo é verdadeiro, ele exclui muitas pessoas. Afinal de contas, milhões de pessoas não são cristãs.

Cristão: — Isso não determina se o cristianismo é verdadeiro ou não. Além do mais, a verdade não é determinada pela quantidade de pessoas que acreditam nela. A verdade é *descoberta* ao se olhar para as evidências. Seria a sua interpretação (a de que o cristianismo é falso) necessariamente errada porque ela exclui milhões de cristãos?

Ateu: — Não.

Cristão: — Nem a minha também. Além disso, como vimos quando falamos sobre o mal, o cristianismo não exclui as pessoas — as pessoas é que se excluem do cristianismo. Todo mundo sabe que Deus existe. Mas porque todos temos o livre-arbítrio, algumas pessoas optam por suprimir esse conhecimento, de modo que possam seguir seus próprios desejos. Paulo fala sobre isso no primeiro capítulo de sua carta aos Romanos.

Ateu: — Talvez sim, mas acho que a sua conclusão é extremamente julgadora. E, você sabe, não deve julgar!

Cristão: — Perdoe-me mais uma vez, mas, se não devemos julgar, então por que você está me julgando por estar julgando?

Ateu: — Qual é o problema, Senhor Santo — você prefere ficar brincando de lógica a acreditar no que Jesus disse?

Cristão: — Não se trata de um simples jogo, mas de uma observação sobre a maneira de as coisas realmente serem. Dizer-me "Você não deve julgar" é uma declaração que derrota a si mesma, pois você já está julgando. Além do mais, você está fazendo um julgamento quando diz que o cristianismo *não é* verdadeiro!

Ateu: — O.k., mas e quanto ao meu segundo ponto? Você acredita no que Jesus disse?

Cristão: — Por que você está citando a Bíblia? Agora acredita que ela é verdadeira?

Ateu: — Não, mas você acredita. Então, por que não acredita naquilo que Jesus disse?

Cristão: — Eu acredito. O problema é que *você não sabe o que ele disse*. Jesus *não disse* que não julgássemos. Ele simplesmente nos disse que não deveríamos julgar de maneira hipócrita. Ele disse: "Não julguem, para que vocês não sejam julgados. Pois da mesma forma que julgarem, vocês serão julgados; e a medida que usarem, também será usada para medir vocês" (Mt 7.1,2). Depois ele continuou, dizendo: "Tire primeiro a viga do seu olho, e então você verá claramente para tirar o cisco do olho do seu irmão". Em outras palavras, quando você julga, não julgue de maneira hipócrita. A Bíblia também *nos ordena a fazermos julgamentos* quando nos diz que devemos pôr "à prova todas as coisas" (1Ts 5.21) e que não devemos crer "em qualquer espírito" (1Jo 4.1), mas acreditarmos em Jesus para alcançarmos a vida eterna (Jo 3.16).

Ateu: — Você acabou?

Cristão: — Não. Existe uma questão mais: seria impossível viver muito se você não discernisse o bem do mal. Você faz centenas de decisões vitais todo dia que podem feri-lo ou ajudá-lo. Quando toma suas decisões, está fazendo julgamentos!

Ateu: — Tudo bem, vejo que todo mundo faz julgamentos. E você está fazendo julgamentos ao interpretar a Bíblia dessa maneira. Quem vai dizer que a sua interpretação está certa?

Cristão: — Você precisa olhar para o contexto da passagem para descobrir seu significado objetivo.

Ateu: — Se é possível existirem interpretações objetivas, então por que existem tantas interpretações diferentes da Bíblia?

Cristão: — Por que tantas pessoas fazem um cálculo matemático errado? Não existe uma única resposta certa para um problema aritmético?

Ateu: — Mas a linguagem é diferente. Eu acho que existem muitas interpretações de uma frase ou de um versículo bíblico que são verdadeiras. É por isso que vocês têm tantas denominações.

Cristão: — Então você está dizendo que as frases podem ser interpretadas de apenas *uma* maneira.

Ateu: — Não!... você não ouviu o que eu acabei de dizer? Eu disse que exatamente o oposto é verdadeiro. Existem *muitas* interpretações válidas.

Cristão: — Se existem tantas interpretações válidas, então por que você acabou de me corrigir por ter interpretado mal aquilo que você disse?

Ateu: — Eu fiz isso?

Cristão: — Sim, você acabou de me dizer que eu o interpretei mal. Com efeito, você disse que a interpretação estava errada! Por que você fez isso se existem diversas interpretações válidas?

Ateu: — Porque eu sabia o que queria dizer, e isso deveria ter sido óbvio para você.

Cristão: — Você está certo. Então deixe-me perguntar o seguinte: por que razão, ao fazer uma declaração, você espera que os outros saibam o que *você* quer dizer, mas, quando Deus faz uma declaração na Bíblia, você dá a si mesmo a opção de extrair qualquer significado que você queira?

Ateu: — O.k., talvez existam interpretações objetivas. Mas, se existem, então por que existem tantas denominações?

Cristão: — Pela mesma razão de existirem muitos não-cristãos. Não é porque a verdade não é *percebida*, mas é porque a verdade não é *recebida*. Em outras palavras, cremos em nossas próprias tradições e em nossos desejos acima da Palavra de Deus. Jesus falou veementemente contra se fazer isso (Mt 15; 23).

Ateu: — Tudo bem. Preciso ser franco com você.

Cristão: — Já era tempo!

Ateu: — O problema real que tenho com o cristianismo é quanto à intolerância. Todos vocês, cristãos, acham que possuem a verdade!

Cristão: — Você notou que *todo mundo* acha que tem a verdade? Aqueles que dizem que o cristianismo é falso acham que *eles* possuem a verdade. Até mesmo aqueles que dizem que toda religião é verdadeira acham que isso é verdade!

Ateu: — O.k., o.k., você está certo. Eu acho que o ateísmo é verdadeiro. Mas eu não sou intolerante com a maioria dos cristãos.

Cristão: — Mesmo que os cristãos sejam intolerantes, isso não significa que o cristianismo seja falso.

Ateu: — Entendo, mas isso ainda gera um problema prático.

Cristão: — Como assim?

Ateu: — É que as pessoas que acham que possuem a verdade querem impor essa verdade aos outros.

Cristão: — Você quer dizer politicamente?

Ateu: — Sim.

Cristão: —Tenho boas notícias para você: todo mundo que está envolvido na política — incluindo todo não-cristão — está tentando impor aquilo que considera ser a verdade. Sendo assim, onde você quer chegar?

Ateu: — Minha questão é que os cristãos querem privar as pessoas de seus direitos!

Cristão: — O fato é que o cristianismo é uma das poucas visões de mundo que podem justificar os direitos humanos absolutos porque ele afirma que tais direitos nos são dados por Deus. Como os fundadores dos Estados Unidos reconheceram, os governos não devem dar ou tirar direitos: os governos têm o propósito de assegurar os direitos que as pessoas já possuem. É isso o que os norte-americanos afirmam em sua declaração de independência.

Ateu: — Mas e quanto à tolerância?

Cristão: — O cristianismo é uma das poucas visões de mundo que não apenas oferece mas defende a tolerância religiosa. Uma vez que Deus não força ninguém a acreditar (de fato, o propósito desta vida é fazer uma *escolha livre*), a maioria dos cristãos reconhece que os governos não deveriam forçar qualquer crença que fosse.

Ateu: — Mas, durante as Cruzadas, alguns cristãos obviamente pensavam diferente!

Cristão: — Eles podem ter se auto-intitulado cristãos, mas certamente não estavam seguindo os ensinamentos de Cristo. Jesus nunca permitiu essa conduta.

Ateu: — Acho que o governo completamente secular é o mais tolerante de todos. Afinal de contas, existe liberdade religiosa nos países seculares da Europa.

Cristão: — Naqueles países, realmente existe, mas a maioria deles está vivendo às custas dos remanescentes da visão de mundo cristã das gerações anteriores. Quanta liberdade religiosa existe num país autodeclarado ateu como a China ou a antiga União Soviética? Não muita. Se você for à maioria dos países muçulmanos hoje, também encontrará pouca liberdade religiosa. Até onde sei, as igrejas são proibidas na Arábia Saudita, e a maioria dos outros países muçulmanos trata os cristãos como cidadãos de segunda classe.

Ateu: — Isso pode ser verdadeiro com relação à tolerância religiosa, mas a maioria dos cristãos não é muito tolerante em relação a certas questões morais.

Cristão: — Você acha que a tolerância é uma obrigação moral absoluta?

Ateu: — Você está tentando relacionar obrigações morais com Deus mais uma vez, não está?

Cristão: — Não existe outra ligação. Como vimos no capítulo 7, não existem obrigações morais ou direitos morais se não existir Deus. Desse modo, por que alguém deveria ser tolerante, se não existe obrigação moral para ser tolerante?

Ateu: — Porque é a coisa certa a fazer.

Cristão: — Essa é simplesmente outra afirmação. Como ateu, você não tem um modo de justificar por que alguém deveria ser tolerante.

Ateu: — Talvez não. Mas, como cristão, você tem. Então, por que não acredita que devemos ser tolerantes?

Cristão: — Na verdade, a obrigação moral suprema é o amor — e não a tolerância. A tolerância diz: "Não se meta e agüente os outros". O amor diz: "Vá até os outros e ajude-os".

Ateu: — Por que você não pode ser tolerante *e* amoroso?

Cristão: — Você pode, mas às vezes o amor exige que seja intolerante. Não seria falta de amor, por exemplo, tolerar o assassinato, o estupro, o roubo ou o racismo?

Ateu: — Suponho que sim.

Cristão: — Bom, mas você está saindo um pouco do assunto. O foco do cristianismo é a salvação espiritual, e não a salvação social. Embora os cristãos certamente possuam certas obrigações sociais, Cristo veio para nos libertar de nossos pecados, e não para nos libertar de nossos "romanos".

Ateu: — Certamente você não aprenderia isso em função do comportamento de alguns cristãos de hoje.

Cristão: — Você quer dizer que não gosta da visão bíblica deles sobre questões morais como aborto e homossexualidade?

Ateu: — Sim.

Cristão: — E daí?

Ateu: — O que você quer dizer com "e daí"? Essas questões são importantes para mim!

Cristão: — Essas questões são tão importantes para você a ponto de estar disposto a abdicar da verdade com o objetivo de sustentá-las?

Ateu: — Do que você está falando?

Cristão: — A questão é a verdade, não aquilo que você acha política ou pessoalmente atraente. Você acha que deve acreditar naquilo que é verdadeiro?

Ateu: — Certamente. Toda pessoa sensata responderia sim a essa pergunta!

Cristão: — Desse modo, se o cristianismo é verdadeiro, você precisa acreditar nele independentemente do impacto que acha que ele possa ter sobre política, questões morais, ou qualquer outra faceta de sua vida.

Ateu: — Isso é difícil de fazer.

Cristão: — Talvez. Mas, a longo prazo, é muito mais difícil acreditar no erro. Cristo disse: "Se alguém quiser acompanhar-me, negue-se a si mesmo, tome a sua cruz e siga-me. Pois quem quiser salvar a sua vida, a perderá, mas quem perder a sua vida por minha causa, a encontrará. Pois, que adiantará ao homem ganhar o mundo inteiro e perder a sua alma? Ou, o que o homem poderá dar em troca de sua alma?". Você está realmente disposto a trocar sua alma eterna por posições políticas temporais ou por preferências pessoais?

Ateu: — Se o cristianismo é verdadeiro, então essa é a escolha que eu preciso fazer.

Cristão: — Sim. E Deus deseja que você o faça. Mas ele o ama tanto que vai respeitar qualquer escolha que fizer. Simplesmente lembre-se de que, seja qual for a sua escolha, ela terá conseqüências aqui e na eternidade. Isso não é apenas a minha interpretação.

Apêndice 3
Por que o "Seminário de Jesus" não defende Jesus?

Muitos cristãos têm ficado perturbados recentemente diante de um grupo conhecido como o "Seminário de Jesus" que tem feito declarações bizarras com relação ao NT, lançando dúvidas sobre 82% daquilo que os evangelhos atribuem a Jesus. Um de seus membros, John Dominic Crossan, foi tão longe a ponto de negar a ressurreição, declarando que Jesus fora sepultado numa cova rasa, escavada por cães, e teve seu corpo comido por eles! Mas o assim chamado Seminário de Jesus não fala em favor do Jesus real. Existem, pelo menos, sete razões para essa conclusão.

O grupo errado. O Seminário de Jesus, criado em 1985, é composto por mais de 70 "estudiosos", em grande maioria, da ala radical. Alguns são ateus, e outros não são nem mesmo estudiosos (um deles é produtor de cinema). Robert Funk, ateu e fundador do grupo, reconheceu a natureza radical de sua obra quando afirmou: "Estamos pondo à prova aquilo que é mais sagrado para milhões e, por conseqüência, estaremos constantemente à beira da blasfêmia". Essa é uma revelação precisa.

A motivação errada. Como o próprio grupo admite, seu objetivo é criar um novo Jesus "fictício"[1], o que envolve a desconstrução da antiga imagem de Jesus nos evangelhos e a reconstrução de uma que atenda ao homem moderno.

[1]V. *Forum*, vol. 1 (March 1985).

Em vista disso, ninguém deveria olhar para sua obra em busca do Jesus real. Eles estão fazendo um Jesus à sua própria imagem.

Além disso, sua obra está manchada pela declarada busca de publicidade. Eles admitiram: "Vamos tentar realizar nossa obra à vista de todos. Não apenas vamos honrar a liberdade de informação, mas também insistiremos na revelação pública de nossa obra".[2] Sendo mais claro, o Seminário de Jesus procurou publicidade desde o início. Uma coletiva de TV, diversos artigos, entrevistas na imprensa, fitas e até mesmo um possível filme são indicações adicionais de seu objetivo mercadológico.

O procedimento errado. Seu procedimento é preconceituoso, tentando determinar a verdade pelo voto da maioria. Esse método não é melhor hoje do que quando a maioria das pessoas acreditava que a Terra era quadrada. Ter 70 "estudiosos" consideravelmente radicais votando sobre aquilo que Jesus disse é o mesmo que dar aos 100 deputados mais liberais do Congresso a chance de votar a favor da elevação dos impostos!

Os livros errados. A alternativa do Seminário de Jesus baseia-se, em parte, em um hipotético "Evangelho de Q" [do alemão *Quelle*, que significa fonte] e em um *Evangelho de Tomé*, do século II, escrito por hereges gnósticos. Além de tudo isso, o Seminário apela para um não existente *Marcos secreto*. O resultado é que o *Evangelho de Tomé*, apócrifo e do século II, é considerado mais autêntico do que Marcos e João, mais antigos.

As pressuposições erradas. Suas conclusões estão baseadas em pressuposições radicais, uma das quais é a sua injustificada rejeição aos milagres. Se Deus existe, então os milagres são possíveis. Conseqüentemente, qualquer rejeição, *a priori*, aos milagres é uma rejeição à existência de Deus. À luz de seu ateísmo implícito, não seria de surpreender que eles rejeitem o Jesus dos evangelhos.

Além disso, suas conclusões estão baseadas na pressuposição infundada de que o cristianismo foi influenciado por religiões de mistério. Como vimos no capítulo 12, isso não poderia ter acontecido. Os autores monoteístas judaicos das Escrituras não teriam usado fontes pagãs politeístas e não poderiam depender de fontes posteriores ao seu tempo.

As datas erradas. Eles postulam datas posteriores injustificadas para os quatro evangelhos (provavelmente entre os anos 70 e 100 d.C.). Ao fazerem isso,

---

[2]Ibid., 7, 10.

acreditam que são capazes de criar tempo suficiente para concluir que o Novo Testamento é composto por mitos sobre Jesus. No entanto, isto é contrário aos fatos, como vimos nos capítulos 9—10. O NT é antigo e contém fonte de material ainda mais antiga.

As conclusões erradas. Destruída a base para o Jesus real dos evangelhos, o Seminário de Jesus não tem um acordo real sobre quem Jesus realmente foi: um cínico, um sábio, um reformador judeu, um feminista, um mestre-profeta, um profeta social radical ou um profeta escatológico. Não há surpresa em considerar-se que alguma coisa feita pelo grupo errado, que faz uso do procedimento errado, baseada nos livros errados, fundamentada em pressuposições erradas e que emprega as datas erradas chegue à conclusão errada!

Esta obra foi composta em *Agaramond*
e impressa por Gráfica Exkenazi sobre papel
Pólen Natural 70 g/m² para Editora Vida.